TRAITÉ DES PRINCIPES

SOURCES CHRÉTIENNES

Fondateurs : H. de Lubac, s. j., et † J. Daniélou, s. j.
Directeur : C. Mondésert, s. j.

N° 268

ORIGÈNE

TRAITÉ DES PRINCIPES

TOME III

(Livres III et IV)

*INTRODUCTION, TEXTE CRITIQUE DE LA PHILOCALIE
ET DE LA VERSION DE RUFIN, TRADUCTION*

PAR

Henri CROUZEL et Manlio SIMONETTI

*Cet ouvrage est publié avec le concours
du Centre National de la Recherche Scientifique*

LES ÉDITIONS DU CERF, 29, Bd de Latour-Maubourg, PARIS
1980

*La publication de cet ouvrage a été préparée avec le concours
de l'Institut des Sources Chrétiennes
(E.R.A. 645 du Centre National de la Recherche Scientifique)*

INTRODUCTION

L'édition des livres III et IV du *Traité des Principes* diffère de celle des livres I et II, car, outre la version latine de Rufin, nous possédons une bonne partie du texte grec conservé par la *Philocalie d'Origène*, recueil de morceaux choisis rassemblés par Basile de Césarée et Grégoire de Nazianze : le chapitre 21 de la *Philocalie* reproduit le chapitre 1 du livre III du *Peri Archon*, soit près de la moitié de ce livre ; le chapitre 1 de la *Philocalie* conserve les chapitres 1, 2 et la plus grande partie du chapitre 3 du livre IV, soit nettement plus de la moitié de ce livre. La page de gauche contiendra donc le texte grec, puis sa version rufinienne, la page de droite les traductions françaises du grec et du latin. Le lecteur peut se demander pourquoi dans cette édition le texte grec originaire et sa traduction sont doublés de la version rufinienne et de sa traduction. Pour trois raisons. D'abord l'œuvre entière n'est conservée que par le latin de Rufin et cette version doit être publiée dans son intégralité. Ensuite le texte grec de la *Philocalie* présente des lacunes, et de même le texte latin : ainsi les deux se complètent. Enfin les deux traductions françaises permettront au lecteur de se rendre compte de la manière dont Rufin traduit et ainsi du degré de confiance à lui accorder quand son texte seul est conservé.

L'introduction aux livres I et II, en signalant l'état actuel du texte du *Peri Archon*, a présenté la *Philocalie*. On peut trouver aussi des informations sur ce livre avec une brève étude des manuscrits dans l'édition de

Philocalie 21-27 : Sur le libre arbitre, par Éric Junod dans *Sources Chrétiennes* 226 (1976) : *Philocalie 21*, en d'autres termes *Peri Archon* III, 1, y est rapidement étudié, sans être édité, à cause de l'édition présente[1]. Les études les plus complètes sur les nombreux manuscrits de la *Philocalie* sont celles de J. A. Robinson dans la préface de son édition de ce livre[2], reprise d'un article précédent, et de Paul Koetschau[3]. L'essentiel en sera exposé dans le cinquième volume de cette édition du *Peri Archon*.

Comme pour les livres I et II, les fragments de Jérôme, de Justinien et les autres citations explicites seront reproduits, traduits et soigneusement discutés dans notre commentaire à l'endroit présumé où ils s'insèrent.

La répartition des tâches entre les deux coéditeurs est la même que pour les deux premiers livres : la révision du texte a été effectuée par M. Simonetti ; la traduction française et le commentaire sont de H. Crouzel, qui a abondamment utilisé l'annotation de la traduction italienne du *Peri Archon* publiée par son collaborateur. Pour la bibliographie on est prié de se reporter aux volumes précédents.

---

1. Voir aussi d'É. Junod sur la *Philocalie* : « Remarques sur la composition de la ' Philocalie ' d'Origène par Basile de Césarée et Grégoire de Nazianze », dans *Revue d'histoire et de philosophie religieuse*, 1972, p. 149-156 ; « Particularités de la Philocalie » dans *Origeniana : Premier colloque international des Études origéniennes* (Montserrat, 18-21 septembre), dirigé par H. Crouzel, G. Lomiento, J. Rius-Camps, *Quaderni di « Vetera Christianorum »* 14, Bari 1975, p. 181-197.

2. *The Philocalia of Origen*, Cambridge 1893, p. XIII-XXVIII.

3. *Die Textüberlieferung der Bücher des Origenes gegen Celsus in den Handschriften dieses Werkes und der Philokalia. Texte und Untersuchungen* VI, Leipzig 1889, p. 78-130.

SIGLES DES MANUSCRITS ET DES ÉDITIONS

1) Œuvres et éditions : voir les volumes précédents.

2) Manuscrits et éditions du *Peri Archon.*

A	Cod. Augiensis CLX, saec. X.
B	Cod. Bambergensis B IV 27 (953), saec. XI.
C	Cod. Casinensis 343, saec. X/XI.
G	Cod. Parisinus Sangermanensis 12125, saec. IX.
M	Cod. Metensis 225, saec. X.
Ab	Cod. Abrincensis 66, saec. XIII.
S	Cod. Parisinus Sorbonicus 16322, saec. XIII.
a	Consensus codd. ABC.
g	Consensus codd. GMAbS.
Pa	Loci origeniani in Pamphili Apologia adducti.
Pa(G)(M)(Ab)(S)	Codd. G M Ab S Apologiae Pamphili.
Sc	Joannes Scotus Erigena (*PL* 122, 929 s.).
Merlin	Merlinii editio (Paris 1512 s.).
Del	Delarue editio (Paris 1733).
Koe	Koetschau editio (Leipzig 1913 : *GCS* 22).

3) Manuscrits et éditions de la *Philocalie.*

B	Cod. Marcianus 47, saec. XI.
Pat	Cod. Patmos 270, saec. X.
C	Cod. Parisinus 615, saec. XIII.
Bas	Cod. Basiliensis 31, saec. XVI.
D	Cod. Marcianus 122, saec. XIV.
E	Cod. Marcianus 48, saec. XIV.
H	Cod. Parisinus 456, saec. XV.
Rob	Robinson editio (Cambridge 1893).

TEXTE ET TRADUCTION

LIBER TERTIVS

PRAEFATIO RVFINI

Superiores duos Περὶ ἀρχῶν libellos te non solum
insistente, uerum etiam cogente, diebus quadragesimae
interpretatus sum. Sed quoniam illis diebus etiam tu,
5 frater religiose Machari, et uicinus manebas et amplius
uacabas, etiam ego amplius operabar ; hos uero posteriores
duos tardius explicuimus, dum tu ad nos ab extrema et
ultima urbis parte rarior exactor accedis. Verum si memi-
nisti quod in praefatiuncula priore commonui, quia
10 indignaturi essent quidam, si nos audissent non aliquid de
Origene male loqui, continuo id, ut arbitror, prosecutum
probasti. Quodsi in illo opere ita inflammati sunt hi qui
hominum linguas ad male loquendum excitant daemones,
in quo nondum ad plenum eorum secreta nudauerat : quid
15 in hoc futurum putas, in quo omnes eorum caecas et
occultas uias, quibus humanis cordibus inrepunt et animas
infirmas ac fragiles decipiunt, reuelauit ? Videbis ilico
perturbari omnia, seditiones moueri, clamores tota urbe
diffundi, ad damnationem uocari eum qui euangelicae
20 lucernae lumine diabolicas ignorantiae tenebras fugare

Préf. Rufin. *Inscriptio.* Incipit Liber tertius *ex cod.* L *iuxta Koe* ‖
praefatio Rufini AbS : incipit praefatio qui legis memor esto mei in
tuis sanctis orationibus ut et nos effici mereamur aemulatores
spiritus GM *om.* a ‖ 2-44 superiores — discere *om.* BC ‖ 2 periarchon
gA ‖ 5 macari M *Koe* ‖ 12 in opere illo g ‖ 17 reuelauit GM : reuelabit
aAbS ‖ illico Ab loco A^ac loca A^pc

LIVRE III

PRÉFACE DE RUFIN

J'ai traduit pendant le Carême les deux premiers livres du *Peri Archon* parce que non seulement tu insistais, mais même tu m'y forçais. Mais puisque ces jours-là, toi-même, saint frère Macaire, tu restais près de moi et tu étais plus disponible, j'ai de mon côté travaillé davantage ; mais ces deux derniers livres, nous avons mis plus de temps à les achever[1], car, habitant à l'autre extrémité et de l'autre côté de la ville, tu viens nous voir plus rarement pour nous inciter au travail. Mais si tu te souviens de l'avertissement que j'ai donné dans la préface précédente, à savoir que certains s'indigneront de ne pas nous entendre sur quelque point mal parler d'Origène, tu as constaté bien vite, je pense, son accomplissement[2]. Car si cette partie de l'œuvre a tellement irrité les démons qui poussent les langues des hommes à la calomnie, alors qu'Origène n'avait pas encore complètement dévoilé leurs secrets, que va-t-il arriver, à ton avis, avec le reste de l'ouvrage où il a révélé tous leurs moyens obscurs et occultes de s'insinuer dans les cœurs humains et de tromper les âmes faibles et fragiles[3] ? Tu verras sur-le-champ le trouble s'étendre partout, l'agitation gagner, des clameurs se répandre dans toute la ville pour demander la condamnation de celui qui a essayé de mettre en fuite par la lumière qu'émet la lampe de l'Évangile les ténèbres diaboliques

conatus est. Verum haec parui pendat qui cupit salua
fidei catholicae regula in diuinis eruditionibus exerceri.

Illud autem necessario commoneo, quod sicut in prioribus
libris fecimus, etiam in istis obseruauimus, ne ea quae
25 reliquis eius sententiis et nostrae fidei contraria uidebantur,
interpretarer, sed uelut inserta ea ab aliis et adulterata
praeterirem. De creaturis uero rationabilibus si quid noui
dixisse uisus est, quia non in hoc est summa fidei, scientiae
gratia et exercitii, cum forte nobis aduersum nonnullas
30 haereses tali ordine necessario respondendum est, neque
in his libellis neque in superioribus praetermisi, nisi si qua
forte iam in superioribus dicta repetere etiam in his
posterioribus uoluit, et breuitatis gratia aliqua ex his
resecare commodum duxi. Si qui tamen proficiendi et non
35 obtrectandi studio haec legit, rectius faciet, si exponi sibi
haec a peritioribus uelit. Absurdum namque est poetarum
ficta carmina et comoediarum ridiculas fabulas a gramma-
ticis exponi, et ea quae uel de deo uel de caelestibus
uirtutibus ac de omni uniuersitate dicuntur, in quibus
40 omnis uel paganorum philosophorum uel haereticorum
prauus error arguitur, sine magistro et explanatore putare
aliquem posse se discere ; et ita fit ut res difficiles et
obscuras malint homines per temeritatem et inscientiam
condemnare, quam per studium et diligentiam discere.

Préf. Rufin. 35 legit *codd.* : leget *Del Koe* ‖ 44 explicit praefatio
add. G

de l'ignorance. Mais que celui qui désire s'exercer dans les sciences divines en conservant la règle de la foi catholique n'en tienne pas compte.

Je dois avertir que nous avons observé ici la même règle de conduite que dans les livres antérieurs en ne traduisant pas ce qui paraissait contraire aux autres opinions de l'auteur et à notre foi et en l'omettant comme inséré par d'autres et altéré. S'il a dit quelque nouveauté au sujet des créatures raisonnables, par manière d'étude et d'exercice, puisque là ne se trouve pas l'essentiel de la foi, je ne l'ai pas plus omise dans ces livres que dans les précédents, car, semble-t-il, il nous faut nécessairement répondre à certaines hérésies de cette manière ; cependant, lorsqu'il lui arrive parfois de répéter dans ces derniers livres ce qu'il a dit dans les premiers, j'ai jugé convenable pour raison de brièveté de faire certaines coupures[4]. Mais celui qui lira ces pages avec le désir d'en profiter et non de dénigrer agira plus sagement en demandant à des gens plus compétents de les lui expliquer[5]. Il est en effet absurde de se faire expliquer par les grammairiens[6] les vers imaginés par les poètes et les fables ridicules des comédies et de penser qu'on peut apprendre sans maître ni commentateur tout ce qui est dit de Dieu, des puissances célestes et de l'univers pour réfuter les erreurs perverses des philosophes païens et des hérétiques : il arrive alors que des hommes aiment mieux dans leur témérité et leur ignorance condamner ce qui est difficile et obscur que d'apprendre à le comprendre avec toute leur application et leur diligence.

⟨ΠΕΡΙ ΑΡΧΩΝ ΤΟΜΟΣ ΤΡΙΤΟΣ⟩

α΄. Περὶ αὐτεξουσίου, καὶ τῶν δοκούντων τοῦτο ἀναιρεῖν
ῥητῶν γραφικῶν λύσις καὶ ἑρμηνεία

1. Ἐπεὶ δὲ ἐν τῷ κηρύγματι τῷ ἐκκλησιαστικῷ περιέχεται
ὁ περὶ κρίσεως δικαίας θεοῦ λόγος, ὅστις καὶ τοὺς ἀκούοντας,
5 πιστευθεὶς εἶναι ἀληθής, προκαλεῖται ἐπὶ τὸ καλῶς βιοῦν
καὶ παντὶ τρόπῳ φεύγειν τὴν ἁμαρτίαν, δηλονότι συγκατα-
τιθεμένους τὸ ἐφ᾽ ἡμῖν εἶναι τὰ ἐπαίνου καὶ ψόγου ἄξια,

III, 1. *Post titulum in* Philoc. ἐκ τοῦ περὶ ἀρχῶν τρίτου τόμου :
περὶ αὐτεξουσίου Photius, Bibl. *8* ‖ 3-31 ἐπεὶ — αὐτόν *om.* C *amisso*
folio ‖ 5 τὸ : τῷ B^{pc} τῷ Koe ‖ 7 τὰ *om.* H *secl.* Koe

---

1. De arbitrii libertate

1. Talia quaedam de repromissionibus diuinis credimus
sentienda, cum intellegentiam nostram ad contemplationem aeterni illius et nullo fine claudendi saeculi iacu-
5 lamur atque ineffabilem eius laetitiam ac beatitudinem
contemplamur.

Verum quoniam in ecclesiastica praedicatione inest
etiam de futuro dei iudicio fides, quae iudicii credulitas
prouocat homines et suadet ad bene beateque uiuendum
10 et omni genere refugere peccatum, et per hoc sine dubio
indicatur quod in nostra sit positum potestate uel laudabili
nos uitae uel culpabili dedere : propterea necessarium reor

III, 1. 8 dei iudicio a : iudicio g dei iusto iudicio *scripsit Del,*
conferens textum graecum, et Koe secutus est ‖ 12 et *ante* propterea
add. AB

LIVRE III

Sixième traité (III, 1): Sur le libre arbitre

Philocalie 21: Sur le libre arbitre: solution et explication des textes scripturaires qui paraissent le nier[1]

1, 1. Puisque la prédication ecclésiastique[2] contient la doctrine du juste jugement de Dieu, doctrine qui, lorsqu'on croit qu'elle est vraie, exhorte les auditeurs à vivre bien[3] et à fuir de toute manière le péché, quand ces derniers, évidemment, s'accordent à penser que ce qui est digne de louange ou de blâme dépend de nous, permettez que

---

Du libre arbitre

1, 1. A notre avis il faut penser ainsi des promesses divines lorsque nous projetons notre intelligence vers la contemplation de ce siècle éternel et sans fin et que nous contemplons sa joie et sa béatitude ineffable[1a].

Mais, puisque la prédication ecclésiastique contient la foi dans le jugement futur de Dieu, foi qui exhorte et persuade les hommes à vivre bien et de façon bienheureuse et à fuir de toute manière le péché — cela signifie sans aucun doute qu'il est en notre pouvoir de mener une vie louable ou blâmable —, pour cette raison je crois nécessaire de

---

III, 1. Titre grec : Philoc.

φέρε καὶ τὰ περὶ τοῦ αὐτεξουσίου ἰδίᾳ ὀλίγα διαλάβωμεν,
ἀναγκαιοτάτου ὡς ἔνι μάλιστα προβλήματος.
10 Ἵνα δὲ νοήσωμεν τί τὸ αὐτεξούσιον, τὴν ἔννοιαν αὐτοῦ
ἀναπτύξαι δεῖ, ἵνα ταύτης σαφηνισθείσης ἀκριβῶς παρασταθῇ
τὸ ζητούμενον.
2. Τῶν κινουμένων τὰ μέν τινα ἐν ἑαυτοῖς ἔχει τὴν
τῆς κινήσεως αἰτίαν, ἕτερα δὲ ἔξωθεν μόνον κινεῖται.
15 Ἔξωθεν μὲν οὖν μόνον κινεῖται τὰ φορητά, οἷον ξύλα καὶ
λίθοι καὶ πᾶσα ἡ ὑπὸ ἕξεως μόνης συνεχομένη ὕλη.
Ὑπεξηρήσθω δὲ νῦν τοῦ λόγου τὸ κίνησιν λέγειν τὴν ῥύσιν
τῶν σωμάτων, ἐπεὶ μὴ χρεία τούτου πρὸς τὸ προκείμενον.
Ἐν ἑαυτοῖς δὲ ἔχει τὴν αἰτίαν τοῦ κινεῖσθαι ζῷα καὶ φυτὰ
20 καὶ ἀπαξαπλῶς ὅσα ὑπὸ φύσεως καὶ ψυχῆς συνέχεται ·

III, 1. 8 ἴδια BD ‖ 15 ξύλον B ‖ 17 ὑφεξηρήσθω B Pat ‖ 20 καί² :
ἢ DBᵖᶜ Koe ‖

---

pauca etiam de arbitrii nostri libertate disserere, eo quod
non ignobiliter haec quoque quaestio a quam plurimis
15 agitetur.
   Vt autem facilius quid sit libertas arbitrii cognoscamus,
quid sibi uelit natura ipsius arbitrii uoluntatisque requiramus.
   2. Omnium quae mouentur alia in semet ipsis causas
20 motuum suorum gerunt, alia extrinsecus accipiunt : ut
puta extrinsecus tantummodo mouentur omnia, quae sine
uita sunt, ut lapides uel ligna et quaecumque huiusmodi
sunt, quae solo habitu materiae suae uel corporum constant.
Omittenda sane nunc est illa quaestio, quae etiam illum
25 motum putat esse, cum per corruptelam corpora dissol-
uuntur ; nihil enim nunc haec ad propositum conducunt.
Alia uero in semet ipsis habent mouendi causam, ut
animalia uel arbores et omnia, quae uel per naturalem

III, 1. 22 huiusmodi : huius mundi GM ‖ 26 haec nunc BC ‖ haec
om. A ‖ 28 uel² *om.* g

nous nous expliquions un peu, et séparément, au sujet du libre arbitre, problème qui se trouve parmi les plus nécessaires.

Pour comprendre ce qu'est le libre arbitre il faut en expliquer la notion, afin que, lorsqu'elle sera devenue claire, l'objet de cette recherche soit exposé avec exactitude.

Les diverses sortes de mouvements des êtres

1, 2. Parmi les êtres qui sont mus[4], les uns ont en eux-mêmes la cause du mouvement, les autres sont mus seulement du dehors. Sont mus seulement du dehors les objets que l'on peut porter, comme le bois, les pierres et toute matière dont la cohésion est maintenue par leur structure seule. Ne parlons pas pour le moment d'appeler mouvement l'écoulement des corps, car nous n'avons pas besoin de cela pour notre sujet. Ont en eux-mêmes la cause de leur mouvement les animaux, les plantes, bref tout ce qui est maintenu ensemble[5] par une force naturelle de croissance[6] et une âme : parmi eux

---

m'expliquer un peu au sujet de notre libre arbitre, car cette question est discutée ouvertement par beaucoup.

Pour savoir plus aisément ce qu'est le libre arbitre, cherchons quelle est sa nature et celle de la volonté.

1, 2. Parmi les êtres qui sont mus, les uns portent en eux-mêmes les causes de leurs mouvements, les autres les reçoivent du dehors : par exemple sont mus seulement du dehors tous les êtres qui sont sans vie, comme les pierres, le bois et les objets de même espèce qui subsistent par la seule structure de leur matière ou des corps. Il faut laisser de côté pour le moment la question de savoir si on pense qu'il y a mouvement quand les corps se dissolvent par corruption[4a], car cela n'importe guère à notre propos actuel. D'autres ont en eux-mêmes la cause de leur mouvement comme les animaux, les arbres et tout ce qui subsiste[5a] par une vie naturelle[6a] ou par une âme : parmi eux il a

ἐξ ὧν φασιν εἶναι καὶ τὰ μέταλλα, πρὸς δὲ τούτοις καὶ
τὸ πῦρ αὐτοκίνητόν ἐστι, τάχα δὲ καὶ αἱ πηγαί. Τῶν δὲ
ἐν ἑαυτοῖς τὴν αἰτίαν τοῦ κινεῖσθαι ἐχόντων τὰ μέν φασιν
ἐξ ἑαυτῶν κινεῖσθαι, τὰ δὲ ἀφ' ἑαυτῶν · ἐξ ἑαυτῶν μὲν
25 τὰ ἄψυχα, ἀφ' ἑαυτῶν δὲ τὰ ἔμψυχα. Καὶ ἀφ' ἑαυτῶν
κινεῖται τὰ ἔμψυχα, φαντασίας ἐγγινομένης ὁρμὴν προκαλουμένης. Καὶ πάλιν ἔν τισι τῶν ζῴων φαντασίαι γίνονται
ὁρμὴν προκαλούμεναι, φύσεως φανταστικῆς τεταγμένως
κινούσης τὴν ὁρμήν, ὡς ἐν τῷ ἀράχνῃ φαντασία τοῦ ὑφαίνειν
30 γίνεται καὶ ὁρμὴ ἀκολουθεῖ ἐπὶ τὸ ὑφαίνειν, τῆς φανταστικῆς
αὐτοῦ φύσεως τεταγμένως ἐπὶ τοῦτο αὐτὸν προκαλουμένης

III, 1. 21 καί¹ om. B ‖ 23 ἑαυτοῖς : αὐτοῖς B

---

uitam uel per animam constant ; inter quae etiam metal-
30 lorum uenas deputari aliquibus uisum est, sed et ignis sui
motus esse putandus est, fortassis autem etiam et fontes
aquarum. Haec autem, quae in semet ipsis causam suorum
motuum habent, quaedam dicunt ex se, quaedam ab se
moueri ; et ita diuidunt quod ex se moueantur ea, quae
35 uiuunt quidem non tamen animantia sunt ; a se autem
mouentur animantia, cum eis fantasia, id est uoluntas
quaedam uel incitamentum, adfuerit, quae ea moueri
ad aliquid uel incitari prouocauerit. Denique etiam
in quibusdam animalibus inest talis fantasia, id est
40 uoluntas uel sensus, qui ea naturali quodam instinctu
prouocet et concitet ad ordinatos et conpositos motus ;
sicut uidemus araneas facere, quae fantasia, id est uoluntate quadam uel studio textrinae, ad opus texendi ordina-
tissime concitantur, sine dubio naturali quodam motu
45 intentionem huiuscemodi operis prouocante, nec tamen

III, 1. 31 etiam et gA : etiam BC *Koe* ‖ 33 dicunt BC : dicuntur gA ‖ 36 mouentur *codd.* : moueantur *corr. Koe* ‖ 38 prouocet BC ‖ 39 animalibus a : animantibus g ‖ inest : id est GMᵃᶜ est
AbSMᵖᶜ ‖ 40 qui ea : quia A quae GAbS ‖ 43 ornatissime GM

on dit que se trouvent aussi les mines métalliques[7], et
en outre le feu lui aussi a son mouvement de lui-même,
peut-être même les sources. Parmi ceux qui ont en eux-
mêmes la cause de leur mouvement, on dit que les uns
sont mus d'eux-mêmes, les autres par eux-mêmes[8] :
d'eux-mêmes ce sont les êtres inanimés et par eux-mêmes
les animés. Et les êtres animés sont mus par eux-mêmes,
car une représentation se produit en eux qui provoque
l'impulsion[9]. Mieux, chez certains animaux, des représentations se produisent provoquant l'impulsion, la nature
imaginative[10] actionnant l'impulsion de façon ordonnée :
ainsi chez l'araignée la représentation de tisser se produit
et l'impulsion à tisser suit, la nature imaginative la provoquant à cela de façon ordonnée, car l'animal n'a rien reçu

---

paru bon à certains de compter les veines métalliques[7a],
mais on pense aussi que le feu a son mouvement de
lui-même, peut-être aussi les sources d'eaux elles-mêmes.
Parmi ceux qui ont en eux-mêmes la cause de leurs mouvements, on dit que les uns sont mus d'eux-mêmes, les autres
par eux-mêmes ; et on distingue ainsi ceux qui se meuvent
d'eux-mêmes, parce qu'ils vivent, mais ne sont pas des
êtres animés, et ceux qui se meuvent par eux-mêmes,
les êtres animés, lorsqu'une représentation se produit en
eux, c'est-à-dire une volonté ou une incitation qui les
pousse à se mouvoir ou à se porter vers quelque chose[9a].
Enfin chez quelques animaux une telle représentation se
produit, c'est-à-dire une volonté ou une pensée, qui les
provoque par une certaine impulsion naturelle et les
pousse à des mouvements ordonnés et réguliers[10a] : nous
voyons ainsi les araignées, à la suite d'une représentation,
c'est-à-dire d'une volonté ou d'un désir de tisser, poussées
à cette œuvre de tissage de façon très ordonnée, car sans
aucun doute c'est un mouvement naturel qui provoque
en elle l'intention d'accomplir cette œuvre, et on ne

καὶ οὐδενὸς ἄλλου μετὰ τὴν φανταστικὴν αὐτοῦ φύσιν
πεπιστευμένου τοῦ ζῴου, καὶ ἐν τῇ μελίσσῃ ἐπὶ τὸ κηρο-
πλαστεῖν.

35 3 (2). Τὸ μέντοι λογικὸν ζῷον καὶ λόγον ἔχει πρὸς τῇ
φανταστικῇ φύσει, τὸν κρίνοντα τὰς φαντασίας καὶ τινὰς
μὲν ἀποδοκιμάζοντα τινὰς δὲ παραδεχόμενον, ἵνα ἄγηται
τὸ ζῷον κατ᾽ αὐτάς. Ὅθεν ἐπεὶ ἐν τῇ φύσει τοῦ λόγου
εἰσὶν ἀφορμαὶ τοῦ θεωρῆσαι τὸ καλὸν καὶ τὸ αἰσχρόν, αἷς
40 ἑπόμενοι θεωρήσαντες τὸ καλὸν καὶ τὸ αἰσχρὸν αἱρούμεθα
μὲν τὸ καλὸν ἐκκλίνομεν δὲ τὸ αἰσχρόν, ἐπαινετοὶ μέν
ἐσμεν ἐπιδόντες ἑαυτοὺς τῇ πράξει τοῦ καλοῦ, ψεκτοὶ δὲ
κατὰ τὸ ἐναντίον. Οὐκ ἀγνοητέον μέντοι γε ὅτι τὸ πλέον
τῆς εἰς πάντα τεταγμένης φύσεως ποσῶς ἐστιν ἐν τοῖς
45 ζῴοις, ἐπὶ τὸ πλέον δὲ ἢ ἐπὶ τὸ ἔλαττον · ὥστε ἐγγύς που

III, 1. 42 ἐπιδιδόντες D

---

ultra alium aliquem sensum quam texendi naturale studium
habere ipsum animal inuenitur, sicut et apis fingendi
fauos ac mella, ut aiunt, aeria congregandi.

3. Rationabile uero animal cum habeat in se et hos
50 naturales motus, habet tamen amplius ceteris animalibus
etiam rationis uim, qua iudicare et discernere de motibus
naturalibus possit et alios quidem reprobare et abicere,
alios uero probare atque suscipere, cuius rationis iudicio
dirigi et gubernari hominis motus ad uitam probabilem
55 possent. Vnde consequens est ut, quoniam natura rationis
huius, quae est in homine, habet in se uim dinoscendi boni
uel mali, idque cum discreuerit, inest ei facultas etiam
eligendi quod probauerit, in eligendo quidem quod bonum
est laudabilis, in sequendo uero quod turpe uel malum est
60 iure culpabilis iudicetur. Illud sane nequaquam latere nos
debet, quod in nonnullis mutis animalibus ordinatior

III, 1. 48 aeria : acria GM ‖ 51 qua : quia GM ‖ 55 possent
aGM : possunt AbS possint *Koe*

III, 1. 47, Virgile, *Géorg.* IV, 1

d'autre que cette nature imaginative. La même chose se produit chez l'abeille pour façonner la cire.

1, 3 (2)[11]. Mais l'animal raisonnable,
Le mouvement libre outre la nature imaginative, possède
de l'être raisonnable la raison[12] qui juge les représentations, refuse les unes et accepte les autres, pour que le vivant se conduise selon elles. C'est pourquoi, puisque la raison possède dans sa nature les moyens[13] de voir le bien et le mal, que nous utilisons pour voir le bien et le mal et ainsi choisir le bien et refuser le mal, nous sommes dignes de louange si nous nous mettons à pratiquer le bien, dignes de blâme dans le cas contraire. Il ne faut pas ignorer cependant que l'on trouve chez les animaux, en quelque manière, à un degré supérieur une nature ordonnée à toute espèce d'activité, plus ou moins : ainsi, pour parler

---

voit pas que cet animal ait d'autre sentiment que le désir naturel de tisser[10b] : pareillement l'abeille pour façonner des rayons et rassembler, comme on dit, des miels aériens[10c].

1, 3. Mais l'animal raisonnable, outre ces mouvements naturels, a en plus des autres animaux la force de la raison qui lui permet de juger et de discerner les mouvements naturels, de réprouver et rejeter les uns, d'approuver et d'accepter les autres, afin que les mouvements de l'homme puissent être dirigés et gouvernés par le jugement de la raison en vue d'une vie louable[11a]. Il s'ensuit que, puisque la raison qui est en l'homme possède dans sa nature la possibilité de connaître le bien et le mal, et, lorsqu'elle les a discernés, la faculté de choisir ce qu'elle a approuvé, quand il choisit ce qui est bien on le juge à bon droit louable, quand il suit ce qui est honteux ou mauvais, blâmable. Il ne faut pas ignorer cependant que l'on trouve chez certains animaux muets une activité plus ordonnée que

εἶναι, ἵν᾽ οὕτως εἴπω, τοῦ λογικοῦ τὸ ἐν τοῖς ἰχνευταῖς
κυσὶν ἔργον καὶ ἐν τοῖς πολεμικοῖς ἵπποις. Τὸ μὲν οὖν
ὑποπεσεῖν τόδε τι τῶν ἔξωθεν, φαντασίαν ἡμῖν κινοῦν
τοιάνδε ἢ τοιάνδε, ὁμολογουμένως οὐκ ἔστι τῶν ἐφ᾽ ἡμῖν ·
50 τὸ δὲ κρῖναι οὑτωσὶ χρήσασθαι τῷ γενομένῳ ἢ ἑτέρως,
οὐκ ἄλλου τινὸς ἔργον ἢ τοῦ ἐν ἡμῖν λόγου ἐστίν, ἤτοι
παρὰ τὰς ἀφορμὰς ἐνεργοῦντος ἡμᾶς πρὸς τὰς ἐπὶ τὸ καλὸν
προκαλουμένας καὶ τὸ καθῆκον ὁρμάς, ἢ ἐπὶ τὸ ἐναντίον
ἐκτρέποντος.

III, 1. 53 προκαλουμένας BD : προσκαλουμένας Pat CH

---

quidam motus a ceteris animalibus inuenitur, ut in
sagacibus canibus uel bellatoribus equis, ita ut uideantur
aliquibus uelut rationabili quodam sensu moueri ; sed id
65 non tam ratione quam incentiuo quodam et naturali motu,
pro huiuscemodi usibus largius indulto, fieri credendum est.
Verum ut dicere coeperamus, cum ita se habeat rationabile
animal, nobis hominibus incidere quidem extrinsecus
possunt aliqua et occurrere sive ad uisum siue ad auditum
70 uel ad alios sensus, quae nos concitent ac prouocent ad
bonos uel contrarios motus ; quae utique quia extrinsecus
incidunt, non est in nostra positum potestate ne incidant
uel occurrant : iudicare uero et probare, qualiter uti
debeamus his, quae incidunt, nullius alterius res est uel
75 opus nisi rationis eius, quae est in nobis, id est nostri
iudicii ; cuius rationis iudicio incidentibus extrinsecus
concitamentis abutimur ad id, quodcumque ipsa ratio
probauerit, naturalibus motibus nostris nutu eius uel ad
bona uel ad contraria gubernatis.

III, 1. 62 quidem g ‖ a : ac g ‖ 68 incidere : invidere g

de la sorte, l'action des chiens qui suivent à la trace ou des chevaux de combat est proche de l'action raisonnable[14]. Qu'une incitation vienne du dehors, provoquant telle ou telle représentation, cela, de l'aveu de tous, ne dépend pas de notre libre arbitre[15]. Mais quant à juger si on doit se servir de cette façon ou de cette autre de ce qui s'est produit, c'est l'œuvre seulement de la raison qui est en nous et qui, à partir de ces occasions, fortifie en nous les impulsions qui nous entraînent vers le bien et le convenable[16], ou au contraire nous en détournent.

---

chez d'autres : ainsi chez les chiens à l'odorat subtil ou chez les chevaux de combat, tellement qu'ils semblent à certains être menés par une sorte de sens raisonnable. Mais cela ne vient pas tant de la raison que d'un stimulant et d'un mouvement naturel qui leur est accordé plus largement dans ces buts, il faut du moins le croire[14a]. Mais, comme nous avons commencé à le dire, puisqu'il en est ainsi de l'animal raisonnable, des incitations peuvent venir du dehors à nous les hommes et se présenter à la vue, à l'ouïe ou aux autres sens pour nous pousser et nous provoquer à des mouvements bons ou mauvais. Ce qui arrive ainsi du dehors, il ne dépend pas de notre libre arbitre de l'empêcher de se produire ; mais quant à juger et éprouver comment nous devons nous servir de ce qui s'est produit, c'est seulement l'affaire et l'œuvre de la raison qui est en nous, c'est-à-dire de notre jugement ; c'est par le jugement de cette raison que nous utilisons les stimulants qui viennent du dehors pour faire ce que la raison elle-même a approuvé, et c'est par lui que nos mouvements naturels sont dirigés selon son gré vers le bien ou vers le mal.

55 4 (3). Εἰ δέ τις αὐτὸ τὸ ἔξωθεν λέγοι εἶναι τοιόνδε,
ὥστε ἀδυνάτως ἔχειν ἀντιβλέψαι αὐτῷ τοιῷδε γενομένῳ,
οὗτος ἐπιστησάτω τοῖς ἰδίοις πάθεσι καὶ κινήμασιν, εἰ
μὴ εὐδόκησις γίνεται καὶ συγκατάθεσις καὶ ῥοπὴ τοῦ
ἡγεμονικοῦ ἐπὶ τόδε τι διὰ τάσδε τὰς πιθανότητας. Οὐ
60 γάρ, φέρ᾽ εἰπεῖν, ἡ γυνὴ τῷ κρίναντι ἐγκρατεύεσθαι καὶ
ἀνέχειν ἑαυτὸν ἀπὸ μίξεων, ἐπιφανεῖσα καὶ προκαλεσαμένη
ἐπὶ τὸ ποιῆσαί τι παρὰ πρόθεσιν, αὐτοτελὴς αἰτία γίνεται
τοῦ τὴν πρόθεσιν ἀθετῆσαι · πάντως γὰρ εὐδοκήσας τῷ

III, 1. 55 λέγει H ‖ 57 οὕτως B

80 4. Si uero quis dicat ea quae extrinsecus incidunt motus
nostros prouocantia, talia esse, ut possibile non sit aduersari
eis, siue ad bonum nos siue ad malum concitantibus : in
semet ipsum paulisper qui haec aestimat conuertat animos
et proprios diligentius introspiciat motus, nisi inuenerit,
85 cum alicuius desiderii pulsat inlecebra, nihil prius geri
quam animi accommodetur assensus et suggestioni prauae
nutus mentis indulgeat ; ita ut etiam uerisimilibus quibusdam causis intra cordis nostri tribunalia uelut iudici
residenti ex utraque parte adhiberi uideatur assertio, ut
90 causis prius expositis gerundi sententia de rationis iudicio
proferatur. Non enim, ut uerbi gratia dixerim, huic, qui
statuit continenter et caste uiuere atque ab omni se
muliebri contagio continere, si forte apparuerit mulier
prouocans eum et inliciens aliquid contra propositum
95 gerere, causa ei uel necessitas praeuaricandi mulier extitit,
cum possit utique statuti sui memor libidinis incitamenta

III, 1. 83 animos *codd.* : animum *Del, quem Koe secutus est* ‖ 84
proprius GMᵃᶜ propius AbS ‖ intro inspicit A ‖ 86 assensus : sensus
g ‖ 94 contra : e contra g ‖ 95 perfecta et absoluta *post* causa ei *add.*
Del (cf. textum graecum), quem Koe secutus est

L'homme n'est pas contraint par les stimulants extérieurs

1, 4 (*3*). Si quelqu'un prétend que le stimulant extérieur est tel qu'il est impossible de lui faire face quand il se produit de telle façon, qu'il réfléchisse à ses propres passions et à ses propres mouvements pour voir s'il ne s'y produit pas une approbation, un consentement, une inclinaison de l'intelligence[17] vers telle attitude à cause de sa force de persuasion[18]. Pour celui qui a décidé, par exemple, de garder la continence et de s'abstenir de l'union sexuelle, ce n'est pas l'apparition d'une femme, le provoquant à agir contre son dessein[19], qui est la cause décisive[20] de l'abandon de ses résolutions : c'est en fait parce qu'il a complètement consenti aux

---

1, 4. Si quelqu'un prétend que ce qui survient du dehors et provoque nos mouvements est tel qu'il n'est pas possible de faire face à ce qui nous excite au bien ou au mal, que celui qui pense ainsi dirige son attention quelque peu sur lui-même et regarde avec soin ses mouvements propres pour voir s'il ne trouvera pas, lorsque l'attrait d'un tel désir se fait sentir, que rien ne se produit avant que l'intelligence n'y donne son assentiment et que sa volonté ne se fasse complice de la suggestion mauvaise ; de telle sorte que la plaidoirie semble adressée par l'une ou l'autre partie, même avec des arguments vraisemblables, comme à un juge qui réside dans le tribunal de notre cœur, afin que, après l'exposé des motifs, la sentence concernant ce qui est à faire soit émise à partir du jugement de la raison[18a]. Pour celui qui a décidé, par exemple, de vivre dans la continence et la chasteté et de s'abstenir de toute union avec une femme, si lui apparaît une femme qui le provoque et l'entraîne à un acte contraire à son propos, ce n'est pas cette femme qui est cause de sa faute et qui l'amène nécessairement, puisqu'il peut tout à fait[20a], se souvenant de sa décision, imposer un frein aux stimulants

γαργαλισμῷ καὶ τῷ λείῳ τῆς ἡδονῆς, ἀντιβλέψαι αὐτῷ μὴ
65 βεβουλημένος μηδὲ τὸ κεκριμένον κυρῶσαι, πράττει τὸ
ἀκόλαστον. Ὁ δέ τις ἔμπαλιν, τῶν αὐτῶν συμβεβηκότων
τῷ πλείονα μαθήματα ἀνειληφότι καὶ ἠσκηκότι · οἱ μὲν
γαργαλισμοὶ καὶ οἱ ἐρεθισμοὶ συμβαίνουσιν, ὁ λόγος δέ,
ἅτε ἐπὶ πλεῖον ἰσχυροποιηθεὶς καὶ τραφεὶς τῇ μελέτῃ καὶ
70 βεβαιωθεὶς τοῖς δόγμασι πρὸς τὸ καλὸν ἢ ἐγγύς γε τοῦ
βεβαιωθῆναι γεγενημένος, ἀνακρούει τοὺς ἐρεθισμοὺς καὶ
ὑπεκλύει τὴν ἐπιθυμίαν.

5 (4). Τὸ δὲ τούτων οὕτως ἡμῖν γινομένων τὰ ἔξωθεν
αἰτιᾶσθαι καὶ ἑαυτοὺς ἀπολῦσαι ἐγκλήματος, ὁμοίους ἑαυτοὺς
75 ἀποφηναμένους ξύλοις καὶ λίθοις, ἑλκυσθεῖσιν ὑπὸ τῶν
ἔξωθεν αὐτὰ κινησάντων, οὐκ ἀληθὲς οὐδὲ εὔγνωμον,
βουλομένου τε λόγος ἐστὶν ὁ τοιοῦτος τὴν ἔννοιαν τοῦ

III, 1. 64 αὐτὸ D ǁ 68 γὰρ *ante* γαργαλισμοί *add. Koe in appar.*
ǁ 70 ἢ *om.* B Pat ǁ 74 ἀπολύειν Pat H ǁ ὁμοίως DH ǁ 75 ἀποφαινομέ-
νους Pat H ǁ 76 οὐκ : οὔτ' *malit Koe in appar. conferens nec Ruf.*

refrenare et inritantis inlecebrae delectamenta austerioribus
uirtutis increpationibus cohercere, ut omni luxuriae sensu
fugato propositi firmitas et constantia perseueret. Denique
100 si eruditioribus quibusque uiris et in diuinis institutionibus
roboratis huiuscemodi inritamenta prouenerint, memores
continuo sui, ea quae dudum meditati sunt et in quibus
eruditi sunt in memoriam reuocantes et sanctioris se
doctrinae adminiculis munientes, respuunt ac refellunt
105 omnem incitamenti inlecebram atque aduersas concupis-
centias insitae sibi rationis obiectione depellunt.

5. Cum ergo haec ita esse naturalibus quodammodo
testimoniis conprobetur, quomodo non superfluum est
gestorum nostrorum causas ad ea quae extrinsecus
110 incidunt, retorqueri et a nobis culpam, in quibus omnis
causa est, remoueri, hoc est dicere similes nos esse lignis
uel lapidibus, quae intra se quidem nullum habent motum,
causas autem motus sui extrinsecus patiuntur? Quod

chatouillements et à la douceur du plaisir, n'ayant pas voulu lui résister ni ratifier sa décision, qu'il pratique l'incontinence. C'est tout le contraire pour celui à qui surviennent les mêmes tentations alors qu'il est davantage instruit et exercé[21] : les chatouillements et les excitations peuvent se produire, mais la raison, davantage fortifiée et formée par l'exercice et l'étude[22], parvenue par l'instruction à la fermeté dans sa marche vers le bien, ou du moins devenue proche d'y parvenir, repousse les excitations et affaiblit la convoitise.

1, 5 (*4*). Mais si, lorsque cela se produit, nous accusons les incitations du dehors et nous nous tenons quittes de tout grief, en nous prétendant semblables au bois et aux pierres qui sont mus par des forces s'exerçant du dehors[23],

---

du plaisir et réprimer la délectation causée par les attraits qui l'excitent en se rendant sensible aux réprimandes plus sévères que lui adresse la vertu, et ainsi, ayant mis en fuite tous les sentiments de luxure, persévérer avec fermeté et constance dans son propos[20b]. Et ensuite, si c'est chez des hommes plus instruits, fortifiés dans les sciences divines, que de telles excitations surviennent, restant conscients d'eux-mêmes, se rappelant tout ce qu'ils ont médité et appris auparavant et se servant comme appui de doctrines plus saintes, ils rejettent et repoussent toutes les séductions qui les excitent et refoulent les convoitises ennemies en leur opposant la raison qui est en eux[22a].

1, 5. Puisque la vérité de tout cela est prouvée en quelque sorte par des témoignages naturels, n'est-il pas superflu de rejeter sur les événements extérieurs la cause de nos actions et de repousser de nous la faute, alors que nous en sommes complètement la cause ? C'est alors nous prétendre semblables au bois et aux pierres qui n'ont pas en eux-mêmes leur mouvement, mais en reçoivent les causes du dehors. Ce n'est pas alors parler avec vérité

αὐτεξουσίου παραχαράττειν. Εἰ γὰρ πυθοίμεθα αὐτοῦ, τί
ἦν τὸ αὐτεξούσιον, λέγοι ἂν ὅτι εἰ μηδὲν τῶν ἔξωθεν ἀπήντα,
80 ἐμοῦ τόδε τι προθεμένου, τὸ ἐπὶ τὸ ἐναντίον προκαλούμενον.
Πάλιν τε αὖ ψιλὴν τὴν κατασκευὴν αἰτιᾶσθαι παρὰ τὸ
ἐναργές ἐστι, λόγου παιδευτικοῦ τοὺς ἀκρατεστάτους καὶ
τοὺς ἀγριωτάτους παραλαμβάνοντος, εἰ τῇ προτροπῇ παρα-
κολουθήσαιεν, καὶ μεταβάλλοντος · ὥστε παρὰ πολὺ γεγο-
85 νέναι τὴν προτροπὴν καὶ τὴν ἐπὶ τὸ κρεῖττον μεταβολήν,
πολλάκις τῶν ἀκολαστοτάτων βελτιόνων γινομένων παρὰ
τοὺς τῇ φύσει πρότερον οὐ δοκοῦντας εἶναι τοιούτους, καὶ
τῶν ἀγριωτάτων ἐπὶ τοσοῦτον ἡμερότητος μεταβαλλόντων,
ὥστε τοὺς μηδὲ πώποτε οὕτως ἀγριωθέντας ἀγρίους εἶναι
90 δοκεῖν συγκρίσει τοῦδέ τινος μεταβεβληκότος ἐπὶ τὸ ἥμερον.
Ὁρῶμέν τε ἑτέρους εὐσταθεστάτους καὶ σεμνοτάτους ἐκ

III, 1. 78 τί : εἴ τι B ‖ 80 τι : ἐστι C ‖ τῶν ... προκαλουμένων
malit Koe in appar. ‖ 82 ἀκρατεστέρους Pat CH ‖ 83 ἀγριωτέρους C
‖ 85 προτροπὴν : τροπὴν Pat H

utique nec uere dicitur nec decenter, sed ad hoc solum
115 fingitur, ut libertas arbitrii denegetur ; nisi si putemus ita
demum constare posse arbitrii libertatem, si nihil sit quod
nos extrinsecus incidens ad bona prouocet aut ad mala.
Si uero quis ad naturalem corporis intemperiem culparum
referat causas, contra rationem id esse totius eruditionis
120 ostenditur. Quomodo enim uidemus quam plurimos, qui
cum incontinenter prius intemperateque uixissent ac
luxuriae fuissent libidinisque captiui, si forte uerbo
doctrinae atque eruditionis in melius prouocati sunt,
tantam extitisse commutationem, ut ex luxuriosis ac
125 turpibus sobrii et castissimi, ex ferocibus et inmanibus
mitissimi ac mansuetissimi redderentur : et rursum

III, 1. 115 nisi si : nisi BAbS ‖ 120 quam plurimos gA : in
quam plurimis BC *Koe* ‖ 125-126 ex ferocibus — mitissimi *om.* g ‖
126 et *codd.* : ita *Del Koe*

ce n'est ni vrai ni noble ; la raison de qui veut qu'il en soit
ainsi est la suivante : falsifier la notion du libre arbitre[24].
Si nous lui demandions ce qu'est le libre arbitre, il répondrait (qu'on le constate) lorsque rien du dehors ne se
présente pour me pousser dans la direction opposée à
celle que j'ai décidée[25]. De même accuser seulement notre
constitution naturelle[26] est contraire à l'évidence, car
l'enseignement et l'éducation prennent en charge les plus
intempérants et les plus sauvages et les transforment,
pourvu qu'ils obéissent à leurs exhortations[27] : tellement
ont d'effet l'exhortation et la conversion[28] que souvent
les plus incontinents deviennent meilleurs que ceux qui
ne paraissaient pas auparavant incontinents de nature,
et que les plus sauvages en arrivent à ce point de douceur
que ceux qui n'ont jamais paru aussi sauvages[29] semblent

---

et décence, mais cette réponse est inventée seulement
pour nier la liberté de la volonté[24a] ; à moins de penser
que cette dernière n'existe réellement que si rien ne vient
du dehors nous pousser au bien ou au mal. Si on voit les
causes des fautes dans l'intempérance naturelle du corps,
ceci est évidemment contraire à ce que nous montrent
toutes les sortes d'éducation. De même que nous en
voyons beaucoup qui avaient vécu auparavant dans
l'incontinence et l'intempérance, prisonniers de leur luxure
et de leurs plaisirs, lorsqu'ils ont été invités à progresser
par l'enseignement et l'éducation, manifester un tel changement que, de luxurieux et d'immoraux, ils sont devenus
sobres et très chastes, de sauvages et de cruels très doux
et paisibles[29a] ; nous en voyons aussi d'autres tranquilles

διαστροφῆς ἐπὶ τὰς χείρους διατριβὰς ἐκκρουομένους τοῦ
σεμνοῦ καὶ εὐσταθοῦς, ὥστε εἰς ἀκολασίαν αὐτοὺς μετα-
βαλεῖν, πολλάκις ἀρχομένους τῆς ἀκολασίας μεσούσης τῆς
95 ἡλικίας καὶ ἐμπίπτοντας εἰς ἀταξίαν μετὰ τὸ παρεληλυθέναι
τὸ τῆς νεότητος ὅσον ἐπὶ τῇ φύσει ἄστατον. Οὐκοῦν ὁ
λόγος δείκνυσιν ὅτι τὰ μὲν ἔξωθεν οὐκ ἐφ᾽ ἡμῖν ἐστι, τὸ
δὲ οὕτως ἢ ἐναντίως χρήσασθαι αὐτοῖς τὸν λόγον κριτὴν
παραλαβόντα καὶ ἐξεταστὴν τοῦ πῶς δεῖ πρὸς τάδε τινὰ
100 τῶν ἔξωθεν ἀπαντῆσαι, ἔργον ἐστὶν ἡμέτερον.

6 (5). Ὅτι δὲ ἡμέτερον ἔργον τὸ βιῶσαι καλῶς ἐστι,
καὶ αἰτεῖ ἡμᾶς τοῦτο ὁ θεὸς ὡς οὐκ αὐτοῦ ὂν οὐδὲ ἐξ ἑτέρου
τινὸς παραγινόμενον ἢ, ὡς οἴονταί τινες, ἀπὸ εἱμαρμένης,

---

uidemus in aliis quietis et honestis, [qui] cum se inquietis
forte hominibus ac turpibus sociarint, *corrumpi mores
bonos conloquiis malis* et effici eos tales, quales sunt illi
130 quibus nihil ad turpitudinem deest ; et hoc interdum
euenit matura iam aetate uiris, ita ut continentiores in
iuuentute uixerint, quam cum prouectior aetas facultatem
uitae liberioris indulsit. Consequentia igitur rationis
ostendit quod ea quidem, quae extrinsecus incidunt, in
135 nostra potestate non sunt ; bene uero uel male uti his
quae incidunt, ea ratione, quae intra nos est, discernente
ac diiudicante quomodo his uti oporteat, nostrae est
potestatis.

6. Vt autem ea, quae ratio consequenter ostendit, etiam
140 scripturarum auctoritate firmemus, id est, quod nostri
operis est recte uel minus recte uiuere, et non uel ex his,
quae extrinsecus incidunt, uel, ut quidam putant, fatis

III, 1. 127 qui *secl. Del, quem Koe secutus est, nescio an recte* ‖ 127-
128 forte inquietis g

III, 1. 128 : I Cor. 15, 33

l'être si on les compare à l'un de ceux qui se sont convertis
à la douceur. Et nous en voyons d'autres très équilibrés
et respectables déchoir par leur perversion[30] de cet équilibre
et de cette respectabilité pour mener une conduite mauvaise
et se convertir à l'intempérance : c'est souvent à l'âge
mûr qu'ils se mettent à vivre dans l'intempérance et se
jettent dans le dérèglement, lorsqu'est passé le temps de la
jeunesse qui est par nature le plus instable[31]. La raison
montre donc que les événements du dehors ne dépendent
pas de notre libre arbitre, mais qu'il nous appartient de
nous en servir de telle ou telle façon en prenant la raison
comme juge pour examiner comment il convient de faire
face à tel événement extérieur.

1, 6 (5).

**Textes scripturaires
en faveur
du libre arbitre**

1, 6 (5). Que bien vivre soit notre
œuvre et que Dieu nous le demande,
non comme étant son œuvre à lui[32]
ni celle de quelqu'un d'autre ou,
comme certains le pensent, du destin, mais comme notre

---

et honnêtes qui, parce qu'ils se sont mêlés peut-être à
des hommes agités et malhonnêtes, ont vu *leurs bonnes
mœurs se corrompre par ces mauvaises fréquentations*[30a]
et devenir pareils à ceux à qui aucune turpitude ne
manque. Et cela arrive parfois à des hommes d'âge mûr,
qui ont vécu plus continents dans leur jeunesse que
lorsque l'âge plus avancé leur a permis une vie plus libre.
La logique de la raison montre donc que ce qui vient de
l'extérieur n'est pas en notre pouvoir, mais il nous appartient de nous en servir bien ou mal, puisque la raison qui
est au-dedans de nous discerne et juge comment il faut
en user.

1, 6. Pour confirmer ce que montre la logique de la
raison avec l'autorité des Écritures, c'est-à-dire que vivre
bien ou mal est notre œuvre[32a], sans que nous soyons
forcés par les événements extérieurs, ou, comme certains

ἀλλ' ὡς ἡμέτερον ἔργον, μαρτυρήσει ὁ προφήτης Μιχαίας
105 λέγων · Εἰ ἀνηγγέλη σοι, ἄνθρωπε, τί καλόν, ἢ τί κύριος
ἐκζητεῖ παρὰ σοῦ ἀλλ' ἢ τοῦ ποιεῖν κρίμα καὶ ἀγαπᾶν
ἔλεος καὶ ἔτοιμον εἶναι τοῦ πορεύεσθαι μετὰ κυρίου θεοῦ
σου ; Καὶ Μωσῆς · Τέθεικα πρὸ προσώπου σου τὴν ὁδὸν
τῆς ζωῆς καὶ τὴν ὁδὸν τοῦ θανάτου · ἔκλεξαι τὸ ἀγαθὸν
110 καὶ πορεύου ἐν αὐτῷ. Καὶ Ἡσαΐας · Ἐὰν θέλητε καὶ
εἰσακούσητέ μου, τὰ ἀγαθὰ τῆς γῆς φάγεσθε · ἐὰν δὲ μὴ
θέλητε μηδὲ εἰσακούσητέ μου, μάχαιρα ὑμᾶς κατέδεται ·
τὸ γὰρ στόμα κυρίου ἐλάλησε ταῦτα, καὶ ἐν τοῖς ψαλμοῖς ·
Εἰ ὁ λαός μου ἤκουσέ μου, καὶ Ἰσραὴλ ταῖς ὁδοῖς μου εἰ
115 ἐπορεύθη, ἐν τῷ μηδενὶ ἂν τοὺς ἐχθροὺς αὐτῶν ἐταπείνωσα,
[καὶ ἐπὶ τοὺς θλίβοντας αὐτοὺς ἐπέβαλον ἂν τὴν χεῖρά μου],
ὡς ἐπὶ τῷ λαῷ ὄντος τοῦ ἀκούειν καὶ πορεύεσθαι ταῖς

III, 1. 104 ἢ *post* ἀλλ' *add.* Pat CDH ‖ ὁ μιχαίας προφήτης B ‖
106 τοῦ B Pat : τὸ CDH *Rob* ‖ ἀγαπᾶν : ποιεῖν B ‖ 107 τοῦ *post*
κυρίου *add.* CD ‖ 109 ἐκλέξασθαι Pat CDH ‖ 110 πορεύεσθαι Pat
CDH ‖ 114 καὶ *om.* CD ‖ 115 ἂν *om.* B ‖ 116 καὶ ἐπὶ — μου *om.* B
(= *Ruf.*) *seclusi*

urgentibus cogimur, testimonium dabit Micheas propheta
his uerbis dicens : *Si annuntiatum tibi est, o homo, quid est*
145 *bonum, aut quid dominus quaerit abs te, nisi ut facias iudicium*
et diligas misericordiam et paratus sis ire cum domino deo
tuo? et Moyses ita dicit : *Posui ante faciem tuam uiam*
uitae et uiam mortis, elige quod bonum est, et incede in eo
et Esaias ita ait : *Si uolueritis et audieritis me, quae bona*
150 *sunt terrae edetis; si uero nolueritis neque audieritis me,*
gladius uos consumet ; os enim domini locutum est haec, et
in psalmis ita scriptum est : *Si populus meus audisset me,*
et Israhel si in uiis meis ambulasset, in nihilum utique
inimicos eius humiliassem, per quod ostendit quia erat in

III, 1. 145 quaerit a : requiret g requirit *Del Koe* ‖ 152 meus
om. a ‖ 154 *post* humiliassem *lacunam signauit Koe, reputans in*
codd. rufinianis intercidisse extremam partem Ps. 80, 15. Sed haec
pars deest etiam in codice graeco B, longe potiore : qua re reputo eam
interpolatam esse in cett. codd. Philocaliae ‖ erat : erit GAbS

œuvre à nous[33], le prophète Michée en témoignera en ces termes : *S'il t'a été annoncé, homme, ce qu'est le bien, ou ce que Dieu demande de toi, pas autre chose que de pratiquer le jugement, d'aimer la miséricorde et d'être prêt à aller avec le Seigneur ton Dieu.* De même Moïse : *J'ai mis devant toi la voie de la vie et la voie de la mort : choisis le bien et marche dans sa voie.* Ou encore Isaïe : *Si vous le voulez et si vous m'écoutez, vous mangerez les biens de la terre ; si vous ne le voulez pas et ne m'écoutez pas, un glaive vous dévorera ; car la bouche du Seigneur a parlé ainsi.* Et dans les *Psaumes : Si mon peuple m'écoutait et si Israël avait marché dans mes voies, j'aurais réduit au néant leurs ennemis* [*et j'aurais mis la main sur ceux qui les persécutent*][34]. Cela suppose qu'écouter et marcher

---

le pensent, par des destins qui nous pressent, le prophète Michée donnera témoignage en ces termes : *S'il t'a été annoncé, homme, ce qu'est le bien, ou ce que le Seigneur demande de toi, pas autre chose que de pratiquer le jugement, d'aimer la miséricorde et d'être prêt à aller avec le Seigneur ton Dieu.* De même Moïse : *J'ai mis devant toi la voie de la vie et la voie de la mort : choisis le bien et marche dans sa voie.* Ou encore Isaïe : *Si vous le voulez et si vous m'écoutez, vous mangerez les biens de la terre ; si vous ne le voulez pas et ne m'écoutez pas, un glaive vous dévorera ; car la bouche du Seigneur a ainsi parlé.* Et dans les *Psaumes* il est écrit : *Si mon peuple m'avait écouté et si Israël avait marché dans mes voies, j'aurais réduit au néant leurs ennemis*[34a]. Cela montre qu'<écouter> et

---

III, 1. *105*, 144 : Mich. 6, 8 ‖ *108*, 147 : Deut. 30, 19 (15) ‖ *110*, 149 : Is. 1, 19 s. ‖ *114*, 152 : Ps. 80, 14 s.

ὁδοῖς τοῦ θεοῦ. Καὶ ὁ σωτὴρ δὲ λέγων τὸ Ἐγὼ δὲ λέγω
ὑμῖν μὴ ἀντιστῆναι τῷ πονηρῷ καὶ Ὅτι ὃς ἂν ὀργισθῇ
120 τῷ ἀδελφῷ αὐτοῦ, ἔνοχος ἔσται τῇ κρίσει καὶ Ὃς ἐὰν
ἐμβλέψῃ γυναῖκα πρὸς τὸ ἐπιθυμῆσαι, ἤδη ἐμοίχευσεν ἐν
τῇ καρδίᾳ αὐτοῦ, καὶ εἴ τινα ἄλλην δίδωσιν ἐντολήν, φησὶν
ὡς ἐφ᾽ ἡμῖν ὄντος τοῦ φυλάξαι τὰ προστεταγμένα, καὶ
εὐλόγως ἐνόχων ἡμῶν τῇ κρίσει ἐσομένων, εἰ παραβαίνοιμεν
125 αὐτά. Ὅθεν καὶ πᾶς φησιν ὁ ἀκούων μου τοὺς λόγους
τούτους καὶ ποιῶν αὐτοὺς ὁμοιωθήσεται ἀνδρὶ φρονίμῳ,
ὅστις ᾠκοδόμησεν αὐτοῦ τὴν οἰκίαν ἐπὶ τὴν πέτραν, καὶ
τὰ ἑξῆς, Ὁ δὲ ἀκούων καὶ μὴ ποιῶν ὅμοιός ἐστιν ἀνδρὶ
μωρῷ, ὅστις ᾠκοδόμησεν αὐτοῦ τὴν οἰκίαν ἐπὶ τὴν ἄμμον

III, 1. 120 αὐτοῦ om. codd. Rob., restituitur ex Ruf. et IV, 3, 4
‖ ἂν Pat D ‖ 121 γυναικὶ CD ‖ 122 φησὶν ἐντολὴν Pat D ‖ 124 ἡμῶν
ἐνόχων CD ‖ 124 εἰ om. Pat CD ‖ παραβαίνομεν CD om. Pat ‖ 125
αὐτὰ om. Pat CD ‖ ὁ om. B ‖ 127 τὴν οἰκίαν αὐτοῦ CDH ‖ 129 τὴν
οἰκίαν αὐτοῦ CH

---

155 populi potestate <audire et> incedere in uiis dei. Sed et
saluator dicens : *Ego autem dico uobis: nolite resistere malo*
et *Quicumque iratus fuerit fratri suo, reus erit iudicio* et
Quicumque inspexerit mulierem ad concupiscendum eam,
iam moechatus est eam in corde suo, et cum dat cetera
160 quaeque mandata, quid aliud indicat, nisi quod in nostra
potestate est obseruare posse quae mandantur, et propter
hoc recte rei efficimur iudicio, si praeuaricemur ea quae
utique seruare poteramus? Vnde et ipse ait quia *omnis*
qui audit uerba mea haec et facit ea, similis est uiro prudenti,
165 *qui aedificauit domum suam super petram*, et cetera, et
quod ait : *Qui autem audit haec et non facit, similis est*
uiro stulto, qui aedificauit domum suam super harenam, et

III, 1. 155 audire et om. codd., suppl. ex textu graeco Del, quem
Koe secutus est ‖ in om. AC ‖ 156 nolite a : non g Koe (= Vulg.) ‖
159 iam om. g ‖ 162 efficimus GM ‖ 165 aedificat AC ‖ 167 (h)arena GM

dans les voies de Dieu est au pouvoir du peuple. Et le
Seigneur, quand il dit : *Moi, je vous dis de ne pas résister
au méchant.* Et : *Celui qui s'emporte contre son frère sera
coupable du jugement.* Et : *Si quelqu'un regarde une femme
pour la convoiter, il a déjà commis l'adultère dans son
cœur*[35]. Et par tous les autres commandements qu'il
donne, il affirme qu'il est en notre pouvoir d'observer
les préceptes et que nous serons à bon droit condamnés
au jugement si nous les transgressons. C'est pourquoi,
dit-il, *celui qui entend mes paroles et les accomplit sera
comparé à un homme sensé qui a bâti sa maison sur la
pierre*, etc. *Celui qui entend, mais n'accomplit pas, est
semblable à un fou qui a bâti sa maison sur le sable*, etc.

---

marcher dans les voies de Dieu était au pouvoir du peuple.
Et le Sauveur, quand il dit : *Moi je vous dis : ne résistez
pas au méchant.* Et : *Celui qui s'emporte contre son frère
sera accusé au jugement.* Et : *Si quelqu'un regarde une
femme pour la convoiter, il a déjà commis l'adultère dans
son cœur*, et par tous les autres commandements qu'il
donne qu'indique-t-il d'autre, sinon qu'il est en notre
pouvoir d'observer ce qui nous est commandé et qu'à
cause de cela nous sommes à bon droit soumis au jugement,
si nous transgressons ce que nous pouvons certainement
observer? C'est pourquoi il dit : *Celui qui entend mes
paroles et les accomplit est semblable à un homme sensé
qui a bâti sa maison sur la pierre*, etc. *Celui qui entend
mais n'accomplit pas est semblable à un fou qui a bâti sa*

III, 1. *118*, 156 : Matth. 5, 39 ‖ *119*, 157 : Matth. 5, 22 ‖ *120*, 158 :
Matth. 5, 28 ‖ *125*, 163 : Matth. 7, 24 ‖ *128*, 166 : Matth. 7, 26

130 καὶ τὰ ἑξῆς. Καὶ λέγων δὲ τοῖς ἐκ δεξιῶν · δεῦτε πρός
    με, οἱ εὐλογημένοι τοῦ πατρός μου καὶ τὰ ἑξῆς · ἐπείνασα
    γὰρ καὶ ἐδώκατέ μοι φαγεῖν, ἐδίψησα, καὶ ἐποτίσατέ με,
    σφόδρα σαφῶς ὡς αἰτίοις οὖσι τοῦ ἐπαινεῖσθαι δίδωσι τὰς
    ἐπαγγελίας, καὶ ἐκ τοῦ ἐναντίου τοῖς ἑτέροις ὡς ψεκτοῖς
135 παρ᾽ αὐτοὺς λέγει τὸ πορεύεσθε οἱ κατηραμένοι εἰς τὸ πῦρ
    τὸ αἰώνιον.
    Ἴδωμεν δὲ πῶς καὶ ὁ Παῦλος ὡς αὐτεξουσίοις ἡμῖν
    διαλέγεται καὶ ἑαυτοῖς αἰτίοις τυγχάνουσιν ἀπωλείας ἢ
    σωτηρίας · Ἢ τοῦ πλούτου γάρ φησι τῆς χρηστότητος
140 αὐτοῦ καὶ τῆς ἀνοχῆς καὶ τῆς μακροθυμίας καταφρονεῖς,
    ἀγνοῶν ὅτι τὸ χρηστὸν τοῦ θεοῦ εἰς μετάνοιάν σε ἄγει ;
    Κατὰ δὲ τὴν σκληρότητά σου καὶ ἀμετανόητον καρδίαν
    θησαυρίζεις σεαυτῷ ὀργὴν ἐν ἡμέρᾳ ὀργῆς καὶ ἀποκαλύψεως

III, 1. 135 αὐτοῖς Pat αὐτοῦ *ex* αὐτοὺς B

---

reliqua. Sed et illud quod dicit *his, qui a dextris sunt :*
Venite ad me omnes benedicti patris mei et cetera ; *esurii*
170 *enim et dedistis mihi manducare, sitii et dedistis mihi bibere*
euidenter ostendit quia in ipsis fuit, ut uel isti laudabiles
essent, facientes quae mandata sunt et percipientes quae
promissa sunt, uel hi culpabiles, qui contraria uel audire
uel percipere meruerunt, quibus dicitur : *Ite maledicti in*
175 *ignem aeternum.*
    Videamus quomodo etiam Paulus apostolus uelut
potestatem arbitrii habentibus nobis loquitur et tamquam
in nobis ipsis uel salutis uel perditionis habentibus causas
ait : *Aut diuitias bonitatis eius et patientiae ac longani-*
180 *mitatis contempnis, ignorans quoniam benignitas dei ad*
paenitentiam te adducit? Secundum duritiam autem tuam
et cor inpaenitens thesaurizas tibi iram in die irae et reue-

III, 1. 169 esurii AC : esuriui *cett. Codd. Koe* (= *Vulg.*) ‖ 170
sitii AB : sitti enim C sitiui g *Koe* (= *Vulg.*) ‖ 182 thesaurizasti g

Quand il dit *à ceux qui sont à sa droite: Venez à moi,*
les bénis de mon père, etc., *car j'ai eu faim et vous m'avez*
donné à manger, j'ai eu soif et vous m'avez abreuvé, il
leur donne très clairement ces promesses comme s'ils
étaient la cause de ces louanges, et c'est au contraire aux
autres comme blâmables par leur faute qu'il dit : *Allez,*
maudits, au feu éternel.

Voyons de quelle manière Paul lui aussi nous parle
comme ayant le libre arbitre et étant causes de perdition
et de salut : *Méprises-tu la richesse de sa bonté et de sa*
patience et de sa longanimité, ignorant que cette bonté de
Dieu te mène à la pénitence? En fonction de ta dureté et de
l'impénitence de ton cœur, tu thésaurises pour toi la colère

---

maison sur le sable, etc. Quand il dit à ceux qui sont à
sa droite : *Venez à moi les bénis de mon père*, etc. *J'ai eu*
faim et vous m'avez donné à manger, j'ai eu soif et vous
m'avez donné à boire, il montre avec évidence qu'il était
en leur pouvoir de mériter ces louanges, en accomplissant
les commandements et en recevant les promesses, alors
qu'étaient coupables ceux qui ont mérité d'entendre et
de percevoir le contraire, ceux à qui il est dit : *Allez,*
maudits, au feu éternel.

Voyons de quelle manière Paul, lui aussi, nous parle
comme ayant le pouvoir du libre arbitre et possédant en
nous les causes du salut et de la perdition : *Méprises-tu*
la richesse de sa bonté et de sa patience et de sa longanimité,
ignorant que cette bonté de Dieu te mène à la pénitence?
En fonction de ta dureté et de l'impénitence de ton cœur,
tu thésaurises pour toi la colère au jour de la colère et

III, 1. *130*, 168 : Matth. 25, 34 s. ‖ *135*, 174 : Matth. 25, 41 ‖ *139*,
179 : Rom. 2, 4 s.

40 LE LIBRE ARBITRE

καὶ δικαιοκρισίας τοῦ θεοῦ, ὃς ἀποδώσει ἑκάστῳ κατὰ
145 τὰ ἔργα αὐτοῦ · τοῖς μὲν καθ᾽ ὑπομονὴν ἔργου ἀγαθοῦ
δόξαν καὶ τιμὴν καὶ ἀφθαρσίαν ζητοῦσι, ζωὴν αἰώνιον, τοῖς
δὲ ἐξ ἐριθείας καὶ ἀπειθοῦσι τῇ ἀληθείᾳ, πειθομένοις δὲ
τῇ ἀδικίᾳ, ὀργὴ καὶ θυμός. Θλῖψις καὶ στενοχωρία ἐπὶ πᾶσαν
ψυχὴν ἀνθρώπου τοῦ κατεργαζομένου τὸ κακόν, Ἰουδαίου
150 τε πρῶτον καὶ Ἕλληνος · δόξα δὲ καὶ τιμὴ καὶ εἰρήνη
παντὶ τῷ ἐργαζομένῳ τὸ ἀγαθόν, Ἰουδαίῳ τε πρῶτον καὶ
Ἕλληνι. Μυρία μὲν οὖν ἐστιν ἐν ταῖς γραφαῖς σφόδρα σαφῶς
παριστῶντα τὸ αὐτεξούσιον.

7 (6). Ἐπεὶ δὲ εἰς τὸ ἐναντίον, τουτέστι τὸ μὴ ἐφ᾽ ἡμῖν
155 τυγχάνειν τηρεῖν τὰς ἐντολὰς καὶ σῴζεσθαι καὶ τὸ παρα-
βαίνειν αὐτὰς καὶ ἀπόλλυσθαι, περισπᾷ ῥητά τινα ἀπὸ

III, 1. 144 καὶ om. Pat (= Ruf.) ‖ 147 μὲν post ἀπειθοῦσιν add.
Pat mg, Koe ‖ 148 καὶ post θυμός add. CDH ‖ 149 τοῦ : ἐπὶ τοῦ Pat
‖ 154 μὴ om. Pat ‖ 155 τὸ secl. Koe

lationis iusti iudicii dei, qui reddet unicuique secundum
opera sua : his quidem, qui secundum patientiam boni operis
185 gloriam et honorem et incorruptionem quaerunt, uitam
aeternam, his autem, qui ex contentione et qui non credunt
quidem ueritati, credunt autem iniquitati, ira et indignatio.
Tribulatio et angustia in omnem animam hominis operantis
malum, Iudaeo primum et Graeco ; gloria autem et honor et
190 pax omni operanti bonum, Iudaeo primum et Graeco. Multa
quidem alia et innumera in sanctis scripturis inuenias,
quae euidenter ostendant habere nos liberi arbitrii potestatem. Alioquin contrarium esset dari nobis mandata, ex
quorum uel obseruatione saluemur uel praeuaricatione
195 damnemur, si obseruandi ea facultas in nobis non est.

7. Verum quoniam inueniuntur in ipsis diuinis scripturis
quaedam uerba ita posita, ut contrarium aliquid ex his
posse uideatur intellegi, proferentes ea in medium et

III, 1. 185 et honorem om. g ‖ qui ante quaerunt add. g ‖ 197
ita : ipsa GM

au jour de la colère, de la révélation et du juste jugement de Dieu qui rendra à chacun selon ses œuvres : à ceux qui par leur persévérance à accomplir le bien recherchent la gloire, l'honneur et l'incorruption sera donnée la vie éternelle, mais à ceux qui par chicane n'obéissent pas à la vérité, mais à l'injustice, colère et fureur. Tribulation et angoisse pour toute personne humaine qui fait le mal, Juif d'abord, puis Grec ; gloire, honneur et paix à tous ceux qui font le bien, Juif d'abord, puis Grec. On trouve dans les Écritures d'innombrables affirmations, très claires, du libre arbitre.

Textes scripturaires qui paraissent contredire le libre arbitre

1, 7 (*6*). Puisqu'on peut aussi tirer dans le sens contraire, c'est-à-dire comme s'il ne dépendait pas de nous de garder les commandements pour

---

la révélation du juste jugement de Dieu, qui rendra à chacun selon ses œuvres : à ceux qui par leur persévérance à accomplir le bien recherchent la gloire, l'honneur et l'incorruption sera donnée la vie éternelle, mais à ceux qui par chicane ne croient pas à la vérité, mais à l'iniquité, colère et indignation. Tribulation et angoisse pour toute personne humaine qui fait le mal, Juif d'abord puis Grec ; gloire, honneur et paix à tous ceux qui font le bien, Juif d'abord puis Grec. Tu trouveras dans les saintes Écritures de nombreuses et innombrables affirmations qui montrent avec évidence que nous possédons la faculté du libre arbitre. Autrement[35a] il aurait été absurde de nous donner des commandements pour nous sauver par leur observation ou nous damner par leur transgression, si nous n'avions pas en nous-mêmes la possibilité de les observer.

1, 7. Mais[35b] puisqu'on trouve dans les divines Écritures certaines paroles ainsi formulées qu'on puisse les comprendre dans un sens opposé, nous allons en exposer quelques-

τῆς παλαιᾶς καὶ τῆς καινῆς, φέρε ἀπὸ μέρους καὶ ἐκ τούτων
παραθέμενοι θεασώμεθα αὐτῶν τὰς λύσεις, ἵνα ἀφ' ὧν
παρατιθέμεθα κατὰ τὸ ὅμοιον ἐκλεξάμενός τις ἑαυτῷ πάντα
160 τὰ δοκοῦντα ἀναιρεῖν τὸ αὐτεξούσιον, ἐπισκέψηται τὰ περὶ
τῆς λύσεως αὐτῶν. Καὶ δὴ πολλοὺς κεκίνηκε τὰ περὶ τοῦ
Φαραώ, περὶ οὗ χρηματίζων ὁ θεός φησιν · Ἐγὼ δὲ
σκληρυνῶ τὴν καρδίαν Φαραὼ πλεονάκις. Εἰ γὰρ ὑπὸ θεοῦ
σκληρύνεται καὶ διὰ τὸ σκληρύνεσθαι ἁμαρτάνει, οὐκ αὐτὸς
165 ἑαυτῷ τῆς ἁμαρτίας αἴτιος · εἰ δὲ τοῦτο, οὐδὲ αὐτεξούσιος
ὁ Φαραώ. Καὶ φήσει τις ὅτι ἐκ τοῦ ὁμοίου οἱ ἀπολλύμενοι
οὐκ αὐτεξούσιοι οὐδὲ παρ' ἑαυτοὺς ἀπολοῦνται. Καὶ ἐν τῷ
Ἰεζεκιὴλ δὲ λεγόμενον τὸ Ἐξελῶ αὐτῶν τὰς λιθίνας καρδίας
καὶ ἐμβαλῶ σαρκίνας, ὅπως ἐν τοῖς προστάγμασί μου
170 πορεύωνται καὶ τὰ δικαιώματά μου φυλάσσωσι κινῆσαι ἂν

III, 1. 158 τὰς λύσεις αὐτῶν CD ‖ 167 παρ' ἑαυτῶν Pat H ‖
168 τὸ om. CD

secundum pietatis regulam disserentes adhibeamus eorum
200 absolutiones, quo ex his paucis quae exponimus etiam
ceterorum, quae similiter dicta sunt, quibus arbitrii
potestas uidetur excludi, absolutio euidens fiat. Igitur
quam plurimos mouent ea, quae de Pharaone a deo dicta
sunt, dicente frequentius : *Ego indurabo cor Pharaonis.*
205 Si enim a deo induratur et per hoc quod induratur delinquit,
non sibi ipse existit causa delicti. Quod si ita est, non
uidebitur Pharao habere arbitrii libertatem, et iam consequenter asseritur quod hoc exemplo ne ceteri quidem qui
pereunt ex arbitrii sui libertate causam perditionis acci-
210 piant. Sed et illud quod in Hiezechihele scriptum est, cum
dicit : *Auferam eorum lapidea corda et inmittam eis carnea,*
ut in praeceptis meis incedant et iustitias meas custodiant,

III, 1. 205 aiunt *post* a deo *add.* BC

être sauvés et de les enfreindre pour être perdus, quelques passages de l'Ancien et du Nouveau Testament, nous allons en exposer quelques-uns et envisager leurs solutions pour que, en partant des cas exposés, chacun puisse choisir de même les textes qui lui paraissent contredire le libre arbitre et examiner leur solution. Beaucoup sont émus par ce qui concerne Pharaon, au sujet de qui Dieu proclame plusieurs fois : *J'endurcirai le cœur de Pharaon.* S'il est endurci par Dieu et s'il pèche à cause de cet endurcissement, ce n'est pas lui qui est cause de son péché : s'il en est ainsi Pharaon n'a pas de libre arbitre. Et l'on dira que de la même façon ceux qui sont perdus n'ont pas le libre arbitre et que ce n'est pas par leur faute qu'ils périssent. Et ce qui est dit dans Ézéchiel : *J'enlèverai leurs cœurs de pierre et je leur mettrai des cœurs de chair, afin qu'ils marchent dans mes commandements et qu'ils gardent mes*

---

unes et les discuter conformément à la règle de piété[35c] pour leur donner une solution, afin que, en partant des quelques cas indiqués, la solution des autres qui leur sont semblables et paraissent exclure le libre arbitre soit claire. Un très grand nombre est ému par ce que Dieu dit à plusieurs reprises de Pharaon : *Moi, j'endurcirai le cœur de Pharaon.* Si donc il est endurci par Dieu et s'il pèche par suite de cet endurcissement, ce n'est pas lui qui est cause de son péché. S'il en est ainsi, Pharaon ne semblera pas avoir le libre arbitre, et alors logiquement on affirme que, d'après cet exemple, même tous ceux qui périssent n'ont pas dans le libre arbitre la cause de leur perte. Et ce qui est écrit dans Ézéchiel : *J'enlèverai leurs cœurs de pierre et je leur mettrai des cœurs de chair, afin qu'ils marchent dans mes commandements et qu'ils gardent*

III, 1. *162*, 204 : Ex. 4, 21 ; 7, 3 ‖ *168*, 211 : Éz. 11, 19 s.

τινα ὡς τοῦ θεοῦ διδόντος τὸ πορεύεσθαι ἐν ταῖς ἐντολαῖς
καὶ φυλάσσειν τὰ δικαιώματα ἐν τῷ τὸ ἐμποδίζον ὑπεξηρη-
κέναι, τὴν λιθίνην καρδίαν, καὶ τὸ κρεῖττον ἐντεθεικέναι,
τὴν σαρκίνην.

175   Ἴδωμεν δὲ καὶ τὸ ἐκ τοῦ εὐαγγελίου, τί ὁ σωτὴρ ἀποκρίνεται πρὸς τοὺς πυθομένους, διὰ τί ἐν παραβολαῖς τοῖς
πολλοῖς λαλεῖ · *Ἵνα* φησὶν *βλέποντες μὴ βλέπωσι, καὶ
ἀκούοντες ἀκούωσι καὶ μὴ συνιῶσι · μήποτε ἐπιστρέψωσι,
καὶ ἀφεθῇ αὐτοῖς.* Ἔτι δὲ καὶ παρὰ τῷ Παύλῳ τὸ *Οὐ τοῦ*
180 *θέλοντος οὐδὲ τοῦ τρέχοντος ἀλλὰ τοῦ ἐλεοῦντος θεοῦ,* καὶ
ἐν ἄλλοις · *Καὶ τὸ θέλειν δὲ καὶ τὸ ἐνεργεῖν ἐκ τοῦ θεοῦ
ἐστιν,* καὶ ἐν ἄλλοις · *Ἆρ' οὖν ὃν θέλει ἐλεεῖ, ὃν δὲ θέλει*

III, 1. 172 ὑφεξηρηκέναι B Pat ἐξηρηκέναι C ‖ 177 καὶ φησὶν ἵνα
CDH καί φησιν (ἵνα *mg*) Pat ‖ 178 μὴ *post* ἀκούοντες *add.* CD
Patᵖᶜ (= *Ruf.*) ‖ ἀκούσωσι B ‖ μὴ *om.* C ‖ 179 ἀφεθήσεται Pat CDH
‖ 180 ἐλεῶντος Pat ‖ 182 ἐν ἄλλοις *om.* BH

---

mouet aliquem pro eo, quod a deo dari uidetur uel incedere
in mandatis eius uel iustificationes ipsius custodire, quippe
215 si ipse id, quod obstat ad custodienda mandata, lapideum
cor auferens, cor melius et sensibilius, quod nunc carneum
nominatur, inmittit et inserit.

    Videamus autem etiam illud, quod in euangelio dominus
et saluator respondit ad eos, qui quaerebant de ipso quare
220 ad turbas in parabolis loqueretur, quale sit ; ait enim :
*Vt uidentes non uideant, et audientes non audiant et non
intellegant, ne forte conuertantur, et remittatur eis.* Sed et
illud, quod a Paulo apostolo dictum est quia *non uolentis
neque currentis, sed miserentis est dei,* et in alio loco :
225 *Et uelle et perficere ex deo est,* et item in alio : *Ergo cui
uult misereatur, et quem uult indurat.* Dicis itaque mihi :

III, 1. 213 mouet *codd.* : moueat *corr. Koe* mouere possit *corr.*
Del, textum graecum conferentes ‖ dare g ‖ 215 ipse *om.* g ‖ 218 uide g
‖ 221 ut *om.* g ‖ 223 illud : aliud A ‖ 226 obdurat A ‖ dices C *Del Koe*

prescriptions, poussera peut-être certains à penser que c'est Dieu qui donne de marcher dans les commandements et de garder les prescriptions en ôtant l'obstacle, le cœur de pierre, pour mettre à la place ce qui est meilleur, le cœur de chair.

Examinons aussi le passage évangélique où le Sauveur répond à ceux qui lui demandent pourquoi il parle à la foule en paraboles : *pour que*, dit-il, *voyant, ils ne voient pas et entendant, ils entendent et ne comprennent pas, de peur qu'ils ne se convertissent et qu'il ne leur soit pardonné.* On trouve de même chez Paul : *Ce n'est pas l'œuvre de celui qui veut ni de celui qui court, mais de Dieu qui a miséricorde.* Et ailleurs : *Le vouloir et l'agir viennent de Dieu.* Ailleurs encore : *Il a donc pitié de celui qu'il veut*

---

mes prescriptions, en pousse certains à penser que c'est Dieu qui donne de marcher dans ses commandements et de garder ses prescriptions, car c'est lui qui en ôtant l'obstacle à la garde des commandements, le cœur de pierre, met et implante un cœur meilleur et plus sensible qui est alors appelé un cœur de chair[35d].

Examinons aussi la signification de ce que, dans l'Évangile, le Seigneur et Sauveur répondit à ceux qui lui demandaient pourquoi il parlait aux foules en paraboles. Il dit en effet : *Pour que voyant ils ne voient pas et entendant ils n'entendent pas et ne comprennent pas, de peur qu'ils ne se convertissent et qu'il ne leur soit pardonné.* Mais Paul dit aussi : *Ce n'est pas l'œuvre de celui qui veut ni de celui qui court, mais de Dieu qui fait miséricorde.* Et ailleurs : *Le vouloir et l'accomplir viennent de Dieu.* Ailleurs encore : *Il a donc pitié de celui qu'il veut et il endurcit celui qu'il veut.*

III, 1. 214 : Ps. 104, 45 ‖ *176*, 220 : Matth. 13, 10 ‖ *177*, 221 : Mc 4, 12 ‖ *179*, 223 Rom. 9, 16 ‖ *181*, 225 : Phil. 2, 13 ‖ *182*, 225 : Rom. 9, 18 s.

σκληρύνει. Ἐρεῖς μοι οὖν · Τί ἔτι μέμφεται ; Τῷ γὰρ
βουλήματι αὐτοῦ τίς ἀνθέστηκεν ; [Καὶ Ἡ πεισμονὴ ἐκ
185 τοῦ καλοῦντος καὶ οὐκ ἐξ ἡμῶν ·] Μενοῦνγε, ὦ ἄνθρωπε,
σὺ τίς εἶ, ὁ ἀνταποκρινόμενος τῷ θεῷ ; [καὶ πάλιν ·]
Μὴ ἐρεῖ τὸ πλάσμα τῷ πλάσαντι · τί με ἐποίησας οὕτως ;
ἢ οὐκ ἔχει ἐξουσίαν ὁ κεραμεὺς τοῦ πηλοῦ ἐκ τοῦ αὐτοῦ
φυράματος ποιῆσαι ὃ μὲν εἰς τιμὴν σκεῦος, ὃ δὲ εἰς ἀτιμίαν ;
190 Ταῦτα γὰρ καθ᾽ ἑαυτὰ ἱκανά ἐστι τοὺς πολλοὺς ἐκταράξαι,
ὡς οὐκ ὄντος τοῦ ἀνθρώπου αὐτεξουσίου, ἀλλὰ τοῦ θεοῦ
σώζοντος καὶ ἀπολλύντος οὓς ἐὰν αὐτὸς βούληται.

8 (7). Ἀρξώμεθα τοίνυν ἀπὸ τῶν περὶ τοῦ Φαραὼ
εἰρημένων ὡς σκληρυνομένου ὑπὸ θεοῦ, ἵνα μὴ ἐξαποστείλῃ
195 τὸν λαόν · ᾧ συνεξετασθήσεται ἅμα καὶ τὸ ἀποστολικόν ·

III, 1. 183 οὖν μοι CDH ‖ 184 βουλήματι : θελήματι CD ‖ 184-
185 καὶ ἡ — ἡμῶν seclusi, cf. Ruf. et l. 665 s. ‖ 186 καὶ πάλιν om.
CDH, secl. Koe, qui transp. ante μενοῦνγε (185) ‖ 190 καθ᾽ αὐτὰ Pat
CDH ‖ 193 τοῦ om. CD

Quid ergo adhuc culpat? Voluntati enim eius quis resistet?
O homo, tu quis es, qui contra respondeas deo? Numquid
dicit figmentum ei, qui se finxit: Quid me fecisti sic? aut
230 non habet potestatem figulus luti ex eadem massa facere uas
aliud quidem ad honorem, aliud autem ad contumeliam?
haec et his similia non parum uidentur deterrere posse
quam plurimos, ne putetur unusquisque habere sui arbitrii
libertatem, sed quod ex dei uoluntate uel saluari aliquis
235 uel perire uideatur.

8. Incipiamus igitur ab his, quae ad Pharaonem
dicta sunt, qui a deo dicitur induratus, ne dimitteret
populum ; cum quo pariter etiam apostoli ille sermo

III, 1. 227 resistat A ‖ post resistet lacunam signauit Koe, reputans hic intercidisse Gal. 5, 8 : sed hic locus, qui in textu graeco
satis inepte interrumpit continuationem Rom. 9, 18-21, mea sententia interpolatus habendus est : qua re seclusi in textu graeco ‖ 237
demitteret BGM

et il endurcit celui qu'il veut. Tu me diras donc: Que
blâme-t-il encore? Qui s'est opposé à sa volonté? [Et : La
persuasion vient de celui qui appelle, et non de nous][36]*.*
Effectivement, homme, qui es-tu pour répondre à Dieu?
Ce qui est façonné dira-t-il à celui qui l'a façonné: Pour-
quoi m'as-tu fait ainsi? Est-ce que le potier qui travaille
l'argile n'a pas le pouvoir de faire à partir de la même pâte
tel vase pour un usage honorable, tel autre pour un usage
sans honneur? Ces textes par eux-mêmes peuvent troubler
la foule[37] et faire croire que l'homme n'a pas de libre
arbitre, mais que Dieu sauve ou perd ceux qu'il veut.

L'endurcissement **1,** 8 (7). Commençons[38] d'abord par
par Dieu du cœur ce qui est dit au sujet de Pharaon
de Pharaon : et de Dieu qui l'endurcit pour l'empê-
- polémique cher de laisser partir le peuple ; on
contre les gnostiques examinera en même temps cette parole

Tu me dis donc: Que blâme-t-il encore? Qui résistera à
sa volonté[36a]*? Homme, qui es-tu pour répondre à Dieu?*
Ce qui est façonné dira-t-il à celui qui l'a façonné: pourquoi
m'as-tu fait ainsi? Est-ce que le potier qui travaille l'argile
n'a pas le pouvoir de faire à partir de la même pâte tel vase
pour un usage honorable, tel autre pour un usage sans
honneur? Ces textes et d'autres semblables paraissent
pouvoir fortement dissuader la plupart de penser que
chacun possède le libre arbitre, leur faisant croire que
c'est, semble-t-il, par la volonté de Dieu que quelqu'un
sera sauvé ou perdu.

1, 8. Commençons[38a] d'abord par ce qui est dit à
Pharaon, représenté comme endurci par Dieu pour l'empêcher de laisser partir le peuple. On traitera en même temps

---

III, 1. *184* Gal. 5, 8 ‖ *185*, 228 : Rom. 9, 20 s.

Ἆρ' οὖν ὃν θέλει ἐλεεῖ, ὃν δὲ θέλει σκληρύνει. Καὶ ἐπεὶ
χρῶνται τούτοις τῶν ἑτεροδόξων τινές, σχεδὸν καὶ αὐτοὶ
τὸ αὐτεξούσιον ἀναιροῦντες διὰ τὸ φύσεις εἰσάγειν ἀπολλυ-
μένας, ἀνεπιδέκτους τοῦ σῴζεσθαι, καὶ ἑτέρας σῳζομένας,
200 ἀδυνάτως ἐχούσας πρὸς τὸ ἀπολέσθαι, τόν τε Φαραὼ φασι
φύσεως ὄντα ἀπολλυμένης διὰ τοῦτο σκληρύνεσθαι ὑπὸ τοῦ
θεοῦ, ἐλεοῦντος μὲν τοὺς πνευματικοὺς σκληρύνοντος δὲ
τοὺς χοϊκούς, φέρε ἴδωμεν ὅ τί ποτε καὶ λέγουσι. Πευσόμεθα
γὰρ αὐτῶν, εἰ χοϊκῆς φύσεως ὁ Φαραὼ ἦν. Ἀποκρινομένοις
205 δὲ ἐροῦμεν ὅτι ὁ τῆς χοϊκῆς φύσεως πάντως ἀπειθεῖ θεῷ ·
εἰ δὲ ἀπειθεῖ, τίς χρεία σκληρύνεσθαι αὐτοῦ τὴν καρδίαν,

III, 1. 196-197 ἐπεὶ χρῶνται : ἐπὶ χρῶνται Bᵃᶜ ἐπιχρῶνται Pat
CDH ‖ 199 σωζομένας om. B ‖ 201 τοῦτο : τὸ B ‖ τοῦ om. B ‖ 205
τῷ ante θεῷ add. CD

---

tractabitur, quo ait : *Ergo cui uult miseretur et quem uult*
240 *indurat.* His enim praecipue nituntur haeretici, dicentes
non esse in nostra potestate ut saluemur, sed naturas esse
animarum tales, quae omni genere uel pereant uel saluentur, nec ullo modo possit anima, quae malae naturae est,
bona fieri, aut quae bonae naturae fuerit, mala effici.
245 Vnde aiunt et Pharaonem, quoniam naturae erat perditae,
propterea indurari a deo, qui indurat eos qui terrenae
naturae sunt, miseretur autem eorum qui spiritalis
naturae sunt. Videamus ergo quale est istud quod asserunt,
et interrogemus eos primo, ut respondeant nobis, si
250 terrenae naturae, quam perditam dicunt, adserunt fuisse
Pharaonem. Respondebunt sine dubio : Terrenae. Si ergo
terrenae naturae erat, credere deo uel oboedire ei, resistente
natura, omnino non poterat. Quodsi hoc ei inerat per

III, 1, 239 quo ait : quod ait A om. B ‖ 253 inerat : erat g

de l'Apôtre : *Il a donc pitié de celui qu'il veut et il endurcit celui qu'il veut*[39]. Et puisque certains hétérodoxes se servent de ces textes pour supprimer à peu près le libre arbitre en soutenant qu'il y a des natures perdues, incapables de salut, et d'autres sauvées qui sont dans l'incapacité de se perdre, et qu'ils disent que Pharaon étant d'une nature perdue est endurci à cause de cela par Dieu qui a pitié des spirituels (pneumatiques) et endurcit les terrestres (choïques)[40], examinons donc ce qu'ils disent. Nous leur demanderons[41] si Pharaon était d'une nature terrestre. Quand ils auront répondu, nous leur dirons que celui qui a une nature terrestre désobéit complètement à Dieu. S'il désobéit, quel besoin y a-t-il d'endurcir son cœur, et cela non une seule fois, mais à plusieurs reprises ?

---

de cette parole de l'Apôtre : *Il a donc pitié de celui qu'il veut et il endurcit celui qu'il veut.* Sur ces textes surtout s'appuient les hérétiques pour dire qu'il n'est pas en notre pouvoir d'être sauvés, mais qu'il existe des natures d'âmes telles que de toute façon elles périssent ou sont sauvées, tellement qu'il est impossible à une âme de nature mauvaise de devenir bonne et à une âme de nature bonne de devenir mauvaise. C'est pourquoi ils disent que Pharaon, parce qu'il était d'une nature perdue, a été endurci par Dieu qui endurcit ceux qui sont d'une nature terrestre et a pitié de ceux qui sont d'une nature spirituelle. Voyons d'abord ce que signifie ce qu'ils affirment, et demandons-leur d'abord, pour qu'ils nous répondent, s'ils affirment que Pharaon était d'une nature terrestre, qu'ils disent perdue. Ils répondront sans aucun doute : d'une nature terrestre. S'il était donc d'une nature terrestre, il ne pouvait absolument pas croire à Dieu et lui obéir, à cause de la résistance de sa nature. S'il était désobéissant par nature, quel besoin y avait-il encore que son cœur

καὶ τοῦτο οὐχ ἅπαξ ἀλλὰ πλεονάκις ; Εἰ μὴ ἄρα ἐπεὶ
δυνατὸν ἦν πείθεσθαι αὐτόν, καὶ πάντως ἐπείσθη ἂν ἅτε
οὐκ ὢν χοϊκὸς ὑπὸ τῶν τεράτων καὶ σημείων δυσωπούμενος,
210 χρήζει δὲ αὐτοῦ ὁ θεὸς ὑπὲρ τοῦ ἐνδείξασθαι ἐπὶ σωτηρίᾳ
τῶν πολλῶν τὰ μεγαλεῖα ἐπὶ πλεῖον ἀπειθοῦντος, διὰ τοῦτο
αὐτοῦ σκληρύνει τὴν καρδίαν.

Ταῦτα δὲ λελέξεται πρῶτον πρὸς αὐτοὺς εἰς τὸ ἀνατραπῆναι
ὃ ὑπολαμβάνουσιν, ὅτι φύσεως εἴη ἀπολλυμένης ὁ Φαραώ.
215 Τὸ δ' αὐτὸ καὶ περὶ τοῦ παρὰ τῷ ἀποστόλῳ λεγομένου
λεκτέον πρὸς αὐτούς. Τίνας γὰρ σκληρύνει ὁ θεός ; τοὺς
ἀπολλυμένους ; Ὡς τί πεισομένους, εἰ μὴ σκληρυνθεῖεν ;

III, 1. 212 σκληρύνει αὐτοῦ CDH ‖ 214 εἴη : ἦν H *Rob* ‖ 217
ὡς τί πεισομένους *om.* Pat ‖ ὥς τι *Rob*

naturam, quid adhuc opus erat a deo indurari cor eius, et
255 hoc non semel sed frequenter, nisi quia utique possibile
erat eum suaderi? Nec indurari ab alio diceretur nisi is
qui a se non erat durus. Quodsi ex se non erat durus,
consequens est, ut nec fuerit terrenae naturae, sed talis
qui possit obstupefactus signis et uirtutibus cedere.
260 Necessarius etenim erat deo, ut pro salute multorum in
ipso ostenderet uirtutem suam, dum resistit plurimum et
obluctatur uoluntati dei, et per haec cor eius dicitur
indurari.

Haec autem dicta sint primo aduersus illos, per quae
265 illa eorum subruatur assertio, qua putant naturaliter fuisse
perditum Pharaonem ; sed et de his quae ab apostolo
Paulo dicta sunt, similiter aduersum eos agemus. Quos
enim indurat deus secundum opinionem uestram? Nempe
eos quos naturae perditae dicitis? quid aliud credo
270 facturos, si non fuissent indurati? Si uero ex induratione

III, 1. 254 a deo AC : deo B *om.* g ‖ 259 posset B *Del* ‖ 261 plurimum a : plurimos MG (*corr.* plurimis) plurimis signis AbS ‖
270 facturus ABC^{ae}

S'il n'en est pas ainsi, puisqu'il lui était possible d'être
persuadé — et il aurait été tout à fait persuadé, comme
s'il n'était pas terrestre, parce qu'il était troublé par les
prodiges et les signes, mais Dieu avait besoin de sa désobéissance répétée pour manifester ses merveilles[42] en vue
du salut de beaucoup —, pour cette raison Dieu endurcit
son cœur.

Voici la première réponse à faire aux hérétiques pour
renverser ce qu'ils supposent, que Pharaon était d'une
nature perdue. Il faut leur dire la même chose au sujet
de la parole de l'Apôtre. Qu'est-ce qu'endurcit Dieu ?
Les perdus ? Mais qu'est-ce qui leur arriverait s'ils n'avaient
pas été endurcis ? Ou bien alors, évidemment, seront-ils

---

soit endurci par Dieu et cela non une seule fois, mais
fréquemment, si ce n'est qu'il lui était possible d'être
persuadé ? Seul celui qui n'est pas dur par lui-même peut
être dit endurci par un autre[41a]. Mais s'il n'était pas dur,
il s'ensuit logiquement qu'il n'était pas d'une nature
terrestre, mais qu'il pouvait se soumettre, frappé par les
signes et les prodiges. Mais Dieu avait besoin de lui,
pour manifester en lui sa puissance en vue du salut de
beaucoup, il avait besoin de sa longue résistance et de sa
lutte contre la volonté de Dieu, et pour cela il est dit
que son cœur a été endurci.

Voici la première réponse à faire contre les hérétiques
pour renverser leur affirmation que Pharaon était perdu
par nature. Nous procéderons pareillement contre eux
au sujet des paroles de l'apôtre Paul. Qu'est-ce qu'endurcit
Dieu selon votre opinion ? Certainement ceux que vous
dites d'une nature perdue ? Que feraient-ils, à mon avis,
s'ils n'avaient pas été endurcis ? Si vraiment ils vont de

Ἡ δηλονότι σωθησομένους τῷ μὴ εἶναι αὐτοὺς φύσεως ἀπολλυμένης ; Τίνας δὲ καὶ ἐλεεῖ ; Ἆρα τοὺς σωθησο-
220 μένους ; Καὶ πῶς χρεία ἐλέου δευτέρου αὐτοῖς, ἅπαξ κατασκευασθεῖσι σωθησομένοις καὶ πάντως διὰ τὴν φύσιν μακαρίοις ἐσομένοις ; Εἰ μὴ ἄρα, ἐπεὶ ἐπιδέχονται ἀπώλειαν, εἰ μὴ ἐληθεῖεν, ἐλεοῦνται, ἵν' ὅπερ ἐπιδέχονται μὴ λάβωσι, τὸ ἀπολέσθαι, ἀλλὰ γένωνται ἐν χώρᾳ σῳζομένων. Καὶ
225 ταῦτα μὲν πρὸς ἐκείνους.

9 (8). Ἐπαπορητέον δὲ πρὸς τοὺς νομίζοντας νενοηκέναι τὸ ἐσκλήρυνε, τί δήποτε λέγουσι τὸν θεὸν ἐνεργοῦντα σκληρύνειν καρδίαν, καὶ τί προτιθέμενον τοῦτο ποιεῖν ; Τηρείτωσαν γὰρ καὶ ἔννοιαν θεοῦ, κατὰ μὲν τὸ ὑγιὲς δικαίου
230 καὶ ἀγαθοῦ, εἰ δὲ μὴ βούλονται, ἐπὶ τοῦ παρόντος αὐτοῖς

III, 1. 223 ἐπιδέχωνται B ‖ 228 προστιθέμενον CDH ‖ 230 βού-λωνται Pat B^ac

---

ad perditionem ueniunt, iam non naturaliter, sed ex accidentibus pereunt. Tum deinde dicite nobis, quorum miseretur deus? Nempe eorum qui saluandi sunt? Et in quo isti secunda misericordia indigent, qui semel saluandi
275 sunt per naturam et ad beatitudinem naturaliter ueniunt? nisi quia etiam ex his ostenditur quod, quia perire eos possibile erat, idcirco misericordiam consequuntur, ut per hoc non pereant, sed ueniant ad salutem et piorum regna possideant. Et haec quidem dicta sint aduersum illos, qui
280 naturas bonas uel malas, id est terrenas uel spiritales, commenticiis fabulis introducunt, ex quibus fieri dicunt, ut uel saluetur unusquisque uel pereat.

9. Nunc uero respondendum est etiam his, qui deum legis iustum tantummodo uolunt esse, non etiam bonum :
285 quomodo putant a deo indurari cor Pharaonis, quid faciente uel quid prospiciente? Obseruandus est enim prospectus et intuitus dei, secundum nos quidem iusti et

III, 1. 274 secunda a : secundum GM secundum nos AbS ‖ 286 enim a : etiam g

sauvés, comme n'étant pas d'une nature perdue? De qui
Dieu a-t-il pitié? N'est-ce pas de ceux qui seront sauvés?
Et quel besoin y a-t-il pour eux d'une seconde miséricorde,
puisqu'une fois pour toutes ils ont été créés comme devant
être sauvés et devant être dans la béatitude complète
à cause de leur nature? S'il n'en est pas ainsi, puisqu'ils
reçoivent la perdition s'ils ne sont pas l'objet de la miséricorde, Dieu a pitié d'eux, pour qu'ils ne reçoivent pas
ce qui les attend, la perdition[43], mais qu'ils parviennent au
lieu des sauvés. Voici donc ce que l'on peut leur répondre.

1, 9 (8). On peut objecter à ceux qui pensent avoir
compris le mot *il a endurci* ce qui suit : Qu'a fait selon
eux Dieu pour endurcir le cœur et dans quel but a-t-il
agi ainsi? Qu'ils examinent donc la notion de Dieu, qui
est selon la saine doctrine juste et bon, mais, s'ils ne

---

l'endurcissement à la perdition, ils ne périssent pas à cause
de leur nature, mais à cause de ce qui leur arrive. Maintenant, dites-nous de qui Dieu a-t-il pitié? Certainement
de ceux qui doivent être sauvés? Et en quoi ont-ils besoin
d'une seconde miséricorde, puisqu'une fois pour toutes
ils doivent être sauvés par nature et ils viendront naturellement à la béatitude? A moins que cela ne montre que,
puisqu'il leur était possible de périr, ils obtiennent miséricorde, pour qu'eux aussi ils ne périssent pas, mais qu'ils
viennent au salut et possèdent le royaume destiné aux
pieux. Tout cela est dit contre ceux qui prétendent, à
l'aide de fables inventées, qu'il y a des natures bonnes ou
mauvaises, c'est-à-dire terrestres ou spirituelles, dont
dépend selon eux le salut ou la perdition de chacun[43a].

1, 9. Il faut maintenant répondre à ceux qui veulent
que le Dieu de la loi soit seulement juste et non bon :
comment pensent-ils que le cœur de Pharaon a été endurci
par Dieu, par quels moyens et dans quel but? Il faut
examiner le point de vue et l'intention de Dieu, qui est

συγκεχωρήσθω, δικαίου · καὶ παραστησάτωσαν, πῶς ὁ
ἀγαθὸς καὶ δίκαιος ἢ ὁ δίκαιος μόνον φαίνεται δικαίως
σκληρύνων καρδίαν τοῦ διὰ τὸ σκληρύνεσθαι ἀπολλυμένου,
καὶ πῶς ὁ δίκαιος αἴτιος ἀπωλείας γίνεται καὶ ἀπειθείας,
235 τῶν ὑπ' αὐτοῦ διὰ τὸ σκληρύνεσθαι καὶ ἀπειθῆσαι αὐτῷ
κολαζομένων. Τί δὲ αὐτῷ καὶ μέμφεται, λέγων · Σὺ δὲ
οὐ βούλει ἐξαποστεῖλαι τὸν λαόν μου, ἰδοὺ πατάσσω πάντα
τὰ πρωτότοκα ἐν Αἰγύπτῳ καὶ τὸν πρωτότοκόν σου καὶ
ὅσα ἄλλα ἀναγέγραπται ὡς τοῦ θεοῦ λέγοντος διὰ Μωσέως
240 τῷ Φαραώ ; Ἀναγκαῖον γὰρ τὸν πιστεύοντα ὅτι ἀληθεῖς
αἱ γραφαὶ καὶ ὅτι ὁ θεὸς δίκαιος, ἐὰν εὐγνώμων ᾖ, ἀγωνίζε-
σθαι, πῶς ἐν ταῖς τοιαύταις λέξεσι δίκαιος τρανῶς νοηθῇ.

III, 1. 232 δικαίως : δίκαιος Pat H *om.* C ‖ 233 διὰ τὸ Pat H :
διὰ τοῦ BCD ‖ 240 ἀναγκαίως B ‖ 241 εὐγνωμονῇ Pat CDH ‖ 242
δίκαιος *om.* CD ‖ νοηθείη CD

boni, secundum ipsos uero iusti tantummodo. Et ostendant
nobis quomodo deus, quem utique et ipsi iustum fatentur,
290 iuste faciat cor hominis indurare, ut ex ipsa induratione
peccet et pereat ; et quomodo in hoc dei iustitia defendetur,
si ipse his causa perditionis existit, quos pro eo quod duri
et increduli extiterunt, ipse postmodum iudicis auctoritate
damnabit? Quid etiam culpat eum dicens : *Tu autem*
295 *quoniam non uis dimittere populum meum, ecce percutiam*
omnia primitiua in Aegypto, etiam primitiuum tuum et
quaecumque alia scripta sunt per Moysen dicta esse a deo
ad Pharaonem? Necesse est enim quod omnis, qui credit
uera esse ea, quae in scripturis referuntur, et ostendere
300 uult iustum deum esse legis et prophetarum, pro his
omnibus reddere rationem, quomodo per haec nihil prorsus
dei iustitiae derogetur ; quoniam quidem, licet bonum
eum negent, iustum tamen et iudicem et mundi eum

III, 1. 292 his a : ex his g ‖ 294 damnauit g ‖ 300 esse deum A ‖
301 *post* reddere *suppl.* debeat *coni. in appar.* Koe

l'acceptent pas, qu'on leur concède pour le moment qu'il est seulement juste[44]. Qu'ils nous montrent comment celui qui est juste et bon, ou seulement juste, peut paraître avoir agi justement en endurcissant le cœur de celui qui périra parce qu'il est endurci, et comment celui qui est juste devient cause de perdition et de désobéissance en châtiant ceux qu'il a endurcis et contraints à la désobéissance ! Pourquoi blâme-t-il Pharaon en ces termes : *Toi, tu ne veux pas laisser partir mon peuple, voici que je frappe tous les premiers-nés d'Égypte, ainsi que ton premier-né*, et tout ce que selon l'Écriture Dieu dit à Pharaon par l'intermédiaire de Moïse ? Il faut que celui qui croit que les Écritures sont véridiques et que Dieu est juste, lutte, s'il est sage, pour montrer comment comprendre clairement que Dieu est juste en proférant de telles paroles.

---

selon nous juste et bon, selon eux seulement juste. Et qu'ils nous montrent comment Dieu, qu'eux-mêmes de toute façon reconnaissent juste, agit justement en endurcissant le cœur de l'homme pour que cet endurcissement le fasse pécher et périr ; et comment on peut défendre dans ce cas la justice de Dieu, s'il est lui-même cause de perdition pour ceux qu'il condamne ensuite avec son autorité de juge, parce qu'ils sont endurcis et incrédules. Pourquoi blâme-t-il Pharaon en ces termes : *Toi, puisque tu ne veux pas laisser partir mon peuple, voici que je vais frapper tous les premiers-nés d'Égypte, ainsi que ton premier-né* et tout ce que selon l'Écriture Dieu dit à Pharaon par l'intermédiaire de Moïse ? Il faut en effet que celui qui croit vrai tout ce que rapportent les Écritures et qui veut montrer la justice du Dieu de la loi et des prophètes, rende compte de ces passages et montre qu'ils ne s'opposent en rien à la justice de Dieu : car, même s'ils nient sa bonté, ils reconnaissent du moins sa justice en

---

III, 1. *236*, 294 : Ex. 4, 23 ; 9, 17, etc.

Εἰ μὲν γὰρ ἀπογραψάμενός τις γυμνῇ τῇ κεφαλῇ ἵστατο
πρὸς τὸ πονηρὸν εἶναι τὸν δημιουργόν, ἄλλων ἔδει λόγων
245 πρὸς αὐτόν.

10 (8.9). Ἐπεὶ δέ φασι διακεῖσθαι περὶ αὐτοῦ ὡς περὶ
δικαίου, καὶ ἡμεῖς ὡς περὶ ἀγαθοῦ ἅμα καὶ δικαίου, σκοπή-
σωμεν, πῶς ἂν ὁ ἀγαθὸς καὶ δίκαιος σκληρύνοι τὴν καρδίαν
Φαραώ. (9) Ὅρα τοίνυν εἰ διά τινος παραδείγματος, ᾧ ὁ
250 ἀπόστολος ἐν τῇ πρὸς Ἑβραίους ἐχρήσατο, δυνάμεθα
παραστῆσαι, πῶς μιᾷ ἐνεργείᾳ ὁ θεὸς ὃν μὲν ἐλεεῖ ὃν δὲ
σκληρύνει, οὐ προτιθέμενος σκληρύνειν ἀλλὰ διὰ προθέσεως
χρηστῆς, ᾗ ἐπακολουθεῖ διὰ τὸ τῆς κακίας ὑποκείμενον

III, 1. 248 σκληρύνει Bᵃᶜ ‖ 249 ᾧ *om.* Pat

---

creatorem fatentur. Alius enim responsionis ordo est
305 aduersum eos qui malignum, id est diabolum, mundi
huius adserunt creatorem.

10. Nos uero quoniam non solum iustum, sed et bonum
deum fatemur, qui per Moysen locutus est, perspiciamus
diligentius, quomodo iusto bonoque conueniat quod cor
310 indurare dicitur Pharaonis. Et uideamus si forte possumus
sequentes apostolum Paulum difficultatem rei exemplis
quibusdam ac similitudinibus soluere, si ostenderimus
quomodo uno eodemque opere deus alterius quidem
miseretur et alium indurat, non hoc agens nec uolens, ut
315 induretur ille qui induratur ; sed dum ipse benignitate sui
et patientia utitur, his quidem, qui eius benignitatem et
patientiam ad contemptum atque insolentiam ducunt,
induratur cor, dum criminum poena differtur ; hi uero,
qui benignitatem et patientiam eius ad occasionem paeni-
320 tentiae suae et emendationis accipiunt, misericordiam

III, 1. 308 eum *post* fatemur *add.* BC ‖ 315 sui : sua AbSM (*ex*
sui) *Koe*

III, 1. *243* : Platon, *Phèdre* 243 B ‖ *251*, 314 : Rom. 9, 18 ‖
319 : Rom. 2, 4

Car si quelqu'un déclare en accusateur, *la tête découverte*[45] — c'est-à-dire sans vergogne —, qu'il tient le Créateur pour mauvais, il faudrait user envers lui d'autres raisonnements[46].

- essais de solution   **1,** 10 (*8, 9*). Mais[47], puisqu'ils disent qu'ils le considèrent comme juste, et nous comme juste et bon à la fois, examinons comment celui qui est juste et bon endurcirait le cœur de Pharaon. (*9*) Voyons si nous pouvons montrer à partir d'un exemple que l'Apôtre a utilisé dans son Épître aux Hébreux, comment par la même action[48] Dieu a miséricorde de l'un et endurcit l'autre, non dans le but d'endurcir, mais dans une intention bonne qui a pour effet d'endurcir à cause du substrat[49] de malice que constitue le mal qui est en

---

tant que juge et que créateur du monde[44a]. Il faut répondre autrement à ceux qui affirment[45a] que le créateur de ce monde est le Malin, c'est-à-dire le diable[46a].

1, 10. Mais nous, puisque nous reconnaissons non seulement comme juste, mais comme bon, le Dieu qui a parlé par Moïse, examinons avec plus de soin comment il convient à celui qui est juste et bon d'endurcir le cœur de Pharaon. Voyons en effet si nous pouvons, en suivant l'apôtre Paul, résoudre cette difficulté en prenant quelques exemples ou similitudes, et ceci en montrant comment par une seule et même action Dieu a miséricorde de l'un et endurcit l'autre[49a], sans vouloir endurcir celui qui est endurci et sans faire en sorte de l'endurcir. Quand[49b] il use lui-même de bienveillance et de patience pour ceux que sa bienveillance et sa patience mènent au mépris et à l'insolence, le cœur est endurci par le fait que le châtiment de leurs crimes est différé ; mais ceux qui prennent sa bienveillance et sa patience comme une occasion de repentir et d'amendement, obtiennent la

τοῦ παρ' ἑαυτοῖς κακοῦ τὸ σκληρύνεσθαι, σκληρύνειν λεγό-
255 μενος τὸν σκληρυνόμενον. Γῆ φησιν ἡ πιοῦσα τὸν ἐπ' αὐτῆς
ἐρχόμενον ὑετὸν καὶ τίκτουσα βοτάνην εὔθετον ἐκείνοις,
δι' οὓς καὶ γεωργεῖται, μεταλαμβάνει εὐλογίας ὑπὸ τοῦ
θεοῦ · ἐκφέρουσα δὲ ἀκάνθας καὶ τριβόλους, ἀδόκιμος καὶ
κατάρας ἐγγύς, ἧς τὸ τέλος εἰς καῦσιν. Οὐκοῦν μία ἐνέργεια
260 ἡ κατὰ τὸν ὑετόν · μιᾶς δὲ ἐνεργείας οὔσης τῆς κατὰ τὸν
ὑετόν, ἡ μὲν γεωργηθεῖσα γῆ καρποφορεῖ, ἡ δὲ ἀμεληθεῖσα
καὶ χέρσος ἀκανθοφορεῖ. Καὶ δύσφημον μὲν ἂν δόξαι εἶναι
τὸ λέγειν τὸν ὄντα · ἐγὼ τοὺς καρποὺς ἐποίησα καὶ τὰς
ἀκάνθας τὰς ἐν τῇ γῇ, ἀλλ' εἰ καὶ δύσφημον ἀλλ' ἀληθές ·
265 ὑετοῦ γὰρ μὴ γενομένου, οὔτ' ἂν καρποὶ οὔτ' ἂν ἄκανθαι
γεγόνεισαν, τούτου δὲ εὐκαίρως καὶ μεμετρημένως ἐπιρρεύ-

III, 1. 256 πολλάκις ante ὑετὸν censet supplendum Koe ex Ruf.
et l. 268 || 262 καὶ[1] om. B || 266 ἐγεγόνεισαν CD

---

consequuntur. Vt autem euidentius quod dicimus demonstretur, utimur exemplo, quo in epistola ad Hebraeos usus
est apostolus Paulus dicens : *Terra enim, quae bibit frequenter super se uenientem imbrem et germinat herbam*
325 *opportunam his, a quibus colitur, percipiet benedictiones a
deo; quae autem profert spinas et tribulos, reproba est et
maledicto proxima, cuius finis ad exustionem.* Igitur ex his
quos adsumpsimus Pauli sermonibus euidenter ostenditur
quod uno eodemque opere dei, quo imbrem terrae largitur,
330 alia quidem terra diligenter exculta fructus adferat bonos,
alia uero, quae neglegitur et inculta est, spinas et tribulos
proferat. Et si qui quasi ex persona imbrium loquens
dicat : Ego imber feci fructus bonos, et spinas ac tribulos
ego feci ; quamuis dure dici uideatur, uere tamen dicitur ;
335 nisi enim imber fuerit, nec fructus nec spinae tribulique
nascentur, superueniente uero pluuia utraque ex se terra

III, 1. 324 germinans g || 332 qui BGM : quis CAbSMᵖᶜ *om.* A ||
336 ex se *om.* g

eux, et c'est pourquoi on dit qu'il endurcit celui qui est endurci. *La terre*, dit-il, *qui a bu la pluie qui est tombée*[50] *sur elle et produit une herbe utile à ceux pour qui elle a été cultivée, reçoit de Dieu la bénédiction ; si elle porte épines et chardons, elle est réprouvée et proche de la malédiction, destinée à être brûlée.* Il y a donc une unique action, celle de la pluie ; à partir de cette unique action qui est celle de la pluie, la terre cultivée produit des fruits, celle qui est négligée et dure produit des épines. Il paraîtrait injurieux de prêter à celui qui fait pleuvoir les paroles suivantes : c'est moi qui ai produit les fruits et les épines qui sont sur la terre. Mais si c'est injurieux, c'est cependant vrai : car s'il n'y avait pas eu de pluie, il n'y aurait pas eu de fruits ni d'épines, mais si elle tombe en temps voulu et

---

miséricorde. Pour montrer avec plus d'évidence ce que nous disons, servons-nous de la comparaison utilisée par l'apôtre Paul dans *l'Épître aux Hébreux: La terre qui a bu la pluie qui est tombée souvent*[50a] *sur elle et produit une herbe utile à ceux par qui elle a été cultivée, recevra de Dieu des bénédictions ; si elle porte épines et chardons, elle est réprouvée et proche de la malédiction, destinée à être brûlée.* Donc, les paroles que nous avons empruntées à Paul montrent qu'une seule et même action de Dieu accordant la pluie à la terre, fait produire de bons fruits à une terre cultivée avec soin, des épines et des chardons à une autre qui est négligée et inculte. Et si, en personnifiant en quelque sorte la pluie[50b], on lui faisait dire : C'est moi, la pluie, qui ai produit les bons fruits et c'est moi qui ai produit les épines et les chardons, cela paraîtrait pénible à dire, mais c'est cependant vrai, car s'il n'y avait pas eu de pluie ni les fruits, ni les épines et les chardons ne seraient nés, tandis que, si la pluie tombe, la terre produit

---

III, 1. *255*, 323 : Hébr. 6, 7 s.

σαντος ἀμφότερα γεγένηται. Ἐκφέρουσα γοῦν ἀκάνθας καὶ
τριβόλους ἡ πιοῦσα γῆ τὸν ἐπ' αὐτῆς ἐρχόμενον πολλάκις
ὑετὸν ἀδόκιμος καὶ κατάρας ἐγγύς. Οὐκοῦν τὸ μὲν ἀγαθὸν
270 τοῦ ὑετοῦ καὶ ἐπὶ τὴν χείρονα γῆν ἐλήλυθε, τὸ δὲ ὑποκείμενον,
ἠμελημένον καὶ ἀγεώργητον τυγχάνον, ἀκάνθας καὶ τριβόλους
ἐβλάστησεν. Οὕτω τοίνυν καὶ τὰ γινόμενα ὑπὸ τοῦ θεοῦ
τεράστια οἱονεὶ ὑετός ἐστιν · αἱ δὲ προαιρέσεις αἱ διάφοροι
οἱονεὶ ἡ γεγεωργημένη γῆ ἐστι καὶ ἡ ἠμελημένη, μιᾷ τῇ
275 φύσει ὡς γῆ τυγχάνουσα.

III, 1. 267 γοῦν : γ' οὖν B γὰρ CD οὖν Hᵃᶜ ‖ 274 ἤ² om. Pat CD

producit. Sed quamuis pluuiae beneficio terra germen
utrumque produxerit, non tamen imbribus merito diuersitas germinis adscribetur, sed ad illos iure culpa mali
340 seminis reflectetur, qui cum possint frequenti aratro
terram scindere et rastris grauibus torpentes glebas uertere
et omnes inutiles radices noxii graminis amputare atque
succidere cunctisque quibus cultus ille deposcit laboribus
ac studiis purgata excultaque noualia uenturis imbribus
345 praeparare, hoc quidem facere neglexerunt, desidiae autem
suae aptissimos fructus, spinas ac tribulos metent ; ita
ergo fit ut bonitas et aequitas imbrium super omnem
terram aequaliter ueniat, sed uno eodemque opere pluuiae
ea quidem terra, quae culta est, diligentibus utilibusque
350 cultoribus cum benedictione fructus utiles proferat, ea
uero, quae cultorum desidia obduruit, spinas ac tribulos
germinet. Sic ergo accipiamus quod ea signa et uirtutes,
quae a deo fiebant, imbres quidam erant a deo desuper
ministrati ; propositum uero hominum et uoluntates terra
355 accipienda est uel inculta uel culta, unius quidem naturae
utpote omnis terra cum terra, non tamen unius eiusdemque

III, 1. 340 possint gC : possent AB *Koe* ‖ 342 et omnes : omnesque
BC ‖ 347 ergo *om.* g ‖ 351 obduruit AC : obdurauit gB

avec mesure, les uns et les autres sont produits. En effet[51] quand elle produit des épines et des chardons, la terre qui a bu la pluie qui est tombée sur elle est réprouvée et proche de la malédiction. Le bienfait de la pluie est donc tombé aussi sur la terre la plus mauvaise, et comme le substrat[52] était négligé et inculte, il a produit des épines et des chardons. Ainsi donc les prodiges accomplis par Dieu sont comme la pluie, les volontés[53] diverses comme la terre cultivée ou la négligée, les deux étant une même terre par leur unique nature.

---

d'elle-même les uns et les autres. Mais bien[51a] que ce soit à l'aide de la pluie que la terre produise les deux sortes de plantes, cette diversité n'est cependant pas attribuée avec raison à la pluie, mais l'accusation d'avoir fait poussee une mauvaise semence retombe à bon droit sur ceux qui, alors qu'ils pouvaient, en faisant passer fréquemment la charrue, fendre la terre, retourner avec de lourdes bêches les mottes engourdies, couper et trancher toutes les racines inutiles des plantes nuisibles et, avec tout le travail et les soins qu'une telle culture demande, préparer pour les pluies à venir des terres nettoyées et nouvellement défrichées, ont négligé de le faire, et ils récolteront les fruits qui correspondent tout à fait à leur paresse, c'est-à-dire les épines et les chardons. Ainsi le bienfait[52a] de la pluie, en toute équité, vient-il également sur toute sorte de terre, mais l'unique et même action de la pluie fait produire à la terre qui a été cultivée, pour les cultivateurs diligents et efficaces, des fruits utiles comme une bénédiction, et à celle qui est devenue dure par la paresse des cultivateurs, des épines et des chardons. Nous comprenons que les signes et les prodiges accomplis par Dieu sont comme la pluie envoyée par Dieu d'en-haut, que les propos des hommes et leurs volontés sont comme une terre inculte ou cultivée : ils sont tous d'une même nature, comme l'est toute terre avec une autre terre, mais cependant ils n'ont pas été

11 (*10*). "Ωσπερ δὲ εἰ καὶ ὁ ἥλιος ἔλεγε φωνὴν προϊέμενος
ὅτι ἐγὼ τήκω καὶ ξηραίνω, ἐναντίων ὄντων τοῦ τήκεσθαι
καὶ τοῦ ξηραίνεσθαι, οὐκ ἂν ψεῦδος ἔλεγε παρὰ τὸ ὑποκείμενον, ἀπὸ τῆς μιᾶς θερμότητος τηκομένου μὲν τοῦ κηροῦ
280 ξηραινομένου δὲ τοῦ πηλοῦ · οὕτως ἡ μία ἐνέργεια, ἡ διὰ
Μωσέως γινομένη, σκληρυμμὸν μὲν ἤλεγχε τὸν τοῦ Φαραὼ
διὰ τὴν κακίαν αὐτοῦ, πειθὼ δὲ τὴν τῶν ἐπιμίκτων
Αἰγυπτίων, συνεξορμησάντων τοῖς Ἑβραίοις. Καὶ τὸ κατὰ

III, 1. 277 τήξω B ‖ 278 τοῦ *om.* BH ‖ 281 τὸν *om.* B

culturae. Ex quo fit ut uniuscuiusque propositum uel
induretur uirtutibus et mirabilibus dei, si incultum est et
ferum ac barbarum et semet ipso asperius ac spinosius
360 fiat, aut mitescat amplius ac tota mente se in oboedientiam
tradat, si purgatum a uitiis fuerit et excultum.

11. Verum ad euidentiorem rei probationem superfluum
non erit uti etiam alia similitudine : uerbi causa, si qui
diceret quia sol est qui stringit et qui resoluit, cum contra-
365 rium sit resolutio et constrictio. Sed non erit falsum quod
dicitur, dum una eademque caloris sui uirtute sol ceram
quidem soluit, limum uero arefacit et stringit : non quo
uirtus eius aliter in limo, aliter operetur in cera, sed quod
limi alia, alia cerae sit qualitas, cum utique secundum
370 naturam unum sit, quia utrumque de terra est. Ita ergo
una eademque dei operatio, quae per Moysen in signis ac
uirtutibus gerebatur, Pharaonis quidem duritiam arguebat,
quam malitiae suae intentione conceperat, reliquorum
uero Aegyptiorum, qui Israhelitis admiscebantur, oboedien-
375 tiam declarabat, qui etiam cum Hebraeis pariter excessisse

III, 1. 363 quis AbSMᵖᶜ ‖ 364 stringit *codd.* : restringit *Del* constrin-
git *Koe* ‖ 368 operatur g ‖ 373 intentione conceperat : intentio nec
ceperat MG intentione permansuram cernebat AbS

1, 11 (*10*). C'est comme si le soleil prenait la parole et disait : Je liquéfie et je dessèche, alors qu'être liquéfié et être desséché sont des états contraires. Cependant il ne mentirait pas à cause du substrat, car la même chaleur liquéfie la cire et sèche la boue : ainsi la même action qui s'est produite par l'intermédiaire de Moïse a révélé l'endurcissement de Pharaon à cause de sa malice et la docilité des Égyptiens qui s'étaient mêlés aux Hébreux et partaient

cultivés d'une seule et même façon. Il s'ensuit[53a] que le propos de chacun s'endurcit par suite des prodiges et miracles de Dieu s'il est inculte, sauvage et barbare, et il devient pour lui-même plus âpre et plus épineux ; ou au contraire il s'adoucit et se livre totalement à l'obéissance, s'il est purifié des vices et cultivé.

1, 11. Mais[53b], pour prouver cela d'une façon plus claire, il ne sera pas inutile de se servir d'une autre comparaison : si on disait par exemple que c'est le soleil qui dessèche et qui fait fondre, alors qu'il s'agit là de deux opérations contraires, cependant cette affirmation ne serait pas fausse, puisque la seule et même action de la chaleur solaire fait fondre la cire, dessèche et resserre la boue. Ce n'est pas[53c] qu'elle agisse autrement dans la cire, autrement dans la boue, mais autre est la qualité de la boue, autre celle de la cire, alors que l'une et l'autre sont un selon la nature puisque l'une et l'autre viennent de la terre. Ainsi une seule et même opération de Dieu, qui se réalisait avec des signes et des prodiges par l'intermédiaire de Moïse, révélait la dureté de Pharaon qui naissait de ses intentions mauvaises, et manifestait l'obéissance des Égyptiens qui s'étaient mêlés aux Israélites et, selon l'Écriture, sont partis d'Égypte avec les Hébreux. Mais ce qui est écrit, que peu

III, 1. *281*, 372 : Ex. 12, 38

βραχὺ δὲ ἀναγεγράφθαι οἰονεὶ μαλάσσεσθαι τὴν καρδίαν
285 Φαραὼ λέγοντος · Ἀλλ᾽ οὐ μακρὰν ἀποτενεῖτε, τριῶν γὰρ
ἡμερῶν πορεύσεσθε, καὶ τὰς γυναῖκας ὑμῶν καταλείπετε
καὶ ὅσα ἄλλα κατὰ βραχὺ ἐνδιδοὺς πρὸς τὰ τεράστια ἔλεγε,
δηλοῖ ὅτι ἐνήργει μέν τι καὶ εἰς αὐτὸν τὰ σημεῖα, οὐ μὴν
τὸ πᾶν κατειργάζετο. Οὐκ ἂν δὲ οὐδὲ ταῦτα ἐγίνετο, εἰ
290 τὸ νοούμενον ὑπὸ τῶν πολλῶν, Σκληρυνῶ τὴν καρδίαν
Φαραώ, ὑπ᾽ αὐτοῦ ἐνηργεῖτο, τοῦ θεοῦ δηλονότι.

Οὐκ ἄτοπον δὲ καὶ ἀπὸ τῆς συνηθείας τὰ τοιαῦτα
παραμυθήσασθαι, πολλάκις τῶν χρηστῶν δεσποτῶν φασκόν-
των τοῖς διὰ τὴν χρηστότητα καὶ μακροθυμίαν ἐπιτριβο-
295 μένοις οἰκέταις τό · Ἐγώ σε πονηρὸν ἐποίησα, καί · Ἐγώ

III, 1. 284 τοῦ post καρδίαν add. B ‖ 285 ἀποτενεῖται Pat ‖ 291
καὶ ante ὑπ᾽ αὐτοῦ add. CD ‖ 294 τὴν post καὶ add. Pat CDH

Aegypto referuntur. Quod uero scriptum est quia paulatim
edomaretur cor Pharaonis, ut aliquando diceret : *Non
longe abeatis, iter tridui abibitis, sed uxores uestras relinquite
et infantes uestros et pecora uestra* sed et si qua alia scripta
380 sunt, per quae paulatim uidetur adquiescere signis et
uirtutibus : quid aliud ex his indicatur, nisi quod agebat
quidem in eo aliquid signorum et mirabilium uirtus, non
tamen tantum, quantum deberet, operabatur? Si enim
talis erat induratio, qualem plurimi putant, non utique
385 inueniretur uel in paucis adquiescere.

Tropum uero uel figuram sermonis eius qui scriptus
est de induratione, etiam ex communi consuetudine
exponere, puto quod non uideatur absurdum. Frequenter
enim benigniores quique domini ad eos seruos, qui per
390 multam patientiam et mansuetudinem dominorum inso-
lentiores improbioresque fiunt, dicere solent : Ego te
talem feci, ego te perdidi, mea te patientia pessimum

III, 1. 378 abibitis a : habebitis GM habeatis S abeatis Ab

avec eux. Et ce qui est écrit, que peu à peu le cœur de
Pharaon s'est assoupli jusqu'à dire : *Mais vous n'irez
pas loin, vous marcherez trois jours et vous laisserez vos
femmes*, et toutes les autres paroles qu'il a dites en s'abandonnant peu à peu aux prodiges, montrent que les miracles
agissaient bien un peu sur lui, sans l'amener cependant
à tout exécuter. Cela ne se serait pas produit si la phrase
J'endurcirai le cœur de Pharaon était accomplie par lui,
c'est-à-dire par Dieu, dans le sens que veulent la plupart[54].

Il n'est pas déplacé d'expliquer de telles paroles à partir
des habitudes de langage[55]. Souvent de bons maîtres
disent à des serviteurs, gâtés par leur bonté et leur
patience : C'est moi qui t'ai rendu mauvais. Et : C'est

à peu le cœur de Pharaon se soumettait, de sorte qu'il
disait une fois : *N'allez pas loin, vous voyagerez trois jours,
mais vous laisserez vos femmes, vos enfants et vos troupeaux*[5 3 d]
et tout ce qui est écrit, montrant qu'il acquiesçait peu
à peu aux signes et aux prodiges, que signifie tout cela,
sinon que la puissance des signes et des prodiges agissait
un peu sur lui, mais n'opérait pas cependant autant qu'il
le fallait ? Si l'action d'endurcir se produisait comme
le pensent la plupart, on ne verrait pas Pharaon obéir,
même sur des points de peu d'importance.

Je pense qu'il n'est pas absurde d'expliquer aussi cette
manière de parler, c'est-à-dire la forme de langage ainsi
utilisée à propos de l'endurcissement, à partir des habitudes
communes. Fréquemment en effet des maîtres trop bons
disent à des serviteurs devenus trop insolents et malhonnêtes par suite de la grande patience et mansuétude
de leurs maîtres : C'est moi qui t'ai rendu tel, c'est moi
qui t'ai perdu, ma patience t'a rendu pire, c'est moi qui

III, 1. *285*, 377 : Ex. 8, 27 s. ; 10, 9 s.

σοι αἴτιος γέγονα τῶν τηλικούτων ἁμαρτημάτων. Δεῖ γὰρ
τοῦ ἤθους ἀκοῦσαι καὶ τῆς δυνάμεως τοῦ λεγομένου, καὶ
μὴ συκοφαντεῖν μὴ κατακούοντας τοῦ βουλήματος τοῦ
λόγου. Ὁ γοῦν Παῦλος σαφῶς ταῦτα ἐξετάσας φησὶ πρὸς
300 τὸν ἁμαρτάνοντα · Ἢ τοῦ πλούτου τῆς χρηστότητος αὐτοῦ
καὶ τῆς ἀνοχῆς καὶ τῆς μακροθυμίας καταφρονεῖς, ἀγνοῶν
ὅτι τὸ χρηστὸν τοῦ θεοῦ εἰς μετάνοιάν σε ἄγει ; Κατὰ δὲ
τὴν σκληρότητά σου καὶ ἀμετανόητον καρδίαν θησαυρίζεις
σεαυτῷ ὀργὴν ἐν ἡμέρᾳ ὀργῆς καὶ ἀποκαλύψεως καὶ
305 δικαιοκρισίας τοῦ θεοῦ. Ἃ γὰρ λέγει πρὸς τὸν ἁμαρτάνοντα
ὁ ἀπόστολος, λεγέσθω πρὸς τὸν Φαραώ, καὶ πάνυ ἁρμοδίως
νοηθείη ταῦτα ἀπαγγελλόμενα αὐτῷ, κατὰ τὴν σκληρότητα
καὶ ἀμετανόητον αὐτοῦ καρδίαν θησαυρίζοντος ἑαυτῷ ὀργήν,

III, 1. 303 σου om. CD ‖ 304 καὶ² om. Pat H (= Ruf.) ‖ 305 τοῦ
om. Pat H ‖ γὰρ om. B ‖ 308 αὐτοῦ om. B

fecit, ego tibi causa huius tam durae et pessimae mentis
existo, qui te non statim per singulas culpas punio pro
395 merito delictorum. Necesse est enim tropum nos primo
uel figuram sermonis aduertere et ita demum uirtutem dicti
intellegere nec inferre calumnias uerbo, cuius interiorem
sensum non diligentius exploremus. Denique Paulus
apostolus euidenter de talibus tractans ait ad eum, qui
400 permanebat in peccatis : Aut diuitias bonitatis eius ac
patientiae et longanimitatis contemnis, ignorans quia benignitas dei ad paenitentiam te adducit? Secundum duritiam
autem tuam et cor impaenitens thesaurizas tibi ipsi iram in
die irae et reuelationis iusti iudicii dei. Quae ergo dicit
405 apostolus ad eum, qui in peccatis est, conuertamus haec
ipsa nos ad Pharaonem dici, et uide si non ea etiam de
ipso dici consonanter inuenies, quia secundum duritiam
suam et cor impaenitens thesaurizauit et recondidit sibi

III, 1. 393 feci g ‖ mentis a : consuetudinis AbS om. GM ‖ 398-399
apostolus paulus g ‖ 404 quae ergo dicit a : dicit GM dicit hoc AbS

moi qui suis la cause de telles fautes. Il faut d'abord
comprendre la forme habituelle et le sens de ce qui est
dit et ne pas calomnier par une mauvaise compréhension
de ce que veut dire cette parole[56]. En effet Paul, qui a
examiné tout cela clairement, dit au pécheur : *Méprises-tu
la richesse de sa bonté, de sa patience et de sa longanimité,
ignorant que la bonté de Dieu te mène à la pénitence? Selon
ta dureté et l'impénitence de ton cœur, tu thésaurises pour
toi-même la colère au jour de la colère et de la révélation et
du juste jugement de Dieu.* Ce que dit l'Apôtre au pécheur,
que cela soit dit à Pharaon : on peut penser que cela se
rapporte à lui d'une manière tout à fait adaptée, car selon
sa dureté et l'impénitence de son cœur il thésaurise pour

---

ai été pour toi la cause d'une mentalité si obstinée et si
mauvaise, car je ne te punis pas aussitôt pour chaque faute
selon ce qu'elle mérite. Il faut en effet préciser la manière
de parler et la forme de ce langage, et ainsi comprendre
réellement la nature de ce qui est dit et ne pas calomnier
cette parole pour n'avoir pas examiné avec assez de soin sa
signification intime. En effet l'apôtre Paul, traitant avec
clarté de problèmes semblables, a dit à celui qui s'obstinait
dans ses péchés : *Ou méprises-tu la richesse de sa bonté, de sa
patience et de sa longanimité, ignorant que la bonté de Dieu
te mène à la pénitence? Selon ta dureté et l'impénitence
de ton cœur, tu thésaurises pour toi-même la colère au jour
de la colère et de la révélation du juste jugement de Dieu.*
Ce que dit l'Apôtre à celui qui est dans le péché, appliquons-
le à Pharaon comme si cela lui était dit : vois si cela ne
lui convient pas aussi puisque, selon sa dureté et l'impénitence de son cœur, il a thésaurisé et emmagasiné pour

---

III, 1. *300*, 400 : Rom. 2, 4 s.

τῆς σκληρότητος οὐκ ἂν οὕτως ἐλεγχθείσης οὐδὲ φανερᾶς
310 γεγενημένης, εἰ μὴ τὰ σημεῖα ἐγεγόνει, ἢ ἐγεγόνει μέν, μὴ
τὰ τοσαῦτα δὲ καὶ τηλικαῦτα.
12 (11). Ἀλλ' ἐπεὶ δυσπειθεῖς αἱ τοιαῦται διηγήσεις καὶ
βίαιοι εἶναι νομίζονται, ἴδωμεν καὶ ἀπὸ προφητικοῦ λόγου,
τί φασιν οἱ πολλῆς χρηστότητος θεοῦ πεπειραμένοι καὶ
315 [μὴ] βιώσαντες καλῶς ἀλλὰ μετὰ ταῦτα ἁμαρτήσαντες.
Τί ἐπλάνησας ἡμᾶς, κύριε, ἀπὸ τῆς ὁδοῦ σου; Ἵνα τι
ἐσκλήρυνας ἡμῶν τὴν καρδίαν, τοῦ μὴ φοβεῖσθαι τὸ ὄνομά
σου; Ἐπίστρεφον διὰ τοὺς δούλους σου, διὰ τὰς φυλὰς
τῆς κληρονομίας σου, ἵνα μικρόν τι κληρονομήσωμεν τοῦ
320 ὄρους τοῦ ἁγίου σου · Καὶ ἐν τῷ Ἱερεμίᾳ · Ἠπάτησάς με,

III, 1. 310 ἐγεγόνει[1] : γεγόνει B ‖ 311 τὰ *om.* CDH ‖ 315 μὴ codd
Rob : μὴν corr. *Schnitzer, quem Koe secutus est; seclusi (cf. Ruf.)* ‖
317 μὴ *om.* B

---

ipsi iram in die irae, pro eo quod numquam duritia eius ita
410 argui et in manifestum uenire potuisset, nisi signa et
prodigia fuissent tam multa tamque magnifica prosecuta.
12. Quodsi minus plenae probationes uidentur esse quas
diximus, et apostolicae similitudinis parum munimenti
habere adhuc uidetur assertio, adhibeamus etiam prophe-
415 ticae auctoritatis adsensum et uideamus, quid etiam
prophetae pronuntient de his, qui primo quidem recte
uiuentes benignitatis dei habere quam plurima experimenta
meruerunt, postea uero ut homines deliquerunt ; cum
quibus se quoque unum faciens propheta ait : Vt quid,
420 domine, errare nos fecisti a uia tua? et quare indurasti cor
nostrum, uti ne timeamus nomen tuum? Conuertere propter
seruos tuos, propter tribus hereditatis tuae, ut et nos parum
aliquid hereditatis capiamus de monte sancto tuo. Sed et

III, 1. 419 propheta ait AB : prophetauit gC ‖ 421 timeremus g

---

III, 1. *316*, 419 : Is. 63, 17 s.

lui-même la colère. Cette dureté n'aurait pas été révélée
à ce point ni ne serait devenue aussi manifeste, si des
miracles ne s'étaient pas produits, ou même, dans le cas
où ils se seraient produits, s'ils n'avaient pas été si nombreux et si grands.

- Dieu comparé
au médecin

1, 12 *(11)*. Mais puisque de tels
récits semblent difficilement croyables
et paraissent forcés, voyons, à partir
des paroles prophétiques, ce que disent ceux qui ont
expérimenté la grande bonté de Dieu, ayant certes mené
une bonne vie, mais ensuite ayant péché : *Pourquoi nous
as-tu égarés, Seigneur, loin de ta voie? Pourquoi as-tu
endurci notre cœur pour l'empêcher de craindre ton nom?
Tourne-toi (vers nous) à cause de tes serviteurs, à cause
des tribus qui sont ton héritage, afin que nous héritions
un peu de ta montagne sainte.* Et dans Jérémie : *Tu m'as*

---

lui-même la colère au jour de la colère, car jamais sa
dureté n'aurait pu être révélée et manifestée de la sorte
si des signes et des prodiges ne s'étaient succédés si
nombreux et si magnifiques.

1, 12. Mais si les preuves que nous avons données
paraissent moins parfaites et si l'évocation de la comparaison prise à l'Apôtre semble fournir encore peu de
garantie[56a], apportons en outre l'adhésion de l'autorité
prophétique et voyons ce que les prophètes disent de ceux
qui d'abord ont mérité par une bonne vie d'expérimenter
très abondamment la bonté de Dieu, puis ont péché
comme des hommes. Un prophète, s'identifiant à eux,
dit[56b] : *Pourquoi nous as-tu fait errer, Seigneur, loin de
ta voie ? Pourquoi as-tu endurci notre cœur pour l'empêcher
de craindre ton nom? Tourne-toi (vers nous) à cause de tes
serviteurs, à cause des tribus qui sont ton héritage, afin
que nous recevions un peu d'héritage de ta montagne sainte.*

κύριε, καὶ ἠπατήθην, ἐκράτησας καὶ ἐδυνάσθης. Τὸ γὰρ
"Ἵνα τί ἐσκλήρυνας ἡμῶν τὴν καρδίαν, τοῦ μὴ φοβεῖσθαι τὸ
ὄνομά σου, λεγόμενον ὑπὸ τῶν ἐλεηθῆναι παρακαλούντων,
ἐν ἤθει λεγόμενον τοιοῦτόν ἐστιν · ἵνα τί ἐπὶ τοσοῦτον
325 ἐφείσω ἡμῶν, οὐκ ἐπισκεπτόμενος ἡμᾶς ἐπὶ ταῖς ἁμαρτίαις,
ἀλλὰ καταλιπὼν ἕως εἰς μέγεθος ἔλθῃ πταισμάτων τὰ
ἡμέτερα ; Ἐγκαταλείπει δὲ μὴ κολαζομένους τοὺς πλείονας,

III, 1. 323-324 λεγόμενον — ἐν ἤθει om. CD

Hieremias similiter dicit : Seduxisti nos, domine, et seducti
425 sumus ; tenuisti et potuisti. Quod ergo ait : Ad quid, domine,
indurasti cor nostrum, uti ne timeamus nomen tuum? dictum
ab his, qui misericordiam precabantur, morali utique
tropo accipiendum est, uelut si quis dicat : Vt quid in
tantum pepercisti nobis nec requisisti nos, cum peccaremus,
430 sed reliquisti nos, ut per hoc incresceret malum et propa-
garetur peccandi licentia animaduersione cessante? Sic
equus si non assidui sessoris ferratam patitur calcem et
frenis ora serratis obteritur, indurescit. Sic puerilis aetas
si nulla plagae assiduitate curuetur, insolentem simul et
435 ad uitia praecipitem iuuenem reddet. Relinquit ergo deus
et neglegit eos, quos correptione iudicarit indignos. Quem
enim diligit dominus, corripit et castigat; flagellat autem
omnem filium, quem recipit. Ex quo arbitrandum est in
filiorum iam et ordinem et affectum recipi eos, qui flagellari
440 a deo meruerint et corripi, quo scilicet per temptationum
et tribulationum patientiam possint etiam ipsi dicere :
Quis nos separabit a caritate dei, quae est in Christo Iesu?

III, 1. 425 potuisti gC : posuisti BA ‖ ad : ut BC ‖ 429 nos : nobis
GAbMᵃᶜ a nobis S ‖ 437 et castigat om. g

III, 1. 321, 424 : Jér. 20, 7 ‖ 322, 425 : Is. 63, 17 ‖ 431 : Virgile,
Énéide XI, 714 ‖ 436 : Hébr. 12, 16 ‖ 442 : Rom. 8, 35

trompé, Seigneur, et j'ai été trompé[57] ; *tu as prévalu et tu l'as emporté.* Mais ces paroles : *Pourquoi as-tu endurci notre cœur pour l'empêcher de craindre ton nom*, dites par ceux qui implorent la pitié, signifient, si on les comprend de la manière dont elles sont dites : Pourquoi nous as-tu tellement épargnés sans nous visiter pour nos péchés, mais en nous abandonnant[58] jusqu'à ce que nos fautes se soient entassées ? Dieu laisse donc la plupart sans les châtier, afin que les mœurs de chacun soient examinées

---

Et Jérémie pareillement : *Tu nous as trompé, Seigneur, et nous avons été trompés, tu as dominé et tu as eu la force.* Mais ces paroles : *Pourquoi, Seigneur, as-tu endurci notre cœur pour l'empêcher de craindre ton nom*, dites par ceux qui imploraient la pitié, sont à prendre moralement comme si on disait : Pourquoi nous as-tu tellement épargnés, sans nous demander compte alors que nous péchions, mais en nous abandonnant pour que s'accroisse le mal et que s'étende la licence de pécher, sans aucune réprimande ? Ainsi[58a], si le cheval ne ressent pas l'éperon de fer de celui qui le monte assidûment et si sa bouche n'est pas meurtrie par le mors dentelé, il s'endurcit. Ainsi, si l'enfance n'est pas rabaissée par des punitions continuelles, le jeune homme sera insolent et en même temps se précipitera dans les vices. Dieu laisse donc[58b] et néglige ceux qu'il aura jugés indignes d'une réprimande : *Celui qu'il aime, le Seigneur le reprend et le châtie : il frappe ses fils, qu'il reconnaît.* Il faut en conclure qu'il reçoit parmi ses fils et aime comme tels ceux qui ont mérité d'être frappés et réprimandés par lui, de telle sorte qu'ils peuvent dire, après avoir souffert, assurément, épreuves et tribulations : *Qui nous séparera de la charité de Dieu qui est dans le*

ἴνα τε τὰ ἑκάστου ἤθη ἐκ τοῦ ἐφ' ἡμῖν ἐξετασθῇ, καὶ
φανεροὶ μὲν ἐκ τῆς γενομένης βασάνου οἱ κρείττους γένωνται,
330 οἱ δὲ λοιποὶ μὴ λαθόντες οὐχὶ θεὸν (πάντα γὰρ οἶδε πρὸ
γενέσεως αὐτῶν), ἀλλὰ τὰ λογικὰ καὶ ἑαυτούς, ὕστερον
τύχωσιν ὁδοῦ θεραπείας, οὐκ ἂν ἐγνωκότες τὴν εὐεργεσίαν,
εἰ μὴ ἑαυτῶν κατεγνώκεισαν · ὅπερ συμφέρει ἑκάστῳ, ἴνα
αἴσθηται τῆς ἰδιότητος τῆς ἑαυτοῦ καὶ τῆς χάριτος τῆς

III, 1. 329 γινομένης B ‖ 332 ὁδω B Pat H ‖ 334 τῆς⁴ *om.* CDH

---

tribulatio an angustia an fames an nuditas an periculum
an gladius? Per haec enim omnia manifestatur et proditur
445 uniuscuiusque propositum, et perseuerantiae firmitas
indicatur, non tam deo, qui *nouit omnia antequam fiant,*
quam rationabilibus caelestibusque uirtutibus, quae utique
procurationem salutis humanae uelut quaedam adiutrices
dei ministraeque sortitae sunt. Hi uero, qui nondum se
450 tanta constantia neque tanto affectu offerunt deo neque
parati sunt accedentes ad seruitutem dei praeparare
animas suas ad temptationem, derelinqui dicuntur a deo,
id est non erudiri, pro eo quod ad erudiendum parati non
sunt, in posterius sine dubio tempus eorum dispensatione
455 uel curatione dilata. Qui utique quid a deo consequantur
ignorant, nisi prius ad beneficii consequendi desiderium
uenerint ; quod ita demum fiet, si quis ante semet ipsum
quid sit agnoscat et sentiat quid sibi desit et quod deest
a quo quaerere uel debeat uel possit intellegat. Qui enim
460 non intellexerit prius infirmitatem uel aegritudinem suam,
quaerere medicum nescit ; uel certe cum receperit sanitatem, non erit gratus medico, qui non prius periculum

III, 1. 455 quid a : qui g (MSAb *corr.*) ‖ 458 sit *om.* GM

III, 1. *330,* 446 : Dan. 13, 42

à partir de leur libre arbitre, que les meilleurs soient révélés à la suite des épreuves subies, que les autres qui ne sont pas cachés aux yeux de Dieu — car *il sait tout avant que cela ne se produise*[59] —, mais à ceux des êtres raisonnables et à leurs propres yeux[60], trouveront plus tard la voie de la guérison, car ils n'auraient pas pris conscience du bienfait (divin)[61] s'ils ne s'étaient pas condamnés eux-mêmes : (ce délai) est utile à chacun pour lui faire prendre conscience de ce qu'il est lui-même

---

Christ Jésus? La tribulation, l'angoisse, la faim, la nudité, le péril ou le glaive? Tout cela manifeste et révèle au-dehors le propos de chacun, indique la fermeté de leur persévérance, non tant à Dieu qui *sait tout avant que cela ne se produise*, mais aux puissances raisonnables et célestes[60a] qui ont reçu la charge de s'occuper du salut des hommes en tant qu'aides et servantes de Dieu. Mais ceux[60b] qui ne s'offrent pas à Dieu avec une aussi grande résolution et un aussi grand amour, ceux qui ne sont pas prêts, quand ils accèdent au service de Dieu, à préparer leurs âmes à l'épreuve, on dit qu'ils sont abandonnés par Dieu, ce qui veut dire qu'ils ne sont pas instruits par lui, parce qu'ils ne sont pas prêts à être instruits, et que le moment où Dieu s'occupera d'eux et les soignera est remis sans aucun doute à une époque postérieure. Ceux-ci en effet ignorent ce qu'ils obtiennent de Dieu, à moins de parvenir auparavant au désir d'obtenir son bienfait[61a] : cela se produira précisément lorsque, se mettant en présence de soi-même, on reconnaîtra ce qu'on est, on sentira ce qui manque, on comprendra chez qui on doit et on peut chercher à combler ces manques. Celui qui n'a pas pris conscience[61b] d'abord de sa faiblesse et de ses maladies ne sait pas rechercher le médecin ; et dans ce cas, lorsqu'il aura recouvré la santé, il ne sera pas reconnaissant envers le médecin, car il n'a pas reconnu auparavant le danger

335 τοῦ θεοῦ. Ὁ δὲ μὴ αἰσθανόμενος τῆς ἰδίας ἀσθενείας καὶ
τῆς θείας χάριτος, κἂν εὐεργετῆται μὴ ἑαυτοῦ πεπειραμένος
μηδὲ ἑαυτοῦ κατεγνωκώς, οἰήσεται ἴδιον εἶναι ἀνδραγάθημα
τὸ ἀπὸ τῆς οὐρανίου χάριτος αὐτῷ ἐπιχορηγηθέν. Τοῦτο δέ,
οἴημα ἐμποιῆσαν καὶ φυσίωσιν, αἴτιον ἔσται καταπτώσεως ·
340 ὅπερ νομίζομεν καὶ περὶ τὸν διάβολον γεγονέναι, ἑαυτῷ
χαρισάμενον ἃ εἶχε προτερήματα, ὅτε ἄμωμος ἦν. Πᾶς
γὰρ ὁ ὑψῶν ἑαυτὸν ταπεινωθήσεται, ὡς πᾶς ὁ ταπεινῶν
ἑαυτὸν ὑψωθήσεται. Κατανόει δὲ ὅτι διὰ τοῦτο ἀποκέκρυπται
ἀπὸ σοφῶν καὶ συνετῶν τὰ θεῖα ἵνα, ὥς φησιν ὁ ἀπόστολος,
345 Μὴ καυχήσηται πᾶσα σὰρξ ἐνώπιον τοῦ θεοῦ · καὶ ἀποκε-
κάλυπται νηπίοις τοῖς μετὰ τὴν νηπιότητα ἐπὶ τὰ κρείττονα
ἐληλυθόσι καὶ μεμνημένοις ὅτι οὐ παρὰ τὴν ἑαυτῶν αἰτίαν

---

sui languoris agnouit. Ita et si qui non prius animae suae
uitia et peccatorum suorum cognouerit mala ac proprii
465 oris confessione prodiderit, purgari is absoluique non
poterit, ne ignoret sibi per gratiam concessum esse quod
possidet et diuinam liberalitatem proprium bonum putet ;
quae res sine dubio arrogantiam rursus animae generat et
elationem, et denuo ei causa fiet ruinae. Quod etiam de
470 diabolo sentiendum est, qui primatus suos proprios et non
a deo datos esse credidit, quos habebat tunc, cum inmacu-
latus erat ; et adimpleta est in eo illa sententia, quae
dicit quod *omnis qui se exaltat humiliabitur.* Vnde mihi
uidetur quod propterea *occultata sint a prudentibus et*
475 *sapientibus diuina mysteria,* quemadmodum et scriptura
dicit : *Vti ne glorietur omnis caro in conspectu dei, et reuelata*
sunt paruulis his uidelicet, qui posteaquam infantes facti
fuerint et paruuli, id est ad humilitatem se et simplicitatem

---

III, 1. 467 libertatem BA^ac ‖ 469 fit g ‖ 477 sunt gA : sint BC *Koe*

III, 1. *341,* 473 : Lc 14, 11 ; 18, 14 ‖ *343,* 474 : Lc 10, 21 ‖ *345,*
476 : I Cor. 1, 29 ‖ Lc 10, 21

et de la grâce qui vient de Dieu. Celui qui n'a pas pris conscience de sa propre faiblesse et de la grâce divine, si on le secourt avant qu'il n'ait fait l'expérience de lui-même et qu'il ne se soit condamné lui-même, pensera que le secours qui lui vient de la grâce céleste est sa propre œuvre. Et ceci, engendrant la présomption et l'orgueil[62], sera la cause de sa chute ; à notre avis c'est ce qui est arrivé au diable, qui s'est attribué à lui-même les avantages qu'il possédait quand il était irréprochable : *Quiconque s'élève sera abaissé et quiconque s'abaisse sera élevé.* Remarquons qu'à cause de cela *les réalités divines sont cachées aux sages et aux intelligents,* afin que, dit l'Apôtre, *aucune chair ne s'enorgueillisse devant Dieu. Et elles sont révélées aux petits*[63], ceux qui après la petite enfance sont parvenus aux réalités supérieures et qui se rappellent que ce n'est

---

où le mettait sa maladie. Ainsi, si quelqu'un n'a pas reconnu d'abord les vices qui défigurent son âme et les maux que constituent ses péchés, et ne les a pas confessés de sa propre bouche, il ne pourra être purifié ni absous, de peur qu'il ignore que tout ce qu'il possède lui a été accordé par grâce et qu'il considère comme son bien propre l'objet de la libéralité divine. Ceci, sans aucun doute, engendre de nouveau dans l'âme l'arrogance et l'orgueil et devient derechef cause de ruine. C'est cela, à notre avis, qui est arrivé au diable, qui a cru que sa prééminence lui appartenait et ne lui était pas donnée par Dieu, celle qu'il avait quand il était sans tache; en lui s'est accomplie cette sentence : *Quiconque s'élève sera abaissé*[62a]. De là vient, ce me semble, qu'à cause de cela *les mystères divins sont cachés aux prudents et aux sages,* et de la même façon l'Écriture dit : *Afin qu'aucune chair ne s'enorgueillisse devant Dieu. Et ils sont révélés aux petits,* c'est-à-dire à ceux qui, après s'être faits enfants et tout-petits, en d'autres termes après être revenus à l'humilité et à la simplicité des tout-petits, ont

τοσοῦτον ὅσον παρὰ τὴν ἄρρητον εὐεργεσίαν ἐπὶ πλεῖστον
ὅσον μακαριότητος ἐληλύθασιν.

350   13 (12). Οὐκοῦν ἐγκαταλείπεται θείᾳ κρίσει ὁ ἐγκατα-
λειπόμενος καὶ μακροθυμεῖ ἐπί τινας τῶν ἁμαρτανόντων
ὁ θεὸς οὐκ ἀλόγως, ἀλλ' ὡς αὐτοῖς συνοίσοντος ὡς πρὸς
τὴν ἀθανασίαν τῆς ψυχῆς καὶ τὸν ἄπειρον αἰῶνα τοῦ μὴ
ταχὺ συνεργηθῆναι εἰς σωτηρίαν, ἀλλὰ βράδιον ἐπὶ ταύτην
355   ἀχθῆναι μετὰ τὸ πειραθῆναι πολλῶν κακῶν. Ὥσπερ γάρ
τινα καὶ ἰατροὶ δυνάμενοι τάχιον ἰάσασθαι, ὅταν ἐγκε-
κρυμμένον ἰὸν ὑπονοῶσιν ὑπάρχειν περὶ τὰ σώματα, τὸ
ἐναντίον τῷ ἰάσασθαι ἐργάζονται, διὰ τὸ ἰᾶσθαι βούλεσθαι

III, 1. 356 οἱ ante ἰατροὶ add. Pat H ‖ 358 ἰᾶσθαι : ἰάσασθαι CD

---

reuocauerint paruulorum, tunc proficiunt, et cum ad
480   perfectionem uenerint, meminerunt utique quod non tam
suis uirtutibus, sed gratia et misericordia dei beatitudinem
consecuti sunt.

13. Igitur dei iudicio derelinquitur is qui derelinqui
debet, et patientiam habet deus super nonnullis peccan-
485   tibus, non tamen sine certa ratione. Sed et hoc ipsum,
quod patiens est, ad utilitatem ipsorum facit, quoniam
quidem immortalis est anima, cuius curam et prouidentiam
gerit ; et utique quod immortale et aeternum est, etiamsi
non cito curetur, non tam excluditur a salute, quam in
490   tempora opportuniora differtur. Nam et fortassis expedit
tardius salutem consequi his qui uenenis malitiae profundioris infecti sunt. Sicut enim medici interdum cum
possint celerius obducere uulnerum cicatrices, praesentem
dissimulant et differunt sanitatem melioris sanitatis
495   firmiorisque prospectu, dum melius esse norunt moram
facere in tumoribus uulnerum et maligni humoris fluentes

III, 1. 489 tam : tamen g

pas tant par leurs propres efforts que par un bienfait indicible de Dieu qu'ils ont atteint un tel niveau de béatitude.

1, 13 (*12*). Celui qui est délaissé l'est donc en vertu d'un jugement divin et ce n'est pas sans raison que Dieu patiente à l'égard de certains pécheurs, mais parce qu'il leur sera utile, étant donné l'immortalité de l'âme et l'éternité sans fin, de[64] ne pas recevoir trop vite d'assistance en vue de leur salut, mais d'y être menés plus lentement après avoir éprouvé beaucoup de maux. Il arrive que des médecins[65], alors qu'ils pourraient guérir rapidement quelqu'un, soupçonnent que le venin subsiste secrètement dans le corps et s'arrangent pour ne pas le guérir : ils agissent ainsi parce qu'ils veulent le guérir plus sûrement et ils

---

alors progressé, et en parvenant à la perfection se rappellent que ce n'est pas tant par leurs forces que par la grâce et la miséricorde de Dieu qu'ils ont atteint la béatitude.

1, 13. Celui qui doit être délaissé l'est donc en vertu d'un jugement divin et Dieu use de patience à l'égard de certains pécheurs, non cependant sans une certaine raison. Mais cette patience même agit pour leur utilité, puisque[64a] immortelle est l'âme dont il prend la charge et la providence ; en tout cas ce qui est immortel et éternel, même non immédiatement soigné, n'est pas tant exclu du salut que remis à des temps plus opportuns, car il[64b] convient peut-être de retarder l'obtention du salut pour ceux qui sont infectés par les venins d'une trop profonde malice. Il arrive que des médecins, alors qu'ils pourraient obtenir assez rapidement la cicatrisation des plaies, négligent et retardent la récupération de la santé dans le but de l'obtenir meilleure et plus solide, parce qu'ils savent qu'il est préférable de maintenir le patient avec ses blessures enflées et de laisser quelque temps les ouvertures par où s'écoulent les humeurs malignes que de lui rendre trop vite une santé

ἀσφαλέστερον τοῦτο ποιοῦντες, ἡγούμενοι κρεῖττον εἶναι
360 πολλῷ χρόνῳ παρακατασχεῖν τινα ἐν τῷ φλεγμαίνειν καὶ
κάμνειν ὑπὲρ τοῦ βεβαιότερον αὐτὸν τὴν ὑγείαν ἀπολαβεῖν,
ἤπερ τάχιον μὲν ῥῶσαι δοκεῖν, ὕστερον δὲ ἀναδῦναι καὶ
πρόσκαιρον γενέσθαι τὴν ταχυτέραν ἴασιν · τὸν αὐτὸν τρόπον
καὶ ὁ θεός, γινώσκων τὰ κρύφια τῆς καρδίας καὶ προγινώσκων
365 τὰ μέλλοντα, διὰ τῆς μακροθυμίας ἐπιτρέπει τάχα καὶ διὰ
τῶν ἔξωθεν συμβαινόντων ἐφελκόμενος τὸ ἐν κρυπτῷ κακὸν
ὑπὲρ τοῦ καθᾶραι τὸν δι' ἀμέλειαν τὰ σπέρματα τῆς ἁμαρτίας
κεχωρηκότα, ἵνα εἰς ἐπιπολὴν ἐλθόντα αὐτά τις ἐμέσας,
εἰ καὶ ἐπὶ πλεῖον ἐν κακοῖς γεγένηται, ὕστερον δυνηθῇ
370 καθαρσίου τυχὼν τοῦ μετὰ τὴν κακίαν ἀναστοιχειωθῆναι.

III, 1. 366 πρὸς *post* ἐφελκόμενος *add.* CD ‖ 369 γένηται BD

---

paulisper sinere meatus, quam festinare ad superficiem
sanitatis et abstrusis in uenis fomitem uenenati humoris
includere, qui utique exclusus a solitis meatibus serpet
500 sine dubio in interiora membrorum atque ipsa uitalia
uiscerum penetrabit, non iam morbum corpori, sed uitae
inlaturus exitium : hoc ergo modo etiam deus, qui cognoscit
occulta cordis et praenoscit futura, per multam patientiam
indulget fieri quaedam, quae extrinsecus incidentia homi-
505 nibus prouocent proferri et in lucem procedere passiones
et uitia, quae celantur intrinsecus, ut per haec expurgari
et curari possint hi qui per multam neglegentiam et
incuriam peccatorum in sese radices ac semina receperunt,
ut eiecta foras atque ad superficiem prouocata, euomi
510 quodammodo possint et digeri ; ut etiamsi uideatur quis
in grauioribus effici malis, dum membrorum omnium
sustinet conuulsiones, possit tamen cessare aliquando et
desinere et satietatem capere malorum et sic ad statum
suum post multas molestias reparari. Deus enim dispensat

III, 1. 501 corpori BC : corporis gA ‖ 507 possent GM^ac possunt
S^ac

pensent qu'il vaut mieux maintenir plus longtemps leur patient dans les inflammations et les souffrances pour qu'il puisse récupérer la santé d'une manière plus solide, que de lui redonner trop rapidement des forces apparentes, l'exposant ainsi à des rechutes postérieures et à une amélioration trop hâtive qui serait passagère[66]. Dieu agit de même, lui qui connaît les secrets des cœurs et qui prévoit le futur[67] : il permet peut-être par sa patience et aussi par les événements extérieurs de faire sortir le mal caché[68] pour purifier celui qui a en lui, à cause de sa négligence, les semences du péché ; en maintenant le pécheur plus longtemps dans ses maux, il fait venir ainsi ces semences à la surface, ce dernier les vomit et, ayant été purifié de sa malice, il peut parvenir ensuite à la régénération.

---

superficielle et de bloquer dans des veines cachées la source de l'humeur empoisonnée, car cette dernière, ne pouvant être expulsée par les ouvertures habituelles, s'insinuera certainement à l'intérieur des membres et pénétrera dans les organes vitaux, pour apporter au corps, non plus la maladie, mais la mort. Dieu agit de même, lui qui connaît les secrets des cœurs et qui prévoit le futur : avec sa grande patience, il permet certains événements extérieurs qui entraînent la manifestation et la mise au jour des passions et des vices cachés à l'intérieur ; ainsi peuvent être purifiés et soignés ceux qui, par suite de leur grande négligence et incurie, ont reçu en eux les racines et les semences des péchés, qui sont alors projetées au-dehors et amenées à la surface pour pouvoir être d'une certaine façon vomies et éliminées. Quelle que soit[68a] la gravité des maux où quelqu'un se trouve, en souffrant de convulsions dans tous ses membres, il peut cependant en sortir, s'en débarrasser, être dégoûté de ses maux et après bien des peines retrouver

---

III, 1. *364*, 502 : Lc 16, 15

Θεὸς γὰρ οἰκονομεῖ τὰς ψυχὰς οὐχ ὡς πρὸς τὴν φέρ᾽ εἰπεῖν πεντηκονταετίαν τῆς ἐνθάδε ζωῆς, ἀλλ᾽ ὡς πρὸς τὸν ἀπέραντον αἰῶνα · ἄφθαρτον γὰρ φύσιν πεποίηκε τὴν νοερὰν καὶ αὐτῷ συγγενῆ, καὶ οὐκ ἀποκλείεται ὥσπερ ἐπὶ τῆς ἐνταῦθα
375 ζωῆς ἡ λογικὴ ψυχὴ τῆς θεραπείας.

14 (13). Φέρε δὲ καὶ τοιαύτη εἰκόνι ἀπὸ τοῦ εὐαγγελίου χρησώμεθα. Ἔστι τις πέτρα ὀλίγην ἔχουσα καὶ ἐπιπόλαιον γῆν, εἰς ἣν ἂν πέσῃ τὰ σπέρματα ταχὺ ἀνθεῖ, ἀλλ᾽ ἀνθήσαντα, ἐπεὶ ῥίζαν οὐκ ἔχει ἡλίου ἀνατείλαντος καυματίζεται καὶ
380 ξηραίνεται. Καὶ αὕτη ἡ πέτρα ἀνθρωπίνη ἐστὶ ψυχὴ διὰ τὴν ἀμέλειαν σκληρυνθεῖσα καὶ διὰ τὴν κακίαν ἀπολιθω-

III, 1. 371 τὴν post εἰπεῖν add. B ‖ 377 καὶ ἐπιπόλεον ἔχουσα B

515 animas non ad istud solum uitae nostrae tempus, quod intra sexaginta fere aut si quid amplius annos concluditur, sed ad perpetuum et aeternum tempus, tamquam aeternus ipse et immortalis, immortalium quoque animarum prouidentiam tenens. Incorruptibilem namque fecit esse
520 rationabilem naturam, quam et ad imaginem suam ac similitudinem condidit ; et ideo non excluditur breuitate temporis huius uitae nostrae a cura et remediis diuinis anima, quae immortalis est.

14. Sed adsumamus etiam de euangeliis horum quae
525 diximus similitudines, ubi refertur esse quaedam petra habens paruam et exiguam terram, in quam si ceciderit semen, cito memoratur exoriri, sed cum exortum fuerit, quoniam radicem non dedit in profundum, ascendente sole aestuare dicitur et arescere quod exortum est. Quae utique
530 petra sine dubio pro anima posita est humana, pro sui neglegentia indurata et propter malitiam saxea effecta.

III, 1. 515 breue ante tempus suppl. Del, quem Koe secutus est, nulla cogente ratione, etiam si conferas l. 521-522

Car Dieu gouverne les âmes non seulement dans la perspective des cinquante ans[69], pour ainsi parler, de la vie
d'ici-bas, mais dans celle de l'éternité sans fin, car il a
rendu incorruptible la nature intelligente[70] qui lui est
apparentée[71] et l'âme raisonnable n'est pas écartée de
ses soins comme dans cette vie[72].

**- Dieu comparé
au cultivateur**

1, 14 (*13*). Utilisons l'image qui suit
prise à l'Évangile. Il est question d'une
roche couverte d'un peu de terre
superficielle : la semence qui y tombe fleurit rapidement,
mais après, puisqu'elle n'a pas de racine, le soleil qui se
lève la brûle et la dessèche. Cette roche c'est l'âme humaine,
durcie par la négligence[73] et pétrifiée par la malice :

---

son état primitif. Car Dieu gouverne les âmes non seulement
dans la perspective du temps de notre vie actuelle, qui
s'achève au bout de soixante[69a] ans ou peut-être davantage,
mais dans celle d'un temps perpétuel et éternel, car
lui-même est éternel et immortel et il pourvoit aux besoins
d'âmes immortelles. Car il a rendu incorruptible la nature
raisonnable qu'il a créée à son image et ressemblance[71a]
et c'est pourquoi l'âme qui est immortelle n'est pas écartée
par la brièveté du temps de notre vie des soins et des
remèdes divins.

1, 14. Mais prenons une comparaison dans l'Évangile
pour éclairer ce que nous avons dit. Il y est question d'une
roche couverte d'une mince couche de terre : si la semence
y tombe, elle croît rapidement, y est-il dit, mais après,
comme elle n'a pas poussé de racines profondes, le soleil
montant selon la parabole la brûle et la dessèche. Cette
roche représente certainement l'âme humaine, durcie
parce qu'elle se néglige et pétrifiée à cause de sa malice,

III, 1. 520 : Gen. 1, 26 ‖ *377*, 525 : Matth. 13, 5 s.

θεῖσα · λιθίνη γὰρ οὐδενὶ ἔκτισται ὑπὸ θεοῦ καρδία, ἀλλ᾽ ἀπὸ
τῆς πονηρίας τοιαύτη γίνεται. Ὥσπερ οὖν εἰ ἐγκαλοῖ τις
τῷ γεωργῷ, μὴ τάχιον τὰ σπέρματα ἐπὶ τὴν πετρώδη γῆν
385 βαλόντι, ὁρῶν ἄλλην τινὰ πετρώδη γῆν λαβοῦσαν τὰ σπέρματα
καὶ ἀνθοῦσαν, ἀποκρίναιτο ἂν ὁ γεωργὸς ὅτι βράδιον σπερῶ
τὴν γῆν ταύτην, ἐπιβαλὼν τὰ δυνάμενα παρακατασχεῖν τὰ
σπαρησόμενα, κρείττονος ἐσομένου τῇδε τῇ γῇ τοῦ βραδυ-
τέρου καὶ ἀσφαλεστέρου παρὰ τὴν τάχιον εἰληφυῖαν καὶ
390 ἐπιπολαιοτέρως (πεισθείημεν ἂν ὡς εὐλόγως λέγοντι τῷ
γεωργῷ καὶ ὡς ἐπιστημόνως πεποιηκότι) · οὕτω καὶ ὁ
μέγας πάσης φύσεως γεωργὸς ὑπερτίθεται τὴν νομισθεῖσαν

III, 1. 382 ὑπὸ : ἀπὸ Pat CD ‖ 383 ἐγκαλοίη CDB (ex ἐγκαλοῖ) ‖
385 βάλλοντι CDH ‖ 386 ἀπεκρίνετο CB (corr. ἀποκρίνοιτο)

Nulli enim a deo cor lapideum creatum est, sed per malitiam
unicuique et inoboedientiam lapideum cor fieri dicitur.
Sicut si quis increpet agricolam, quare non citius semina
535 super terram petrosam iecerit, pro eo quod uideat aliam
terram petrosam accepta semina uelociter germinasse,
utique respondebit agricola et dicet quia idcirco tardius
semino terram istam, ut possit semina quae susceperit
retinere ; expedit enim huic tali terrae ut posterius semi-
540 netur, ne forte citius germinata seges et e summa tenuis
soli fronte procedens solis aestibus obuiare non possit
(nonne rationi et peritiae adquiescet agricolae et quod
prius sibi uidebatur inconsequens rationabiliter factum
probabit?) : ita ergo etiam deus, uniuersae creaturae suae
545 peritissimus agricola, dissimulat et differt in aliud sine
dubio tempus haec, quae nobis uidentur citius debuisse
consequi sanitatem, uti ne superficies magis eorum quam

III, 1. 532 per om. g ‖ 534 sicut : sic g ‖ 536 acceptis seminibus
BC ‖ 540 seges et e a : segete g ‖ 542 qui prius increpabat post nonne
add. AbS Koe ‖ adquiescit gB ‖ 547 eorum magis g

III, 1. 382, 532 : Éz. 11, 19

car à personne Dieu n'a créé un cœur de pierre, mais il devient tel par la malice. Si quelqu'un par exemple reprochait à un cultivateur de ne pas jeter plus vite les graines sur la terre pierreuse, en voyant qu'une autre terre pierreuse a déjà reçu les semences et a fleuri, ce dernier répondrait : J'ensemencerai plus tard cette terre, après avoir jeté ce qui pourra y fixer la graine, car il est préférable pour elle que j'agisse plus tardivement et plus sûrement comme le montre le cas de celle qui a reçu la semence de façon plus rapide et plus superficielle. Nous serions alors persuadés que le cultivateur a parlé raisonnablement et a agi avec compétence. De même le grand cultivateur de toute la nature[74] diffère son aide quand il pense qu'elle serait prématurée, pour qu'elle

---

car à personne Dieu n'a créé un cœur de pierre, mais c'est à cause de la malice et de la désobéissance de chacun que son cœur est dit devenir de pierre. Si quelqu'un par exemple reproche à un cultivateur de ne pas jeter plus vite les graines sur la terre pierreuse, alors qu'il voit qu'une autre terre pierreuse, après avoir reçu les semences, les a fait pousser aussitôt, le cultivateur répondra certainement : J'ensemence plus tard cette terre pour qu'elle puisse conserver les graines reçues ; il convient en effet à une telle terre de recevoir plus tard la semence, de peur que la plante ayant germé trop vite et sortant de la couche supérieure d'un sol léger ne puisse affronter la chaleur du soleil. L'objecteur n'acquiescera-t-il pas au bon sens et à la compétence de l'agriculteur et n'approuvera-t-il pas comme une conduite raisonnable ce qui auparavant lui paraissait inconséquent[73a] ? De même Dieu, le cultivateur très compétent de toute sa création, néglige et renvoie, certainement à un autre temps, ces soins qui nous sembleraient devoir procurer plus tôt la santé, de peur de soigner

ἂν τάχιον εὐποιίαν, ἵνα μὴ ἐπιπόλαιος γένηται. ᾿Αλλ᾿ εἰκός
τινα ἡμῖν πρὸς ταῦτα ἀνθυπενεγκεῖν · διὰ τί δέ τι τῶν
395 σπερμάτων πίπτει ἐπὶ τὴν ἐξ ἐπιπολῆς ἔχουσαν τὴν γῆν,
οἱονεὶ πέτραν οὖσαν, ψυχήν ; Λεκτέον δὲ καὶ πρὸς τοῦτο
ὅτι βέλτιον τῇδέ τινι προπετέστερον βεβουλημένη τὰ κρείττονα
καὶ οὐχὶ ὁδῷ ἐπ᾿ αὐτὰ ὁδευσάσῃ τυχεῖν οὗ βεβούληται, ἵνα
ἑαυτῆς ἐπὶ τούτῳ καταγνοῦσα τὴν κατὰ φύσιν γεωργίαν
400 μακροθυμήσῃ ὕστερον πολλῷ χρόνῳ λαβεῖν.
᾿Άπειροι γὰρ ἡμῖν, ὡς ἂν εἴποι τις, αἱ ψυχαί, καὶ ἄπειρα
τὰ τούτων ἤθη, καὶ πλεῖστα ὅσα τὰ κινήματα καὶ αἱ
προθέσεις καὶ αἱ ἐπιβολαὶ καὶ αἱ ὁρμαί · ὧν εἷς μόνος
οἰκονόμος ἄριστος, καὶ τοὺς καιροὺς ἐπιστάμενος καὶ τὰ

III, 1. 397 τινι : τῇ γῇ CD || 398 οὗ : ὃ B οὐ CH || 399 ἐπὶ τοῦτο
CD

---

interna curentur. Si uero quis nobis ad haec obiciat :
Quare ergo quaedam semina cadunt etiam super petrosam
550 terram, id est duram aliquam et saxeam animam ? dicendum ad haec quia ne hoc quidem absque diuinae dispensationis fieri prouidentia potest, quia nisi per hoc cognos-
ceretur, quid condemnationis haberet temeritas auditus
et perscrutationis inprobitas, non utique agnosceretur,
555 quid esse utilitatis erudiri per ordinem. Et inde fit ut
cognoscat anima uitium suum seque ipsa reprehendat ac
consequenti se culturae reseruet ac tradat, id est ut uideat
sibi prius uitia resecanda, tum deinde ad instructionem
scientiae ueniendum.
560 Quia ergo, sicut innumerabiles sunt animae, ita et mores
earum atque propositum diuersique singularum motus et
adpetentiae et incitamenta, quarum uarietatem humana
mens considerare nullatenus potest : et ideo soli deo ars

III, 1. 552 non *post* per hoc *add.* gB || 553 temeritatis g || 556 ipsam
BM || 562 adpetentia g || 563 et *om.* B *Koe*

n'agisse pas de façon superficielle. Mais vraisemblablement quelqu'un nous fera cette objection : Pourquoi alors une partie des semences[75] tombe-t-elle sur cette âme, comparée à la pierre, qui est couverte superficiellement de terre ? Il faut répondre qu'il est alors préférable pour elle, parce qu'elle désire avec trop de fougue les réalités supérieures et ne se soucie pas de cheminer sur la route qui mène à elles, d'obtenir ce qu'elle désire : ainsi, ayant par là reconnu sa faute, elle attendra avec patience pour recevoir plus tard du cultivateur, après beaucoup de temps, des soins conformes à la nature.

Innombrables[76], dirait-on, sont les âmes, innombrables leurs caractères et en grand nombre leurs mouvements, leurs propos, leurs projets et leurs instincts : un seul les administre excellemment, celui qui connaît les moments,

---

davantage en surface qu'à l'intérieur. Mais si quelqu'un nous fait cette objection : Pourquoi alors des semences tombent-elles aussi sur une terre pierreuse, c'est-à-dire sur une âme dure comme le roc ? Il faut lui répondre que cela aussi ne peut se passer sans qu'y pourvoie le gouvernement divin et que cette âme ne saurait pas autrement ce qu'il y a de condamnable à écouter témérairement et à scruter insolemment, elle ne reconnaîtrait pas l'intérêt de se laisser instruire en bon ordre. Il s'ensuit alors que l'âme reconnaît ses fautes, s'accuse elle-même, attend du cultivateur les soins convenables et s'y livre, en d'autres termes qu'elle voit d'abord les vices qui sont à retrancher, puis qu'elle en vient à se laisser instruire.

Puisque innombrables sont les âmes et de même leurs caractères et leurs propos, et bien divers les mouvements, tendances et stimulants de chacune, l'intelligence humaine[76a] ne peut en aucune façon examiner leur variété.

III, 1. *394*, 549 : Matth. 13, 5

405 ἁρμόζοντα βοηθήματα καὶ τὰς ἀγωγὰς καὶ τὰς ὁδούς, ὁ
τῶν ὅλων θεὸς καὶ πατήρ, ὁ εἰδὼς πῶς καὶ τὸν Φαραὼ
ἄγει διὰ τοσῶνδε καὶ καταποντισμοῦ, εἰς ὃν οὐ καταλήγει
ἡ οἰκονομία τοῦ Φαραώ. Οὐ γὰρ ἐπεὶ κατεποντώθη, ἀνελύθη ·
Ἐν γὰρ χειρὶ θεοῦ καὶ ἡμεῖς καὶ οἱ λόγοι ἡμῶν πᾶσά τε
410 φρόνησις καὶ ἐργατιῶν ἐπιστήμη. Καὶ ταῦτα μὲν μετρίως
εἰς ἀπολογίαν περὶ τοῦ Ἐσκληρύνθαι τὴν καρδίαν Φαραὼ
καὶ περὶ τοῦ · Ὃν θέλει ἐλεεῖ, ὃν δὲ θέλει σκληρύνει.

III, 1. 407 τοσῶνδε : τούτων δὲ Pat ‖ 410 ἐργασιῶν Pat H

---

et potentia et scientia dispensationis huiuscemodi relin-
565 quenda est, qui solus nosse potest et remedia singularum
et curationum tempus metiri. Ipse ergo, qui solus, ut diximus, agnoscit singulorum mortalium uias, scit qua uia
etiam Pharaonem adducere deberet, *ut per ipsum nomen
suum nominaretur in uniuersa terra*, pluribus plagis antea
570 castigatum et usque ad submersionem maris adductum.
In qua submersione non utique putandum est finitam esse
erga Pharaonem prouidentiam dei : non enim quia demersus
est, continuo etiam substantialiter interisse putandus est.
*In manu enim dei et nos et sermones nostri et omnis prudentia
575 atque operum disciplina*, sicut scriptura dixit. Verum haec
pro uiribus nostris disseruimus capitulum scripturae
discutientes, in quo dicitur deus indurasse cor Pharaonis,
et pro eo quod dictum est : *Cui ergo uult miseretur, et
quem uult indurat.*

III, 1. 567 scit *om.* g ‖ 574 prudentia : prouidentia g

les secours convenables, les conduites et les voies[77], le Dieu et Père de l'univers[78], lui qui sait comment mener Pharaon[79] à travers tant d'événements et même quand il est englouti dans la mer, car cela ne met pas fin à la conduite[80] de Pharaon par Dieu. Ce n'est pas parce qu'il fut englouti qu'il fut détruit : *Car dans la main de Dieu nous sommes nous-mêmes, avec nos paroles, toute notre prudence et la science que nous mettons dans nos œuvres.* Nous avons écrit cela modestement pour justifier ces textes : *Le cœur de Pharaon fut endurci ;* et : *Il a pitié de celui qu'il veut, il endurcit celui qu'il veut.*

C'est pourquoi à Dieu seul il faut laisser l'art, la puissance et la science de leur administration, car seul il peut connaître les remèdes à donner à chacune et le temps convenant aux soins. Lui donc, qui seul, nous l'avons dit, connaît les voies de chaque mortel, sait par quelle voie il devra mener Pharaon, *pour que par lui son nom soit invoqué par toute la terre*[79a], après l'avoir puni auparavant de plusieurs châtiments et l'avoir conduit jusqu'à être englouti dans la mer. Car cet engloutissement n'a pas mis fin, il faut le penser, à la conduite[80a] de Pharaon par Dieu. Ce n'est pas parce qu'il fut englouti qu'il a péri aussitôt quant à sa substance, comme nous devons le penser : *Car dans la main de Dieu nous sommes nous-mêmes, avec nos paroles, toute notre prudence et la science que nous mettons dans nos œuvres,* comme l'Écriture le dit. Nous avons disserté à ce sujet selon nos forces, en discutant le chapitre de l'Écriture où Dieu est dit avoir endurci le cœur de Pharaon et ce texte : *Il a pitié de celui qu'il veut, il endurcit celui qu'il veut.*

III, 1. *407* : Ex. 14 ‖ 568 : Rom. 9, 17 ‖ *409*, 574 : Sag. 7, 16 ‖ *411*, 577 : Ex. 10, 20 ‖ *412*, 578 : Rom. 9, 18

15 (*14*). Ἴδωμεν δὲ καὶ τὸ ἐκ τοῦ Ἰεζεκιὴλ λέγοντος ·
Ἐξελῶ τὰς λιθίνας καρδίας ἀπ᾽ αὐτῶν καὶ ἐμβαλῶ σαρκίνας,
415 ὅπως ἐν τοῖς δικαιώμασί μου πορεύωνται καὶ τὰ προ-
στάγματά μου φυλάσσωσιν. Εἰ γὰρ ὅτε βούλεται ὁ θεὸς
ἐξαίρει τὰς λιθίνας καρδίας καὶ ἐντίθησι σαρκίνας, ὥστε τὰ
προστάγματα αὐτοῦ φυλάττεσθαι καὶ τηρεῖσθαι τὰς ἐντολάς,
οὐκ ἔστι τὴν κακίαν ἀποθέσθαι ἐφ᾽ ἡμῖν. Τὸ γὰρ ἐξαιρεθῆναι
420 τὰς λιθίνας καρδίας οὐδὲν ἄλλο ἐστὶν ἢ τὴν κακίαν, καθ᾽ ἣν
σκληρύνεταί τις, περιαιρεθῆναι ἀφ᾽ οὗ ὁ θεὸς βούλεται ·
καὶ τὸ ἐγγενέσθαι καρδίαν σαρκίνην, ἵνα ἐν τοῖς προστάγμασί
τις πορεύηται τοῦ θεοῦ καὶ φυλάσσῃ αὐτοῦ τὰς ἐντολάς, τί
ἄλλο ἐστὶν ἢ εἰκτικὸν γενέσθαι καὶ μὴ ἀντίτυπον πρὸς τὴν
425 ἀλήθειαν καὶ πρακτικὸν τῶν ἀρετῶν ; Εἰ δὲ ταῦτα ἐπαγγέλλεται ὁ θεὸς ποιεῖν, καὶ πρὶν ἀφελεῖν αὐτὸν τὰς λιθίνας

III, 1. 415 πορεύσωνται C ‖ 426 αὐτὸν : αὐτῶν BCD

---

580   15. Nunc uideamus etiam de his quae Hiezechiel dicit
cum ait : *Auferam lapideum cor ab eis, et immittam eis
cor carneum, ut in iustificationibus meis incedant et praecepta
mea custodiant.* Si enim cum uult deus aufert lapideum cor
et immittit carneum, ut praecepta sua seruentur et
585 mandata custodiantur, neque malitiam auferre in nostra
uidebitur esse potestate (auferri enim cor lapideum non
aliud uidetur esse quam malitiam, qua quis obduratur,
abscidi a quo deus uult) neque quod inicitur cor carneum,
ut in praeceptis ambuletur dei et seruentur mandata eius,
590 quod nihil aliud est nisi oboedientem fieri et non resistentem contra ueritatem et operantem opera uirtutum.
Si ergo haec promittit deus se facturum, et antequam ipse
auferat cor lapideum deponere illud a nobismet ipsis non

III, 1. 581 cum : ubi BC ‖ cor lapideum g ‖ mittam g ‖ 584 cor
ante carneum *add.* g ‖ 590 quod : in quo A ‖ contra *ante* fieri *add.* g

---

III, 1. *414*, 581 : Éz. 11, 19 s.

Cœurs de pierre et cœurs de chair

1, 15 (*14*). Voyons maintenant ce texte d'Ézéchiel : *J'enlèverai leurs cœurs de pierre et je leur mettrai des cœurs de chair, afin qu'ils marchent dans mes commandements et qu'ils gardent mes prescriptions.* Si c'est Dieu, quand il le veut, qui enlève les cœurs de pierre et qui met les cœurs de chair, pour nous permettre de garder ses prescriptions et d'observer ses préceptes, il n'est pas en notre pouvoir de déposer la malice. En effet dire que les cœurs de pierre sont enlevés ne signifie pas autre chose que l'ablation de la malice qui endurcit quelqu'un quand Dieu veut la lui ôter. Et dire qu'un cœur de chair est mis, pour qu'on marche dans les prescriptions de Dieu et qu'on garde ses préceptes, qu'est-ce que cela signifie d'autre que de devenir docile et non résistant[81] envers la vérité et de pratiquer les vertus? Si c'est Dieu qui promet de le faire, si avant qu'il enlève les cœurs de pierre nous ne

---

1, 15. Voyons maintenant ce que dit Ézéchiel : *J'enlèverai leurs cœurs de pierre et je leur mettrai des cœurs de chair, afin qu'ils marchent dans mes commandements et qu'ils gardent mes prescriptions.* Si c'est Dieu, quand il veut, qui enlève le cœur de pierre et qui met le cœur de chair pour que soient observés ses préceptes et gardés ses commandements, il ne semblera pas être en notre pouvoir d'enlever la malice. En effet, dire que le cœur de pierre est enlevé ne signifie pas autre chose que l'ablation de la malice qui endurcit quelqu'un quand Dieu veut la lui ôter. Et dire qu'un cœur de chair est mis pour qu'on marche dans les préceptes de Dieu et qu'on garde ses commandements, qu'est cela d'autre que de devenir obéissant et non résistant envers la vérité et de pratiquer les vertus. Si c'est Dieu qui promet de le faire, si, avant qu'il enlève les cœurs de pierre, nous ne pouvons les

καρδίας οὐκ ἀποτιθέμεθα αὐτάς, δῆλον ὅτι οὐκ ἐφ᾽ ἡμῖν
ἐστιν ἀποθέσθαι τὴν κακίαν · καὶ εἰ οὐχ ἡμεῖς τι πράττομεν,
ἵνα ἐγγένηται ἡμῖν ἡ σαρκίνη καρδία, ἀλλὰ θεοῦ ἐστιν
430 ἔργον, οὐχ ἡμέτερον ἔργον ἔσται τὸ κατ᾽ ἀρετὴν βιοῦν,
ἀλλὰ πάντη θεία χάρις.
Ταῦτα μὲν ἐρεῖ ὁ ἀπὸ τῶν ψιλῶν ῥητῶν τὸ ἐφ᾽ ἡμῖν
ἀναιρῶν. Ἡμεῖς δὲ ἀποκρινούμεθα, τούτων οὕτως ἀκούειν
δεῖν λέγοντες ὅτι, ὥσπερ ὁ ἐν ἀμαθίᾳ καὶ ἀπαιδευσίᾳ
435 τυγχάνων, αἰσθανόμενος τῶν ἰδίων κακῶν ἤτοι ἐκ προτροπῆς
τοῦ διδάσκοντος ἢ ἄλλως ἐξ ἑαυτοῦ, ἐπιδίδωσιν ἑαυτὸν ᾧ
νομίζει δύνασθαι αὐτὸν χειραγωγήσειν ἐπὶ παίδευσιν καὶ
ἀρετήν, ἐπιδιδόντος δὲ τούτου ὁ παιδεύων ἐπαγγέλλεται

III, 1. 427 ἀπετιθέμεθα B ‖ 428 εἰ om. B ‖ 432 ὁ om. B ‖ 434 ὁ om.
Pat ‖ 435 αἰσθόμενος CD ‖ 436 καὶ post ἢ add. Pat DH

---

possumus, consequens est ut non sit in nostra potestate
595 abicere malitiam, sed in deo. Et iterum si non in nostro
actu est ut fiat in nobis cor carneum, si solius dei opus
est, non erit nostrum opus secundum uirtutem uiuere, sed
in omnibus dei gratiae opus uidebitur.

Haec quidem dicunt hi qui uolunt ex auctoritate
600 scripturae adstruere nihil esse in nostra positum potestate.
Quibus respondebimus haec non taliter intellegi oportere,
sed sicut si sit aliquis inperitus et indoctus, is qui sentiens
inperitiae suae notam, siue adhortatione cuiusquam siue
prudentium quorumque aemulatione pulsatus, tradat se
605 alicui, a quo confidat posse se diligenter imbui et conpetenter erudiri, is ergo qui iam prius obduruerat in inperitia,
si se, ut diximus, cum omni animi intentione tradat
magistro atque obtemperaturum se in omnibus repromittat,

III, 1. 600 adstruere : adserere g ‖ 602 is qui AGCᵃᶜMᵃᶜ : isque
BCᵖᶜMᵖᶜ qui AbS ‖ 603 adhortatione : adoratione A adorationem
C ‖ 605 a om. g ‖ 606 obduruerat A : obdurauerat BCGM se
obdurauerat AbS

pouvons les déposer, il n'est évidemment pas en notre
pouvoir de déposer la malice ; et si ce n'est pas nous qui
agissons pour mettre en nous un cœur de chair, mais
si c'est l'œuvre de Dieu, il ne dépend pas de nous de vivre
vertueusement[82], mais ce sera entièrement une grâce de
Dieu.

Voilà ce que dira celui qui supprime le libre arbitre
à partir du sens littéral seul[83]. Mais nous, nous répondrons
qu'il faut l'entendre de la façon suivante : lorsque quelqu'un, ignorant et inculte, mais conscient des maux dont
il souffre, soit par suite des exhortations d'un maître[84],
soit d'une autre façon de lui-même, se livre à celui qui
peut, à son avis, le mener à l'éducation et à la vertu,
et que ce maître lui promet d'ôter son inculture et de

---

déposer de nous-mêmes, il s'ensuit qu'il n'est pas en notre
pouvoir, mais en celui de Dieu, de rejeter la malice. Et
de même si ce n'est pas nous qui agissons pour mettre en
nous un cœur de chair, mais si c'est l'œuvre de Dieu seul,
il ne dépendra pas de nous de vivre vertueusement, mais
cela paraîtra entièrement comme l'œuvre de la grâce de
Dieu.

Voici ce que disent ceux qui veulent, à partir de l'autorité
de l'Écriture[83a], prouver que rien n'est en notre pouvoir.
Nous leur répondrons que ces paroles ne doivent pas
être entendues ainsi, mais de la façon suivante. Lorsque
quelqu'un, ignorant et inculte, mais conscient de l'opprobre
de son inculture, mû par les exhortations d'autrui ou
par le désir d'égaler des sages, se livre à celui qui peut
à son avis l'éduquer avec diligence et l'instruire avec
compétence, lorsque celui que l'inculture avait auparavant
endurci se livre, avons-nous dit, à un maître avec toute

ἐξελεῖν τὴν ἀπαιδευσίαν καὶ ἐνθήσειν παιδείαν, οὐχ ὡς
440 οὐδενὸς ὄντος εἰς τὸ παιδευθῆναι καὶ φυγεῖν τὴν ἀπαιδευσίαν
ἐπὶ τῷ ἑαυτὸν προσαγηοχότι θεραπευθησόμενον, ἀλλ' ὡς
ἐπαγγελλόμενος βελτιώσειν τὸν βουλόμενον · οὕτως ὁ θεῖος
λόγος ἐπαγγέλλεται τῶν προσιόντων τὴν κακίαν ἐξαιρεῖν,
ἣν ὠνόμασε λιθίνην καρδίαν, οὐχὶ ἐκείνων οὐ βουλομένων,
445 ἀλλ' ἑαυτοὺς τῷ ἰατρῷ τῶν καμνόντων παρεσχηκότων ·
ὥσπερ ἐν τοῖς εὐαγγελίοις εὑρίσκονται οἱ κάμνοντες προ-
σερχόμενοι τῷ σωτῆρι καὶ ἀξιοῦντες ἰάσεως τυχεῖν καὶ
θεραπευόμενοι. Καὶ ἔστι φέρ' εἰπεῖν τὸ τοὺς τυφλοὺς
ἀναβλέψαι ἔργον, κατὰ μὲν τὸ ἠξιωκέναι πιστεύσαντας
450 δύνασθαι θεραπεύεσθαι, τῶν πεπονθότων, κατὰ δὲ τὴν
ἀποκατάστασιν τῆς ὁράσεως, τοῦ σωτῆρος ἡμῶν. Οὕτως

III, 1. 440 φεύγειν Pat CDH ‖ 444 καρδίαν λιθίνην CDH ‖ 450 τῶν πεπονθότων *om.* Pat CDH

---

propositi eius intentione perspecta conpetenter etiam
610 magister pollicebitur ablaturum se ab eo omnem imperitiam
et inserturum peritiam, non quo abnuenti discipulo uel
renitenti haec se promittat esse facturum, sed offerenti
se atque in omnem oboedientiam mancipanti : ita et diuinus
sermo promittit his, qui accedunt ad se, ablaturum se esse
615 cor lapideum, non utique ab his qui se non audiunt, sed
ab his qui doctrinae suae praecepta suscipiunt ; sicut in
euangeliis inuenimus aegrotantes accedere ad saluatorem,
rogantes ut percipiant sanitatem, et ita demum curari.
Et est quidem, uerbi gratia, ut curentur caeci et uideant,
620 in eo quidem quod precati sunt saluatorem et crediderunt
ei posse se ab eo curari, opus ipsorum qui curati sunt ;
in eo uero quod eis redditur uisus, opus est saluatoris.

III, 1. 620 quo deprecati sunt a

lui donner la culture, ce dernier ne veut pas dire que celui qui se confie à ses soins n'a rien à faire pour être instruit et pour fuir l'inculture, sinon se présenter pour être soigné, mais il promet seulement d'améliorer celui qui le désire. C'est de la même façon que la Parole divine promet à ceux qui vont à elle d'ôter leur malice, ce qu'elle appelle le cœur de pierre, non quand ils s'y opposent, mais quand ils se livrent eux-mêmes au Médecin des malades. On trouve pareillement dans les Évangiles des malades qui vont au Sauveur en demandant à recevoir la guérison, et qui sont soignés. Recouvrer la vue, par exemple, si on considère la demande, faite avec foi[85], de pouvoir être soigné, c'est l'œuvre des malades ; mais si on considère le rétablissement de la vision, c'est l'œuvre

---

sa volonté et lui promet de lui obéir en tout, et que ce maître, après avoir examiné de façon perspicace l'intention qui le guide, lui promet d'ôter de lui toute son inculture et de lui donner la culture, ce dernier ne promet pas d'y parvenir avec un disciple qui se refuse et s'oppose, mais avec celui qui s'offre et se livre en toute obéissance[84a]. C'est de la même manière que la Parole divine promet à ceux qui vont à elle d'ôter le cœur de pierre : cela ne se produira certainement pas s'ils ne l'écoutent pas, mais seulement s'ils reçoivent son enseignement et ses préceptes[84b]. On trouve pareillement dans les Évangiles des malades qui s'approchent du Sauveur, demandant à recevoir la santé, et qui ainsi, assurément, sont soignés. Que des aveugles, par exemple, puissent être soignés et voient, si on considère la prière qu'ils ont adressée au Sauveur, la foi qu'ils ont en lui pour les soigner, c'est l'œuvre de ceux qui ont été soignés ; mais si on considère le fait de leur rendre la vue, c'est l'œuvre du Sauveur.

III, 1. *448*, 619 : Matth. 11, 5

οὖν ἐπαγγέλλεται ὁ λόγος τοῦ θεοῦ ἐμποιήσειν ἐπιστήμην
τοῖς προσιοῦσιν, ἐξελὼν τὴν λιθίνην καὶ σκληρὰν καρδίαν,
ὅπερ ἐστὶ τὴν κακίαν, ὑπὲρ τοῦ τινα πορεύεσθαι ἐν ταῖς
455 θείαις ἐντολαῖς καὶ φυλάσσειν τὰ θεῖα προστάγματα.

16 (15). Ἦν μετὰ ταῦτα τὸ ἀπὸ τοῦ εὐαγγελίου, ὅτε
ὁ σωτὴρ ἔφασκε διὰ τοῦτο τοῖς ἔξω ἐν παραβολαῖς λαλεῖν,
ἵνα βλέποντες μὴ βλέπωσι, καὶ ἀκούοντες μὴ συνιῶσι·
μήποτε ἐπιστρέψωσι, καὶ ἀφεθῇ αὐτοῖς. Καὶ ἐρεῖ ὁ ἐξ
460 ἐναντίας· εἰ πάντως τῶν σαφεστέρων ἀκούσαντες οἵδε
τινὲς ἐπιστρέφουσι, καὶ οὕτως ἐπιστρέφουσιν, ὥστε ἀξίους
αὐτοὺς γενέσθαι ἀφέσεως ἁμαρτημάτων, οὐκ ἔστι δὲ
ἐπ' αὐτοῖς τὸ ἀκοῦσαι τῶν σαφεστέρων λόγων ἀλλ' ἐπὶ τῷ
διδάσκοντι, καὶ διὰ τοῦτο οὐκ ἀπαγγέλλει αὐτοῖς σαφέστερον,

III, 1. 456 ὅτε : ὅπερ CD ‖ 460 πάντες B ‖ 461-462 αὐτοὺς
ἀξίους Pat DH ‖ 463 τὸ om. CD

Ita etiam in hoc diuinus sermo promittit daturum se esse
eruditionem auferendo cor lapideum, id est abstergendo
625 malitiam, ut possint per hoc in diuinis ambulare praeceptis
et legis mandata seruare.

16. Post haec propositum nobis est etiam illud de
euangelio, quod saluator dixerat : *Propterea his, qui foris
sunt, in parabolis loquor, ut uidentes uideant et non uideant,*
630 *et audientes audiant et non intellegant, ne forte conuertantur,*
et remittatur eis. In quo dicet qui e diuerso respondet :
Si omnimodo hi, qui manifestius audiunt, corrigentur et
conuertentur, et ita conuertentur, ut et digni sint percipere
remissionem peccatorum, non est autem in ipsorum potes-
635 tate ut audiant manifestum sermonem, sed in eius est
utique potestate qui docet, ut apertius et manifestius
doceat, is uero qui docet propterea se dicit manifeste eis

III, 1. *457*, 628 : Matth. 13, 10 ; Mc 4, 12

de notre Sauveur[86]. C'est ainsi que la Parole de Dieu promet de donner la science[87] à ceux qui s'approchent d'elle, enlevant le cœur de pierre, le cœur endurci, c'est-à-dire la malice, afin qu'on puisse marcher dans les préceptes divins et garder les commandements divins.

Pourquoi le Seigneur a-t-il parlé en paraboles ? - polémique contre les gnostiques 1, 16 (*15*). Il y avait ensuite cette parole de l'Évangile, quand le Seigneur expliquait pourquoi il parlait en paraboles aux gens du dehors, *pour que voyant ils ne voient pas et entendant ils ne comprennent pas, de peur qu'ils ne se convertissent et qu'il ne leur soit pardonné.* Et l'opposant dira : Puisque de toutes façons ceux-ci se convertissent lorsqu'ils ont entendu l'enseignement le plus clair, et de telle manière qu'ils deviennent dignes de recevoir la rémission des péchés, puisque, en outre, il n'est pas en leur pouvoir d'entendre les paroles plus claires, mais au pouvoir du Maître — et c'est pourquoi le Maître ne les leur annonce

---

C'est ainsi que la Parole divine promet de donner la science en enlevant le cœur de pierre, c'est-à-dire en effaçant la malice, afin qu'on puisse par là marcher dans les préceptes divins et observer les commandements de la loi.

1, 16. Ensuite nous a été proposée cette parole de l'Évangile dite par le Sauveur : *Je parle en paraboles aux gens du dehors pour que voyant ils voient et ne voient pas, entendant ils entendent et ne comprennent pas, de peur qu'ils ne se convertissent et qu'il ne leur soit pardonné.* A cela l'opposant répondra : Puisque de toute façon ceux qui entendent plus clairement sont corrigés et se convertissent, de telle manière qu'ils sont dignes de recevoir la rémission des péchés, puisqu'il n'est pas en leur pouvoir d'entendre parler clairement, mais qu'il est au pouvoir du Maître d'enseigner plus ouvertement et plus clairement — c'est pourquoi le Maître dit qu'il ne leur prêchera pas clairement

465 μήποτε ἴδωσι καὶ συνῶσιν, οὐκ ἔστιν ἐπ' αὐτοῖς τὸ σωθῆναι ·
εἰ δὲ τοῦτο, οὐκ ἐσμὲν αὐτεξούσιοι περὶ σωτηρίας καὶ
ἀπωλείας. Πιθανὴ μὲν οὖν πρὸς ταῦτα ἀπολογία ἦν, εἰ
μὴ προσέκειτο τὸ μήποτε ἐπιστρέψωσι, καὶ ἀφεθῇ αὐτοῖς,
τὸ ὅτι οὐκ ἐβούλετο τοὺς μὴ ἐσομένους καλοὺς καὶ ἀγαθοὺς
470 συνιέναι τῶν μυστικωτέρων ὁ σωτὴρ καὶ διὰ τοῦτο ἐλάλει
αὐτοῖς ἐν παραβολαῖς · νῦν δέ, κειμένου τοῦ μήποτε
ἐπιστρέψωσι, καὶ ἀφεθῇ αὐτοῖς, ἡ ἀπολογία ἐστὶ χαλεπωτέρα.

Πρῶτον τοίνυν σημειωτέον ἐστὶ τὸν τόπον πρὸς τοὺς
ἑτεροδόξους, λεξιθηροῦντας μὲν τὰ ἀπὸ τῆς παλαιᾶς διαθήκης
475 τοιαῦτα, ἔνθα ἐμφαίνεται, ὡς αὐτοὶ τολμῶντες λέγουσιν,

III, 1. 465 συνιῶσιν *corr. Rob.* ‖ 474 τῆς *om.* B

---

non praedicare uerbum, ne forte audiant et intellegant et
conuertantur et saluentur : non erit utique in ipsis ut
640 salui fiant. Quod si est, liberi arbitrii non erimus uel ad
salutem uel ad perditionem. Et si quidem non esset
adiectum quod dixit : *Ne forte conuertantur, et remittatur eis,*
posset pronior esse responsio, qua diceremus quoniam
nolebat eos, quos saluator praesciebat non esse futuros
645 bonos, intellegere mysteria regni caelorum, et propterea
loquebatur eis in parabolis ; nunc autem cum adiectum
sit : *Ne forte conuertantur, et remittatur eis,* difficilior
efficitur expositio.

Et primo quidem obseruandum nobis est, quid habeat
650 munimenti locus iste etiam aduersum haereticos, qui
aucupari uerba de ueteri testamento solent, si qua forte
uidentur eis, ut ipsi intellegunt, de deo creatore graue et

III, 1. 645 et *om.* BC ‖ 650 munimentum g

III, 1. *468,* 642 : Mc 4, 12 ‖ *471,* 647 : Mc 4, 12

pas plus clairement, de peur qu'ils ne voient et qu'ils ne
comprennent —, il n'est pas en leur pouvoir d'être sauvés.
S'il en est ainsi, nous n'avons pas de libre arbitre en ce qui
concerne le salut ou la perdition. On aurait pu justifier
ce passage d'une façon convaincante, si le Christ n'avait
pas ajouté[88] : *de peur qu'ils ne se convertissent et qu'il
ne leur soit pardonné* : dans ce cas le Seigneur ne voulait
pas que ceux qui ne devaient pas être des hommes
honnêtes pussent comprendre les réalités plus mystiques,
et c'est pourquoi il leur parlait en paraboles. Mais maintenant, puisque ces paroles : *de peur qu'ils ne se convertissent
et qu'il ne leur soit pardonné*, sont écrites, la justification
est plus difficile.

Il nous faut d'abord[89] signaler ce passage aux hétérodoxes qui pourchassent de telles paroles dans l'Ancien
Testament pour montrer par elles, comme ils ont l'audace
de le dire, la cruauté du Créateur, sa volonté de se défendre

---

la parole de peur qu'ils entendent, comprennent et soient
sauvés —, il ne sera pas en leur pouvoir d'être sauvés.
S'il en est ainsi nous n'avons pas de libre arbitre en ce
qui concerne le salut ou la perdition. Si le Christ n'avait
pas ajouté : *de peur qu'ils ne se convertissent et qu'il ne
leur soit pardonné*, la réponse pourrait être plus aisée ;
nous dirions que le Seigneur ne voulait pas que ceux qui,
selon sa prescience, ne devaient pas être bons pussent
comprendre les mystères du royaume des cieux, et c'est
pourquoi il leur parlait en paraboles. Mais maintenant,
puisqu'il a été ajouté : *de peur qu'ils ne se convertissent et
qu'il ne leur soit pardonné*, notre explication en est rendue
plus difficile.

Il nous faut d'abord remarquer le secours que peut
nous apporter ce passage même à l'égard des hérétiques
qui ont coutume de pourchasser dans l'Ancien Testament
les paroles qui semblent, d'après la compréhension qu'ils
en ont, attribuer au Dieu créateur une attitude violente

ὠμότης τοῦ δημιουργοῦ ἢ ἀμυντικὴ καὶ ἀνταποδοτικὴ τῶν
χειρόνων προαίρεσις, ἢ ὅ τι ποτὲ θέλουσι τὸ τοιοῦτον
ὀνομάζειν, μόνον ἵνα λέγωσιν οὐκ ἀγαθότητα εἶναι ἐν τῷ
κτίσαντι · οὐχ ὁμοίως δὲ οὐδὲ εὐγνωμόνως ἐντυγχάνοντας
480 τῇ καινῇ, ἀλλὰ παραπεμπομένους τὰ παραπλήσια οἷς
νομίζουσιν εἶναι ἐπιλήπτοις ἀπὸ τῆς παλαιᾶς. Φανερῶς γὰρ
καὶ κατὰ τὸ εὐαγγέλιον ὁ σωτὴρ δείκνυται, ὡς αὐτοὶ
φάσκουσιν ἐπὶ τῶν προτέρων, διὰ τοῦτο σαφῶς μὴ φθεγγό-
μενος, ἵνα μὴ ἐπιστρέψωσιν οἱ ἄνθρωποι, καὶ ἐπιστρέψαντες
485 ἀφέσεως ἁμαρτημάτων ἄξιοι γένωνται · ὅπερ καθ᾽ αὐτὸ
οὐδενὸς ἔλαττόν ἐστι τῶν ἀπὸ τῆς παλαιᾶς κατηγορουμένων
τοιούτων. Ἐὰν δὲ περὶ τοῦ εὐαγγελίου ἀπολογίαν ζητῶσι,
λεκτέον πρὸς αὐτούς · εἰ μὴ ἐπιλήπτως ποιοῦσιν ἐπὶ τῶν
ὁμοίων προβλημάτων ἀνομοίως ἱστάμενοι, καὶ κατὰ μὲν

III, 1. 476 ἢ *corr. Klostermann* : ἡ *codd. Rob.* ‖ ἀποδοτικὴ CD ‖
483 ἐπὶ : διὰ CD

---

inhumanum aliquid designare, cum uel uindicantis designatur uel punientis affectus, uel quoquomodo certe ipsi
655 haec nominare solent, ex quibus uidelicet bonitatem esse
denegent in creatore : quomodo non eadem mente nec
eodem sensu etiam de euangeliis iudicant nec obseruant
si qua talia etiam in euangeliis posita sunt, qualia iudicant
uel arguunt in ueteri testamento. Euidenter enim in hoc
660 capitulo saluator ostenditur, sicut ipsi dicunt, propterea
manifeste non loqui, uti ne conuertantur homines et
conuersi remissionem accipiant peccatorum. Quod utique
si secundum solam litteram intellegatur, nihil omnino
minus habebit ab his, quae in testamento ueteri crimi-
665 nantur. Si uero etiam ipsis uidetur haec expositione

III, 1. 653 in eo *post* uindicantis *add.* BC ‖ 654 quomodo GAᵃᶜ ‖
665 uidentur *coni. dubitanter Koe in appar.*

et de rendre le mal pour le mal, quel que soit le nom qu'ils donnent à un tel comportement, dans le seul but de dire qu'il n'y a pas de bonté en celui qui a créé. Mais ils n'examinent pas le Nouveau Testament de la même façon et avec honnêteté, car ils ne remarquent pas des passages semblables à ceux qu'ils jugent blâmables dans l'Ancien. Car l'Évangile montre avec évidence, comme ils le disent eux-mêmes au sujet du texte précédemment cité, que le Sauveur ne s'exprime pas clairement de peur que les hommes ne se convertissent et qu'ils ne méritent de recevoir alors la rémission des péchés : cette affirmation prise en elle-même n'est pas moins grave que celles qu'ils accusent dans l'Ancien Testament. S'ils cherchent à justifier ce qui est dans l'Évangile, il faut leur dire qu'en ne le considérant pas comme répréhensible ils se comportent de façon dissemblable devant des problèmes semblables : en ce qui concerne le Nouveau Testament ils ne se scanda- lisent pas, mais ils cherchent une justification ; en ce

---

et inhumaine, des sentiments de vengeance et de châtiment, quel que soit le nom qu'ils donnent à un tel comportement, assurément afin de nier qu'il y ait de la bonté dans le créateur. Comment ne jugent-ils pas des Évangiles avec la même mentalité et dans le même sens pour examiner si on n'y trouve pas des passages semblables à ceux qu'ils condamnent et blâment dans l'Ancien Testament? Car ce passage montre avec évidence, comme ils le disent eux-mêmes, que le Sauveur ne s'exprime pas clairement par peur que les hommes ne se convertissent et qu'ils ne reçoivent alors la rémission des péchés. Cette affirmation, si on la comprend selon le sens littéral seul, n'est pas moins grave que celles qu'ils blâment dans l'Ancien Testament. S'il leur semble qu'il faille interpréter ce qu'ils

490 τὴν καινὴν οὐ προσκόπτοντες ἀλλ' ἀπολογίαν ζητοῦντες,
κατὰ δὲ τὴν παλαιὰν περὶ τῶν παραπλησίων, δέον ἀπολογεῖσθαι ὁμοίως τοῖς ἀπὸ τῆς καινῆς, κατηγοροῦντες, ἐξ
ὧν συμβιβάσομεν αὐτοὺς διὰ τὰς ὁμοιότητας ἐπὶ τὸ πάντα
ἡγεῖσθαι ἑνὸς εἶναι γράμματα θεοῦ · φέρε δὴ καὶ πρὸς τὸ
495 προκείμενον ἀπολογίαν κατὰ τὸ δυνατὸν πορισώμεθα.

17 (16). Ἐφάσκομεν καὶ περὶ τοῦ Φαραὼ ἐξετάζοντες
ὅτι ἐνίοτε τὸ τάχιον θεραπευθῆναι οὐ πρὸς καλοῦ γίνεται
τοῖς θεραπευομένοις, εἰ παρ' ἑαυτοὺς χαλεποῖς περιπεσόντες
εὐχερῶς ἀπαλλαγεῖεν τούτων οἷς περιπεπτώκασι · κατα-
500 φρονοῦντες γὰρ ὡς εὐιάτου τοῦ κακοῦ, δεύτερον οὐ φυλαττό-
μενοι τὸ περιπεσεῖν αὐτῷ, ἐν αὐτῷ ἔσονται. Διόπερ ἐπὶ
τῶν τοιούτων ὁ θεὸς ὁ αἰώνιος, ὁ τῶν κρυπτῶν γνώστης, ὁ
εἰδὼς τὰ πάντα πρὶν γενέσεως αὐτῶν, κατὰ τὴν χρηστότητα
αὐτοῦ ὑπερτίθεται τὴν ταχυτέραν πρὸς αὐτοὺς βοήθειαν

III, 1. 490 προσσκώπτοντες Pat προκόπτοντες H ǁ 493 συμβιβά-
σωμεν B Pat *Rob.* ǁ 497 τὸ *om.* B ǁ 504 παχυτέραν B

indigere, si qua in nouo testamento ita posita inuenitur
consequens et necessarium erit ut etiam ea, quae in ueteri
testamento criminantur, simili expositione purgentur, ut
per haec unius eiusdemque dei probentur esse quae in
670 utroque scripta sunt testamento. Sed ad propositam
quaestionem, prout possumus, conuertamur.

17. Dicebamus prius de Pharaone disputantes quia
interdum curari citius non cedit in bonum, maxime si in
internis uisceribus ualidius morbus grassetur inclusus.
675 Vnde deus, qui occultorum cognitor est et *nouit uniuersa
antequam fiant*, pro multa benignitate sua differt horum
talium curas et medicinam protelat in longius atque, ut

III, 1. 666 inuenitur A : inueniuntur BC *Koe* inueniunt g

qui concerne les affirmations analogues trouvées dans l'Ancien, alors qu'il faudrait les justifier comme celles du Nouveau, ils les accusent, tandis que nous leur démontrons, à cause de ces ressemblances, la nécessité de penser que toutes les Écritures sont l'œuvre d'un seul Dieu. Mais maintenant essayons, dans la mesure du possible, de justifier le texte proposé.

1, 17 (*16*). Nous disions, quand nous - de nouveau Dieu examinions le cas de Pharaon[90], que comparé au médecin parfois il n'est pas bon pour ceux qui sont soignés de l'être trop rapidement, si, étant tombés par eux-mêmes dans des difficultés, ils étaient ainsi éloignés plus aisément de ce en quoi ils étaient tombés : car ils méprisent alors le mal, le considérant comme facile à guérir, et une autre fois, ne prenant pas garde à l'éviter, ils y resteront. C'est pourquoi dans des cas semblables, le Dieu éternel qui connaît les secrets, lui qui *sait toute chose avant qu'elle ne se produise*, diffère dans sa bonté de leur apporter un secours qui serait

---

trouvent de semblable dans le Nouveau Testament, il s'ensuivra nécessairement qu'il faut justifier par une interprétation semblable même ce qu'ils accusent dans l'Ancien Testament[89a] : c'est la preuve que tout ce qui est écrit dans les deux Testaments est l'œuvre d'un seul et même Dieu. Mais revenons, comme nous le pouvons, à la question proposée.

1, 17. D'abord nous disions, quand nous examinions le cas de Pharaon, que parfois il n'est pas bon d'être soigné trop vite, surtout si la maladie se propage en restant enfermée à l'intérieur des organes[90a]. C'est pourquoi Dieu qui connaît les secrets, lui qui *sait toute chose avant qu'elle ne se produise*, diffère dans sa grande bonté les soins à leur donner et remet le traitement à des temps lointains :pour

III, 1. *502*, 675 : Dan. 13, 42

505 καί, ἵν' οὕτως εἴπω, βοηθῶν αὐτοῖς οὐ βοηθεῖ, τούτου
αὐτοῖς λυσιτελοῦντος. Εἰκὸς οὖν καὶ τοὺς ἔξω, περὶ ὧν
ὁ λόγος, τῷ σωτῆρι κατὰ τὸ προκείμενον ἑωραμένους οὐ
βεβαίους ἔσεσθαι ἐν τῇ ἐπιστροφῇ, εἰ τρανότερον ἀκούσαιεν
τῶν λεγομένων, ὑπὸ τοῦ κυρίου ᾠκονομῆσθαι μὴ σαφέστερον
510 ἀκοῦσαι τῶν βαθυτέρων · μήποτε τάχιον ἐπιστρέψαντες καὶ
ἰαθέντες ἐν τῷ ἀφέσεως τυχεῖν, ὡς εὐχερῶν τῶν τῆς κακίας
τραυμάτων καὶ εὐιάτων καταφρονήσαντες, πάλιν καὶ τάχιον
αὐτοῖς περιπέσωσι. Τάχα δὲ καὶ τίνοντες δίκας τῶν προτέρων
ἁμαρτημάτων, ὧν εἰς τὴν ἀρετὴν ἐπλημμέλησαν κατα-
515 λιπόντες αὐτήν, οὐδέπω τὸν πρέποντα χρόνον ἐκπεπληρώ-

III, 1. 505 τοῦτο B ‖ 514 καταλιπομένους CD

---

ita dixerim, curat eos dum non curat, ne eos praepropera
sanitas insanabiles reddat. Possibile ergo est ut apud eos
680 quibus foris positis domini et saluatoris nostri sermo
fiebat, pro eo quod scrutans corda et renes peruidebat eos
nondum esse aptos manifestioris eloquii recipere doctrinam,
profundioris sacramenti fidem uelato sermone contegeret ;
ne forte uelociter conuersi ac sanati, id est peccatorum
685 suorum remissione celeriter accepta, facile iterum in
eundem peccatorum reciderent morbum, quem senserant
sine aliqua difficultate curatum. Quod utique si fiat, nulli
dubium est duplicari poenam et mali augmenta cumulari,
dum non solum peccata, quae remitti uisa fuerant, repe-
690 tuntur, uerum etiam uirtutis aula polluitur, si eam dolosae
et contaminatae mentes, plenae intrinsecus malitiae
latentis, inculcent. Et quod umquam talibus remedium
erit, qui post malitiae inpuros et sordidos cibos, degustata

III, 1. 678 propera CMAbS prospera G ‖ 683 contegeret : contegere
B contigerit g

III, 1. 681 : Ps. 7, 10

autrement trop rapide et, pour ainsi dire, il les secourt
en ne les secourant pas, car cela leur est utile. Vraisemblablement ceux du dehors[91], à qui s'appliquait cette
parole, le Sauveur voyait, selon le texte proposé, qu'ils ne
seraient pas solides dans leur conversion, s'ils entendaient
distinctement ce qui leur était dit, et c'est pourquoi le
Seigneur a fait en sorte qu'ils n'entendent pas plus clairement les paroles plus profondes, de peur que, trop vite
convertis et guéris en obtenant la rémission, méprisant
comme bénignes et faciles à guérir les blessures de la
malice, ils n'y retombent bien vite. Peut-être[92], subissant
alors la peine des péchés qu'ils ont commis autrefois
contre la vertu en l'abandonnant, n'ont-ils pas encore
atteint le temps convenable où, après avoir été privés

---

ainsi dire il les soigne en ne les soignant pas, de peur
qu'une guérison prématurée ne les rende inguérissables. Il
est possible que, quand notre Seigneur et Sauveur adressait
la parole à ceux du dehors, prévoyant, car il scrute les
cœurs et les reins[91a], que ces derniers n'étaient pas encore
disposés à recevoir une doctrine trop clairement exprimée,
il recouvrait d'un langage voilé l'autorité du mystère plus
profond, de peur que vite convertis et guéris, ayant reçu
rapidement la rémission de leurs fautes, ils ne retombent
facilement dans la même maladie du péché, jugeant qu'elle
pouvait être soignée sans difficulté. Si cela se produit,
assurément[92a], il n'y a pas à douter que la peine sera
doublée et que le mal augmentera et s'accumulera, puisque
non seulement les péchés qui paraissaient remis reviendront,
mais encore le domaine de la vertu en sera souillé, foulé
par des intelligences fourbes et contaminées, pleines à
l'intérieur d'une malice latente. Quel remède trouveront-ils
jamais, eux qui, après les nourritures impures et sordides
de la méchanceté, ayant goûté la suavité de la vertu et

κεσαν τῷ καταλειπομένους αὐτοὺς ἀπὸ τῆς θείας ἐπισκοπῆς,
ἐπὶ πλεῖον ἐμφορηθέντας τῶν ἰδίων ἃ ἔσπειραν κακῶν,
ὕστερον εἰς βεβαιοτέραν μετάνοιαν καλεῖσθαι, οὐ ταχέως
περιπεσουμένους οἷς πρότερον περιπεπτώκεσαν τὸ ἀξίωμα
520 ἐνυβρίσαντες τῶν καλῶν καὶ τοῖς χείροσιν ἑαυτοὺς ἐπιδεδω-
κότες. Οἱ μὲν οὖν ἔξω λεγόμενοι, δηλονότι συγκρίσει τῶν
ἔσω, οὐ πάντη πόρρω τῶν ἔσω τυγχάνοντες, τῶν ἔσω
σαφῶς ἀκουόντων, ἀκούουσιν ἀσαφῶς διὰ τὸ ἐν παραβολαῖς
αὐτοῖς λέγεσθαι · πλὴν ἀκούουσιν. Ἕτεροι δὲ τῶν ἔξω,
525 οἱ λεγόμενοι Τύριοι, καίτοιγε προεγνωσμένοι ὅτι πάλαι ἂν

III, 1. 520 ἑαυτοῖς B Pat ‖ 522 ἔσω : ἔξω DCB

uirtutis suauitate et dulcedine eius faucibus suis recepta,
695 rursum se ad uirulentos et mortiferos cibos nequitiae
conuerterunt? Et quis dubitat melius esse differri tales et
interim relinqui, ut si forte satietatem aliquando malitiae
ceperint et horrescere potuerint sordes, in quibus nunc
interim delectantur, tunc demum competenter eis sermo
700 dei manifestetur, ut non sanctum canibus mittatur, nec
margaritae iactentur ante porcos, quo conculcent eas
pedibus, et insuper conuersi rumpant et inpugnent eos
qui sibi praedicauerint uerbum dei? Isti ergo sunt qui
foris esse dicuntur, sine dubio ad eorum conparationem
705 qui intus esse et manifestius uerbum dei audire referuntur.
Audiunt tamen et isti qui foris sunt uerbum, licet parabolis
obtectum et prouerbiis obumbratum. Sunt autem alii
praeter eos qui foris sunt, qui Tyrii appellantur, qui
omnino non audiunt, et quidem praenoscente de eis
710 saluatore quia *olim in sacco et cinere iacentes paenitentiam*

III, 1. 698 coeperint a ‖ 701 quo : qui AbS ‖ 703 praedicauerunt g

III, 1. 700 : Matth. 7, 6 ‖ *521*, 703 : Mc 4, 11 ‖ I Cor. 5, 12 ‖ *523*,
706 : Mc 4, 11 ‖ *525*, 710 : Matth. 11, 21 s.

des visites divines et rassasiés[93] par les maux qu'ils ont eux-mêmes semés, ils seront appelés plus tard à une pénitence plus solide, et ne retomberont pas si vite dans les maux où auparavant ils sont tombés, quand ils insultaient la dignité du bien et qu'ils se livraient au pire. Ceux qui sont dehors, évidemment par comparaison avec ceux du dedans, ne se trouvant pas totalement éloignés de ceux du dedans, alors que ces derniers entendent clairement, entendent de manière obscure parce qu'il leur est parlé en paraboles : ils entendent cependant[94]. D'autres que ceux du dehors, ceux qui sont appelés Tyriens[95], bien que le Seigneur ait prévu qu'ils auraient *fait déjà pénitence assis dans le sac et la cendre*, si le Sauveur s'était

---

ayant perçu sa douceur par leur palais, sont revenus à nouveau aux aliments empoisonnés et mortels de la malice? Est-il possible de douter qu'il est meilleur pour eux d'être repoussés et mis de côté pour un temps, jusqu'à ce qu'ils soient pris de la satiété du mal et qu'ils aient pu éprouver de l'horreur pour les souillures dans lesquelles entre-temps ils trouvent leurs délices. Alors seulement la parole de Dieu leur sera manifestée opportunément, car les choses saintes ne seront plus jetées aux chiens ni les perles précipitées devant les porcs qui les foulent aux pieds et qui, bien mieux, s'étant retournés, les brisent et attaquent ceux qui leur ont prêché la parole de Dieu. Il s'agit donc de ceux qui sont dits du dehors, sans aucun doute par comparaison avec ceux qui, selon l'Évangile, sont dits du dedans et entendent plus clairement la parole de Dieu. Ceux du dehors entendent cependant la parole, bien qu'elle soit cachée dans des paraboles et couverte dans des proverbes. Outre ceux du dehors, il y en a d'autres, appelés Tyriens, qui n'entendent rien du tout, bien que le Sauveur ait prévu qu'ils auraient *déjà fait pénitence gisant dans le*

ἐν σάκκῳ καὶ σποδῷ καθήμενοι μετενόησαν, ἐγγὺς γενομένου
τοῦ σωτῆρος τῶν ὁρίων αὐτῶν, οὐδὲ τὰ τῶν ἔξω ἀκούουσιν,
ὡς εἰκός, μᾶλλον πόρρω ὄντες τῆς ἀξίας τῶν ἔξω, ἵν᾽ ἐν
ἄλλῳ καιρῷ μετὰ τὸ ἀνεκτότερον αὐτοῖς γενέσθαι παρὰ
530 τοὺς μὴ παραδεξαμένους τὸν λόγον, ἐφ᾽ ὧν ἐμνημόνευσε
καὶ τῶν Τυρίων, εὐκαιρότερον ἀκούσαντες βεβαιότερον
μετανοήσωσιν.

Ὅρα δὲ εἰ μὴ μᾶλλον ἡμεῖς πρὸς τῷ ἐξεταστικῷ καὶ τὸ
εὐσεβὲς πάντῃ ἀγωνιζόμεθα τηρεῖν περὶ θεοῦ καὶ τοῦ
535 χριστοῦ αὐτοῦ, ἐκ παντὸς ἀπολογεῖσθαι πειρώμενοι ὡς ἐν

III, 1. 526 καθήμενοι *om.* CD ǁ 533 τῷ : τὸ B

---

egissent, si factae fuissent apud eos uirtutes, quae apud
alios factae sunt, et tamen non audiunt, ne ea quidem,
quae hi qui foris sunt audiunt : credo pro eo quod longe
horum inferior et nequior ordo esset in malitia quam
715 eorum, qui foris esse dicuntur, id est non longe ab his,
qui intus sunt, et audire uerbum, licet in parabolis, merebantur, et quod fortassis dispensabatur eorum curatio in
illud tempus, quo *tolerabilius erit eis in die iudicii* quam
illis, apud quos factae sunt illae uirtutes, quae scriptae
720 sunt ; ut ita demum releuati tunc pondere malorum suorum
facilius et tolerabilius uiam salutis incedant.

Verum illud est, quod admonitos esse eos qui haec
legunt uolo, nos in huiuscemodi difficillimis et obscurissimis
locis summo studio niti, non tam ut quaestionum absolu-
725 tiones ad liquidum dispiciamus (hoc enim faciet unusquisque prout spiritus dabit eloqui ei), sed ut pietatis
regulam cautissima adsertione teneamus in eo, quod
prouidentiam dei iuste omnia moderantem et aequissimis

III, 1. 719 illis : illi AGM *(recte?)* ǁ 720 reuelati AG ǁ 725 dispiciamus *Del* : dispicemus A *(recte?)* despiciamus BCGM dispute-
mus AbS *Koe* ǁ 727 cautissima a : euidentissima g

approché de leurs frontières, n'entendent même pas ce qu'entendent ceux du dehors, comme c'est vraisemblable, car ils sont plus loin de la dignité de ceux du dehors ; mais à un autre moment, après que leur sort sera devenu *plus supportable* que celui de ceux qui n'ont pas accueilli la Parole — c'est à leur sujet que le Seigneur mentionne aussi les Tyriens —, ayant entendu d'une manière plus opportune, ils feront une pénitence plus solide.

Vois si, en plus de notre travail de recherche, nous ne luttons pas davantage pour garder la piété[96] envers Dieu et son Christ, en essayant de rendre complètement compte,

---

sac et la cendre, si avaient été accomplis chez eux les miracles qui ont été faits chez les autres[95a] *;* et cependant ils n'entendent pas, pas même les paroles que ceux du dehors entendent. Je crois que, parce qu'ils ont dans la malice un rang bien inférieur et bien pire que ceux qui sont dits du dehors — ces derniers en effet ne sont pas loin de ceux du dedans et ils méritaient d'entendre la parole, bien que ce soit en paraboles[95b] — et parce que peut-être leur traitement était remis par la Providence au temps où leur sort sera *plus supportable au jour du Jugement,* que celui de ceux chez qui ont été accomplis les miracles dont parle l'Écriture, alors seulement, soulagés du poids de leurs maux, ils marcheront d'une manière plus aisée et plus supportable dans la voie du salut.

Mais[96a], et je veux que les lecteurs en soient avertis, dans ces passages si difficiles et si obscurs, nous nous efforçons, non tant d'examiner clairement les solutions à donner aux questions posées — cela, chacun le fera selon que l'Esprit lui donnera d'en parler —, mais de garder avec beaucoup de soin la règle de piété en nous appliquant à montrer que la providence de Dieu, en gouvernant justement toutes choses par sa gestion très

---

III, 1. 725 : I Cor. 12, 11

τηλικούτοις καὶ τοιούτοις περὶ τῆς ποικίλης προνοίας τοῦ
θεοῦ, ἀθανάτου ψυχῆς προνοουμένου. Εἰ γοῦν τις περὶ τῶν
ὀνειδιζομένων ζητοίη ὅτι ὁρῶντες τεράστια καὶ ἀκούοντες
θείων λόγων οὐκ ὠφελοῦνται, Τυρίων ἂν μετανοησάντων, εἰ
540 τοιαῦτα παρ' αὐτοῖς ἐγεγόνει καὶ εἴρητο, ζητοίη δὲ φάσκων,
τί δήποτε τοῖς τοιούτοις ἐκήρυξεν ὁ σωτὴρ ἐπὶ κακῷ αὐτῶν,
ἵνα βαρύτερον αὐτοῖς τὸ ἁμάρτημα λογισθῇ · λεκτέον πρὸς
αὐτὸν ὅτι ὁ πάντων τὰς διαθέσεις κατανοῶν τῶν αἰτιωμένων
αὐτοῦ τὴν πρόνοιαν, ὡς παρ' ἐκείνην οὐ πεπιστευκότων μὴ
545 δωρησαμένην ἰδεῖν ἃ ἑτέροις θεάσασθαι ἐχαρίσατο, καὶ μὴ

III, 1. 537 ἀποθανάτου B ‖ 544-545 μὴ δωρησαμένην *om.* CD

---

dispensationibus pro singulorum meritis et causis regere
730 inmortales animas studemus ostendere ; dum non intra
huius saeculi uitam dispensatio humana concluditur, sed
futuri status causam praestat semper anterior meritorum
status, et sic inmortali et aeterno aequitatis moderamine
diuinae prouidentiae inmortalis anima ad summam
735 perfectionis adducitur. Si quis tamen occurrat nobis pro
eo quod diximus a deterioribus quibusque et nequioribus
consulto differri uerbum praedicationis, cur his quibus
conlati Tyrii qui certe despecti sunt praeferuntur, praedicatus sit sermo, in quo utique auctum est eis malum et
740 grauior eorum effecta est condemnatio, ut audirent uerbum
qui non erant credituri : hoc modo respondendum uidetur.
Deus, qui uniuersarum mentium cognitor est, aduersum
prouidentiam suam querelas praenoscens eorum praecipue
qui dicunt : Quomodo credere poteramus, cum neque
745 uiderimus ea quae ceteri uiderunt, neque audierimus ea

III, 1. 729 disputationibus A ‖ et *post* regere *add.* A ‖ 733 ab *post*
sic *add.* BC ‖ iure et *ante* moderamine *add. Del, quem Koe secutus est*

en des matières si importantes, de la providence variée[97]
de Dieu, quand elle prend en charge l'âme immortelle[98].
Si quelqu'un se posait une question au sujet de ceux
que blâme le Christ[99], de ceux qui n'ont tiré aucun profit
de la vue des miracles et de l'audition des paroles divines,
alors que les Tyriens auraient fait pénitence si ces miracles
s'étaient produits chez eux et si ces paroles leur avaient
été dites, si quelqu'un donc se demandait pourquoi enfin
le Seigneur leur avait prêché pour leur malheur, pour
mettre sur leur compte une plus lourde faute, il faut
lui dire[100] que Dieu, connaissant les dispositions de tous
ceux qui accusent sa providence, n'ayant pas cru en elle
parce qu'elle ne leur a pas donné de voir ce dont elle
a accordé à d'autres la vision et parce qu'elle ne s'est pas

équitable selon les mérites de chacune et leurs causes,
régit les âmes immortelles. Puisque[98a] le gouvernement
des hommes n'est pas limité à la vie de ce siècle, mais
que toujours l'état antérieur des mérites devient la cause
de l'état futur, ainsi, sous la direction immortelle et éternelle, pleine d'équité, de la divine providence, l'âme
immortelle est menée au sommet de la perfection. Si
quelqu'un nous objectait, parce que nous avons dit que
c'est à bon droit que la prédication de la parole est
retardée quand il s'agit des plus mauvais et des plus
scélérats : pourquoi la parole s'est-elle fait entendre à
ceux qui sont inférieurs à ces Tyriens certainement
méprisés, alors que par là assurément leur malheur s'est
accru et leur condamnation est devenue plus lourde, car
ils ont entendu la Parole sans y croire, on doit lui répondre[100a], semble-t-il, ainsi. Dieu qui connaît toutes les
intelligences, prévoyant les critiques adressées à sa
providence, surtout par ceux qui s'expriment de la sorte :
Comment pourrions-nous croire, alors que nous n'avons
pas vu ce que d'autres ont vu, ni entendu ce qui leur a été

οἰκονομήσασαν ἀκοῦσαι τούτων, ἃ ἄλλοι ἀκούσαντες ὠφέ-
ληνται, τὴν ἀπολογίαν οὐκ εὔλογον οὖσαν ἐλέγξαι βουλόμενος
δίδωσι ταῦτα, ἃ οἱ μεμφόμενοι τὴν διοίκησιν αὐτοῦ ᾔτησαν ·
ἵνα μετὰ τὸ λαβεῖν οὐδὲν ἧττον ἐλεγχθέντες ὡς ἀσεβέστατοι
550 τῷ μηδ' οὕτως τῷ ὠφελεῖσθαι ἑαυτοὺς ἐπιδεδωκέναι,
παύσωνται τοῦ τοιούτου θράσους, καὶ κατ' αὐτὸ τοῦτο
ἐλευθερωθέντες μάθωσιν ὅτι ποτὲ εὐεργετῶν τινας ὁ θεὸς
μέλλει καὶ βραδύνει, μὴ χαριζόμενος ὁρᾶν καὶ ἀκούειν
τοιαῦτα, ἐφ' οἷς ὁραθεῖσι καὶ ἀκουσθεῖσι βαρυτέρα καὶ
555 χαλεπωτέρα ἡ ἁμαρτία ἐλέγχεται τῶν μετὰ τηλικαῦτα καὶ
τοιαῦτα μὴ πεπιστευκότων.

III, 1. 546 ἃ ἄλλοι : ἀλλ' οἱ B ǁ 551 καὶ κατὰ τοῦτο CD

---

quae aliis praedicata sunt ? in tantum extra nos est culpa,
ut hi quibus annuntiatus est sermo et signa monstrata
sunt nihil omnino distulerint, sed obstupefacti ipsa prodi-
giorum uirtute crediderint, uolens arguere occasiones
750 huiuscemodi querelarum et ostendere quia non dissimulatio
diuinae prouidentiae, sed humanae mentis arbitrium causa
sibi perditionis existit, contulit etiam indignis et incredulis
gratiam beneficiorum suorum, ut uere omne os obstruatur
totumque a se et nihil a deo deesse sibi mens humana
755 cognoscat, simul et, cum grauius condemnatur is, qui
diuina beneficia sibi delata contempsit, quam ille, qui
consequi ea uel audire omnino non meruit, intellegat et
agnoscat misericordiae esse diuinae et aequissimae eius
dispensationis etiam hoc ipsum, quod interdum dissimulat
760 aliquibus praestare, ut uel uideant aliqua uel audiant
uirtutis diuinae mysteria, ne signorum uirtutibus uisis et
sapientiae eius mysteriis agnitis et auditis, si contempserint
atque neglexerint, grauiore impietatis animaduersione
multentur.

III, 1. 750 huiusmodi g ǁ 753 uero g ǁ 755 cum : ut AbS *om.* GM

III, 1. 753 : Rom. 3, 19

arrangé à leur faire entendre ce que d'autres ont entendu
pour leur bien, a voulu les convaincre que leur réponse
n'était pas raisonnable et leur a donné ce qu'ils demandaient
en blâmant sa manière de gouverner ; mais après l'avoir
reçu ils n'en ont pas moins été convaincus d'extrême
impiété, parce que, même ainsi, ils ne se sont pas livrés
à ce qui pouvait leur être utile. Ils renonceront donc à
une telle impudence et, libérés par le fait même, ils
apprendront que parfois, dans l'intérêt de certains, Dieu
tarde et diffère, n'accordant pas de voir et d'entendre
ce dont la vision et l'audition manifesterait davantage
la gravité et la lourdeur du péché de ceux qui n'ont pas
cru après tant de si grandes révélations.

---

prêché ? La faute n'est pas de nous, puisque ceux à qui
la Parole a été annoncée et les miracles montrés, n'ont pas
du tout tardé, mais ont cru, stupéfaits de la puissance
de ses prodiges. Dieu donc, pour confondre ce qui servait
de prétexte à ces plaintes et pour montrer que la cause de
la perdition n'est pas une négligence de la providence
divine, mais le libre arbitre dont est douée l'intelligence
humaine, a accordé même à des indignes et à des incrédules
la grâce de ses bienfaits. Ainsi toute bouche est fermée
par Dieu et l'intelligence humaine apprend que tout lui
manque et que rien ne manque à Dieu. Puisque la condamnation est plus grave pour celui qui a méprisé les bienfaits
divins à lui accordés que pour celui qui n'a pas mérité
d'obtenir ni d'entendre quoi que ce soit, l'intelligence
humaine comprend et reconnaît que c'est aussi l'œuvre
de la miséricorde divine et de son gouvernement très
équitable, quand parfois elle néglige d'accorder à certains
la vue de quelque chose ou l'audition des mystères de
la puissance divine, de peur que la vue de ces miracles
puissants, la connaissance et l'audition des mystères de
sa sagesse ne frappe leur impiété d'un châtiment plus
grave si jamais ils les méprisent et les négligent.

18 (*17*). Ἴδωμεν δὲ καὶ περὶ τοῦ "*Αρ' οὖν οὐ τοῦ*
θέλοντος οὐδὲ τοῦ τρέχοντος, ἀλλὰ τοῦ ἐλεοῦντος θεοῦ.
Οἱ γὰρ ἐπιλαμβανόμενοί φασιν · εἰ μὴ τοῦ θέλοντος μηδὲ
560 τοῦ τρέχοντος, ἀλλὰ τοῦ ἐλεοῦντος θεοῦ, οὐκ ἐκ τοῦ ἐφ' ἡμῖν
τὸ σώζεσθαι, ἀλλ' ἐκ κατασκευῆς τῆς ἀπὸ τοῦ τοιούσδε
κατασκευάσαντος γεγενημένης ἢ ἐκ προαιρέσεως τοῦ ὅτε
βούλεται ἐλεοῦντος. Παρ' ὧν τοῦτο πευστέον · Τὸ θέλειν
τὰ καλὰ καλόν ἐστιν ἢ φαῦλον ; καὶ τὸ τρέχειν βουλόμενον
565 τυχεῖν τοῦ τέλους ἐν τῷ σπεύδειν ἐπὶ τὰ καλὰ ἐπαινετόν
ἐστιν ἢ ψεκτόν ; Εἴτε γὰρ ἐροῦσι ψεκτόν, παρὰ τὴν ἐνάργειαν
ἀποκρινοῦνται, καὶ τῶν ἁγίων θελόντων καὶ τρεχόντων καὶ
δηλονότι ἐν τούτῳ ψεκτὸν <οὐ> ποιούντων · εἴτε ἐροῦσιν
ὅτι καλὸν τὸ θέλειν τὰ καλὰ καὶ τὸ τρέχειν ἐπὶ τὰ καλά,

III, 1. 558 οὐδὲ — ἐλεοῦντος *om.* CD ‖ 559 οἱ : εἰ CD ‖ εἰ μὴ
τοῦ θέλοντος *om.* CD ‖ 561 τοιοῦδε Pat CD ‖ 568 οὐ *suppl. Rob.*
‖ 569 τὸ² *om.* B

---

765   18. Videamus nunc et de eo quod dictum est : *Non*
uolentis neque currentis, sed miserentis est dei. Aiunt enim
hi qui e diuerso sunt : Si non est uolentis neque currentis,
sed cuius deus misereretur ipse saluatur, non est in nobis
ut saluemur. Aut enim natura nostra talis est, ut uel
770 saluari possimus uel non saluari, aut certe in uoluntate
sola est eius, qui si uult misereretur et saluat. A quibus primo
hoc inquirimus : Velle bona, bonum est aut malum?
Et currentem festinare, ut perueniat ad finem boni,
laudabile est an culpabile? Et si quidem dixerint quod
775 culpabile sit, aperte insanient : omnes enim sancti et
uolunt bona et currunt ad bona, et utique culpabiles non
sunt. Quomodo ergo si is qui non saluatur malae naturae
est, uult bona et currit ad bona, sed non inuenit bona?

III, 1. 768 saluator AMGᵃᶜBᵖᶜ ‖ 774 an : aut B *om.* g ‖ culpabile
om. g ‖ et *om.* g

III, 1. *557*, 765 : Rom. 9, 16

C'est l'œuvre de Dieu qui fait miséricorde — **1,** 18 (*17*). Voyons maintenant ce qui concerne la phrase : *Ce n'est donc pas l'œuvre de celui qui veut, ni de celui qui court, mais de Dieu qui fait miséricorde*. Les attaquants disent : Si ce n'est pas l'œuvre de celui qui veut ni de celui qui court, mais de Dieu qui fait miséricorde, le salut ne vient pas de notre libre arbitre mais de notre constitution[101], œuvre de celui qui nous a créés tels, ou encore de la volonté de celui qui fait miséricorde quand il le veut. Nous leur demanderons[102] : Vouloir le bien, est-ce bien ou mal ? Et courir pour atteindre le but quand on se hâte vers le bien, est-ce louable ou blâmable ? S'ils disent blâmable, ils répondront contrairement à l'évidence, car les saints veulent et courent et ils ne font évidemment en cela rien de blâmable. S'ils disent qu'il est bien de vouloir le bien et de courir vers le bien, nous leur demanderons comment la nature qui est perdue veut le bien.

1, 18. Voyons maintenant ce qui concerne la phrase : *Ce n'est pas l'œuvre de celui qui veut ni de celui qui court, mais de Dieu qui fait miséricorde*. Les opposants disent : Si ce n'est pas l'œuvre de celui qui veut ni de celui qui court, mais si Dieu sauve celui à qui il fait miséricorde, le salut ne vient pas de notre libre arbitre. Ou bien notre nature est telle que nous pouvons être sauvés ou non, ou bien cela dépend de la volonté seule de celui qui fait miséricorde et sauve quand il le veut. Nous leur demanderons d'abord : Vouloir le bien, est-ce bien ou mal ? Et se hâter dans sa course pour parvenir au but qui est le bien, est-ce louable ou blâmable ? S'ils disent que c'est blâmable, ils disent ouvertement des sottises : en effet tous les saints veulent le bien et courent au bien, et assurément ils ne sont pas à blâmer. Comment donc, si celui qui n'est pas sauvé est d'une nature mauvaise, veut-il le bien et court-il vers le bien, mais sans trouver le bien ? Ils disent en effet

570 πευσόμεθα πῶς ἡ ἀπολλυμένη φύσις θέλει τὰ κρείττονα · οἰονεὶ γὰρ δένδρον πονηρὸν καρποὺς ἀγαθοὺς φέρει, εἴ γε καλὸν τὸ θέλειν τὰ κρείττονα. Τρίτον δὲ ἐροῦσιν ὅτι τῶν μέσων ἐστὶ τὸ θέλειν τὰ καλὰ καὶ τὸ τρέχειν ἐπὶ τὰ καλά, καὶ οὔτε ἀστεῖον οὔτε φαῦλον. Λεκτέον δὲ πρὸς τοῦτο ὅτι
575 εἰ τὸ θέλειν τὰ καλὰ καὶ τὸ τρέχειν ἐπὶ τὰ καλὰ μέσον ἐστί, καὶ τὸ ἐναντίον αὐτῷ μέσον ἐστί, τουτέστι τὸ θέλειν τὰ κακὰ καὶ τὸ τρέχειν ἐπὶ τὰ κακά. Οὐχὶ δέ γε μέσον ἐστὶ τὸ θέλειν τὰ κακὰ καὶ τρέχειν ἐπὶ τὰ κακά · οὐκ ἄρα μέσον τὸ θέλειν τὰ καλὰ καὶ τρέχειν ἐπὶ τὰ καλά.
580 19 (18). Τοιαύτην τοίνυν ἀπολογίαν ἡγοῦμαι δύνασθαι ἡμᾶς πορίζειν πρὸς τὸ "Ἆρ' οὖν οὐ τοῦ θέλοντος οὐδὲ τοῦ τρέχοντος, ἀλλὰ τοῦ ἐλεοῦντος θεοῦ. Φησὶν ἐν τῇ βίβλῳ τῶν ψαλμῶν ὁ Σολομῶν (αὐτοῦ γάρ ἐστιν ἡ ᾠδὴ τῶν

III, 1. 571 φέρει : ποιεῖ B ‖ 573 τὸ² om. CD ‖ 576 αὐτῷ : αὐτῶν B ‖ 576-577 τὸ τρέχειν ἐπὶ τὰ κακὰ καὶ τὸ θέλειν τὰ κακὰ Pat CD

Aiunt enim quia arbor mala fructus bonos non adfert,
780 bonus etenim fructus est uelle bona ; et quomodo malae arboris fructus est bonus ? Quodsi dixerint quia medium est uelle bona et currere ad bona, id est neque bonum neque malum, dicemus ad eos : Si medium est uelle bona et currere ad bona, ergo et id quod his contrarium est
785 medium erit, id est uelle mala et currere ad mala ; sed certum est quia non sit medium uelle mala et currere ad mala, sed aperte malum est : constat ergo quia non est medium uelle bona et currere ad bona, sed bonum.

19 (18). His igitur tali responsione depulsis, ad exposi-
790 tionem iam quaestionis ipsius properemus, in qua ait : *Non uolentis neque currentis, sed miserentis est dei.* In libro Psalmorum, in canticis graduum, qui Salomonis esse

III, 1. 780 est om. g

Car c'est comme un arbre mauvais qui porte de bons fruits, puisqu'il est bon de vouloir le bien[103]. Ils diront en troisième lieu que vouloir le bien et courir vers le bien appartient aux réalités indifférentes et que ce n'est ni beau ni laid. Il faut répondre à cela que, si vouloir le bien et courir vers le bien est indifférent, leurs contraires sont aussi indifférents, à savoir vouloir le mal et courir vers le mal. Mais vouloir le mal et courir vers le mal ne sont pas indifférents : donc vouloir le bien et courir vers le bien ne sont pas indifférents.

1, 19 (*18*). Je pense[104] que nous pouvons donner la justification suivante à la phrase : *Ce n'est donc pas l'œuvre de celui qui veut ni de celui qui court, mais de Dieu qui fait miséricorde.* Salomon dit dans le livre des *Psaumes*[105] — c'est de lui qu'est le *Cantique des Montées*, dont nous

---

qu'un arbre mauvais ne porte pas de bons fruits, or c'est un bon fruit que de vouloir le bien ; et comment est-il bon, le fruit d'un arbre mauvais ? S'ils disent que vouloir le bien et courir vers le bien est une réalité indifférente, ni bonne ni mauvaise, nous leur répondrons : si vouloir le bien et courir vers le bien est indifférent, leurs contraires sont aussi indifférents, à savoir vouloir le mal et courir vers le mal. Mais il est certain que vouloir le mal et courir vers le mal ne sont pas indifférents, mais manifestement mauvais : il est donc évident que vouloir le bien et courir vers le bien ne sont pas indifférents, mais bons.

1, 19 (*18*). Après les avoir repoussés avec une telle réponse, dépêchons-nous d'exposer la question elle-même : *Ce n'est pas l'œuvre de celui qui veut ni de celui qui court, mais de Dieu qui fait miséricorde.* Dans le livre des *Psaumes*, dans les *Cantiques des Montées* attribués à Salomon, il

---

III, 1. *571*, 779 : Matth. 7, 18 ‖ *581*, 791 : Rom. 9, 16

ἀναβαθμῶν, ἐξ ἧς παραθησόμεθα τὰ ῥητά) · Ἐὰν μὴ κύριος
585 οἰκοδομήσῃ οἶκον, εἰς μάτην ἐκοπίασαν οἱ οἰκοδομοῦντες
αὐτόν · ἐὰν μὴ κύριος φυλάξῃ πόλιν, εἰς μάτην ἠγρύπνησεν
ὁ φυλάσσων, οὐκ ἀποτρέπων ἡμᾶς ἀπὸ τοῦ οἰκοδομεῖν οὐδὲ
διδάσκων μὴ ἀγρυπνεῖν εἰς τὸ φρουρεῖν ἡμῶν τὴν ἐν τῇ
ψυχῇ πόλιν, ἀλλὰ παριστὰς ὅτι τὰ χωρὶς θεοῦ οἰκοδομούμενα
590 καὶ τὰ μὴ τυγχάνοντα τῆς ἀπὸ τούτου φυλακῆς, μάτην
οἰκοδομεῖται καὶ ἀνηνύτως τηρεῖται, εὐλόγως ἂν ἐπιγραφη-
σομένου κυρίου τῆς οἰκοδομῆς τοῦ θεοῦ, καὶ ἄρχοντος τῆς
φρουρᾶς τῆς πόλεως τοῦ τῶν ὅλων δεσπόζοντος. Ὥσπερ
οὖν εἰ λέγοιμεν · οὐ τοῦ οἰκοδομοῦντος ἀλλὰ τοῦ θεοῦ
595 ἔργον ἐστὶν τόδε τὸ οἰκοδόμημα, καὶ οὐ τοῦ φυλάξαντος

III, 1. 584 ῥήματα B ‖ 586 αὐτόν *om.* CD ‖ 587 τοῦ *om.* B ‖ 589
τὰ *om.* B ‖ 593 δεσπόζοντος CDH : δεσπότου B Pat *Rob. Koe*

---

referuntur, hoc modo scriptum est : *Nisi dominus aedifi-*
cauerit domum, in uanum laborauerunt qui aedificant eam;
795 *nisi dominus custodierit ciuitatem, in uanum uigilauit qui*
custodit eam. Per quae uerba non utique hoc indicat, ut
cessare debeamus ab aedificando uel uigilando ad custodiam
ciuitatis eius, quae intra nos est ; sed hoc est quod ostendit
quia quaecumque sine deo aedificantur et quaecumque
800 sine deo custodiuntur, uane aedificantur et sine causa
seruantur. In omnibus enim, quae bene aedificantur et
quae bene saluantur, dominus uel aedificationis uel tutelae
auctor adscribitur. Vt, uerbi causa, si uideamus aliquod
magnificum opus et praeclari aedificii moles decora cons-
805 tructione sublatas, nonne iure meritoque dicemus non
haec humanis uiribus, sed diuina ope ac uirtute constructa?
Nec tamen ex hoc cessasse et nihil omnino egisse etiam
humani studii labor atque industria designabitur. Vel
iterum si uideamus urbem aliquam graui hostium obsidione

III, 1. 795 uigilauit GM : uigilabit AB uigilant C uigilat AbS
‖ 800 uano B uanae GM

présentons ces paroles — : *Si le Seigneur ne bâtit la maison,
en vain ont travaillé ses bâtisseurs ; si le Seigneur ne garde
la cité, en vain a veillé son gardien.* Il ne nous détourne
pas de construire et il ne nous apprend pas par là à ne
pas veiller pour garder la cité qui se trouve en notre âme,
mais il enseigne que ce qui est bâti sans Dieu et ce qui
n'est pas sous sa garde est bâti en vain et gardé sans
résultat, car c'est à bon droit que Dieu est décrit comme
le maître de la construction et le Seigneur de l'univers
comme le chef de ceux qui gardent la ville. C'est comme
si nous disions : Cette construction n'est pas l'œuvre
du bâtisseur, mais de Dieu ; ou, si cette ville n'a rien
souffert de ses ennemis, le succès n'est pas à attribuer à
son gardien, mais au Dieu de l'univers. Nous n'aurions
pas tort, si on sous-entend cependant que l'homme a fait

---

est écrit : *Si le Seigneur ne bâtit la maison, en vain ont
travaillé ses bâtisseurs ; si le Seigneur ne garde pas la cité,
en vain a veillé son gardien.* Par là il ne nous indique pas,
assurément, que nous devons renoncer à bâtir ou à veiller
pour garder la cité qui est au-dedans de nous, mais il
montre que tout ce qui est bâti sans Dieu ou gardé sans
Dieu est bâti en vain et gardé sans raison. Car dans tout
ce qui est bien bâti et bien conservé, Dieu est décrit
comme le maître de la construction et le chef de la garde.
Ainsi, par exemple[105a], si nous voyons un ouvrage magni-
fique et la masse d'un édifice célèbre élevée en une
construction imposante, ne disons-nous pas à bon droit
et avec raison qu'elle n'a pas été bâtie par les forces
humaines, mais avec l'aide et la puissance de Dieu ? Cela
ne veut pas dire cependant que le travail, le zèle et l'activité
de l'homme soient restés oisifs et n'ont fait absolument
rien. De même si nous voyons une ville assiégée durement

III, 1. *584*, 793 : Ps. 126, 1 ‖ *595* : Rom. 9, 5

κατόρθωμα ἀλλὰ τοῦ ἐπὶ πάντων θεοῦ τὸ μηδὲν πεπονθέναι
ἀπὸ πολεμίων τήνδε τὴν πόλιν, οὐκ ἂν πταίοιμεν, ὑπακουομέ-
νου μὲν τοῦ καὶ κατὰ τὸν ἄνθρωπόν τι γεγονέναι τοῦ δὲ
ἀνδραγαθήματος εὐχαρίστως ἐπὶ τὸν τελειωτὴν θεὸν ἀναφε-
600 ρομένου · οὕτως ἐπεὶ οὐκ ἀρκεῖ τὸ ἀνθρώπινον θέλειν πρὸς
τὸ τυχεῖν τοῦ τέλους, οὐδὲ τὸ τῶν οἰονεὶ ἀθλητῶν τρέχειν
πρὸς τὸ καταλαβεῖν τὸ βραβεῖον τῆς ἄνω κλήσεως τοῦ
θεοῦ ἐν Χριστῷ Ἰησοῦ (θεοῦ γὰρ συμπαρισταμένου ταῦτα
ἀνύεται), καλῶς λέγεται τὸ Οὐ τοῦ θέλοντος οὐδὲ τοῦ
605 τρέχοντος, ἀλλὰ τοῦ ἐλεοῦντος θεοῦ. Ὡς εἰ καὶ ἐπὶ γεωργίας,

III, 1. 597 τήνδε om. CD ‖ 602 λαβεῖν Pat CDH ‖ 602-603 τοῦ
θεοῦ τῆς ἄνω κλήσεως Pat CD ‖ 604 δὲ post καλῶς add. B

---

810 circumdatam, minaces inferri machinas muris, uallo, telis,
ignibus cunctisque bellorum instrumentis, quibus excidia
parantur, urgeri ; si repelli hostis potuit et fugari, digne
meritoque urbi liberatae salutem a deo praestitam dicimus,
nec tamen per hoc defuisse uigilum excubias, procinctum
815 iuuenum et custodientium uigilias designamus. Ita ergo
et apostolus dixisse intellegendus est : quoniam non
sufficit ad perficiendam salutem sola uoluntas humana,
nec idoneus est mortalis cursus ad consequenda caelestia
et ad capiendum palmam supernae uocationis dei in
820 Christo Iesu nisi haec ipsa bona uoluntas nostra prom-
tumque propositum et quaecumque illa in nobis potest
esse industria, diuino uel iuuetur uel muniatur auxilio.
Et ideo ualde consequenter dixit apostolus quia *non
uolentis neque currentis, sed miserentis est dei*, quemad-
825 modum si dicamus et de agricultura illud, quod scriptum

III, 1. 817 sufficiat A^pc ‖ 822 iubetur BGM

quelque chose, mais que l'exploit doit être rapporté avec actions de grâces à Dieu qui a tout accompli. De même, puisque le vouloir humain ne suffit pas pour atteindre la fin, ni le fait de courir comme des athlètes pour obtenir le prix de l'appel céleste venant de Dieu dans le Christ Jésus — c'est en effet avec l'assistance de Dieu que cela s'accomplit —, il est écrit justement : *Ce n'est pas l'œuvre de celui qui veut ni de celui qui court, mais de Dieu qui fait miséricorde.* On peut invoquer à ce sujet ce qui est écrit comme s'il s'agissait d'un travail agricole : *C'est*

---

par l'ennemi, des machines menaçantes approchées des murailles, la ville pressée par les retranchements, les traits, le feu et les autres instruments de guerre qui préparent la mort, lorsqu'on a pu repousser et mettre en fuite l'adversaire, c'est avec raison et à bon droit que nous disons que Dieu a donné le salut à la ville libérée, et cependant nous n'indiquons pas par là que ses soldats n'aient pas monté la garde, que ses jeunes gens ne soient pas restés prêts à combattre et que ses gardes n'aient pas veillé. C'est ainsi qu'il faut comprendre les paroles de l'Apôtre : le vouloir humain ne suffit pas à l'accomplissement du salut et la course du mortel n'est pas capable d'obtenir les réalités célestes et de recevoir la palme de l'appel céleste venant de Dieu dans le Christ Jésus, à moins que notre bonne volonté elle-même, la résolution de nos dispositions, toute l'activité dont nous sommes capables, reçoivent de Dieu aide et appui. C'est pourquoi l'Apôtre dit avec beaucoup de conséquence que : *Ce n'est pas l'œuvre de celui qui veut ni de celui qui court, mais de Dieu qui fait miséricorde.* On peut invoquer à ce sujet ce qui est écrit comme s'il s'agissait d'un travail agricole : *C'est moi qui*

III, 1. *602*, 819 : Phil. 3, 14 ‖ *604*, 823 : Rom. 9, 16

ὅπερ καὶ γέγραπται, ἐλέγετο · Ἐγὼ ἐφύτευσα, Ἀπολλὼς
ἐπότισεν, ὁ δὲ θεὸς ηὔξησεν · ὥστε οὔτε ὁ φυτεύων ἐστί τι
οὔτε ὁ ποτίζων, ἀλλ᾿ ὁ αὐξάνων θεός, καὶ τὸ τοὺς καρποὺς
πλήρεις γεγονέναι οὐκ ἂν εὐσεβῶς λέγοιμεν ἔργον εἶναι
610 τοῦ γεωργοῦ ἢ ἔργον τοῦ ποτίσαντος, ἀλλ᾿ ἔργον τοῦ θεοῦ ·
οὕτω καὶ ἡ ἡμετέρα τελείωσις οὐχὶ μηδὲν ἡμῶν πραξάντων
γίνεται, οὐ μὴν ἀφ᾿ ἡμῶν ἀπαρτίζεται, ἀλλὰ θεὸς τὸ πολὺ
ταύτης ἐνεργεῖ. Καὶ ἵνα ἐναργέστερον πιστευθῇ τοῦτο εἶναι
τὸ λεγόμενον, ἀπὸ τῆς κυβερνητικῆς τὸ παράδειγμα ληψό-
615 μεθα. Πρὸς γὰρ τὴν τῶν ἀνέμων πνοὴν καὶ τὴν τῶν ἀέρων
εὐκρασίαν καὶ τὴν τῶν ἀστέρων λαμπρότητα, συνεργούντων
τῇ τῶν ἐμπλεόντων σωτηρίᾳ, πόστον ἂν ἀριθμὸν ἔχειν
λέγοιτο τῆς ἐπὶ τὸν λιμένα ἀποκαταστάσεως ἡ κυβερνητικὴ

III, 1. 607 ηὔξανεν Pat CD ‖ 617 πόστον : πιστὸν B πόσον H ‖ ἂν
om. B

est : *Ego plantaui, Apollo rigauit, sed deus incrementum
dedit. Itaque neque qui plantat est aliquid, neque qui rigat,
sed qui incrementum dat deus.* Sicut ergo cum bonos et
uberes fructus ad perfectam maturitatem pertulit seges,
830 nemo pie et consequenter dicet quia fructus istos agricola
fecit, sed a deo fatebitur praestitos : ita etiam nostra
perfectio non quidem nobis cessantibus et otiosis efficitur,
nec tamen consummatio eius nobis, sed deo, cuius in ea
plurimum est operis, adscribetur. Sic cum et nauis supe-
835 rauerit marina discrimina, quamuis multo labore nautarum
et omni nauticae artis opere inpenso et gubernatoris
studio atque industria abhibita res agatur, uentorum
quoque adspirantibus flatibus et astrorum signis diligenter
notatis, si quando tamen uexata undis et fluctibus fatigata
840 ad portum salua peruenit, nemo sani sensus nisi dei

III, 1. 834 plurimum : primum g ‖ et cum g ‖ 840 nemo — dei :
nemo qui sani sensus est alii nisi dei BC

moi qui ai planté, Apollos qui a arrosé, mais Dieu qui a fait croître : de telle sorte que ni celui qui plante ni celui qui arrose ne sont quelque chose, mais celui qui fait croître, Dieu. Il serait impie, à notre avis, de dire que, si les fruits sont parvenus à leur plénitude, c'est l'œuvre du cultivateur ou de celui qui arrose, alors que c'est l'œuvre de Dieu. Pareillement en ce qui regarde notre perfection, on ne peut dire que nous n'ayons rien fait, cependant ce n'est pas nous qui l'avons accomplie, mais Dieu qui en a fait la plus grande part[106]. Et pour qu'on croie avec plus de clarté à ce que nous disons, prenons en exemple l'art du pilote. Par comparaison à l'action des vents qui soufflent, à la sérénité de l'air, à l'éclat des astres, tout cela collaborant au salut des navigateurs, quelle importance a,

---

ai planté, Apollos qui a arrosé, mais Dieu qui a fait croître ; ainsi ni celui qui plante ni celui qui arrose ne sont quelque chose, mais celui qui fait croître, Dieu. Lorsque la terre a porté à la maturité parfaite des fruits excellents et copieux, il serait impie et peu conséquent de dire que ces fruits, c'est le cultivateur qui les a faits, mais on avouera qu'ils sont produits par Dieu. Pareillement en ce qui regarde notre perfection, elle ne se fait pas si nous cessons d'y travailler et restons oisifs ; cependant son accomplissement ne nous sera pas attribué, mais à Dieu qui en a fait la plus grande part. Ainsi lorsque le navire a surmonté les périls de la mer, bien qu'entrent en ligne de compte tout le travail et l'art qu'ont dépensé les matelots, le zèle et l'activité mis en jeu par le pilote, quand on a pris note des vents qui soufflent et des indications données par les astres, lorsque enfin, après avoir été ballotté par les eaux et secoué par les flots, le bateau parvient au port en bon état, aucun homme intelligent n'attribuera à autre

---

III, 1. *606*, 826 : I Cor. 3, 6 s.

τέχνη ; Οὐδὲ αὐτῶν τῶν κυβερνητῶν δι᾽ εὐλάβειαν πολλάκις
620 τολμώντων ὁμολογεῖν τὸ σεσωκέναι τὴν ναῦν, ἀλλὰ τῷ
θεῷ τὸ πᾶν ἀναφερόντων, οὐ τῷ μηδὲν αὐτοὺς ἐνηργηκέναι,
ἀλλὰ τῷ εἰς ὑπερβολὴν πολλαπλάσιον εἶναι τὸ ἀπὸ τῆς
προνοίας τοῦ ἀπὸ τῆς τέχνης. Καὶ ἐπὶ τῆς ἡμετέρας γοῦν
σωτηρίας πολλαπλάσιόν ἐστιν εἰς ὑπερβολὴν τὸ ἀπὸ τοῦ
625 θεοῦ τοῦ ἀπὸ τοῦ ἐφ᾽ ἡμῖν. Διόπερ ἡγοῦμαι λέγεσθαι τὸ
_Οὐ τοῦ θέλοντος οὐδὲ τοῦ τρέχοντος, ἀλλὰ τοῦ ἐλεοῦντος
θεοῦ._ Εἰ γὰρ ὡς ἐκεῖνοι ὑπολαμβάνουσι δεῖ ἐκλαμβάνειν τὸ
_Οὐ τοῦ θέλοντος οὐδὲ τοῦ τρέχοντος, ἀλλὰ τοῦ ἐλεοῦντος
θεοῦ,_ περισσαὶ αἱ ἐντολαί, καὶ μάτην αὐτὸς ὁ Παῦλος
630 αἰτιᾶταί τινας ὡς παραπεπτωκότας καὶ ἀποδέχεταί τινας
ὡς κατωρθωκότας καὶ νομοθετεῖ ταῖς ἐκκλησίαις · εἰκῇ

III, 1. 621 τῷ : τὸ B Pat ‖ 622 τῷ : τὸ B Pat C ‖ 625 τὸ : τοῦ B
‖ 631 νομοθετεῖ : νουθετεῖ B

---

misericordiae salutem nauis adscribet. Sed ne ipsi quidem
nautae uel gubernator audet dicere quia ego saluam feci
nauem, sed totum ad dei misericordiam referunt ; non quo
sciant se nihil ad saluandam nauem uel artis adhibuisse
845 uel laboris, sed quo sciant a se quidem laborem, salutem
uero a deo praestitam naui. Ita etiam in nostrae uitae
cursu a nobis quidem dependendus est labor et studium
atque industria adhibenda, laboris uero nostri fructus a
deo speranda est salus. Alioquin si nihil nostri operis
850 exposcit, superflua utique uidebuntur esse mandata ;
frustra etiam ipse Paulus culpat quosdam decidisse a
ueritate et conlaudat alios stantes in fide, praecepta quoque
et instituta quaedam ex superfluo tradit ecclesiis ; frustra

III, 1. 841 adscribit g ‖ 845 sed quo *codd.* : sed quod *Del, quem
Koe secutus est* ‖ 847 dispendendus GM dispensandus AbS ‖ 848
nostri uero g ‖ 853 tradet A tradita B

dirait-on, pour retrouver le port, l'art du pilote[107] ? Les
pilotes eux-mêmes sont souvent assez circonspects pour
ne pas se permettre de reconnaître qu'ils ont sauvé le
navire, mais ils rapportent le tout à Dieu : cela ne veut
pas dire qu'ils n'aient rien fait, mais que la part de la
Providence est infiniment plus grande que celle de la
technique. En ce qui concerne notre salut, la part de Dieu
est infiniment plus grande que celle de notre libre arbitre.
C'est pourquoi, à mon avis, il est dit : *Ce n'est pas l'œuvre*
de celui qui veut ni de celui qui court, mais de Dieu qui
fait miséricorde. S'il fallait comprendre comme le font nos
objecteurs la phrase : *Ce n'est pas l'œuvre de celui qui veut*
ni de celui qui court, mais de Dieu qui fait miséricorde[108],
les commandements seraient superflus et c'est en vain[109]
que Paul distribue le blâme à ceux qui sont tombés, la
louange à ceux qui se conduisent bien, et légifère pour les
Églises : en vain nous nous appliquons à vouloir les biens

---

chose qu'à la miséricorde de Dieu le salut du navire[107a].
Mais les matelots eux-mêmes et le pilote n'ont pas l'audace
de dire : J'ai sauvé le navire. Ils rapportent tout à la
miséricorde de Dieu. Cela ne veut pas dire qu'ils soient
conscients de n'avoir rien apporté de leur technique et de
leur travail pour sauver le navire, mais ils savent qu'ils
ont donné leur travail et que Dieu a accordé le salut au
navire. Ainsi, dans le cours de notre vie, nous avons à
dépenser notre travail, à appliquer notre zèle et notre
activité, mais le fruit de notre travail, le salut, est à
espérer de Dieu[108a]. Autrement, si aucune activité propre
ne nous était demandée, les commandements paraîtraient
superflus : c'est alors en vain que Paul lui-même en blâme
qui sont tombés de la vérité, en loue qui se tiennent fermes
dans la foi, et c'est inutilement qu'il donne aux Églises

III, 1. *619*, 841 : Platon, *Gorgias* 511 D ‖ *626* : Rom. 9, 16

δὲ ἡμεῖς ἐπιδίδομεν ἑαυτοὺς ἐπὶ τὸ θέλειν τὰ κρείττονα,
εἰκῇ δὲ καὶ ἐπὶ τὸ τρέχειν. Ἀλλ' οὐ μάτην ὁ Παῦλος τάδε
συμβουλεύει καὶ τούσδε μέμφεται καὶ τούσδε ἀποδέχεται,
635 οὐδὲ μάτην ἡμεῖς ἐπιδίδομεν ἑαυτοὺς τῷ θέλειν τὰ κρείττονα
καὶ τῷ σπεύδειν ἐπὶ τὰ διαφέροντα. Οὐκ ἄρα ἐκεῖνοι καλῶς
ἐξειλήφασι τὰ κατὰ τὸν τόπον.
　　20 (19). Πρὸς τούτοις ἦν Τὸ θέλειν καὶ τὸ ἐνεργεῖν ἐκ
τοῦ θεοῦ ἐστι. Καὶ φασί τινες · εἰ ἀπὸ τοῦ θεοῦ τὸ θέλειν
640 καὶ ἀπὸ τοῦ θεοῦ τὸ ἐνεργεῖν, κἂν κακῶς θέλωμεν κἂν
κακῶς ἐνεργῶμεν, ἀπὸ τοῦ θεοῦ ταῦθ' ἡμῖν ὑπῆρξεν · εἰ
δὲ τοῦτο, οὐκ ἐσμεν αὐτεξούσιοι. Πάλιν τε αὖ κρείττονα
θέλοντες καὶ τὰ διαφέροντα ἐνεργοῦντες, ἐπεὶ ἀπὸ θεοῦ τὸ
θέλειν καὶ τὸ ἐνεργεῖν ἐστιν, οὐχ ἡμεῖς τὰ διαφέροντα
645 πεποιήκαμεν, ἀλλ' ἡμεῖς μὲν ἐδόξαμεν, ὁ δὲ θεὸς ταῦτα
ἐδωρήσατο · ὥστε καὶ κατὰ τοῦτο οὐκ ἐσμεν αὐτεξούσιοι.
Καὶ πρὸς τοῦτο δὲ λεκτέον ὅτι ἡ τοῦ ἀποστόλου λέξις

III, 1. 632 δὲ : δὲ καὶ H δὲ καὶ μάτην καὶ CD ‖ 633 εἰκῇ δὲ καὶ
ἐπὶ τὸ τρέχειν Rob., Rufinum conferens : οὐχὶ δέ γε καὶ τρέχειν
codd. ‖ 635 τῷ : τὸ B ‖ 636 τῷ om. B ‖ 640 καὶ — ἐνεργεῖν : καὶ τὸ
ἐνεργεῖν ἐκ τοῦ θεοῦ ἐστι CD

---

etiam nos ipsi uel uolumus uel currimus ad bona. Sed
855 certum est quod haec frustra non fiunt, et certum est
quod nec apostoli frustra praecipiunt nec dominus sine
causa dat leges. Superest ergo ut pronuntiemus quod
magis bonis dictis haeretici frustra calumniam faciant.
　　20 (19). Post haec insequebatur illa quaestio, quoniam
860 *et uelle et perficere ex deo est.* Et aiunt : Si ex deo est uelle
et ex deo est perficere, siue bene siue male uolumus uel
agimus, ex deo est ; quod si est, liberi arbitrii non sumus.
Ad quae respondendum est quoniam sermo apostoli non

les meilleurs, en vain à courir. Mais non, ce n'est pas en
vain que Paul conseille ceci, blâme les uns et approuve
les autres, ce n'est pas en vain que nous nous consacrons
à vouloir les biens les meilleurs et à nous hâter vers les
biens supérieurs. Nos objecteurs donc n'ont pas bien
compris ce qui concerne ce passage.

1, 20 (*19*). Il y a ensuite la phrase :
Le vouloir et l'agir *Le vouloir et l'agir viennent de Dieu.*
viennent de Dieu
Et certains disent : Si le vouloir vient
de Dieu et si l'agir vient de Dieu, même si nous voulons
mal et si nous agissons mal, cela vient de Dieu ; s'il en
est ainsi nous n'avons pas de libre arbitre. De même
quand nous voulons les biens les meilleurs et quand
nous agissons de façon éminente, puisque de Dieu vient
le vouloir et l'agir, ce n'est pas nous qui avons exécuté
ces actions éminentes, mais nous avons paru le faire, et
c'est Dieu qui nous a donné de le faire : ainsi, en cela
même, nous n'avons pas de libre arbitre[110]. A cela il faut
dire que la parole de l'Apôtre ne dit pas que vouloir le

---

des commandements et des règles ; c'est en vain aussi que
nous-mêmes nous voulons le bien et nous courons au bien.
Mais il est certain que tout cela ne se fait pas en vain,
que les apôtres ne commandent pas inutilement, ni que
le Seigneur ne donne des lois sans motif. Il faut donc
reconnaître que c'est en vain que les hérétiques calomnient
des paroles qui sont fort bien exprimées.

1, 20 (*19*). Ensuite venait la question posée par la
phrase : *Le vouloir et l'agir viennent de Dieu.* Les objecteurs
disent : Si le vouloir vient de Dieu et l'agir vient de Dieu,
que nous voulions ou agissions bien ou mal, cela vient de
Dieu : s'il en est ainsi, nous n'avons pas de libre arbitre[110a].
A cela il faut répondre que la parole de l'Apôtre ne dit

III, 1. *638*, 860 : Phil. 2, 13

οὔ φησι τὸ θέλειν τὰ κακὰ ἐκ θεοῦ εἶναι ἢ τὸ θέλειν τὰ
ἀγαθὰ ἐκ θεοῦ εἶναι, ὁμοίως τε τὸ ἐνεργεῖν τὰ κρείττονα
650 καὶ τὰ χείρονα. Ἀλλὰ τὸ καθόλου θέλειν καὶ τὸ καθόλου
ἐνεργεῖν. Ὡς γὰρ ἀπὸ θεοῦ ἔχομεν τὸ εἶναι ζῷα καὶ τὸ
εἶναι ἄνθρωποι, οὕτω καὶ τὸ καθόλου θέλειν, ὡσεὶ ἔλεγον,
καὶ τὸ καθόλου κινεῖσθαι. Ὥσπερ δὲ ἔχοντες τῷ ζῷα εἶναι
τὸ κινεῖσθαι καὶ φέρ' εἰπεῖν τάδε τὰ μέλη κινεῖν, χεῖρας
655 ἢ πόδας, οὐκ ἂν εὐλόγως λέγοιμεν ἔχειν ἀπὸ θεοῦ τὸ εἰδικὸν
τόδε, τὸ κινεῖσθαι πρὸς τὸ τύπτειν ἢ ἀναιρεῖν ἢ ἀφαιρεῖσθαι
τὰ ἀλλότρια, ἀλλὰ τὸ μὲν γενικόν, τὸ κινεῖσθαι, ἐλάβομεν
ἀπὸ τοῦ θεοῦ, ἡμεῖς δὲ χρώμεθα τῷ κινεῖσθαι ἐπὶ τὰ
χείρονα ἢ ἐπὶ τὰ βελτίονα · οὕτως τὸ μὲν ἐνεργεῖν, ᾗ ζῷά

III, 1. 648 θεοῦ : τοῦ θεοῦ CDH ‖ 651 ἐνεργεῖν corr. Schnitzer :
τρέχειν codd. Rob. ‖ 653 τῷ D Rob. : τὸ cett. codd. ‖ 656 τὸ¹ : ἤτοι
τὸ H om. cett. codd. ‖ 658 τοῦ om. Pat H ‖ τῷ : τὸ B

dicit quia uelle mala ex deo est aut uelle bona ex deo est
865 neque perficere bona aut mala ex deo est, sed generaliter
ait quia uelle et perficere a deo est. Sicut enim ex deo
habemus hoc ipsum quod homines sumus, quod spiramus,
quod mouemur, ita et quod uolumus ex deo habemus ;
ut si dicamus : quod mouemur ex deo est, uel quod singula
870 quaeque membra officio suo deseruiunt et mouentur ex
deo est. Ex quo non utique illud intellegitur, quia quod
mouetur manus, uerbi causa, ad uerberandum iniuste uel
ad furandum ex deo est, sed hoc ipsum, quod mouetur,
ex deo est ; nostrum uero est motus istos, quibus moueri
875 ex deo habemus, uel ad bona uel ad mala conuertere.
Ita ergo est et quod dicit apostolus quia uirtutem quidem

III, 1. 864 dicit A (cf. gr. 648) : dixit cett. codd. ‖ mala ... bona :
male ... bone GMᵃᶜ male ... bene AbSMᵖᶜ ‖ 869 est om. g ‖ 871
non illud utique g ‖ intellegetur BC

mal vient de Dieu et que vouloir le bien vient de Dieu, elle ne le dit pas non plus de faire le bien ou le mal, mais de vouloir en général ou d'agir en général. De même que nous tenons de Dieu notre nature de vivants et notre nature d'hommes, de même le vouloir en général, comme je viens de le dire, et le fait de se mouvoir en général. Par le fait que nous sommes des vivants, nous avons la faculté de nous mouvoir et par exemple de remuer tels membres, mains ou pieds : ce n'est pas une raison de dire que nous tenons de Dieu le caractère spécifique[111] de nos actions, par exemple de remuer un membre pour frapper, pour tuer ou pour dérober le bien d'autrui, il s'agit seulement de leur caractère générique, nous mouvoir, que nous avons reçu du Dieu ; c'est nous qui utilisons cette faculté pour le pire ou pour le meilleur[112]. Ainsi nous avons reçu

---

pas que vouloir le mal vient de Dieu et que vouloir le bien vient de Dieu, ni que faire le bien ou le mal vient de Dieu, mais que le vouloir et l'agir en général viennent de Dieu. De même que nous tenons de Dieu d'être des hommes, de respirer, de nous mouvoir, de même nous tenons de Dieu le vouloir. C'est comme si nous disions : La faculté que nous avons de nous mouvoir vient de Dieu, et de même celle qu'ont chacun de nos membres de remplir leurs fonctions et de se mouvoir. Il ne faut pas comprendre que lorsque nous remuons la main, par exemple pour frapper injustement ou pour voler[111a], cela vient de Dieu, mais que la faculté de nous mouvoir vient de Dieu : c'est à nous qu'il appartient de tourner vers le bien ou le mal ces mouvements que nous tenons de Dieu. Il en est ainsi de ce que dit l'Apôtre[113a], que nous avons reçu

660 ἐσμεν, εἰλήφαμεν ἀπὸ τοῦ θεοῦ καὶ τὸ θέλειν ἐλάβομεν
ἀπὸ τοῦ δημιουργοῦ, ἡμεῖς δὲ τῷ θέλειν ἢ ἐπὶ τοῖς καλλίστοις
ἢ ἐπὶ τοῖς ἐναντίοις χρώμεθα, ὁμοίως καὶ τῷ ἐνεργεῖν.
21 (20). Ἔτι πρὸς τὸ μὴ ἡμᾶς εἶναι αὐτεξουσίους δόξει
τὸ ἀποστολικὸν ῥητὸν περισπᾶν, ἔνθα ἑαυτῷ ἀνθυποφέρων
665 φησίν · Ἆρ᾽ οὖν ὃν θέλει ἐλεεῖ, ὃν δὲ θέλει σκληρύνει.
Ἐρεῖς μοι οὖν · Τί ἔτι μέμφεται ; Τῷ γὰρ βουλήματι αὐτοῦ
τίς ἀνθέστηκεν ; Μενοῦνγε, ὦ ἄνθρωπε, σὺ τίς εἶ ὁ ἀνταποκρινόμενος τῷ θεῷ ; Μὴ ἐρεῖ τὸ πλάσμα τῷ πλάσαντι ·
τί με ἐποίησας οὕτως ; Ἢ οὐκ ἔχει ἐξουσίαν ὁ κεραμεὺς
670 τοῦ πηλοῦ ἐκ τοῦ αὐτοῦ φυράματος ποιῆσαι ὃ μὲν εἰς τιμὴν
σκεῦος ὃ δὲ εἰς ἀτιμίαν ; Ἐρεῖ γάρ τις · εἰ ὡς ὁ κεραμεὺς
ἐκ τοῦ αὐτοῦ φυράματος ποιεῖ ἃ μὲν εἰς τιμὴν ἃ δὲ εἰς

III, 1. 661 τῷ : τὸ B Pat ‖ 662 τῷ : τὸ B Pat ‖ 664 περισπᾶν
om. CD ‖ ἔνθα : ἐν οἷς Pat CDH ‖ ἑαυτῷ : αὐτῷ B ‖ 671 ὡς om.
BCH

uoluntatis a deo accipimus, nos autem abutimur uoluntate
uel in bonis uel in malis desideriis. Similiter quoque et de
effectibus sentiendum est.

880   21 (20). Sed et de eo quod dixit apostolus : *Ergo cui
uult miseretur, et quem uult indurat. Dices ergo mihi :
Quid adhuc queritur? uoluntati enim eius quis resistet?
Enim uero, o homo, tu quis es, qui contra respondeas deo?
numquid dicit figmentum ei qui se finxit : Quid me fecisti*
885 *sic? aut non habet potestatem figulus luti ex eadem massa
facere aliud quidem in honorem uas, aliud autem in contumeliam?* dicet fortassis aliquis : Si, ut figulus ex eadem
massa facit alia quidem ad honorem, alia autem ad contu-

III, 1. 877 a deo om. g ‖ accepimus BMᵖᶜ ‖ 880 et om. gC ‖ 881
indurat : obdurat MAbSGᵖᶜ ‖ 882 conqueritur CB (*ex* conquaeritur) (cf. l. 966) ‖ 884 dicet BC ‖ 887 si ut : sicut CG

de Dieu l'agir en tant que vivants, et du Créateur[113] le vouloir, mais c'est nous qui nous servons du vouloir, et pareillement de l'agir, pour le meilleur ou pour le pire.

Vases d'honneur et vases de déshonneur : - action de Dieu et action propre

1, 21 (*20*). Une autre parole apostolique semble nous amener à croire que nous n'avons pas de libre arbitre. L'Apôtre répond d'avance à une objection qu'il se fait[114] : *Il a donc pitié de celui qu'il veut et il endurcit celui qu'il veut. Tu me diras donc: Que blâme-t-il encore? Qui s'est opposé à sa volonté? Effectivement, homme, qui es-tu pour répondre à Dieu? Ce qui est façonné dira-t-il à celui qui l'a façonné: Pourquoi m'as-tu fait ainsi? Est-ce que le potier qui travaille l'argile n'a pas le pouvoir de faire à partir de la même pâte tel vase pour un usage honorable, tel autre pour un usage sans honneur?* On dira : Si, comme le potier fait à partir de la même pâte des vases pour un usage honorable et d'autres pour un usage sans honneur, Dieu destine les

---

de Dieu la faculté du vouloir, mais c'est nous qui nous en servons pour les bons ou les mauvais désirs ; il faut penser de même de leurs effets.

1, 21 (*20*). Mais l'Apôtre dit : *Il a donc pitié de celui qu'il veut et il endurcit celui qu'il veut. Tu me diras donc: Que blâme-t-il encore? Qui résistera à sa volonté? Effectivement, homme, qui es-tu pour répondre à Dieu. Ce qui est façonné dira-t-il à celui qui l'a façonné: pourquoi m'as-tu fait ainsi? Est-ce que le potier qui travaille l'argile n'a pas le pouvoir de faire à partir de la même pâte tel vase pour un usage honorable, tel autre pour un usage sans honneur?* On dira peut-être : Si, comme le potier fait à partir de la même pâte des vases pour un usage honorable et d'autres pour un usage sans honneur, Dieu fait les uns pour le

---

III, 1. *665*, 880 : Rom. 9, 18 s.

ἀτιμίαν σκεύη οὕτως ὁ θεὸς ἃ μὲν εἰς σωτηρίαν ἃ δὲ εἰς
ἀπώλειαν, οὐ παρ' ἡμᾶς τὸ σῴζεσθαι ἢ ἀπόλλυσθαι γίνεται,
675 οὐδέ ἐσμεν αὐτεξούσιοι. Λεκτέον δὲ πρὸς τὸν τούτοις οὕτως
χρώμενον, εἰ δύναται περὶ τοῦ ἀποστόλου νοεῖν ὡς μαχόμενα
ἑαυτῷ λέγοντος ; Οὐχ ἡγοῦμαι δὲ ὅτι τολμήσει τις τοῦτο
εἰπεῖν. Εἰ τοίνυν μὴ ἐναντία ἑαυτῷ φθέγγεται ὁ ἀπόστολος,
πῶς κατὰ τὸν οὕτως ἐκδεξάμενον εὐλόγως αἰτιᾶται μεμφό-
680 μενος τὸν ἐν Κορίνθῳ πεπορνευκότα ἢ τοὺς παραπεπτωκότας
καὶ μὴ μετανοήσαντας ἐπὶ τῇ ἀσελγείᾳ καὶ ἀκρασίᾳ, ᾗ ἔπρα-
ξαν · πῶς δὲ εὐλογεῖ ὡς εὖ πεποιηκότας οὓς ἐπαινεῖ, ὥσπερ
τὸν Ὀνησιφόρου οἶκον, λέγων · Δώῃ ὁ κύριος ἔλεος τῷ
Ὀνησιφόρου οἴκῳ, ὅτι πολλάκις με ἀνέψυξεν καὶ τὴν ἅλυσίν
685 μου οὐκ ἐπαισχύνθη, ἀλλὰ γενόμενος ἐν Ῥώμῃ σπουδαίως
ἐζήτησέν με καὶ εὗρεν · δώῃ αὐτῷ ὁ κύριος εὑρεῖν ἔλεος

III, 1. 678 μὴ τοίνυν CD ‖ 680 τὸν : τὸ B ‖ 685 ἐπησχύνθη
CH ‖ 686 ὁ om. B

meliam uasa, ita et deus alios ad salutem, alios ad perditio-
890 nem facit, non est in nobis uel saluos fieri uel perire ; per
quod non uidemur nostri esse arbitrii. Respondendum ergo
est his qui haec ita intellegunt, si potest fieri ut possit
apostolus sibi ipsi contraria proloqui ? Quodsi hoc sentiri
non potest de apostolo, quomodo uidebitur secundum
895 istos iuste culpare eos qui in Corintho fornicati sunt, uel
eos qui deliquerunt et paenitentiam non egerunt in
inpudicitia et in fornicatione et in inmunditia quam
gesserunt ? Quomodo etiam conlaudat eos qui recte
egerunt, sicut Onesifori domum, dicens : *Det autem dominus
900 misericordiam Onesifori domui, quoniam frequenter me
refrigerauit et catenam meam non erubuit, sed cum uenisset
Romam, sollicite requisiuit me et inuenit. Det illi dominus*

III, 1. 897 in¹ om. gB ‖ in² om. BAbS ‖ 901 uenissem g

uns au salut, les autres à la perdition[115], il n'est pas en notre pouvoir d'être sauvés ou de périr, nous n'avons pas de libre arbitre. Il faut demander à celui qui use ainsi de cet argument s'il peut penser que l'Apôtre fasse des affirmations contradictoires : je ne pense pas que quelqu'un aura l'audace de le prétendre. Si donc l'Apôtre ne fait pas des affirmations contradictoires, comment, selon celui qui comprend ainsi les choses, accuse-t-il avec quelque raison le fornicateur de Corinthe ou ceux qui sont tombés sans se repentir des actes d'inconduite et d'intempérance qu'ils ont commis ? Comment bénira-t-il pour leurs bonnes actions ceux qu'il loue, comme la famille d'Onésiphore, quand il dit : *Que le Seigneur fasse miséricorde à la famille d'Onésiphore, parce qu'il m'a souvent réconforté et qu'il n'a pas eu honte de mes chaînes, mais, étant allé à Rome, m'a cherché activement et m'a trouvé ; que le Seigneur lui*

salut, les autres pour la perdition, il n'est pas en notre pouvoir d'être sauvés ou de périr ; et cela semble montrer que nous n'avons pas de libre arbitre. Il faut répondre à ceux qui pensent ainsi : est-il possible que l'Apôtre fasse des affirmations contradictoires ? Si on ne peut penser ainsi de l'Apôtre, comment selon eux semblera-t-il accuser avec justice ceux qui ont forniqué à Corinthe ou ceux qui ont péché, sans se repentir pour les impudicités, les fornications et les impuretés qu'ils ont commises ? Comment louera-t-il ceux qui ont bien agi, comme la famille d'Onésiphore quand il dit : *Que le Seigneur fasse miséricorde à la famille d'Onésiphore, parce qu'il m'a souvent réconforté et qu'il n'a pas eu honte de mes chaînes, mais, étant allé à Rome, il m'a cherché activement et m'a trouvé ; que le*

III, 1. *678*, 894 : I Cor. 5, 1 s. ; II Cor. 12, 21 ‖ *683*, 899 : II Tim. 1, 16 s.

παρὰ κυρίου ἐν ἐκείνῃ τῇ ἡμέρᾳ ; Οὐ κατὰ τὸν αὐτὸν δὴ
ἀπόστολόν ἐστι ψέγειν ὡς ἄξιον μέμψεως τὸν ἡμαρτηκότα
καὶ ἀποδέχεσθαι ὡς ἐπαινετὸν τὸν εὖ πεποιηκότα, πάλιν
690 δ᾽ αὖ ὡς μηδενὸς ὄντος ἐφ᾽ ἡμῖν, φάσκειν παρὰ τὴν αἰτίαν
τοῦ δημιουργοῦ εἶναι τὸ μὲν εἰς τιμὴν σκεῦος, τὸ δὲ εἰς
ἀτιμίαν. Πῶς δὲ καὶ τὸ τοὺς πάντας ἡμᾶς παραστῆναι
δεῖ ἔμπροσθεν τοῦ βήματος τοῦ Χριστοῦ, ἵνα κομίσηται
ἕκαστος τὰ διὰ τοῦ σώματος, πρὸς ἃ ἔπραξεν, εἴτε ἀγαθὸν
695 εἴτε φαῦλον, ὑγιές ἐστι, τῶν τὰ φαῦλα πεποιηκότων διὰ
τὸ ἐκτίσθαι αὐτοὺς σκεύη ἀτιμίας ἐπὶ τοῦτο πράξεως
ἐληλυθότων, καὶ τῶν κατ᾽ ἀρετὴν βιωσάντων τῷ ἀρχῆθεν
αὐτοὺς ἐπὶ τούτῳ κατεσκευάσθαι καὶ σκεύη τιμῆς γεγονέναι
τὸ καλὸν πεποιηκότων ; Ἔτι δὲ πῶς οὐ μάχεται τῷ, ὡς
700 ὑπολαμβάνουσιν ἐξ ὧν παρεθέμεθα ῥητῶν, παρὰ τὴν αἰτίαν

III, 1. 688 μέμψεως *om.* CD ‖ 691 τὸ μὲν σκεῦος εἰς τιμὴν CDH
‖ 696 σκεύη τίμια ἐπὶ τούτῳ B ‖ 698 ἐπὶ τοῦτο B

---

inuenire misericordiam apud dominum in illa die? Non
ergo est apostolicae grauitatis culpare quidem eum qui
905 culpa dignus est, id est qui peccauit, et conlaudare eum
qui laude dignus est pro opere bono, et rursum, tamquam
in nullius potestate sit agere aliquid boni uel mali, dicere
creatoris esse opus, ut unusquisque uel bene agat uel male,
cum aliud ad honorem uas faciat, aliud autem ad contu-
910 meliam. Quomodo autem illud quoque addit, quia *omnes*
nos stare oportet ante tribunal Christi, ut recipiat unusquisque
nostrum per corpus prout gessit, siue bonum siue malum?
Quae enim boni retributio ei, qui malum facere non potuit,
ad hoc ipsum a creatore formatus? uel quae poena digne
915 inrogabitur ei, qui bonum facere ex ipsa conditoris sui

III, 1. 903 illa : illo MAbSGᵖᶜ ‖ 914-915 ei inrogabitur digne g

---

III, 1. *692*, 910 : II Cor. 5, 10

donne de trouver miséricorde auprès de lui ce jour-là?
Il ne convient pas à ce même Apôtre de tancer le pécheur
comme digne de blâme et d'approuver comme louable
celui qui a bien agi, et par ailleurs de dire, comme s'il n'y
avait pas de libre arbitre, que le Créateur est responsable
de ce qu'un vase a été fait pour un usage honorable, un
autre pour un usage sans honneur. Comment est-il vrai
de dire que : *tous nous comparaîtrons devant le tribunal
du Christ pour que chacun reçoive selon ce qu'il aura fait
par l'intermédiaire de son corps, soit en bien, soit en mal,*
si ceux qui ont mal agi en sont venus là parce qu'ils ont
été créés comme des vases destinés à un usage sans
honneur et si ceux qui ont vécu vertueusement ont fait
le bien parce qu'ils ont été formés dès le début dans ce
but et qu'ils ont été faits comme des vases destinés à
un usage honorable? N'y a-t-il pas encore une contradiction
entre le fait d'être, par la responsabilité du créateur,
un vase d'honneur ou un vase sans honneur, comme le

---

*Seigneur lui donne de trouver miséricorde auprès de lui
ce jour-là?* Il ne convient pas au sérieux de la tâche
apostolique de tancer celui qui mérite le blâme, c'est-à-dire
le pécheur, et de louer celui qui mérite la louange pour
ses bonnes actions, et par ailleurs, comme s'il n'était pas
au pouvoir de chacun d'agir bien ou mal, d'attribuer au
créateur la responsabilité des bonnes et mauvaises actions
de chacun parce qu'il fait un vase pour un usage honorable,
un autre pour un usage sans honneur. Comment ajoute-t-il
ce qui suit : *Tous nous devrons comparaître devant le
tribunal du Christ pour que chacun de nous reçoive selon ce
qu'il aura fait par l'intermédiaire du corps, soit en bien, soit
en mal.* Quelle récompense pour le bien mérite celui qui
n'a pu faire le mal, car il a été ainsi formé par le créateur?
Et quel châtiment pourra être exigé avec justice de celui
qui n'a pas pu faire le bien parce que son créateur l'a

τοῦ δημιουργοῦ ἔντιμον ἢ ἄτιμον εἶναι σκεῦος τὸ ἀλλαχοῦ
λεγόμενον · Ἐν μεγάλῃ οἰκίᾳ οὐκ ἔστι μόνον σκεύη χρυσᾶ
καὶ ἀργυρᾶ ἀλλὰ καὶ ξύλινα καὶ ὀστράκινα, καὶ ἃ μὲν εἰς
τιμὴν ἃ δὲ εἰς ἀτιμίαν. Ἐὰν οὖν τις ἐκκαθάρῃ ἑαυτόν,
705 ἔσται σκεῦος εἰς τιμήν, ἡγιασμένον καὶ εὔχρηστον τῷ
δεσπότῃ, εἰς πᾶν ἔργον ἀγαθὸν ἡτοιμασμένον ; Εἰ γὰρ ὁ
ἐκκαθάρας ἑαυτὸν γίνεται σκεῦος εἰς τιμήν, ὁ δὲ ἀπερι-
κάθαρτον ἑαυτὸν περιϊδὼν σκεῦος εἰς ἀτιμίαν, ὅσον ἐπὶ
ταύταις ταῖς λέξεσιν οὐδαμῶς αἴτιος ὁ δημιουργός. Ποιεῖ
710 μὲν γὰρ ὁ δημιουργὸς σκεύη τιμῆς καὶ σκεύη ἀτιμίας οὐκ
ἀρχῆθεν κατὰ τὴν πρόγνωσιν, ἐπεὶ μὴ κατ᾽ αὐτὴν προ-
κατακρίνει ἢ προδικαιοῖ, ἀλλὰ σκεύη τιμῆς τοὺς ἐκκαθάραντας
ἑαυτοὺς καὶ σκεύη ἀτιμίας τοὺς ἀπερικαθάρτους ἑαυτοὺς

III, 1. 713 καὶ om. CD ‖ τοὺς om. Pat H

---

creatione non potuit? Tum deinde quomodo non contrarium est huic adsertioni illud, quod alibi dicit : *In domo*
autem magna non sunt tantummodo uasa aurea et argentea
sed et lignea et fictilia, et alia quidem ad honorem, alia
920 *autem ad contumeliam. Si ergo quis emundauerit semet*
ipsum ab his, erit uas ad honorem, sanctificatum et utile
domino, ad omne opus bonum paratum? Si ergo qui emundauerit se, efficitur uas ad honorem ; qui autem inmunditias
suas purgare contempserit, efficitur uas ad contumeliam.
925 Ex quibus sententiis nullatenus, ut opinor, causa gestorum
ad creatorem referri potest. Nam facit quidem creator
deus uasa ad honorem, et facit alia uasa ad contumeliam ;
sed illud uas, quod se purgauerit ab omni inmunditia,
ipsum facit uas ad honorem ; quod uero se uitiorum sordibus
930 maculauerit, illud uas ad contumeliam facit. Itaque

III, 1. 922 qui : quis A *Koe* ‖ 922-923 se mundauerit g ‖ 925 quibus : his BC ‖ 928 illud uas quod : illum qui BC ‖ 929 quod : qui BC
‖ 930 illud : ipsum BC

comprennent nos objecteurs à partir des paroles que nous avons citées, et ce qui est dit ailleurs : *Dans une grande maison*[116], *il n'y a pas seulement des vases d'or et d'argent, mais des vases de bois et de terre, les uns pour un usage honorable, les autres pour un usage sans honneur. Si quelqu'un se purifie lui-même, il sera un vase honorable, sanctifié, utile au maître, prêt à toute œuvre bonne?* Car[117] si celui qui se purifie devient un vase honorable et si celui qui a regardé avec indifférence sa propre impureté devient un vase de déshonneur, à s'en tenir à ces paroles le créateur n'en est aucunement responsable. Car ce n'est pas dès le début, selon sa prescience, que le Créateur fait des vases d'honneur et des vases de déshonneur, car il ne condamne pas ni ne justifie d'avance selon elle, mais il fait vases d'honneur ceux qui se sont purifiés et vases de déshonneur ceux qui ont regardé avec indifférence leur

---

créé ainsi? N'y a-t-il pas ensuite une contradiction entre cette affirmation et ce qui est dit ailleurs[115a] : *Dans une grande maison il n'y a pas seulement des vases d'or et d'argent, mais des vases de bois et de terre, les uns pour un usage honorable, les autres pour un usage sans honneur. Si quelqu'un se purifie lui-même de cela, il sera un vase honorable, sanctifié, utile au maître, prêt pour toute œuvre bonne?* Si donc quelqu'un se purifie, il devient un vase honorable ; mais celui qui néglige de se nettoyer de ses impuretés devient un vase de déshonneur. A s'en tenir à ces paroles, je pense, la cause de leurs actes ne peut aucunement être rapportée au créateur. Car le Dieu créateur fait, certes, des vases d'honneur et des vases de déshonneur, mais c'est le vase qui s'est purifié de toute impureté qu'il fait vase d'honneur et celui qui s'est maculé des souillures des vices qu'il fait vase de déshonneur.

III, 1. *702*, 917 : II Tim. 2, 20 s.

περιϊδόντας · ὥστε ἐκ πρεσβυτέρων αἰτιῶν τῆς κατασκευῆς
715 τῶν εἰς τιμὴν καὶ εἰς ἀτιμίαν σκευῶν γίνεσθαι ὃν μὲν εἰς
τιμὴν ὃν δὲ εἰς ἀτιμίαν.

22 (21). Εἰ δ' ἅπαξ προσιέμεθα εἶναί τινας πρεσβυτέρας
αἰτίας τοῦ σκεύους τῆς τιμῆς καὶ τοῦ σκεύους τῆς ἀτιμίας,
τί ἄτοπον ἀνελθόντας εἰς τὸν περὶ ψυχῆς τόπον ‹νοεῖν›
720 πρεσβύτερα αἴτια τοῦ τὸν Ἰακὼβ ἠγαπῆσθαι καὶ τὸν Ἡσαῦ
μεμισῆσθαι γεγονέναι εἰς τὸν Ἰακὼβ πρὸ τῆς ἐνσωματώσεως
καὶ εἰς τὸν Ἡσαῦ πρὸ τοῦ εἰς τὴν κοιλίαν τῆς Ῥεβέκκας
γενέσθαι ;

Ἅμα δὲ σαφῶς δηλοῦται ὅτι ὅσον ἐπὶ τῇ ὑποκειμένῃ

III, 1. 715 εἰς² *om.* CD ‖ 715-716 ὧν μὲν ... ὧν δὲ B ‖ 719 νοεῖν
suppl. edd. (cf. *Ruf., Hier.*) : *om. codd.*

concluditur ex hoc quia prius gestorum uniuscuiusque
causa praecedit, et pro meritis suis unusquisque a deo uel
honoris uas efficitur uel contumeliae. Vnumquodque igitur
uas ut uel ad honorem a creatore formetur uel ad contu-
935 meliam, ex se ipso causas et occasiones praestitit conditori.

22 (20). Quodsi iusta haec uidetur adsertio, sicut est
certe iusta et cum omni pietate concordans, ut ex praecedentibus causis unumquodque uas uel ad honorem a deo
uel ad contumeliam praeparetur, non uidetur absurdum
940 eodem ordine atque eadem consequentia discutientes nos
antiquiores causas, eadem etiam de animarum sentire
ratione, et hoc esse in causa quod Iacob dilectus est etiam
antequam huic mundo nasceretur, et Esau odio habitus
est, dum adhuc in uentre matris haberetur.

945 (21) Sed et illud, quod dictum est quia ex eadem massa

III. 1, 942 etiam *om.* g

III, 1. *717-723* εἰ δ' — γενέσθαι ; 936-944 Quodsi — haberetur :
Jérôme, *Lettre* 124, 8 ‖ *720,* 942 : Mal. 1, 2 s. ; Gen. 25, 22 s. ;
Rom. 9, 13

propre impureté. Ainsi c'est à la suite de causes précédant leur formation en vases d'honneur ou de déshonneur qu'ils ont été faits les uns pour l'honneur les autres pour le déshonneur[118].

- par suite des fautes de la préexistence 1, 22 (*20, 21*). Si donc[119] nous admettons une bonne fois qu'il y a certaines causes qui précèdent le fait d'être vases d'honneur ou vases de déshonneur, qu'y a-t-il d'étrange à penser, si nous en venons à la question des âmes, que certaines causes ont précédé l'amour dont Jacob a été l'objet et la haine dont Ésaü a été l'objet[120], en ce qui concerne Jacob avant sa venue dans le corps et en ce qui concerne Ésaü avant qu'il ait été dans le sein de Rébecca.

(*21*). En même temps il est montré clairement que,

Il faut donc en conclure[118a] que les actes accomplis auparavant par chacun constituent une cause qui précède et c'est selon ses mérites que chacun est fait par Dieu un vase d'honneur ou de déshonneur. Chaque vase fournit de lui-même au créateur les causes et les occasions qui le font façonner par lui pour l'honneur ou pour le déshonneur.

1, 22 (*20*). Si donc[119a] il paraît juste d'affirmer — et c'est certainement juste et en accord complet avec la piété — que des causes antécédentes préparent chaque vase à être fait par Dieu pour l'honneur ou pour le déshonneur, il ne paraîtra pas absurde, si nous discutons dans le même sens et avec la même logique ces causes antécédentes, de penser de la même façon à propos des âmes : telle est la cause qui a valu à Jacob l'amour avant même qu'il naisse en ce monde et à Ésaü la haine alors qu'il était encore dans le sein de sa mère.

(*21*) Nous ne pouvons être gênés par l'affirmation que

725 φύσει, ὥσπερ εἷς ὑπόκειται τῷ κεραμεῖ πηλὸς ἀφ' οὗ
φυράματος γίνεται εἰς τιμὴν καὶ εἰς ἀτιμίαν σκεύη, οὕτω
μιᾶς φύσεως πάσης ψυχῆς ὑποκειμένης τῷ θεῷ καὶ ἵν' οὕτως
εἴπω ἑνὸς φυράματος ὄντος τῶν λογικῶν ὑποστάσεων,
πρεσβύτερά τινα αἴτια πεποίηκεν τούσδε μὲν εἶναι εἰς τιμὴν
730 τούσδε δὲ εἰς ἀτιμίαν. Εἰ δὲ ἐπιπλήσσει ἡ λέξις τοῦ ἀποστόλου
ἡ λέγουσα · Μενοῦνγε, ὦ ἄνθρωπε, σὺ τίς εἶ ὁ ἀνταποκρινόμενος τῷ θεῷ ; τάχα διδάσκει ὅτι ὁ μὲν παρρησίαν ἔχων
πρὸς τὸν θεὸν καὶ πιστὸς καὶ εὖ βιοὺς οὐκ ἂν ἀκούσαι ·
Σὺ τίς εἶ ὁ ἀνταποκρινόμενος τῷ θεῷ ; ὁποῖος ἦν Μωσῆς ·
735 Μωσῆς γὰρ ἐλάλει, ὁ δὲ θεὸς αὐτῷ ἀπεκρίνατο φωνῇ ·
καὶ ὡς ἀποκρίνεται ὁ θεὸς πρὸς Μωσέα, οὕτως ἀποκρίνεται
καὶ ὁ ἅγιος πρὸς τὸν θεόν. Ὁ δὲ ταύτην μὴ κτησάμενος

III, 1. 725 ὁ *ante* πηλὸς *add.* B ‖ 726 εἰς² *om.* CD ‖ 733 καὶ¹ *codd.*
(cf. *Ruf.*) : ὡς Rob. Koe, catenam *Monac. 412 secuti* ‖ βιοὺς εὖ CDH
‖ 735 ἀπεκρίνατο αὐτῷ Pat CDH

---

et honoris uas et contumeliae fiat, non nos poterit coartare ;
unam etenim naturam omnium esse dicimus rationabilium
animarum, sicut una luti massa subiacere figulo designatur.
Cum ergo una omnium sit natura rationabilium creatu-
950 rarum, ex ipsa deus secundum praecedentes meritorum
causas, sicut ex una massa figulus, plasmauit uel creauit
alios quidem ad honorem, alios autem ad contumeliam.
Quod uero uelut increpantis est apostoli sermo quem
dicit : *O homo, tu quis es, qui contra respondeas deo?* puto
955 illud esse quod ostendit ex hoc, quoniam ad fidelem
quemque et recte iusteque uiuentem et habentem fiduciam
apud deum talis increpatio non refertur, id est, ad talem
aliquem, qualis erat Moyses ille de quo dicit scriptura
quia *Moyses loquebatur, deus autem respondebat ei cum
960 uoce;* et sicut respondebat deus Moysi, ita respondet et
sanctus quisque deo. Qui uero infidelis est et perdit apud

III, 1. 956 et recte et iuste g ‖ 959 cum *om.* BC

en ce qui concerne la nature qui sert de substrat, de
même que le potier a à sa disposition une seule sorte
d'argile, pâte dont il va tirer les vases d'honneur et de
déshonneur, Dieu a à sa disposition une unique nature
qui est sous-jacente à toute âme[121] et, pour ainsi dire,
une seule pâte qui est celle des substances raisonnables[122],
et ce sont des causes antécédentes qui ont destiné les uns
à l'honneur, les autres au déshonneur. S'il faut voir une
réprimande[123] dans la parole de l'Apôtre : *Effectivement,
homme, qui es-tu pour répondre à Dieu?* elle nous enseigne
peut-être que celui qui est en confiance avec Dieu, qui est
croyant et vit bien, ne serait pas exposé à entendre :
Qui es-tu pour répondre à Dieu? Il serait comme était
Moïse[124] : *Moïse parlait et Dieu lui répondait de sa propre
voix.* De même que Dieu répond à Moïse, de même le saint
répond à Dieu. Celui qui n'a pas acquis une semblable

de la même pâte sont tirés les vases d'honneur et de
déshonneur : car nous disons que toutes les âmes raisonnables ont une seule nature, de même que le potier a
à sa disposition une seule pâte. Puisque unique est la
nature des créatures raisonnables[121a], c'est d'elle que
Dieu[122a], d'après les causes antécédentes que sont les
mérites, a façonné et créé, comme le potier à partir d'une
unique pâte, les uns pour l'honneur et les autres pour le
déshonneur. La réprimande de l'Apôtre : *Ô homme, qui es-tu
pour répondre à Dieu?* montre à mon avis qu'elle ne s'adresse
pas à l'homme qui croit, vit bien et justement et est en confiance avec Dieu, semblable à ce Moïse dont l'Écriture dit :
Moïse parlait et Dieu lui répondait de sa propre voix ;
de même que Dieu répondait à Moïse, de même tous les
saints répondent à Dieu. Mais celui qui ne croit pas, qui

III, 1. *729-730* πρεσβύτερά — ἀτιμίαν ; 950-952 secundum — contumeliam : Jérôme, *Lettre* 124, 8 ‖ *731, 734,* 954 : Rom. 9, 20 ‖ *735,*
959 : Ex. 19, 19

τὴν παρρησίαν, δηλονότι ἢ ἀπολωλεκὼς ἢ περὶ τούτων οὐ
κατὰ φιλομάθειαν ἀλλὰ κατὰ φιλονεικίαν ζητῶν καὶ διὰ
740 τοῦτο λέγων · Τί ἔτι μέμφεται ; Τῷ γὰρ βουλήματι αὐτοῦ
τίς ἀνθέστηκεν ; οὗτος ἂν ἄξιος εἴη τῆς ἐπιπλήξεως τῆς
λεγούσης · Μενοῦνγε, ὦ ἄνθρωπε, σὺ τίς εἶ ὁ ἀνταποκρινόμενος τῷ θεῷ ;
23 (22). Τοῖς δὲ τὰς φύσεις εἰσάγουσι καὶ χρωμένοις
745 τῷ ῥητῷ ταῦτα λεκτέον. Εἰ σῴζουσι τὸ ἀπὸ ἑνὸς φυράματος
γίνεσθαι τοὺς ἀπολλυμένους καὶ τοὺς σῳζομένους, καὶ τὸν

deum fiduciam respondendi uitae suae et conuersationis
indignitate, quique de his non ideo quaerit, ut discat et
proficiat, sed ut contendat et resistat, et, ut manifestius
965 dicam, qui talis est, qui haec possit dicere, quae designat
apostolus dicens : Quid ergo adhuc conqueritur? Voluntati
enim eius quis resistet? ad hunc recte increpatio ista
dirigitur, quam dicit apostolus : O homo, tu quis es, qui
contra respondeas deo? Est ergo increpatio haec non ad
970 fideles et sanctos, sed ad infideles et impios.
23 (21). His uero qui diuersas animarum introducunt
naturas et sermonem hunc apostolicum ad adsertionem
dogmatis sui trahunt, hoc modo respondendum est :
Si constat etiam apud ipsos hoc quod ex una massa fieri
975 dicit apostolus et eos qui ad honorem et eos qui ad
contumeliam fiunt, quos ipsi saluandae et perditae naturae
uocant, iam non erunt diuersae animarum naturae, sed
una omnium. Et si adquiescunt quod unus atque idem
figulus unum sine dubio creatorem designet, diuersi non

III, 1. 965 designat : signat g ‖ 966 conquaeritur AM ‖ 967 resistit a (cf. l. 882) ‖ 976 uel saluandae uel perditae BC

III, 1. 740, 966 : Rom. 9, 19 ‖ 742, 968 : Rom. 9, 20 ‖ 745, 974 :
Rom. 9, 21

confiance, soit parce qu'il l'a perdue, soit parce qu'il
discute de ces choses non par désir d'apprendre, mais par
amour de la contestation[125] et qui dit ainsi : *Que blâme-t-il
encore? Qui s'est opposé à sa volonté?* mériterait la réprimande : *Effectivement, homme, qui es-tu pour répondre
à Dieu?*

1, 23 (*22*). A ceux qui inventent la
- **mais la conversion   est possible** doctrine des natures et qui se servent
de cette parole il faut dire ce qui suit :
s'ils conservent[126] l'affirmation que d'une seule pâte
proviennent les perdus et les sauvés, et qu'il y a un même

---

n'a plus assez de confiance pour répondre à Dieu à cause
de l'indignité de sa vie et de sa conduite, celui qui ne discute
pas de ces choses pour apprendre et progresser, mais
pour contester et résister, et, pour parler plus clairement,
celui qui peut faire siennes les paroles que lui prête
l'Apôtre : *Pourquoi blâme-t-il encore? Qui résistera à
sa volonté?* c'est à lui que s'adresse à bon droit la réprimande
de l'Apôtre : *Ô homme, qui es-tu pour répondre à Dieu?*
Cette réprimande[125a] n'est pas dirigée contre les croyants
et les saints, mais contre les incroyants et les impies.

1, 23 (*21*). A ceux qui inventent les natures diverses
des âmes et utilisent cette parole de l'Apôtre pour démon-
trer leur doctrine, il faut répondre ainsi : S'il est clair[126a]
pour eux que d'une seule pâte, selon l'Apôtre, proviennent
ceux qui sont faits pour l'honneur et ceux qui sont faits
pour le déshonneur, alors qu'ils disent qu'ils appartiennent
à une nature destinée au salut ou à la perdition, il n'y aura
pas alors des natures d'âmes différentes, mais une seule
pour tous. Et s'ils acceptent que le seul et même potier
désigne sans aucun doute un seul créateur, il n'y a pas

δημιουργὸν τῶν σῳζομένων εἶναι δημιουργὸν καὶ τῶν
ἀπολλυμένων, καὶ εἰ ἀγαθὸς ὁ ποιῶν οὐ μόνον πνευματικοὺς
ἀλλὰ καὶ χοϊκούς (τοῦτο γὰρ αὐτοῖς ἕπεται), δυνατὸν μέντοι
750 γε ἐκ προτέρων τινῶν κατορθωμάτων γενόμενον νῦν σκεῦος
τιμῆς, καὶ μὴ ὅμοια δράσαντα μηδὲ ἀκόλουθα τῷ σκεύει
τῆς τιμῆς, γενέσθαι εἰς ἕτερον αἰῶνα σκεῦος ἀτιμίας · ὡς
πάλιν οἷόν τέ ἐστι διὰ πρεσβύτερα τούτου τοῦ βίου γενόμενον
σκεῦος ἀτιμίας ἐνθάδε, διορθωθέντα ἐν τῇ καινῇ κτίσει
755 γενέσθαι σκεῦος τιμῆς, ἡγιασμένον καὶ εὔχρηστον τῷ
δεσπότῃ, εἰς πᾶν ἔργον ἀγαθὸν ἡτοιμασμένον. Καὶ τάχα

III, 1. 747 δημιουργὸν² om. CD ‖ 751 δράσαντα μηδὲ : δράσαι
τὰ δὲ μὴ B ‖ 753 τοῦ βίου τούτου CD ‖ αἴτια post βίου supplendum
censet Koe in appar.

980 erunt creatores uel eorum qui saluantur, uel eorum qui
pereunt. Iam sane eligant utrum de bono deo uelint
intellegi, qui creat malos et perditos, an de non bono, qui
creat bonos et ad honorem paratos. Vnum enim e duobus
necessitas ab eis responsionis extorquet. Secundum nostram
985 uero adsertionem, qua ex praecedentibus causis deum
dicimus uel ad honorem uasa uel ad contumeliam facere,
in nullo adprobatio dei iustitiae coartatur. Possibile
namque est ut uas hoc, quod ex prioribus causis in hoc
mundo ad honorem fictum est, si neglegentius egerit, pro
990 conuersationis suae meritis in alio saeculo efficiatur uas
ad contumeliam ; sicut rursum si qui ex praecedentibus
causis in hac uita uas ad contumeliam a creatore formatus
est, et emendauerit se atque ab omnibus uitiis sordibusque
purgauerit, in illo nouo saeculo potest effici uas ad
995 honorem, sanctificatum et utile domino, ad omne opus
bonum paratum. Denique hi qui in hoc saeculo, ut Israhe-

III, 1. 981 deo om. g ‖ 986 uas g ‖ 995 domino om. g

créateur pour les perdus et les sauvés, s'il est bon celui
qui fait non seulement les spirituels (pneumatiques)
mais les terrestres (choïques) — ceci suit cela —, il est
possible[127] assurément que celui qui est maintenant un
vase d'honneur par suite de ses bonnes actions, mais qui
n'a pas continué à agir de même, d'une manière conforme
à sa dignité de vase d'honneur, soit dans un autre siècle
un vase de déshonneur ; pareillement il peut se faire que
celui qui, par suite de causes antérieures à cette vie, est
devenu ici-bas un vase de déshonneur, se corrige et devienne
dans la création nouvelle un vase d'honneur, sanctifié
et utile au maître, préparé pour toute œuvre bonne. Et

---

des créateurs différents pour ceux qui sont sauvés et
pour ceux qui périssent. Que maintenant, certes, ils
choisissent s'il s'agit d'un Dieu bon qui crée les mauvais
et les perdus, ou d'un Dieu non bon qui crée les bons et
ceux qui sont préparés pour l'honneur : ils doivent donner
une réponse et ainsi exclure l'un des deux. Mais notre
démonstration[126b] qui montre que c'est à partir de causes
antécédentes que Dieu fait les vases pour l'honneur ou pour
le déshonneur, n'oblige en rien à limiter notre acceptation
de la justice de Dieu. Il est possible[127a] en effet que ce
vase qui, par suite de causes antécédentes, a été modelé
en ce monde comme un vase d'honneur, s'il s'abandonne
à trop de négligence, devienne dans un autre siècle à
cause des démérites de sa conduite un vase de déshonneur ;
inversement, si celui qui, par suite de causes antérieures,
a été formé dans cette vie par le créateur comme un vase
de déshonneur se corrige et se purifie de tous les vices
et de toutes les souillures, il peut être fait dans le siècle
nouveau un vase d'honneur, sanctifié et utile au maître,
préparé pour toute œuvre bonne. Et enfin ceux qui ont

III, 1. *749-756* δυνατόν — ἡτοιμασμένον ; 984-996 Secundum —
paratum : Jérôme, *Lettre* 124, 8 ‖ *754*, 994 : Gal. 6, 15 ; II Tim. 2, 21

οἱ νῦν Ἰσραηλῖται μὴ ἀξίως τῆς εὐγενείας βιώσαντες
ἐκπεσοῦνται τοῦ γένους, οἱονεὶ ἀπὸ σκευῶν τιμῆς εἰς σκεῦος
ἀτιμίας μεταβαλοῦντες · καὶ πολλοὶ τῶν νῦν Αἰγυπτίων καὶ
760 Ἰδουμαίων τῷ Ἰσραὴλ προσελθόντες, ἐπὰν καρποφορήσωσιν
ἐπὶ πλεῖον, εἰσελεύσονται εἰς ἐκκλησίαν κυρίου, οὐκ ἔτι
Αἰγύπτιοι καὶ Ἰδουμαῖοι εἶναι λελογισμένοι ἀλλ᾽ ἐσόμενοι
Ἰσραηλῖται · ὥστε κατὰ τοῦτο διὰ τὰς προαιρέσεις τινὰς
μὲν ἐκ χειρόνων εἰς κρείττονα προκόπτειν, ἑτέρους δὲ ἀπὸ
765 κρειττόνων εἰς χείρονα καταπίπτειν, καὶ ἄλλους ἐν τοῖς
καλοῖς τηρεῖσθαι ἢ ἀπὸ καλῶν εἰς κρείττονα ἐπαναβαίνειν,

III, 1. 758 γένους : σκεύους CD ‖ 759 μεταβαλόντες Η μεταβα-
λοῦνται CD ‖ 764-765 ἑτέρους — καταπίπτειν om. B

litae essent, a deo formati sunt et indignam uitam generis
sui nobilitate gesserunt atque ab omni familiae suae
generositate deciderunt, isti quodammodo ex uasis honoris
1000 pro incredulitate sua in saeculo uenturo in uasa contumeliae
conuertentur ; et rursum multi, qui in hac uita inter
Aegyptia uel Idumaea deputati sunt uasa, Israhelitarum
fide ac conuersatione suscepta, cum opera Israhelitarum
fecerint, ecclesiam domini ingressi in reuelatione filiorum
1005 dei uasa honoris existent. Ex quo magis conuenit regulae
pietatis, ut credamus unumquemque rationabilium secundum propositum uel conuersationem suam aliquando ex
malis ad bona conuerti, aliquando a bonis ad mala decidere ;
nonnullos manere in bonis, alios uero etiam ad meliora
1010 proficere et semper ad superiora conscendere, usquequo
ad summum omnium perueniant gradum ; alios uero
manere in malis uel, si diffundere se ultra in eis malitia

III, 1. 1001 inter : in terra A ‖ 1004 fecerunt GMBᵃᶜ ‖ in reuelationem g

peut-être les Israélites de maintenant[128], parce qu'ils n'ont
pas vécu d'une façon digne de leur noble origine, ne seront
plus de cette race, de vases d'honneur devenant des vases
de déshonneur ; et beaucoup de ceux qui sont maintenant
des Égyptiens ou des Iduméens[129], s'agrégeant à Israël,
à cause des fruits nombreux qu'ils produiront, entreront
dans l'Église du Seigneur et on ne les comptera plus parmi
les Égyptiens et les Iduméens, mais ils seront des Israélites.
Ainsi de cette façon, selon les orientations de la volonté,
certains progressent du pire au meilleur, d'autres tombent
du meilleur dans le pire, d'autres encore restent dans le
bien ou montent du bien au mieux, d'autres enfin restent

été formés par Dieu pour être en ce siècle des Israélites
et ont mené une vie indigne de la noblesse de leur race,
ont perdu toute la générosité de leur famille nationale,
de vases d'honneur à cause de leur incroyance deviendront
dans le siècle à venir des vases de déshonneur ; et en
revanche, beaucoup de ceux qui en cette vie ont été
comptés parmi les vases d'Égypte ou d'Idumée, quand
ils auront adopté la foi et la conduite des Israélites, quand
ils auront accompli les œuvres des Israélites, entreront
dans l'Église du Seigneur et, au jour de la révélation
des fils de Dieu, seront devenus des vases d'honneur[129a].
Il convient donc davantage à la règle de la piété[129b] de
croire que chaque être raisonnable, selon l'orientation de
sa volonté et de sa conduite, parfois se convertit du mal
au bien, parfois tombe du bien au mal : certains restent
dans le bien, d'autres progressent vers le meilleur et
montent toujours plus haut jusqu'à parvenir au degré
le plus haut de tous ; d'autres restent dans le mal ou, si
leur malice s'est mise à se répandre en tous sens, ils vont

III, 1. *759*, 1001 : Deut. 23, 7

ἄλλους τε αὐτοῖς κακοῖς παραμένειν ἢ ἀπὸ κακῶν, χεομένης
τῆς κακίας, χείρονας γίνεσθαι.
24 (23). Ἐπεὶ δὲ ὅπου μὲν ὁ ἀπόστολος οὐ προσποιεῖται
770 τὸ ἐπὶ τῷ θεῷ εἰς τὸ γενέσθαι σκεῦος εἰς τιμὴν ἢ εἰς ἀτιμίαν,
ἀλλὰ τὸ πᾶν ἐφ᾽ ἡμᾶς ἀναφέρει λέγων · Ἐὰν οὖν τις
ἐκκαθάρῃ ἑαυτόν, ἔσται σκεῦος εἰς τιμήν, ἡγιασμένον καὶ
εὔχρηστον τῷ δεσπότῃ, εἰς πᾶν ἔργον ἀγαθὸν ἡτοιμασμένον,

III, 1. 768 γενέσθαι B ‖ 771 ἐφ᾽ ἡμᾶς om. CD

---

coeperit, proficere in peius et usque ad ultimum profundum
malitiae demergi.
1015　Vnde et arbitrandum est possibile esse aliquos, qui
primo quidem a paruis peccatis coeperint, in tantam
malitiam diffundi et in tantum malorum uenire profectum,
ut nequitiae modo etiam aduersariis potestatibus exae-
quentur ; et rursum per multas poenarum graues et
1020 acerbissimas animaduersiones si resipiscere aliquando
potuerint et paulatim medelam uulneribus suis requirere
temptauerint, cessante malitia reparari posse ad bonum.
Ex quo opinamur, quoniam quidem, sicut frequentius
diximus, immortalis est anima et aeterna, quod in multis
1025 et sine fine spatiis per inmensa et diuersa saecula possibile
est, ut uel a summo bono ad infima mala descendat, uel
ab ultimis malis ad summa bona reparetur.
24 (22). Verum quoniam sermo apostoli in his quidem
quae de uasis honoris uel contumeliae dicit, quia *si quis*
1030 *se ipsum mundauerit, erit uas ad honorem, sanctificatum et*
utile domino, ad omne opus bonum paratum, nihil uidetur

III, 1. 1018 nequitiae : malitiae g ‖ 1031 semper *post* bonum
add. g

dans le mal, ou par l'effusion de leur malice de mauvais deviennent pires[130].

1, 24 (*23*). Tantôt donc[131] l'Apôtre

- pas de contradiction entre l'action de Dieu et celle de l'homme ne mentionne pas l'action de Dieu dans le fait de devenir vase d'honneur ou de déshonneur, mais il nous attribue tout en disant : *Si quelqu'un se purifie lui-même, il sera un vase destiné à l'honneur, sanctifié et utile pour le maître, préparé pour toute œuvre bonne ;* tantôt il ne mentionne pas

du pire au pire et se plongent jusqu'au plus profond de la méchanceté.

C'est pourquoi[130a] il faut juger possible que quelques-uns, après avoir commencé à commettre de petits péchés, se répandent dans une si grande méchanceté et en arrivent à un tel progrès[130b] dans le mal, qu'ils rivalisent par la mesure de leur perversion avec les puissances ennemies ; et à l'inverse que ceux qui sont passés par toute sorte de châtiments pénibles et extrêmement rigoureux, s'ils ont pu une fois se repentir et s'ils ont essayé peu à peu de chercher un remède à leurs blessures, après s'être débarrassés de leur malice, aient pu être rétablis dans le bien. Nous pensons donc, puisque, comme nous l'avons dit souvent, l'âme est immortelle et éternelle, qu'il lui est possible à travers les espaces sans nombre et sans fin de siècles immenses et divers[130c], soit de descendre du bien suprême au plus profond du mal, soit de remonter du plus profond du mal au bien suprême.

1, 24 (*22*). Mais puisque l'Apôtre, quand il traite des vases d'honneur ou de déshonneur, dit : *Si quelqu'un se purifie lui-même, il sera un vase destiné à l'honneur, sanctifié et utile pour le maître, préparé pour toute œuvre bonne,*

III, 1. 1015-1027 Unde — reparetur (1027) : cf. Jérôme, *Lettre* 124, 8 ‖ *770,* 1029 : II Tim. 2, 21

ὅπου δὲ οὐ προσποιεῖται τὸ ἐφ' ἡμῖν, ἀλλὰ τὸ πᾶν ἐπὶ
775 τὸν θεὸν ἀναφέρειν δοκεῖ φάσκων · Ἐξουσίαν ἔχει ὁ κεραμεὺς
τοῦ πηλοῦ ἐκ τοῦ αὐτοῦ φυράματος ποιῆσαι ὃ μὲν εἰς τιμὴν
σκεῦος ὃ δὲ εἰς ἀτιμίαν, καὶ οὐκ ἔστιν ἐναντιώματα τὰ
εἰρημένα ὑπ' αὐτοῦ, συνακτέον ἀμφότερα καὶ ἕνα λόγον ἐξ
ἀμφοτέρων τέλειον ἀποδοτέον. Οὔτε τὸ ἐφ' ἡμῖν χωρὶς τῆς
780 ἐπιστήμης τοῦ θεοῦ, οὔτε ἡ ἐπιστήμη τοῦ θεοῦ προκόπτειν
ἡμᾶς ἀναγκάζει, ἐὰν μὴ καὶ ἡμεῖς ἐπὶ τὸ ἀγαθόν τι συνεισα-
γάγωμεν, οὔτε τοῦ ἐφ' ἡμῖν χωρὶς τῆς ἐπιστήμης τοῦ θεοῦ
καὶ τῆς καταχρήσεως τοῦ κατ' ἀξίαν τοῦ ἐφ' ἡμῖν ποιοῦντος

III, 1. 779-780 οὔτε ... οὔτε : τοῦ τε ... οὐδὲ B ‖ 781 ἐπὶ τῷ
ἀγαθῷ B ‖ συνεισάγωμεν Pat

---

in deo posuisse, sed totum in nobis, in his uero in quibus
ait : *Potestatem habet figulus luti de eadem massa facere
aliud quidem uas ad honorem, aliud autem ad contumeliam,*
1035 totum uidetur ad deum rettulisse : non est accipiendum
ista sibi esse contraria, sed uterque sensus ad unum
uocandus, et e duobus unus effici debet intellectus, id est,
ut neque ea, quae in nostro arbitrio sunt, putemus sine
adiutorio dei effici posse, neque ea quae in dei manu
1040 sunt, putemus absque nostris actibus et studiis et proposito
consummari ; scilicet quo neque nos uel uelle aliquid uel
efficere ita in nostro habeamus arbitrio, ut non scire
debeamus hoc ipsum quod possumus uel uelle uel efficere,
a deo nobis datum esse secundum eam distinctionem,
1045 quam supra diximus ; uel rursum cum deus fingit uasa,
alia quidem ad honorem, alia uero ad contumeliam,
putandum est quod honoris uel contumeliae causas

III, 1. 1042 habemus BGM ‖ 1045 uel *codd.* : nec *corr. Koe, sed
perperam* ‖ 1047 non *post* quod *add.* gB ‖ causa A *Koe*

notre propre action, mais semble tout attribuer à Dieu en disant : *Le potier qui travaille l'argile a le pouvoir de faire, à partir de la même pâte, tel vase pour un usage honorable, tel autre pour un usage sans honneur.* Mais il n'y a pas de contradiction entre ces deux paroles de l'Apôtre, il faut les accorder et faire des deux une seule affirmation parfaite. Notre propre action n'est rien sans la connaissance qu'en a Dieu[132], et la connaissance qu'en a Dieu ne nous force pas à progresser si nous-mêmes nous ne faisons pas aussi quelque chose dans la direction du bien. Car la volonté libre sans la connaissance qu'en a Dieu et la capacité d'user dignement de sa liberté ne peut

---

il ne semble mettre en Dieu aucune responsabilité, mais l'attribue tout entière à nous ; au contraire, quand il dit : *Le potier qui travaille l'argile a le pouvoir de faire à partir de la même pâte tel vase pour un usage honorable, tel autre pour un usage sans honneur*, il semble tout attribuer à Dieu. Il ne faut pas croire qu'il y a là une contradiction, mais il faut ramener à l'unité ces deux pensées et les réunir dans une unique compréhension, c'est-à-dire que nous ne pouvons pas penser que ce qui est en notre pouvoir puisse être effectué sans l'aide de Dieu, ni que ce qui est au pouvoir de Dieu puisse être accompli sans nos actions, nos soins et notre volonté[131a]. Il n'est pas en notre pouvoir de vouloir ou de faire quelque chose sans savoir[132a] que cela même que nous pouvons vouloir ou faire nous a été donné par Dieu selon la distinction faite plus haut. Inversement, quand Dieu façonne des vases, les uns pour un usage honorable, les autres pour un usage sans honneur, il faut penser qu'il a pour cause de l'honneur ou du

---

III, 1. *775*, 1033 : Rom. 9, 21.

εἰς τιμὴν ἢ εἰς ἀτιμίαν γενέσθαι τινά, οὔτε τοῦ ἐπὶ τῷ
785 θεῷ μόνου κατασκευάζοντος εἰς τιμὴν ἢ εἰς ἀτιμίαν τινά,
ἐὰν μὴ ὕλην τινὰ διαφορᾶς σχῇ τὴν ἡμετέραν προαίρεσιν,
κλίνουσαν ἐπὶ τὰ κρείττονα ἢ ἐπὶ τὰ χείρονα. Καὶ ταῦτα
μὲν αὐτάρκως ἡμῖν κατεσκευάσθω περὶ τοῦ αὐτεξουσίου.

III, 1. 784 γενέσθαι *om.* B ‖ 788 κατεσκευάσθη B.

tamquam materiam quandam nostras uel uoluntates uel
proposita uel merita habet, ex quibus singulos nostrum
1050 uel ad honorem uel ad contumeliam fingat, dum motus ipse
animae et propositum mentis de se ipso suggerat illi,
quem non latet cor et cogitatio animi, utrum ad honorem
fingi uas eius, an ad contumeliam debeat. Sed sufficiant
ista a nobis, prout potuimus, de liberi arbitrii quaestionibus
1055 agitata.

III, 1. 1049 nostrorum gB ‖ 1054 a *om.* g

destiner quelqu'un à l'honneur ou au déshonneur, et par
contre l'action de Dieu seule ne peut destiner quelqu'un
à l'honneur ou au déshonneur, si elle n'a l'orientation de
notre volonté comme une certaine matière de cette diversité[133], selon qu'elle tend vers le meilleur ou vers le pire.
Que cela nous suffise comme démonstration du libre
arbitre.

---

déshonneur, comme matière en quelque sorte, nos volontés,
nos propos ou nos mérites, qui destinent chacun de nous
à l'honneur ou au déshonneur, car le mouvement même de
l'âme et le propos de l'intelligence indiquent d'eux-mêmes
à celui à qui ne sont cachés ni le cœur ni la pensée de
l'intellect, s'il faut en faire un vase d'honneur ou de
déshonneur. Nous pensons que cette discussion à propos
du libre arbitre, menée comme nous l'avons pu, suffit.

β'. Πῶς ὁ διάβολος καὶ αἱ ἀντικείμεναι δυνάμεις κατὰ τὰς
γραφὰς στρατεύονται τῷ ἀνθρωπίνῳ γένει

2. De contrariis potestatibus

1. Videndum nunc est secundum scripturas, quomodo
contrariae uirtutes uel ipse diabolus reluctantur humano
generi, prouocantes et instigantes ad peccatum. Et primo
5 quidem in Genesi serpens Euam seduxisse perscribitur :
de quo serpente in Ascensione Moysi, cuius libelli meminit
in epistola sua apostolus Iudas, Michahel archangelus cum
diabolo disputans de corpore Moysi ait a diabolo inspiratum
serpentem causam extitisse praeuaricationis Adae et Euae.
10 Sed et illud requiritur a quibusdam, quis est angelus qui
de caelo loquitur ad Abraham dicens : *Nunc cognoui
quoniam times tu deum et non pepercisti filio tuo dilecto,
quem dilexisti, pro me.* Manifeste enim angelus esse scribitur,
qui dicit cognouisse se tunc quia timeret deum Abraham,
15 et non pepercisset filio suo dilecto, sicut scriptura dicit,
sed non declarauit quia pro deo, sed pro se, hoc est pro eo,
qui haec dicebat. Requirendum etiam illud est, de quo in
Exodo dicitur, quia uoluerit interficere Moysen pro eo
quod abibat in Aegyptum. Sed et postea quis est qui
20 exterminator angelus dicitur, nec non et ille qui sit, qui

---

III, 2. Titre grec : Photius, *Bibl.* 8 ‖ 5 : Gen. 3, 1 s. ‖ 6 : *Assomption
de Moïse*, cf. Charles, *The Assumption of Moses*, p. 105 s. ‖ 7 : Jude 9
‖ 11 : Gen. 22, 12 ‖ 17 : Ex. 4, 24 ‖ 20 : Ex. 12, 23

Septième traité (III, 2-4):
Comment le diable et les puissances adverses combattent le genre humain selon les Écritures

Première section: Des puissances adverses (III, 2)

Les puissances contraires combattent les hommes selon l'Écriture

2, 1. Il faut voir maintenant selon les Écritures comment les puissances contraires et le diable lui-même combattent le genre humain, le provoquant et l'incitant au péché. D'abord le *Livre de la Genèse* rapporte que le serpent séduisit Ève ; dans l'*Ascension de Moïse*[1], livre que mentionne dans son épître l'apôtre Jude, l'archange Michel se disputant avec le diable au sujet du corps de Moïse dit que ce serpent, inspiré par le diable, fut cause de la prévarication d'Adam et d'Ève. Mais certains se demandent aussi quel est l'ange[2] qui du ciel parle à Abraham en ces termes : *Maintenant je sais que tu crains Dieu et que tu n'as pas épargné ton fils bien-aimé, que tu aimais, à cause de moi.* Il est écrit clairement qu'il s'agit d'un ange, qui dit savoir alors qu'Abraham craignait Dieu et n'avait pas épargné son fils bien-aimé, comme l'Écriture le dit, mais il n'a pas déclaré (qu'Abraham avait fait cela) pour Dieu, mais pour lui, c'est-à-dire pour celui qui parlait ainsi[3]. Il faut se demander aussi de qui parle l'*Exode* quand il est dit que ce personnage voulut tuer Moïse parce qu'il partait pour l'Égypte[4]. Mais ensuite quel est l'ange dit exterminateur[5] et celui qui est appelé dans le *Lévitique*

in Leuitico scriptus est apopompeus, id est transmissor,
de quo ita ait scriptura : *Sors una domino et sors una*
apopompeo (id est *transmissori*)? Sed et in primo libro
Regnorum spiritus pessimus Saulem dicitur offocare. In
25 tertio uero libro Micheas propheta dicit : *Vidi deum*
Israhel sedentem super thronum suum, et omnis militia
caeli stabat circa ipsum a dextris eius et a sinistris eius.
Et dixit dominus: Quis seducet Achab regem Israhel, ut
ascendat et cadat in Remmat Galaat? Et dixit iste sic, et
30 *ille dixit sic. Et exiit spiritus, et stetit in conspectu domini,*
et dixit: Ego seducam eum. Et dixit ad eum dominus:
In quo? Et dixit: Exeam, et ero spiritus mendax in ore
omnium prophetarum ipsius. Et dixit: Seduces, et quidem
poteris: Exito ergo, et facito sic. Et nunc dedit dominus
35 *spiritum mendacem in ore omnium prophetarum tuorum ;*
et dominus locutus est super te mala. Manifeste enim per
haec ostenditur uoluntate et proposito suo elegisse spiritus
quidam ut seduceret et mendacium operaretur, quo spiritu
abutitur deus ad necem Achab, qui haec pati dignus
40 erat. In primo quoque libro Paralipomenon : *Suscitauit*
inquit *diabolus Satan in Israhel, et concitauit Dauid ut*
numeraret populum. In Psalmis uero angelus malignus
adterere dicitur quosdam. In Ecclesiaste quoque Salomon
ait : *Si spiritus potestatem habentis ascenderit super te,*
45 *locum tuum non dimittas, quoniam sanitas conpescet peccata*
multa. In Zacharia uero legimus diabolum stantem a
dextris Iesu et resistentem ei. Esaias uero ait gladium dei
insurgere super draconem, serpentem peruersum. Quid

III, 2. 24 offocare : suffocare C effocare AbS ‖ 24-25 in tertio uero
libro : et in initio uero libro GM[ac] in initio uero libri M[pc] et in initio
uerorum librorum S (libri) Ab ‖ 25 dominum G ‖ 29 et stetit *post*
galaat *add.* B ‖ 30 et stetit *om.* B ‖ 34 facito : fac cito GM ‖ 37 se
post elegisse *add.* AbS ‖ 38 spiritu *om.* g ‖ 39 abutitur a : abuteretur GM
(*corr.* abutitur) abuteretur AbS ‖ dominus g ‖ 41 diabolum AS[pc] ‖
45 non dimittas aS[ac] : ne dimittas GMAbS[pc] Koe, *qui confert Orig.*
HomNum. 27, 12 ‖ 46 stantem *om.* g ‖ 48 peruersum : tortuosum BC

apopompaeus, c'est-à-dire celui qui emporte[6], et dont l'Écriture dit : *Un sort pour le Seigneur et un sort pour l'apopompaeus* — c'est-à-dire *pour celui qui emporte*. Mais dans le premier *Livre des Rois* il est écrit qu'un esprit très mauvais suffoquait Saül[7]. Dans le troisième *Livre des Rois*, le prophète Michée dit : *J'ai vu le Dieu d'Israël siégeant sur son trône et toute la milice du ciel se tenait autour de lui à sa droite et à sa gauche. Et le Seigneur dit : Qui trompera Achab, roi d'Israël, pour qu'il monte et tombe à Ramot de Galaad. Et celui-ci parla ainsi et celui-là parla ainsi. Mais un esprit sortit (de la foule), se tint devant le Seigneur et dit : Je le tromperai. Et le Seigneur lui dit : Comment ? Il répondit : J'irai et je serai un esprit menteur[8] dans la bouche de tous ses prophètes. Le Seigneur lui dit : Tu le tromperas, certainement tu le pourras ; va donc et agis ainsi. Et maintenant le Seigneur a mis un esprit menteur dans la bouche de tous tes prophètes ; et le Seigneur a appelé sur toi le mal.* Cela montre clairement qu'un esprit a choisi avec toute sa volonté et son propos de tromper et d'opérer le mensonge, et que Dieu s'est servi de cet esprit pour la mort d'Achab qui méritait de souffrir tout cela. Dans le premier *Livre des Paralipomènes : Le diable suscita un Satan en Israël et il poussa David à recenser le peuple[9].* D'après les *Psaumes*, un ange malin écrase certaines personnes. Dans l'*Ecclésiaste*, Salomon dit : *Si l'esprit de celui qui a le pouvoir monte sur toi, ne quitte pas ta place, parce que la guérison arrêtera des péchés nombreux[10].* Nous lisons dans Zacharie que le diable se tenait à la droite de Jésus[11] et lui résistait. Isaïe dit que le glaive de Dieu se lève sur le dragon[12], le serpent pervers. Que dirai-je

---

III, 2. 22 : Lév. 16, 8 ‖ 23 : I Rois (I Sam.) 18, 10 ‖ 25 : III Rois (I Rois) 22, 19 s. ‖ 40 : I Chr. 21, 1 ‖ 42 : Ps. 34, 5.6 ‖ 43 : Eccl. 10, 4 ‖ 46 : Zach. 3, 1 ‖ 47 : Is. 27, 1

autem dicam de Hiezechiel in secunda uisione ad principem
50 Tyri manifestissime de uirtute contraria prophetante, qu
etiam in fluminibus Aegypti draconem dicit habitare
Totus autem liber, qui scriptus est de Iob, quid aliud quam
de diabolo continet, petente potestatem sibi dari omnium
quae habet Iob, et filiorum eius, insuper et corporis eius
55 Qui tamen per eius patientiam uincitur. In quo libro
multa responsis suis edocuit dominus de aduersante nobis
uirtute draconis istius. Haec interim ex ueteri testamento
quantum ad praesens memoriae succurrere potuit, dicta
sint de eo, quod contrariae uirtutes uel nominantur in
60 scripturis uel humano generi dicuntur aduersari, post
modum puniendae.

Videamus autem et in nouo testamento, ubi Satanas ad
saluatorem accedit, temptans eum ; spiritus uero maligni
et daemonia inmunda, quae aliquantos obsederant, fugata
65 sunt a saluatore de corporibus patientum, qui et liberati
ab eo dicuntur. Sed et Iudas, cum iam diabolus misisset
in cor eius ut traderet Christum, postea etiam totum
Satanan suscepit in sese ; scriptum est enim quia *post
bucellam introiuit in eum Satanas.* Paulus uero apostolus
70 docet nos non debere dare locum diabolo, *sed induite*
inquit *arma dei, ut possitis resistere aduersum astutia.*
diaboli, designans luctamen esse sanctis *non aduersum*
carnem et sanguinem, sed aduersum principatus, aduersum
potestates, aduersum mundi huius rectores tenebrarum
75 *aduersum spiritalia nequitiae in caelestibus.* Sed et salua
torem crucifixum esse dicit a principibus huius mundi, qu
destruentur, quorum etiam sapientiam dicit se non loqui
Per haec igitur omnia docet nos scriptura diuina esse

III, 2. 49 dicat GAbSMᵖᶜ ǁ 58 potuit a : potuerunt g ǁ 59 sint a
sunt g ǁ 65 patientium A ǁ 68 satanam CGAbSMᵃᶜ ǁ 74 huius *om.*

d'Ézéchiel prophétisant très clairement dans sa seconde vision au prince de Tyr[13] au sujet d'une puissance contraire, lui qui dit aussi que le dragon habite dans les fleuves d'Égypte ? Tout le livre qui parle de Job parle-t-il d'autre chose que du diable, demandant que lui soit donné pouvoir sur tout ce que possède Job, y compris ses fils, et même sur son corps. Et cependant, il est vaincu par la patience de Job. Dans ce livre, le Seigneur par ses réponses nous a instruits abondamment sur la puissance de ce dragon qui nous est hostile. Voici les textes de l'Ancien Testament qui ont pu pour le moment se présenter à notre mémoire : ils affirment que des puissances contraires sont mentionnées dans les Écritures, s'opposent au genre humain et seront finalement punies.

Voyons aussi dans le Nouveau Testament le passage où Satan s'approche du Seigneur pour le tenter. Des esprits malins et des démons impurs qui possédaient d'assez nombreuses personnes ont été mis en fuite par le Seigneur et chassés des corps de ces malades, que l'Écriture dit libérés par lui. Mais Judas, alors que le diable avait mis dans son cœur l'intention de livrer le Christ, reçut ensuite Satan tout entier en lui : il est écrit en effet que *après la bouchée Satan entra en lui*. Quant à l'apôtre Paul, il nous enseigne à ne pas donner de place au diable, mais *revêtez*, dit-il, *les armes de Dieu, pour que vous puissiez résister aux astuces du diable*, signifiant que les saints ont à lutter *non contre la chair et le sang, mais contre les principautés, les puissances, les chefs de ce monde de ténèbres, les esprits de méchanceté dans les cieux*[14]. Il dit que le Sauveur a été crucifié par les princes de ce monde qui seront détruits et il affirme qu'il ne parle pas selon leur sagesse. Par tout cela, l'Écriture divine nous enseigne

III, 2. 49 : Éz. 29, 3 ‖ 52 : Job 1, 11 s. ; 2, 4 s. ‖ 62 : Matth. 4, 1 s. ‖ 63 : Mc 1, 23 s. ; 5, 1 s., etc. ‖ 66 : Jn 13, 2 ‖ 68 : Jn 13, 27 ‖ 70 : Éphés. 4, 27 ‖ Éphés. 6, 11.12 ‖ 75 : I Cor. 2, 8.6

quosdam inuisibiles hostes, dimicantes aduersum nos, et
80 praecipit armari nos debere contra eos. Vnde et simpliciores
quique domino Christo credentium existimant quod omnia
peccata quaecumque commiserint homines, ex istis
contrariis uirtutibus mentem delinquentium perurgentibus
fiant, pro eo quod in certamine isto inuisibili superiores
85 inueniantur potestates. Quodsi, uerbi causa, diabolus non
esset, nemo hominum omnino delinqueret.

2. Nos uero rationem diligentius intuentes, haud ita
esse arbitramur, considerantes ea, quae manifeste ex
corporali necessitate descendunt. An uero putandum est
90 quod diabolus esuriendi uel sitiendi causa nobis existat?
Neminem puto esse qui hoc audeat confirmare. Si ergo
esuriendi et sitiendi non nobis ipse fit causa, quid illud,
cum uniuscuiusque aetas ad uirilitatis tempus aduenerit
et naturalis caloris incentiua suggesserit? Consequens sine
95 dubio est ut, sicut esuriendi et sitiendi causa diabolus
non est, ita ne eius quidem motus, qui adultae aetati
naturaliter suggeritur, id est adpetendi coitus desiderium.
Quam causam non utique semper a diabolo moueri certum
est, ita ut putandum sit quia, si diabolus non esset,
100 huiuscemodi admixtionis desiderium corpora non haberent.
Tum deinde consideremus si, ut superius ostendimus,
cibus hominibus non ex diabolo sed naturali quodam
appetitur instinctu, utrum posset fieri ut, si diabolus non
esset, humana experientia tanta in percipiendo cibo
105 disciplina uteretur, ut numquam penitus excederet modum,
id est ut uel aliter quam res posceret uel amplius quam

III, 2. 80 praecepit AGM ‖ et *om.* AC ‖ 85 potestates g : putantes a
‖ 101 si ut MAbS : sicut aG

qu'il existe des ennemis invisibles en lutte contre nous et elle nous enjoint de nous armer contre eux. A cause de cela, les plus simples de ceux qui croient au Seigneur Christ[15] pensent que tous les péchés commis par les hommes se font à cause de ces puissances contraires qui harcèlent l'intelligence des pécheurs, parce que, dans ce combat invisible, ces puissances se trouvent les plus fortes. Si par exemple le diable n'existait pas, aucun homme ne pécherait.

Mais en nous est la source de nos fautes

2, 2. Mais, lorsque nous en examinons plus attentivement la raison, nous ne pensons pas que cela soit vrai, en considérant tout ce qui vient clairement en nous d'une nécessité corporelle. Faut-il penser que c'est le diable qui est en nous la cause de la faim et de la soif ? Personne, à mon avis, n'oserait affirmer cela. S'il n'est pas pour nous la cause de la faim et de la soif, qu'en est-il quand chacun, avançant en âge, parvient au temps de la virilité et est livré aux stimulations qu'excite l'ardeur de la nature ? Il est logique sans aucun doute de dire que, de même que le diable n'est pas la cause de la faim et de la soif, il ne l'est pas non plus des impulsions qu'apporte naturellement l'âge adulte, c'est-à-dire du désir de rechercher l'union sexuelle. Il est certain assurément que ce n'est pas toujours le diable qui soulève une telle cause : autrement on pourrait penser que si le diable n'existait pas, les corps n'éprouveraient pas le désir d'une telle union. Si, comme cela a été montré plus haut, l'appétit de nourriture qu'ont les hommes ne vient pas du diable mais d'une tendance naturelle, poussons notre réflexion plus loin : pourrait-il se faire, si le diable n'existait pas, que l'expérience humaine s'imposerait en ce qui concerne la nourriture assez de discipline pour ne jamais dépasser du tout la mesure, c'est-à-dire pour ne pas en prendre

ratio indulgeret acciperet, et numquam eueniret hominibus
in seruando cibi modo mensuraque delinquere. Ego quidem
non arbitror haec ab hominibus ita potuisse seruari,
110 etiamsi nulla diaboli prouocasset instinctio, ut in percipiendo cibo modum disciplinamque nullus excederet,
priusquam id usu longo atque experientia didicissent.
Quid igitur est ? In escis quidem et potu possibile erat
delinquere nos etiam sine diaboli incitamentis, si forte
115 minus continentes uel minus industrii fuissemus inuenti :
in adpetendo uero coitu uel naturalibus desideriis tempe-
randis putandum est quod non simile aliquid pateremur ?
Arbitror autem quod eadem rationis consequentia etiam
in ceteris naturalibus motibus possit intellegi cupiditatis
120 uel irae uel tristitiae uel omnibus omnino, quae per intemperantiae uitium modum mensurae naturalis excedunt.

Euidens igitur ratio est quia, sicut in bonis rebus
humanum propositum solum per se ipsum inperfectum est
ad consummationem boni (adiutorio namque diuino ad
125 perfecta quaeque perducitur) : ita etiam in contrariis initia
quidem et uelut quaedam semina peccatorum ab his rebus,
quae in usu naturaliter habentur, accipimus ; cum uero
indulserimus ultra quam satis est, et non restiterimus
aduersum primos intemperantiae motus, tunc primi huius
130 delicti accipiens locum uirtus inimica instigat et perurget
omni modo studens profusius dilatare peccata, nobis
quidem hominibus occasiones et initia praebentibus peccatorum, inimicis autem potestatibus latius ea et longius et
si fieri potest absque ullo fine propagantibus. Ita denique

III, 2. 120 in *ante* omnibus *add. Del, quem Koe secutus est* ‖ 124
adiumento BC ‖ 131-132 quidem nobis g

autrement que la situation ne le demande, ni davantage que la raison ne le permet, et pour qu'il n'arrive jamais aux hommes de pécher en ce qui concerne la quantité et la mesure de nourriture qui est à garder[16]? Quant à moi je ne pense pas que, même s'il n'y avait pas d'incitation du diable pour provoquer l'homme, elles puissent être si bien gardées qu'en prenant de la nourriture personne ne dépasse la mesure et la discipline, avant de l'avoir appris d'une longue habitude et d'une grande expérience. Qu'en est-il donc? En matière de nourriture et de boisson, il nous serait possible de pécher même sans y être incités par le diable, simplement parce que nous serions insuffisamment tempérants et attentifs ; dans le désir de l'union sexuelle et le gouvernement des tendances de la nature faut-il penser que nous ne subirions rien de semblable? Je crois que l'on peut appliquer le même raisonnement à tous les autres mouvements naturels, qu'il s'agisse de la cupidité, de la colère ou de la tristesse, et absolument de tout ce qui, par le vice de l'intempérance, dépasse la proportion et la mesure qu'impose la nature.

Les démons n'agissent que par notre défaillance La raison en est claire : en ce qui concerne le bien, le propos humain à lui tout seul est insuffisant pour l'accomplir — c'est l'aide divine qui mène toute chose à sa perfection[17] — ; de même, en ce qui concerne son opposé, nous recevons le début et pour ainsi dire la semence du péché de ce que nous utilisons naturellement. Si nous nous y complaisons plus qu'il ne faut et si nous ne résistons pas aux premiers mouvements d'intempérance, alors la puissance ennemie, prenant occasion de ce premier manquement[18], nous excite et nous presse, s'efforçant de toute manière de multiplier à profusion les péchés[19] : c'est nous, les hommes, qui fournissons les occasions et les débuts des péchés, mais ce sont les puissances ennemies qui les propagent en long et en large et, si cela peut se faire, sans aucune limite. Ainsi

135 in auaritiam lapsus efficitur, cum primo homines parum
quid pecuniae desiderant, deinde augescente uitio cupiditas
increscit. Post haec iam etiam cum caecitas menti ex
passione successerit, inimicis uirtutibus suggerentibus ac
perurgentibus, pecunia iam non desideratur, sed rapitur
140 et ui aut etiam sanguinis humani profusione conquiritur.
Ad certiorem denique rei fidem, quod inmensitates istae
uitiorum a daemonibus ueniant, contemplari et ex eo
facile potest, quod nihil minus his, qui corporaliter a
daemonibus uexantur, etiam illi patiuntur, qui uel immo-
145 deratis amoribus uel irae intemperantia uel nimietate
tristitiae perurgentur. Nam et in nonnullis historiis refertur
quod in insaniam quidam ex amore deciderint, alii ex
iracundia, nonnulli etiam ex tristitia uel nimio gaudio ;
quod arbitror eo accidere, quia contrariae istae uirtutes,
150 id est daemones, loco sibi in eorum mentibus dato, quem
intemperantia prius patefecerit, sensum eorum penitus
possederint, maxime cum nulla eos ad resistendum uirtutis
gloria concitarit.

    3. Quod autem sint quaedam peccata, quae non a
155 contrariis uirtutibus ueniant, sed ex naturalibus corporis
motibus initium sumant, manifestissime declarat apostolus
Paulus in eo cum dicit : *Caro concupiscit aduersum spiritum,*
spiritus autem aduersum carnem ; haec inuicem sibi resistunt,
ut non quae uultis illa faciatis. Si ergo caro concupiscit
160 aduersum spiritum, et spiritus aduersum carnem est nobis
aliquando conluctatio aduersum carnem et sanguinem, id
est, cum homines sumus et secundum carnem ambulamus,
et cum non possumus temptari in maioribus temptationibus
quam humanis, cum dicitur de nobis quia *temptatio uos*

    III, 2. 137 mentis g ‖ 148 etiam *om.* g ‖ 161 conluctatio : lucta
A^ac luctamen A^pc

    III, 2. 157 : Gal. 5, 17 ‖ 161 : Éphés. 6, 12 ; I Cor. 3, 4 ; II Cor.
10, 2 ‖ 164 : I Cor. 10, 13

on tombe dans l'avarice parce que d'abord on désire un peu d'argent, puis avec l'accroissement du vice la cupidité augmente. Et même ensuite, lorsque la passion a produit l'aveuglement de l'intelligence, sous la suggestion et la pression des puissances ennemies, on ne se contente pas de désirer l'argent, mais on le vole, on l'acquiert par violence et même en répandant le sang humain. Pour nous assurer avec plus de certitude que ces vices sans mesure viennent des démons, il est facile d'observer que ceux qu'accablent des amours immodérées, des colères intempérantes, des tristesses excessives, ne souffrent rien de moins que ceux qui sont possédés dans leurs corps par des démons. Car quelques histoires rapportent que certains sont tombés dans la folie à partir de l'amour[20], d'autres à partir de la colère, d'autres à partir de la tristesse ou d'une joie excessive. A mon avis, cela se produit parce que ces puissances contraires, c'est-à-dire les démons, ayant occupé dans leurs intelligences la place que leur a faite auparavant l'intempérance, ont possédé complètement leur intellect, surtout lorsque la vertu n'a jamais eu pour eux le prestige qui les aurait poussés à résister.

Les tentations qui viennent de la chair

2, 3. Certains péchés donc ne viennent pas des puissances contraires, mais ont pour origine les mouvements naturels du corps[21]. L'apôtre Paul l'assure très clairement quand il dit : *La chair convoite contre l'esprit et l'esprit contre la chair ; ces deux réalités s'opposent l'une à l'autre, de telle sorte que vous ne faites pas ce que vous voulez.* Si en effet la chair convoite contre l'esprit et l'esprit contre la chair, il y a pour nous parfois une lutte contre la chair et le sang, c'est-à-dire tant que nous sommes hommes et marchons selon la chair et tant que nous ne pouvons éprouver des tentations plus fortes que les tentations humaines, puisqu'il est dit de nous :

165 *non conpraehendat nisi humana. Fidelis autem est deus,*
qui non permittet uos temptari supra id quod potestis. Sicut
enim hi, qui agonibus praesunt, eos, qui ad certamen
ueniunt, non utcumque neque fortuito inter se sinunt inire
certamina, sed diligenti examinatione prout uel corpora
170 uiderint uel aetates, aequissima conparatione iungentes
illum cum illo et illum cum illo, uerbi gratia, pueros cum
pueris, uiros cum uiris, qui inter se uel aeui uel roboris
propinquitate conueniant : ita intellegendum est etiam
de diuina prouidentia quod omnes, qui in hos humanae
175 uitae descenderint agones, iustissima moderatione dispenset
secundum rationem uniuscuiusque uirtutis, quam ipse
solus, qui solus corda hominum intuetur, agnoscit ; ut
alius quidem pugnet aduersum carnem talem, alius uero
aduersum talem, et alius quidem in tantum tempus, alius
180 uero in tantum, et ut alter instigetur a carne in hoc uel
illud, alius uero in aliud ; tum uero ut alius resistat
aduersum inimicam potestatem illam uel illam, alius uero
aduersum duas uel tres simul, aut nunc quidem aduersum
aliam nunc iterum aduersum aliam, et certo quo tempore
185 aduersum illam et certo quo aduersum aliam, uel post
quae gesta aduersum quas pugnet, post quae uero aduersum
alias. Intuere enim ne forte tale aliquid indicetur per hoc,
quod dixit apostolus : *Fidelis autem est deus, qui non*
permittat uos temptari supra id quod potestis, id est, pro eo
190 quod singuli pro uirtutis suae quantitate uel possibilitate
temptantur.

III, 2. 165 praehendat A compraehendit CGM ‖ deus est A ‖
166 permittet AbS *Del Koe, qui confert l. 189, Orig. ComRom.*
VII, 12, etc. : permittat aGM ‖ 180 a *om.* g ‖ 188 est autem Ab ‖
189 permittit C

que la tentation ne vous atteigne pas, si ce n'est une tentation
humaine! Car Dieu est fidèle, lui qui ne permettra pas que
vous soyez tentés plus que vous ne pouvez le supporter[22].
Ceux qui président aux luttes[23] ne laissent pas ceux qui
viennent au combat se mettre à lutter les uns contre
les autres de n'importe quelle manière, ou par suite du
hasard, mais après un examen attentif des corps et des
âges, les ayant comparés de la façon la plus équitable,
ils associent celui-ci avec celui-là, cet homme avec cet
autre, mettant par exemple des enfants avec des enfants,
des hommes avec des hommes, de manière qu'ils se
correspondent par la similitude de leur âge et de leur
force. Il faut penser de même de la providence divine :
tous ceux qui descendent dans les luttes de la vie humaine,
elle les gouverne dans sa très juste administration selon
la mesure de la vertu de chacun, que connaît seul celui
qui voit seul les cœurs des hommes. Ainsi l'un combat
contre telle chair[24], l'autre contre telle autre, celui-ci
pendant un tel espace de temps, celui-là pendant tel autre,
cet homme sera soumis à telle excitation charnelle qui
le pousse dans tel ou tel sens, celui-là à telle autre ; parmi
les puissances ennemies[25] l'un aura à résister à celle-ci
ou à celle-là, l'autre à deux ou trois à la fois et tantôt
contre l'une, tantôt de nouveau contre l'autre, à un certain
temps contre celle-ci et à un certain temps contre celle-là,
après tels actes il luttera contre les unes, après tels autres
contre les autres. Vois si l'Apôtre n'indique pas quelque
chose de semblable lorsqu'il dit : *Dieu est fidèle, au point*
de ne pas permettre que vous soyez tentés plus que vous ne
pouvez le supporter, c'est-à-dire que chacun est tenté selon
son degré ou ses possibilités de vertu[26].

III, 2. 177 : Lc 16, 15 ‖ 188 : I Cor. 10, 13

Nec tamen quoniam diximus iusto dei iudicio unumquemque pro uirtutis suae quantitate temptari, idcirco putandum est quia omni genere debeat uincere qui temp-
195 tatur ; sicut ne ille quidem qui in agone contendit, quamuis aequa moderatione conparatus sit aduersario, non tamen omni genere uincere poterit. Verum nisi aequalis fuerit concertantium uirtus, non erit iusta palma uincentis, nec iuste culpabitur uictus ; propter quod permittit nos quidem
200 deus temptari, non tamen supra id quod possumus : pro uiribus enim nostris temptamur. Nec tamen scriptum est quia faciet in temptatione etiam exitum sustinendi, sed exitum ut sustinere possimus, id est : ipse praestat, ut sustinere possimus. Vt uero hoc, quod posse nobis ipse
205 dedit, uel strenue uel segniter impleamus, in nobis est. Dubium enim non est quod in omni temptatione adest nobis tolerandi uirtus, si tamen nos conpetenter utamur uirtute concessa. Non enim idem est habere uincendi uirtutem et uincere, sicut ipse apostolus cautissimo sermone
210 <de>signauit dicens quia *dabit deus exitum, ut sustinere possitis*, non : ut sustineatis. Multi enim non sustinent, sed in temptatione uincuntur. A deo autem datur non ut sustineamus (alioquin nullum iam uideretur esse certamen), sed ut sustinere possimus.
215 Ea autem uirtute, quae nobis data est ut uincere possimus, secundum liberi arbitrii facultatem aut industrie utimur et uincimus, aut segniter et superamur. Si enim totum nobis hoc detur, ut omni genere superemus, id est, ut nullo modo uincamur, quae iam superest causa certandi
220 ei, qui uinci non potest ? aut quod palmae meritum, ubi repugnanti adimitur uincendi facultas ? Si uero aeque

---

III, 2. 200 deus *om.* g ‖ 205 impleamus : ministremus BC ‖ 210 signauit *codd., corr.* Koe, *conferens I, 1, 2 ; II, 9, 3, etc.* ‖ 221 repugnandi AC[ac] *ut uid.*

III, 2. 210 : I Cor. 10, 13

**Dieu
ne nous donne pas
de vaincre,
mais
de pouvoir vaincre**

Nous avons donc dit que, par un juste jugement de Dieu, chacun est tenté selon son degré de vertu, mais il ne faut pas croire pour cela que de toute façon celui qui est tenté doit vaincre : il en est de même du lutteur qui, malgré le soin qu'on a mis à lui donner un adversaire d'égale force, ne pourra vaincre de toute façon. En effet si la force des lutteurs n'était pas égale, la palme du vainqueur ne serait pas juste, ni la faute du vaincu : c'est pourquoi Dieu permet que nous soyons tentés, mais pas plus que nous ne pouvons le supporter ; nous sommes tentés selon nos forces. Cependant il n'est pas écrit que Dieu fera en sorte que nous réussissions à supporter la tentation, mais que nous puissions la supporter, autrement dit : il nous donne de pouvoir la supporter. Il nous appartient[27] d'employer avec diligence ou avec négligence ce pouvoir qu'il nous a donné lui-même. Il n'est pas douteux que, dans toute tentation, nous avons la force de la supporter, si cependant nous usons convenablement du pouvoir donné. Ce n'est pas pareil d'avoir la possibilité de vaincre et de vaincre, comme l'Apôtre lui-même avec beaucoup de précautions l'indique en ces termes : *Dieu vous donnera les moyens pour pouvoir supporter*, et non : pour supporter. Car beaucoup ne supportent pas, mais sont vaincus dans la tentation. Dieu donne, non de supporter — autrement, semble-t-il, il n'y aurait aucun combat —, mais de pouvoir supporter.

Cette possibilité qui nous est donnée de pouvoir vaincre, selon la faculté du libre arbitre, ou bien nous l'employons avec diligence et nous vainquons, ou bien avec paresse et nous sommes défaits. Si tout nous était donné pour l'emporter de toute façon, c'est-à-dire pour n'être vaincu en aucune manière, resterait-il une raison de combattre à celui qui ne peut être vaincu ? La palme a-t-elle quelque mérite quand on a ôté à l'adversaire la faculté de vaincre ?

quidem omnibus nobis uincendi possibilitas praebeatur, in
nostra autem sit positum potestate, quomodo hac possibilitate uti debeamus, id est uel industrie uel segniter,
225 iusta erit uel uicti culpa uel palma uictoris. Igitur ex his,
quae pro uiribus nostris disputata sunt, arbitror quod
euidenter apparuit esse quaedam delicta, quae nequaquam
malignis uirtutibus perurgentibus committamus, alia uero
esse quae instinctu earum ad nimietatem quandam
230 immoderationemque prouocentur. Vnde consequens est
nunc inquirere, quomodo ipsae contrariae uirtutes haec
ipsa incitamenta operentur in nobis.

4. Cogitationes, quae de corde nostro procedunt (uel
memoria quorumcumque gestorum uel quarumlibet rerum
235 causarumque contemplatio), inuenimus quod aliquotiens
ex nobis ipsis procedant, aliquotiens a contrariis uirtutibus
concitentur, interdum etiam a deo uel a sanctis angelis
inmittantur. Verum haec ita esse fabulosum fortasse
uidebitur, nisi scripturae diuinae testimoniis fuerit conpro-
240 batum. Quod ergo cogitatio oriatur ex nobis, Dauid
testatur in psalmis dicens : *Quia cogitatio hominis confi-
tebitur tibi, et reliquiae cogitationum diem festum agent tibi.*
Quod autem et a contrariis uirtutibus fieri soleat, Salomon
in Ecclesiaste testatur hoc modo : *Si spiritus potestatem*
245 *habentis ascenderit super te, locum tuum ne relinquas,*
quoniam sanitas conpescit peccata multa. Et Paulus apostolus
de his eisdem testimonium dabit dicens : *Cogitationes*
destruentes et omnem elationem, quae se extollit aduersum
scientiam Christi. Ex deo autem quod fiat, Dauid nihilo-
250 minus testatur in Psalmis hoc modo : *Beatus uir, cuius*
est susceptio eius apud te, domine, ascensus in corde eius.

III, 2. 223 positum sit g ‖ 246 conpescit : *cf.* conpescet *ad l. 45*
(= LXX) ‖ 247 eisdem : hisdem AbS

III, 2. 233 : Mc 7, 21 ‖ 241 : Ps. 75, 11 ‖ 244 : Eccl. 10, 4 ‖ 247 :
II Cor. 10, 5 ‖ 250 : Ps. 83, 6

Au contraire, si nous est donnée également à tous la possibilité de vaincre et si la manière d'utiliser cette possibilité est en notre pouvoir, à savoir avec diligence ou avec négligence, la faute sera attribuée avec justice au vaincu et la palme au vainqueur. A la suite de cette discussion que nous avons menée selon nos forces, il est apparu, me semble-t-il, clairement qu'il y a des manquements que nous commettons sans la pression des puissances malignes et d'autres sur leur instigation, quand elles nous poussent à certains excès et manques de mesure. Il faut maintenant rechercher comment ces puissances contraires opèrent en nous ces incitations[28].

Des esprits divers agissent en nous selon l'Écriture — **2, 4.** Les pensées qui viennent de notre cœur[29] — la mémoire des actes passés ou la réflexion sur quelque chose ou cause que ce soit —, nous constatons que tantôt elles viennent de nous-mêmes, tantôt elles sont soulevées par les puissances adverses, parfois aussi elles sont mises en nous par Dieu et les saints anges[30]. Mais tout cela paraîtra peut-être fabuleux, si ce n'est pas prouvé par des témoignages venant de la divine Écriture. Les pensées qui naissent de nous-mêmes, David les atteste quand il dit dans les *Psaumes*: *La pensée de l'homme te louera et le reste de ses pensées célébrera pour toi un jour de fête.* Celles qui viennent habituellement des puissances contraires, Salomon dans l'*Ecclésiaste* en témoigne ainsi : *Si l'esprit de celui qui a le pouvoir monte sur toi, ne quitte pas ta place, parce que la guérison arrêtera des péchés nombreux*[31]. Et l'apôtre Paul lui aussi en donne témoignage en ces termes : *Détruisant les pensées et tout orgueil qui se dresse contre la connaissance du Christ*[32]. Que cela vienne aussi de Dieu, David l'atteste pareillement dans les *Psaumes: Bienheureux l'homme que tu t'attaches, Seigneur, il a des élévations dans son cœur.* Et l'Apôtre dit que

Et apostolus dicit quoniam *deus dedit in corde Titi*. Quod
uero etiam per angelos uel bonos uel malos aliqua humanis
cordibus suggerantur, designat uel Tobiam angelus comi-
255 tatus uel prophetae sermo dicentis : *Et respondit angelus,
qui loquebatur in me* ; sed et Pastoris liber haec eadem
declarat docens quod bini angeli singulos quosque hominum
comitentur, et si quando bonae cogitationes cor nostrum
ascenderint, a bono angelo suggeri dicit, si quando uero
260 contrariae, mali angeli esse dicit instinctum. Eadem
quoque etiam Barnabas in epistola sua declarat, cum duas
uias esse dicit, unam lucis, alteram tenebrarum, quibus
etiam praeesse certos quosque angelos dicit : uiae quidem
lucis angelos dei, tenebrarum autem uiae angelos Satanae.
265 Nihil tamen aliud putandum est accidere nobis ex his,
quae cordi nostro suggeruntur bonis uel malis, nisi commotionem solam et incitamentum provocans nos uel ad bona
uel ad mala. Possibile autem nobis est, cum maligna uirtus
prouocare nos coeperit ad malum, abicere a nobis prauas
270 suggestiones et resistere persuasionibus pessimis et nihil
prorsus culpabiliter gerere ; et rursum possibile est ut,
cum nos diuina uirtus ad meliora prouocauerit, non sequa-
mur, liberi arbitrii potestate nobis in utroque seruata.

Dicebamus sane in superioribus quod etiam memoriae
275 nobis quaedam uel bonorum uel malorum suggerantur,
siue per diuinam prouidentiam siue per uirtutes contrarias ;
sicut ostenditur in libro Hester, cum beneficia iustissimi
uiri Mardochaei Artaxerses non meminisset et nocturnis
uigiliis fatigatus a deo in memoriam recepisset rerum
280 gestarum monumenta chartis mandata requirere ; in quibus
de beneficiis Mardochaei ammonitus inimicum quidem eius

III, 2. 254 designant A ‖ 266-267 commonitionem MAbSA (*ex*
commotionem) ‖ 273 utraque GM ‖ 275 uel malorum *om.* g

III, 2. 252 : II Cor. 8, 16 ‖ 254 : Tob. 5, 5 s. ‖ 255 : Zach. 1, 14
‖ 256 : Hermas, *Le Pasteur*, Précepte 6, 2 ‖ 261 : *Lettre de Barnabé* 18 ‖
277 : Esther 6-8

Dieu a mis dans le cœur de Tite. Que certaines pensées peuvent être suggérées aux cœurs des hommes par des anges, bons ou mauvais, cela est indiqué par l'ange qui accompagne Tobie et par ces paroles du prophète : *Et l'ange qui parlait en moi répondit.* Le livre du *Pasteur*[33] affirme de même que deux anges accompagnent chaque homme[34] : lorsque de bonnes pensées montent dans notre cœur, elles sont suggérées selon lui par le bon ange, et si ce sont des pensées contraires, elles sont soulevées par l'ange mauvais. Barnabé enseigne la même doctrine dans son épître lorsqu'il parle de deux voies, celle de la lumière et celle des ténèbres, auxquelles certains anges sont préposés : à la voie de la lumière des anges de Dieu, à la voie des ténèbres des anges de Satan. Mais il ne faut pas penser que ce qu'ils suggèrent à nos cœurs, qu'il s'agisse des bonnes ou des mauvaises pensées, produise autre chose qu'un mouvement ou un stimulant qui nous pousse au bien ou au mal. Nous avons la possibilité, lorsqu'une puissance maligne s'est mise à nous provoquer au mal, de rejeter loin de nous ces suggestions mauvaises, de résister à leurs persuasions perverses et de ne faire absolument rien de coupable ; et en revanche aussi celle de ne pas suivre la puissance divine qui nous invite à agir mieux, car le pouvoir du libre arbitre reste sauf dans l'un et l'autre cas[35].

Nous disions plus haut que soit la providence divine soit les puissances contraires peuvent aussi éveiller en nous des souvenirs concernant le bien ou le mal. Cela est montré par le *Livre d'Esther* : Artaxerxès[36] ne se rappelait pas les bonnes actions du très juste Mardochée, mais alors qu'il était harcelé par des insomnies nocturnes, Dieu mit en sa mémoire l'inspiration de réclamer les livres contenant le récit de ses chroniques : mis alors au courant des services rendus par Mardochée il fit pendre son ennemi Aman,

Aman suspendi iuberet, ipsi honores magnificos, uniuersae
uero sanctorum genti salutem periculo iam imminente
conferret. Per contrariam uero diaboli uirtutem memoriae
285 pontificum et scribarum putandum est esse suggestum
illud, quod uenientes ad Pilatum dixerunt ; *Domine,
recordati sumus quoniam seductor ille dixit, dum adhuc
uiueret, quia post tertiam diem resurgam.* Sed et Iudas quod
de proditione saluatoris cogitauit, non fuit a sola mentis
290 eius malitia ueniens. Testata est enim scriptura quia
diabolus inmisisset in cor eius ut traderet eum. Propter
quod et Salomon recte praecipit dicens : *Omni custodia
serua tuum cor*, et Paulus apostolus <cum> ait : *Amplius
debemus intendere his, quae audiuimus, ne forte effluamus*,
295 et cum dicit : *Nolite dare locum diabolo*, ostendens per hoc
quia certo quo opere uel certa qua desidia animi locus
diabolo datur ut cum semel ingressus fuerit cor nostrum,
aut obtineat nos aut certe uel polluat animam, si non
penitus obtinere potuerit, cum ignita sua iacula iactat in
300 nos ; quibus aliquando quidem in altum descendente
uulnere sauciamur, aliquando uero tantummodo inflam-
mamur. Raro certe et a paucis quibusdam haec eius ignita
iacula restinguuntur, ita ut locum uulneris non inueniant,
id est, cum quis munitissimo et ualidissimo scuto fidei
305 fuerit obtectus. Quod uero dictum est in epistola ad
Ephesios : *Quia non est nobis conluctatio aduersus carnem
et sanguinem, sed aduersum principatus, aduersum potestates,
aduersus mundi huius rectores tenebrarum harum, aduersum
spiritalia nequitiae in caelestibus:* ita oportebit intellegi
310 quod dixit nobis, id est mihi Paulo et uobis Ephesiis et
quibuscumque non est conluctatio cum carne et sanguine ;

III, 2. 282 ipso GM ipsi autem AbS ‖ 293 cum *add. Koe* ‖ 295
locum dare g ‖ 302 a *om.* A *in ras.* B ‖ 309 oportebat g

III, 2. 286 : Matth. 27, 63 ‖ 291 : Jn 13, 2 ‖ 292 : Prov. 4, 23 ‖

lui fit rendre des honneurs magnifiques et sauva toute la nation sainte menacée par un péril imminent. C'est au contraire la puissance du diable, il faut le penser, qui remit en mémoire aux pontifes et aux scribes ce qu'ils allèrent dire à Pilate : *Seigneur, nous nous sommes souvenus de ce que ce séducteur a dit quand il était encore vivant : le troisième jour après je ressusciterai.* Lorsque Judas eut l'idée de livrer le Sauveur, elle ne venait pas seulement de son intelligence mauvaise : l'Écriture atteste en effet que le diable avait mis dans son cœur le désir de le livrer. C'est pourquoi Salomon a donné un bon précepte lorsqu'il a dit : *Garde ton cœur de toute manière*[37]. De même l'apôtre Paul en disant : *Nous devons accorder une plus grande attention à ce que nous entendons pour ne pas nous égarer,* et : *Ne donnez pas de place au diable :* il montre par là que certaines actions et une certaine négligence spirituelle donnent de la place au diable qui, une fois entré dans notre cœur, nous possède[38], ou du moins souille notre âme s'il ne peut la posséder complètement, en lançant en nous ses traits enflammés ; par là, tantôt il nous blesse, d'une blessure qui descend dans nos profondeurs, tantôt seulement il nous enflamme. Il arrive rarement que quelques-uns, peu nombreux, réussissent à éteindre ses traits enflammés, de sorte que l'on ne trouve plus trace de la blessure, et cela se produit lorsqu'on est protégé, comme par une fortification très solide, par le bouclier de la foi. Cela est dit réellement dans l'*Épître aux Éphésiens*[39] : *Nous n'avons pas à lutter contre la chair et le sang, mais contre les principautés, les puissances, les chefs de ce monde de ténèbres, les esprits de malice qui sont dans les cieux.* Il faudra comprendre de la sorte le mot *nous*, c'est-à-dire *moi*, Paul, et *vous*, Éphésiens, et tous ceux qui n'ont pas à lutter contre la chair et le sang : ce sont eux en effet

293 : Hébr. 2, 1 ‖ 295 : Éphés. 4, 27 ‖ 298 s. : Éphés. 6, 16 ‖ 306 : Éphés. 6, 12

his etenim certamen est aduersum principatus et potestates,
aduersus mundi huius rectores tenebrarum, non sicut erat
Corinthiis, quibus certamen adhuc aduersus carnem et
315 sanguinem erat, quos temptatio non adprehenderat nisi
humana.

5. Nec tamen putandum est quod singuli quique aduersum omnia haec decertent. Inpossibile enim id esse arbitror
ulli hominum, quamuis ille sit sanctus, ut aduersum omnia
320 haec simul possit habere certamen. Quodsi ullo modo id
accidat, quod certe fieri non potest, inpossibile est ut id
prorsus ferre possit humana natura sine maxima subuer-
sione sui. Sed sicut, uerbi gratia, quinquaginta aliqui
milites si dicant sibi imminere certamen aduersum alios
325 quinquaginta, non ita intellegendum est quod unus ex
ipsis aduersum quinquaginta dimicaturus sit, sed recte
quidem dicit unusquisque ipsorum quia certamen nobis est
aduersum quinquaginta, omnibus tamen aduersum omnes :
ita etiam hoc audiendum est, quod apostolus dicit, quod
330 uniuersis athletis uel militibus Christi conluctatio et
certamen est aduersum omnia ista, quae enumerata sunt ;
omnibus, singulis tamen uel cum singulis, futuro certamine,
uel certe prout probatum fuerit ab agonis ipsius iusto
praeside deo. Arbitror namque quia certa mensura sit
335 humanae naturae, etiamsi Paulus ille sit de quo dicitur :
<Vas electionis est mihi iste,> aut Petrus, aduersum quem
portae inferi non praeualent, aut si Moyses sit, amicus dei,
quorum nullus prorsus omnem simul aduersarum uirtutum
cateruam posset sine sui aliqua pernicie tolerare, nisi forte
340 illius solius uirtus operetur in eo qui dixit : *Confidite, ego*

III, 2. 312 principatum GAbSM[ac] ‖ 313 huius *om.* AbS *add.
sup. l.* A ‖ 313 erat *om.* BC ‖ 314 in *ante* corinthiis *add.* A *Koe* ‖ 327
quidem *om.* g ‖ 336 uas electionis est mihi iste *add. Del, quem Koe
secutus est* ‖ 337 ille *post* moyses *add. Del, quem Koe secutus est, reputans Del fortasse hausisse ex codice quodam nunc amisso, ut supra
ad l. 336 et ad III, 1, l. 733* ‖ 339 pernicie : laesione A ‖ nisi si
MAbSG[pc]C[ac] ‖ 340 quia *post* confidite *add.* B

qui ont à lutter contre les principautés et puissances, les chefs de ce monde de ténèbres. Il n'en était pas de même à Corinthe où l'on avait à lutter contre la chair et le sang : les Corinthiens n'étaient pas sujets à la tentation, si ce n'est à une tentation humaine[40].

La tentation ne dépasse jamais les forces de l'homme fortifié par Dieu — **2, 5.** Cependant il ne faut pas penser que chaque homme ait à lutter contre tout cela. Il est impossible, à mon avis, qu'un homme, aussi saint qu'il soit, puisse mener le combat contre tout cela à la fois. Si cela arrivait en quelque façon — mais certainement cela ne peut arriver —, il est impossible que la nature humaine puisse le supporter directement sans se détruire presque complètement elle-même[41]. Prenons un exemple : si cinquante soldats disent qu'ils vont lutter contre cinquante autres soldats, il ne faut pas comprendre que chacun d'entre eux soit sur le point de combattre les cinquante autres, mais chacun s'exprimera justement en disant : nous avons cinquante soldats à combattre, tous cependant contre tous. Il faut comprendre dans le même sens l'affirmation de l'Apôtre : tous les athlètes et soldats du Christ ont à lutter et à combattre contre toutes les puissances énumérées plus haut ; le combat aura lieu pour tous, mais cependant un contre un, et certainement comme le décidera le juste arbitre de cette lutte, Dieu. Je pense en effet que la nature humaine a des limites certaines, même s'il s'agit de Paul dont il est dit : *Celui-ci est pour moi un vase d'élection*[42], de Pierre contre qui ne l'emportent pas les portes de l'Hadès, ou de Moïse, l'ami de Dieu, car aucun d'eux ne pourrait supporter à la fois tout le bataillon des puissances adverses sans se ruiner lui-même en quelque façon, à moins que n'opère en lui la puissance de celui-là seul qui a dit : *Confiance ! c'est*

III, 2. 314 : I Cor. 10, 13 ‖ 336 : Act. 9, 15 ‖ Matth. 16, 18 ‖ 337 : Ex. 33, 11 ‖ 340 : Jn 16, 33

uici mundum. Propter quem confidenter etiam Paulus dicebat : *Omnia possum in eo, qui me confortat Christus,* et iterum : *Amplius autem quam omnes illi laboraui, non autem ego, sed gratia dei mecum.*

345 Propter hanc ergo uirtutem, quae utique humana non est, operantem et loquentem in se, Paulus dicebat : *Certus sum autem quia neque mors neque uita neque angeli neque principatus neque potestates neque praesentia neque futura neque uirtus neque altitudo neque profundum neque alia* 350 *ulla creatura poterit nos separare a caritate dei, quae est in Christo Iesu domino nostro.* Sola enim per se humana natura non arbitror quia possit aduersum angelos et excelsa et profunda et aliam creaturam habere certamen ; sed cum senserit praesentem in se dominum et inhabitantem, 355 confidentia diuini adiutorii dicet : *Dominus inluminatio mea et saluator meus, quem timebo? Dominus protector uitae meae, a quo trepidabo? Dum adpropiant super me nocentes, ut edant carnes meas, qui tribulant me inimici mei, ipsi infirmati sunt et ceciderunt. Si consistant aduersum me* 360 *castra, non timebit cor meum; si insurgat in me proelium, in hoc ego sperabo.*

Vnde ego arbitror quod numquam fortassis homo per se ipsum uirtutem contrariam uincere potest, nisi usus fuerit adiutorio diuino. Vnde et angelus dicitur luctatus 365 esse cum Iacob. Quod nos quidem ita intellegimus quia non idem sit luctatum esse cum Iacob angelum, quod est aduersum Iacob ; sed is quidem, qui ei salutis ipsius causa aderat, qui et cognitis profectibus eius etiam nomen ei Israhel dedit, iste cum ipso luctatur, id est, cum ipso est 370 in agone et iuuat eum in certamine, cum sine dubio alius esset, aduersum quem dimicaret et aduersum quem ei

---

III, 2. 354 habitantem g ǁ 355 dicit BC ǁ 357 adpropiant AC : adpropinquant *cett. codd.* ǁ 361 in hac BGM^{ac}

III, 2. 342 : Phil. 4, 13 ǁ 343 : I Cor. 15, 10 ǁ 346 : Rom. 8, 38 s. ǁ 355 : Ps. 26, 1 s. ǁ 364 : Gen. 32, 24 ǁ 368 : Gen. 32, 28

moi qui ai vaincu le monde. C'est à cause de lui que Paul disait en toute confiance : *Je puis tout en celui qui me fortifie, le Christ ;* et de même : *J'ai travaillé plus qu'eux tous, non moi, mais la grâce de Dieu avec moi.*

A cause de cette puissance, assurément non humaine, qui agissait et parlait en lui, Paul disait : *Je suis certain que ni la mort ni la vie, ni les anges ni les principautés ni les puissances, ni le présent ni le futur, ni la force ni la hauteur ni la profondeur, ni aucune créature, ne pourra nous séparer de la charité de Dieu, qui est dans le Christ Jésus notre Seigneur.* Je ne pense pas que la nature humaine laissée à elle seule pourrait entrer en lutte contre les anges, contre les hauteurs et les profondeurs, contre les autres créatures, mais lorsqu'elle aura senti le Seigneur présent en elle[43] et y habitant, dans sa confiance en l'aide divine elle dira : *Le Seigneur est ma lumière et mon salut, que craindrai-je? Le Seigneur est le protecteur de ma vie, de quoi aurai-je peur? Pendant que s'approchent de moi ceux qui veulent me nuire pour manger mes chairs, mes ennemis qui me tourmentent ont été pris de faiblesse et sont tombés. S'ils établissent contre moi un camp, mon cœur ne craindra pas ; si une bataille s'engage contre moi, en celui-ci (le Seigneur) j'espérerai.*

C'est pourquoi je pense que jamais peut-être l'homme ne peut vaincre par lui-même une puissance contraire sans utiliser l'aide divine. C'est pourquoi on dit qu'un ange lutta avec Jacob. Ce n'est pas pareil de dire, d'après la compréhension que nous en avons, qu'un ange lutta avec Jacob et qu'un ange lutta contre Jacob ; mais cet ange qui était à ses côtés pour son salut, qui, connaissant ses progrès, lui donna aussi le nom d'Israël[44], lutte avec lui, c'est-à-dire : il est avec lui dans la lutte et il l'aide dans le combat, alors qu'il y en avait sans aucun doute un autre, contre lequel Jacob luttait, contre lequel il menait le combat.

certamen ageretur. Denique Paulus non dixit nobis esse luctamen cum principibus uel cum potestatibus, sed aduersum principatus et aduersum potestates. Vnde si et
375 Iacob luctatus est, sine dubio aduersum aliquam harum uirtutum luctatus est, quas humano generi et sanctis praecipue aduersari et mouere certamina Paulus enumerat. Ideo denique dicit de eo scriptura quia luctatus est cum angelo, et inualuit ad deum, ut sit agonis quidem certamen
380 angeli adiutorio sustentatum, perfectionis uero palma uincentem perducat ad deum.

6. Nec sane arbitrandum est quia huiuscemodi certamina corporum robore et palaestricae artis exercitiis peragantur, sed spiritui aduersum spiritum pugna est, similiter ut
385 Paulus designat aduersum principatus et potestates et mundi huius rectores tenebrarum nobis imminere certamen. Ipsa uero certaminum species ita intellegenda est, cum damna, cum pericula, cum obprobria, cum criminationes excitantur aduersum nos, non id agentibus aduersariis
390 potestatibus, ut haec tantummodo patiamur, sed ut per haec uel ad iram multam uel ad nimiam tristitiam uel ad desperationem ultimam prouocemur, uel certe, quod est grauius, conqueri aduersum deum fatigati et uicti taediis compellamur, tamquam humanam uitam non aeque
395 iusteque moderantem ; ut per haec uel infirmemur in fide uel decidamus ab spe uel transferri cogamur a ueritate dogmatum et impium aliquid de deo sentire suadeamur. Talia namque quaedam scripta sunt de Iob, cum diabolus dari sibi facultatem bonorum eius poposcisset a deo. Per
400 quod etiam illud edocemur, quoniam non fortuitis aliquibus incursionibus inpugnemur, si quando nos talia aliqua facultatum damna percusserint, neque quod fortuito

---

III, 2. 389 sed *post* agentibus *add.* A ‖ 390 ut² : et A

III, 2. 372 : Éphés. 6, 12 ‖ 378 : Gen. 32, 24.28 ‖ 385 : Éphés. 6, 12 ‖ 398 : Job 1, 11 s.

Ainsi, Paul ne nous dit pas que nous avons à lutter avec les princes et les puissances, mais contre[45] les principautés et les puissances. En conséquence, si Jacob a lutté, c'est sans aucun doute contre l'une de ces puissances qui, d'après l'énumération de Paul, s'opposent au genre humain et principalement aux saints et mènent contre eux le combat. C'est pourquoi enfin l'Écriture dit de Jacob qu'il a lutté avec l'ange et qu'il a pris de la force en allant vers Dieu[46], afin de signifier que son combat et sa lutte furent menés avec l'aide de l'ange et que la palme de la perfection a conduit le vainqueur à Dieu.

Les combats spirituels sont permis par Dieu   **2, 6.** Certes, il ne faut pas penser que de tels combats sont menés par le moyen de la force corporelle et des exercices de la palestre, mais c'est un esprit qui se bat contre un esprit, puisque Paul nous indique qu'un combat nous attend contre les principautés et les puissances, les chefs de ce monde de ténèbres. Le genre de lutte qu'il faut entendre par là, c'est que lorsqu'on nous cause toute sorte de dommages, de périls, d'opprobres, d'accusations[47], l'intention des puissances adverses qui les suscitent n'est pas seulement de nous faire souffrir, mais de nous exciter à de grandes colères, à des tristesses excessives, jusqu'aux limites du désespoir, et aussi, ce qui est plus grave, de nous pousser, accablés de fatigue et vaincus par le dégoût, à nous plaindre de Dieu, comme s'il ne gouvernait pas la vie des hommes d'une manière équitable et juste ; leur but est d'affaiblir notre foi, de nous faire déchoir de l'espérance, de nous forcer à abandonner la vérité de nos doctrines et de nous persuader à avoir de Dieu des pensées impies[48]. L'Écriture rapporte de pareilles choses au sujet de Job, lorsque le diable eut demandé à Dieu de lui donner pouvoir sur ses biens. Elle nous enseigne[49] que nous ne sommes pas l'objet d'attaques fortuites, lorsque nous

nostrorum aliquis captiuus abducitur uel domorum ruinae,
in quibus cari quique opprimantur, eueniunt ; in quibus
405 omnibus unusquisque fidelium debet dicere quia : *non
haberes aduersum me potestatem, nisi esset tibi data desuper.*
Vide enim quia non cecidisset domus Iob supra filios eius,
nisi prius aduersum eos accepisset diabolus potestatem ;
neque equites ternis ordinibus inruissent, ut raperent
410 camelos eius uel boues ceteraque animalia, nisi instincti
ab eo spiritu, cui se ministros ex propositi sui oboedientia
mancipauerant. Sed ne ille quidem qui uidebatur ignis uel
quod putatum est fulmen cecidisset super oues Iob,
antequam diabolus diceret ad deum : *Nonne tu communisti
415 omnia, quae foris sunt et quae intus sunt eius, et reliqua?
Sed nunc immitte manum tuam et continge omnia quae habet,
nisi in faciem te benedixerit.*

7. Ex quibus omnibus illud ostenditur, quod omnia haec,
quae fiunt in hoc mundo, quae media aestimantur, siue
420 illa tristia sint siue quoquomodo sunt, non quidem a deo
fiunt nec tamen sine deo, dum malignas et contrarias
uirtutes talia uolentes operari non solum non prohibet
deus, sed et permittit facere haec, sed certis quibusque et
temporibus et personis ; sicut et in ipso Iob dicitur quia
425 ad certum tempus paratus est cadere sub alios, et domus
ipsius depraedari ab iniquis. Propterea docet nos scriptura
diuina omnia quae accidunt nobis tamquam a deo illata
suscipere, scientes quod sine deo nihil fit. Quod autem
haec ita sint, id est, quod nihil sine deo fiat, quomodo
430 possumus dubitare, domino et saluatore euidenter pronun-
tiante et dicente : *Nonne duo passeres asse ueneunt, et unus*

III, 2. 405 debet dicere a : diceret g ‖ 420 tristia : tristitia GMS
‖ quoquomodo sunt BCGMᵃᶜ : quoquomodo sint quomodo sunt A
quoquomodo sint AbSMᵖᶜ ‖ 423 et² *om.* g

III, 2. 403 : Job 1, 17 s. ‖ 405 : Jn 19, 11 ‖ 407 : Job 1, 17 s. ;
1, 12 ‖ 411 : Rom. 6, 16 ‖ 413 : Job 1, 16 ‖ 414 : Job 1, 10 s. ‖ 424 :
Job 1, 13 s. ‖ 431 : Matth. 10, 29

sommes atteints dans nos biens par des dommages semblables, et que ce n'est pas par hasard que l'un des nôtres
est emmené en captivité ou que des maisons s'écroulent,
écrasant des personnes chères ; en tout cela chaque fidèle
doit dire : *Tu n'aurais pas de pouvoir contre moi, s'il ne
t'avait pas été donné d'en haut.* Tu peux constater que la
maison de Job ne serait pas tombée sur ses fils, si auparavant le diable n'avait pas reçu pouvoir contre eux ; que les
cavaliers n'auraient pas fait irruption en trois bandes pour
enlever ses chameaux, ses bœufs et le reste de son bétail,
s'ils n'avaient pas été poussés par cet esprit dont ils s'étaient
faits les serviteurs en lui obéissant par leur volonté. Même
ce qui paraissait du feu ou que l'on prenait pour la foudre
ne serait pas tombé sur les brebis de Job avant que le
diable n'ait dit à Dieu : *N'as-tu pas entouré de fortifications
tout ce qu'il a au-dehors et tout ce qu'il a au-dedans, etc.?
Mais maintenant, étends la main et touche à tous ses biens,
tu verras s'il te bénira en face.*

2, 7. Tout cela montre que tout ce qui arrive dans le
monde et qu'on estime moralement indifférent[50], que ce
soit funeste ou d'une autre nature, ne vient pas de Dieu,
mais ne se produit pas non plus sans Dieu[51], car Dieu
non seulement n'empêche pas les puissances malignes et
contraires qui veulent faire quelque chose de l'accomplir,
mais même il le permet dans certaines conditions de temps
et de personnes : c'est ainsi qu'il est dit de Job lui-même
qu'à un certain moment il fut prêt de tomber sous le
pouvoir d'autres et de voir sa maison pillée par les impies.
C'est pourquoi l'Écriture divine nous enseigne à accueillir
tout ce qui nous arrive comme venant de Dieu, en sachant
que sans Dieu rien ne se produit. Que les choses en soient
ainsi, c'est-à-dire que rien ne se produise sans Dieu,
comment pouvons-nous le mettre en doute, alors que notre
Seigneur et Sauveur proclame en toute clarté : *Deux
passereaux ne se vendent-ils pas un as et l'un d'entre eux*

ex ipsis non cadet super terram sine patre uestro, qui in caelis est?

435 Sed necessitas nos traxit paulo amplius euagari de conluctatione aduersarum uirtutum, quam aduersum homines gerunt, disputantes et de his, quae humano generi accidunt tristioribus, id est temptationibus uitae huius, sicut ait Iob : *Nonne temptatio est omnis uita hominis super terram?* ut manifestius quomodo haec accidant et

440 quam pie de his sentiri debeat, panderetur. Nunc uero uideamus quomodo homines etiam in peccatum falsae scientiae dilabuntur, uel quo prospectu uirtutes contrariae etiam de his pugnas aduersum nos soleant commouere.

3. De triplici sapientia

1. Docere nos uolens sanctus apostolus magnum aliquid et reconditum de scientia et sapientia in prima ad Corinthios epistola ait : *Sapientiam autem loquimur inter perfec-*

5 *tos; sapientiam uero non huius mundi neque principum huius mundi, qui destruuntur, sed loquimur dei sapientiam in mysterio absconditam, quam praedestinauit deus ante saecula in gloriam nostram, quam nemo principum huius mundi cognouit. Si enim cognouissent, numquam dominum*

10 *maiestatis crucifixissent.* In quo ostendere uolens sapientiarum differentias, describit esse quandam sapientiam huius mundi, et esse quandam sapientiam principum huius mundi, aliam uero esse dei sapientiam. Sed et hoc cum dicit : *Sapientiam principum huius mundi*, non arbitror

15 eum unam aliquam omnium principum huius mundi

III, 2. 432 cadet a : cadit g ‖ 442 delabuntur A dilatabuntur G M^{ac}

III, 3. *Inscriptio latina deest in omnibus codd., praeter BC, qui autem praebent amplificato sermone non hic sed ante* nunc uero *(III, 2, l. 440). Huc transp., perstricto sermone, Del, quem Koe secutus est.* ‖ 15 eum unam a : cummunam GM^{ac} communem AbSM^{pc}

tombe-t-il sur terre sans que le veuille votre Père qui est aux cieux[52]?

Nous avons été contraints[53] à nous étendre un peu plus sur la lutte que les puissances adverses mènent contre les hommes, en discutant aussi des événements plus pénibles qui affectent le genre humain, c'est-à-dire des tentations de cette vie, selon ce que dit Job : *Toute vie d'homme sur terre n'est-elle pas tentation?* Nous voulions ainsi montrer avec plus de clarté comment tout cela arrive et ce qu'il faut en penser pour le faire pieusement. Maintenant, voyons aussi comment les hommes tombent dans le péché de la fausse connaissance et dans quel but les puissances contraires engagent aussi sur ce point la lutte contre nous.

Deuxième section: Des trois formes de sagesse (III, 3)

La triple sagesse   **3, 1.** Le saint apôtre, voulant nous donner un grand et mystérieux enseignement au sujet de la connaissance et de la sagesse dans la *première épître aux Corinthiens*, dit : *Mais nous, nous parlons de la sagesse entre parfaits, la sagesse non de ce monde, ni des princes de ce monde qui sont détruits*[1], *mais nous parlons de la sagesse de Dieu cachée dans le mystère, celle que Dieu avant tous les siècles a prédestinée à servir à notre gloire, celle qu'aucun des princes de ce monde n'a connue. S'ils l'avaient connue, jamais ils n'auraient crucifié le Seigneur de majesté.* Dans ce texte, voulant montrer quelles sont les différentes sagesses, il écrit qu'il y a une certaine *sagesse de ce monde* et une certaine *sagesse des princes de ce monde* et qu'autre est la *sagesse de Dieu*[2]. Par ces paroles : *la sagesse des princes de ce monde*, il ne veut pas dire, à mon avis, qu'il existe une sagesse pour

III, 2. 438 : Job 7, 1.
III, 3. 4 : I Cor. 2, 6 s. ‖ 14 : I Cor. 2, 6

sapientiam dicere, sed singulorum principum propriam
quandam mihi uidetur indicare sapientiam. Et rursum
cum dicit : *Sed loquimur dei sapientiam in mysterio abscon-*
ditam, quam praedestinauit deus ante saecula in gloriam
20 *nostram*, requirendum est si eandem dicit dei sapientiam
hanc, quae abscondita est ac temporibus aliis et generationibus non innotuit filiis hominum, sicut nunc reuelata
est sanctis apostolis eius et prophetis, quae erat et illa
ante aduentum saluatoris sapientia dei, ex qua sapiens
25 erat Salomon, a quo Salomone plus esse quod docet
saluator, ipsius saluatoris sermo pronuntiat, cum dicit :
Et ecce plus <a> Salomone hic ; in quo ostenditur quia hi
qui docebantur a saluatore plus aliquid docebantur quam
scierat Salomon. Si enim quis dicat quia sciebat quidem
30 saluator amplius, non tamen etiam aliis tradebat plura
quam Salomon, quomodo conuenit et consequenter dictum
putabitur etiam illud quod in subsequentibus ait : *Regina*
austri surget in iudicio et condemnabit homines generationis
huius, propter quod uenit a finibus terrae audire sapientiam
35 *Salomonis, et ecce plus a Salomone hic?* Est igitur sapientia
mundi huius, est et sapientia per singulos fortasse principes
mundi huius. De ipsa uero unius dei sapientia illud sentimus
indicari, quod minus quidem in antiquioribus et ueteribus
operata sit, amplius uero et manifestius reuelata per
40 Christum est. Verum de sapientia dei in locis propriis
requiremus.

2. Nunc uero quoniam quidem in manibus est tractatus
de contrariis uirtutibus, qualiter moueant etiam ea certamina, quibus falsa scientia humanis mentibus inseritur et

III, 3. 21 ac AB : a gC ‖ 27 salomone *codd.* : a salomone *corr.*
Koe, conferens l. 25 et l. 35 ‖ 35 plus a salomone BC : plus solomone
GM plus salomone AbS plus quam salamon A *(Vulg.)*

III, 3. 18 : I Cor. 2, 7 ‖ 27 : Matth. 12, 42 ‖ 32 : Matth. 12, 42

tous les princes de ce monde, mais, me semble-t-il, il indique qu'il y a une sagesse propre à chacun des princes de ce monde³. Pareillement lorsqu'il dit : *Mais nous parlons de la sagesse de Dieu cachée dans le mystère, celle que Dieu avant tous les siècles a prédestinée à servir à notre gloire*, il faut se demander s'il identifie cette sagesse de Dieu qui est cachée, et que Dieu n'a pas fait connaître dans les autres époques et les autres générations aux fils des hommes comme il l'a révélée maintenant à ses saints apôtres et prophètes, avec cette sagesse de Dieu qui existait aussi avant la venue du Sauveur, celle qui rendait sage Salomon, alors que ce qu'enseigne le Sauveur est plus sage que Salomon⁴, d'après la parole du Sauveur lui-même : *Voici qu'il y a ici plus que Salomon :* cela montre en effet que les disciples du Sauveur recevaient plus de doctrine que ce qu'avait eu Salomon. Si on objecte que, certes, le Sauveur en savait davantage, mais que cependant il ne donnait pas aux autres plus de doctrine que Salomon⁵, comment concilier avec cela et comment lui accorder logiquement ce qui est dit à la suite : *La reine du Midi se dressera au jour du jugement et condamnera les hommes de cette génération, parce qu'elle est venue des confins de la terre pour entendre la sagesse de Salomon, et voici qu'il y a ici plus que Salomon !* Il y a donc une sagesse de ce monde et il y a aussi une sagesse pour chacun peut-être des princes de ce monde. A propos de la sagesse du Dieu unique il est indiqué, pensons-nous, qu'elle a agi de façon moindre auprès des hommes de l'antiquité, des hommes d'autrefois, mais qu'elle s'est révélée plus complètement et plus clairement dans le Christ. Mais de cette sagesse de Dieu nous traiterons en son lieu⁶.

3, 2. Puisque nous sommes en train

Sagesse de ce monde et sagesse des princes de ce monde de traiter des puissances contraires et de la manière dont elles mènent des combats contre nous⁷, ces puissances qui insinuent dans les intelligences humaines une fausse

45 seducuntur animae, dum se putant inuenisse sapientiam,
necessarium puto discernere atque distinguere, quae sit
sapientia mundi huius et quae principum mundi huius,
ut per hoc qui sint etiam patres huius sapientiae, immo
uero sapientiarum harum, possimus aduertere. Arbitror
50 igitur, sicut supra diximus, sapientiam esse huius mundi
aliam quandam praeter illas sapientias, quae sunt principum huius mundi, per quam sapientiam intellegi uidentur
et conprehendi ea, quae huius mundi sunt. Quae tamen
nihil in se habet, ut possit aliquid uel de diuinitate uel
55 de mundi ratione uel de quibuscumque excelsioribus rebus
uel de bonae ac beatae uitae institutione sentire, sed est
talis, uerbi causa, ut est omnis ars poëtica uel grammatica
uel rhetorica uel geometrica uel musica, cum quibus
adnumeranda est fortassis etiam medicina. In his omnibus
60 sapientiam mundi huius inesse censendum est. Sapientiam
uero principum huius mundi intellegimus, ut est Aegyptiorum secreta quam dicunt et occulta filosofia et Chal-
deorum astrologia et Indorum de scientia excelsi polli-
centium, sed et Graecorum multiplex uariaque de diuinitate
65 sententia. Igitur in scripturis sanctis inuenimus principes
esse per singulas gentes, sicut in Danihelo legimus principem quendam esse regni Persarum et alium principem
regni Graecorum, quos non homines esse sed uirtutes
quasdam, euidenter ex consequentia ipsius lectionis
70 ostenditur. Sed et in Hiezechihelo propheta princeps Tyri
uirtus esse quaedam spiritalis manifestissime designatur.
Hi ergo et alii huiusmodi principes huius mundi, habentes
singuli sapientias suas et adstruentes dogmata sua uarias-
que sententias, ut uiderunt dominum et saluatorem
75 nostrum pollicentem et praedicantem se ob hoc uenisse in

III, 3. 46 discernere a : dicere g ‖ 47 et quae — huius *om.* C *in*
A^pc *tantum mg.* ‖ 61 intellegimus a : intellegamus g

III, 3. 66 : Dan. 10, 13.20 ‖ 70 : Éz. 28 ‖ 75 : Jn 18, 37

connaissance et séduisent les âmes[8], alors que celles-ci
pensent avoir trouvé la sagesse, il me paraît nécessaire
de discerner et de distinguer ce qu'est la sagesse de ce
monde et ce qu'est la sagesse des princes de ce monde,
pour que nous puissions ainsi remarquer qui sont les pères
de cette sagesse, ou mieux de ces sagesses. Je pense donc,
comme on l'a dit plus haut, que la sagesse de ce monde
est autre chose que les sagesses qui sont des princes de ce
monde : c'est par cette sagesse, semble-t-il, que l'on conçoit
et comprend ce qui est de ce monde. Rien en elle ne peut
nous donner quelque idée de la divinité, de la nature
du monde, ou de tout ce qui est d'un ordre plus élevé,
ni même de la manière dont on peut mener une vie bonne
et bienheureuse ; elle est de même nature, par exemple,
que la poésie, la grammaire, la rhétorique, la musique, on
peut y ajouter peut-être aussi la médecine. Dans tous
ces arts, croyons-nous, est présente la sagesse du monde[9].
Nous entendons par sagesse des princes de ce monde ce
qu'on appelle la philosophie mystérieuse et occulte des
Égyptiens, l'astrologie des Chaldéens, la sagesse des
Indiens, qui promettent la connaissance des réalités supérieures[10], et aussi les opinions multiples et variées des Grecs
sur la divinité[11]. Nous voyons donc dans les Écritures
saintes qu'il y a des princes au-dessus de chaque nation :
ainsi nous lisons dans Daniel qu'il y a un prince du royaume
des Perses et un prince du royaume des Grecs, et la logique
même de son texte montre à l'évidence qu'il ne s'agit pas
d'hommes, mais de certaines puissances. Dans le prophète
Ézéchiel il est indiqué très clairement que le prince de
Tyr est une puissance spirituelle[12]. Ces princes de ce monde
et les autres du même genre, ayant chacun leur sagesse,
professant leurs doctrines et des opinions diverses,
lorsqu'ils virent notre Seigneur et Sauveur promettre dans
sa prédication qu'il était venu en ce monde pour détruire

hunc mundum, ut destrueret omnia quaecumque illa esser
falsi nominis scientiae dogmata, continuo quis obtegeretu
intrinsecus ignorantes, insidiati sunt ei ; *adstiterunt enir
reges terrae, et principes conuenerunt in unum aduersu*
80 *dominum et aduersus Christum eius.* Quibus eorum insidii
cognitis et his, quae aduersum filium dei moliti sunt
intellectis, cum dominum gloriae crucifixerunt, ait aposto
lus quia *sapientiam loquimur inter perfectos, sapientiar
autem non huius saeculi neque principum huius saeculi, qu*
85 *destruuntur, quam nemo principum huius mundi cognoui
Si enim cognouissent, numquam dominum maiestati
crucifixissent.*

3. Quaerendum sane est, utrum istae sapientiae princi
pum huius mundi, quibus homines inbuere nituntur
90 insidiandi et laedendi studio ingerantur hominibus al
aduersariis uirtutibus, an tantummodo erroris caus.
adhibentur, id est, non laedendi homines prospectu, se
quia haec uera esse ipsi illi mundi huius principes arbi
trentur, ideo etiam ceteros docere cupiant ea, quae ips
95 uera esse opinantur : quod et magis arbitror. Sicut enim
uerbi causa, Graecorum auctores uel uniuscuiusque haere-
seos principes cum prius ipsi errorem falsae doctrinae pr
ueritate susceperint et hanc esse ueritatem apud semet
ipsos iudicauerint, tunc demum etiam ceteris haec eadem
100 persuadere conantur, quae apud semet ipsos uera esse
censuerint : ita putandum est facere etiam principes huius
mundi, in quo mundo certae quaeque spiritales uirtutes

III, 3. 77 quis : quid AC^{pc} || 85 *inter* destruuntur *et* quam *lacunam
signauit Koe, reputans intercidisse, nisi totum I Cor. 2, 7, saltem huius
loci partem, uelut* <sed loquimur dei sapientiam> : *sed nescio an
recte. Nam sensus sermonis etiam sine supplemento bene fluit, qua re
conici potest Origenem hic ex I Cor. 2, 6-8 adduxisse tantum uerba ad
contextum necessaria* || 88 istae sapientiae a : ista sapientia g || 90
ingerantur : ingerentur M^{ac} ingeritur M^{pc} ingenerantur C || 92
adhibentur : adhibeantur M^{pc} *Koe* || homines GAbS : hominis a M

toutes les doctrines relevant de ce qui est faussement appelé connaissance[13], ignorant quelle était sa personnalité cachée[14], lui ont aussitôt tendu des embûches. En effet, *les rois de la terre se sont dressés et les princes se sont rassemblés contre le Seigneur et contre son Christ.* Ayant connu leurs embûches et compris celles qu'ils ont machinées contre le Fils de Dieu lorsqu'ils ont crucifié le Seigneur de la gloire, l'Apôtre dit : *Nous parlons de la sagesse entre parfaits, la sagesse non de ce monde, ni des princes de ce monde qui sont détruits, celle qu'aucun des princes de ce monde n'a connue. S'ils l'avaient connue, jamais ils n'auraient crucifié le Seigneur de majesté.*

3, 3. On peut se demander si ces

Les princes de ce monde sont-ils de bonne ou de mauvaise foi ? sagesses des princes de ce monde, dont ils s'efforcent d'imprégner les hommes, leur sont présentées par les puissances adverses en vue de leur tendre des embûches et de leur nuire, ou si leur origine est seulement l'erreur, c'est-à-dire que les princes de ce monde n'ont pas pour but de causer des dommages aux hommes, mais qu'ils pensent que ces sagesses sont vraies, et c'est pourquoi ils désirent enseigner aux hommes ce qu'ils jugent vrai : le second cas me semble plus probable[15]. On peut les comparer, par exemple, aux penseurs grecs et aux chefs d'écoles (ou hérésiarques)[16] : à partir du moment où ils ont pris pour vérité une doctrine fausse et erronée, qu'ils ont jugé en eux-mêmes qu'elle est la vérité, alors précisément ils essaient de persuader les autres de ce qu'ils pensent en eux-mêmes être vrai. Ainsi, faut-il penser, agissent aussi les princes de ce monde, monde dans lequel certaines puissances spirituelles ont

---

Koe ‖ 93 arbitrentur a : arbitrantur g *(recte?)* ‖ 96 hereseos BC hereses A heresis g *Koe* ‖ 96-97 principes heresis g

III, 3. 76 : I Tim. 6, 20 ‖ 78 : Ps. 2, 2 ‖ 83 : I Cor. 2, 6.8

certarum gentium sortitae sunt principatum et propter
hoc mundi huius principes appellatae sunt.

105 Sunt praeterea etiam aliae praeter hos principes speciales
quaedam mundi huius energiae, id est uirtutes aliquae
spiritales, certa quaeque inoperantes, quae ipsae sibi pro
arbitrii sui libertate ut agerent elegerunt, ex quibus sunt
isti spiritus, qui inoperantur sapientiam huius mundi :
110 uerbi causa, ut sit propria quaedam energia ac uirtus, quae
inspirat poeticam, alia, quae geometriam, et ita quaeque
singulas quasque huiuscemodi artes disciplinasque com-
moueant. Denique quam plurimi Graecorum opinati sunt
artem poeticam sine insania non posse constare ; unde et
115 in historiis eorum refertur aliquotiens eos, quos uates
appellant, subito insaniae cuiusdam spiritu esse subpletos.
Quid autem dicendum est etiam de his, quos diuinos
appellant, a quibus per inoperationem daemonum eorum,
qui eis praesunt, uersibus arte modulatis responsa profe-
120 runtur ? Sed et hi, quos magos uel maleficos dicunt,
aliquotiens daemonibus inuocatis supra pueros adhuc
paruae aetatis, uersu eos dicere poemata admiranda
omnibus et stupenda fecerunt. Quae hoc modo geri arbi-
tranda sunt, quod sicut sanctae et inmaculatae animae,
125 cum se omni affectu omnique puritate uouerint deo et
alienas se ab omni daemonum contagione seruauerint et
per multam abstinentiam purificauerint se et piis ac
religiosis inbutae fuerint disciplinis, participium per hoc
diuinitatis adsumunt et prophetiae ceterorumque diui-
130 norum donorum gratiam promerentur : ita putandum est
etiam eos, qui se opportunos contrariis uirtutibus exhibent,
id est industria uita uel studio amico illis et accepto,
recipere eorum inspirationem et sapientiae eorum ac
doctrinae participes effici. Ex quo fit ut eorum inopera-
135 tionibus repleantur, quorum se prius famulatui subiugarint.

III, 3. 111 alia quae A : aliae quae BC aliae quaedam g ‖ geome-
tricam CGMᵖᶜ ‖ quaeque AbS : quae aM que G ‖ 130 donorum *om.*
gC ‖ 132 uitae g

reçu en partage le gouvernement de certaines nations et sont appelées pour cela princes de ce monde.

Magiciens ou prophètes, inspirés par les puissances mauvaises ou bonnes Il y a aussi, outre ces princes, certaines forces de ce monde, c'est-à-dire des puissances spirituelles, consacrées à un certain genre d'action, qu'elles ont choisi elles-mêmes conformément à leur libre arbitre et parmi elles se trouvent ces esprits[17] qui agissent sur la sagesse de ce monde : par exemple une force ou puissance particulière inspire la poésie, une autre la géométrie, et ainsi animent-elles chaque art ou discipline de ce genre. Aussi de nombreux Grecs ont pensé qu'il ne pouvait y avoir de poésie sans folie ; et leurs histoires rapportent que parfois ceux qu'ils appellent *vates*[18] sont soudain envahis par un esprit de folie. Que dire encore de ceux qu'ils nomment devins et qui, par l'opération des démons qui les gouvernent, profèrent des oracles dans des vers modulés avec art. Mais ceux qu'ils disent magiciens ou auteurs de maléfices, parfois après avoir invoqué les démons sur des enfants encore petits, leur ont fait dire des poèmes dignes de plonger tout le monde dans l'étonnement et la stupéfaction. Tout se passe de la même façon que lorsque des âmes saintes et sans tache[19], qui se sont vouées à Dieu de toute leur volonté et en toute pureté, qui se sont tenues à l'écart de toute contagion démoniaque, qui se sont purifiées par une grande abstinence et se sont instruites des doctrines pieuses et religieuses, ont acquis par là une participation à la divinité[20] et ont mérité de recevoir la grâce de la prophétie et de tous les autres dons divins ; de même, il faut le penser, ceux qui se sont livrés aux puissances contraires, et cela par leur activité, leur vie et un zèle en leur faveur qui leur est agréable, reçoivent leur inspiration[21] et deviennent participants à leur sagesse et à leur doctrine. Il s'ensuit qu'ils deviennent les sujets de leurs opérations, puisqu'ils se sont d'abord assujettis à leur esclavage.

4. De his sane qui de Christo aliter docent quam scripturarum regula patitur, non otiosum est intueri, utrum
insidioso proposito aduersum Christi fidem nitentes
contrariae uirtutes fabulosa quaedam simul et impia
140 dogmata commentatae sint, an uero etiam ipsae audito
uerbo Christi et neque euomere id ualentes ex arcanis
conscientiae suae neque pure sancteque retinere, per uasa
opportuna sibi et, ut ita dicam, per prophetas suos diuersos
errores contra regulam christianae ueritatis induxerint.
145 Et magis putandum est quod apostatae et refugae uirtutes,
quae a deo recesserint, uel ipsa mentis suae propositique
nequitia uel inuidia eorum, quibus ueritate cognita ad
illum gradum, unde illae dilapsae sunt, praeparatur
ascensus, ad impediendos huiuscemodi profectus errores
150 hos falsae doctrinae deceptionesque conponunt.

Manifeste ergo et ex multis indiciis demonstratur quod
humana anima, dum in hoc corpore est, recipere potest
diuersas energias, id est inoperationes, spirituum diuer-
sorum malorum ac bonorum ; et malorum quidem duplici
155 specie, id est uel tunc, cum penitus ex integro eorum
possederint mentem, ita ut nihil omnino eos quos obsederint
intellegere uel sentire permittant, sicut exemplo sunt hi,
quos uulgo energumenos uocant, quos amentes et insanos
uidemus, quales et illi erant qui in euangelio a saluatore
160 curati esse referuntur, uel cum sentientem quidem et
intellegentem animum cogitationibus uariis et sinistris
persuasionibus inimica suggestione deprauant, ut exemplo
est Iudas ad proditionis facinus diaboli inmissione prouo-

III, 2. 139 contrariae uirtutes *om.* g ‖ simul *om.* g

3, 4. Au sujet de ceux qui enseignent

Les puissances qui inspirent les hérésies

le Christ autrement que le permet la règle posée par les Écritures[22], il n'est pas inutile de voir si c'est dans un but hostile à la foi dans le Christ que les puissances contraires[23] se sont efforcées d'imaginer des doctrines à la fois mythiques et impies, ou si ces mêmes puissances, ayant entendu la parole du Christ, ne pouvant la rejeter des profondeurs de leur conscience, ni la garder de façon pure et sainte, par le moyen d'instruments qui leur étaient dociles et, pour ainsi dire, par leurs propres prophètes, ont introduit diverses erreurs contre la règle de la vérité chrétienne. Il faut penser plutôt que ces puissances apostates et trans-fuges qui se sont éloignées de Dieu inventent les erreurs et les tromperies de leur doctrine fausse, soit à cause de la méchanceté même de leur intelligence et de leur volonté, soit à cause de leur jalousie[24] contre ceux qui se préparent à monter par la connaissance de la vérité au degré même d'où elles sont tombées, afin d'empêcher de tels progrès[25].

Il est montré clairement[26] et par de

L'inspiration du mauvais esprit et celle du bon esprit

multiples indices que l'âme humaine, tant qu'elle se trouve dans le corps, peut être sujette à diverses actions ou opérations d'esprits divers, mauvais ou bons[27]. Et les mauvais agissent de deux façons : ou bien en possédant complètement et entièrement l'intelligence, au point de ne pas laisser ceux qu'ils obsèdent comprendre ou penser quoi que ce soit, comme c'est le cas de ceux qu'on appelle vulgairement énergumènes et que nous voyons dans un état de démence et de folie, pareils à ceux qui d'après l'Évangile furent guéris par le Sauveur ; ou bien en dépravant par des suggestions hostiles, à l'aide d'idées diverses et de persuasions funestes[28], une intelligence qui pense et qui comprend, comme ce fut le cas de Judas, poussé au crime de trahison par l'action du diable, selon

catus, sicut scriptura declarat dicens : *Cum autem iam*
165 *immisisset diabolus in cor Iudae Scariothis ut traderet eum.*
Boni uero spiritus recipit quis energiam uel inoperationem,
cum mouetur et prouocatur ad bona et inspiratur ad
caelestia uel diuina ; sicut sancti angeli et ipse deus inope-
ratus est in prophetis, suggestionibus sanctis ad meliora
170 prouocans et cohortans, ita sane ut maneret in arbitrio
hominis ac iudicio, si sequi uelit aut nolit ad caelestia et
diuina prouocantem. Vnde et ex hoc manifesta discretione
dinoscitur, quando anima melioris spiritus praesentia
moueatur, id est, si nullam prorsus ex imminenti adspira-
175 tione obturbationem uel alienationem mentis incurrat nec
perdat arbitrii sui iudicium liberum ; sicut exemplo sunt
omnes uel prophetae uel apostoli, qui diuinis responsis
sine ulla mentis obturbatione ministrabant. Boni ergo
spiritus suggestionibus humanam memoriam ad recorda-
180 tionem meliorum prouocari exemplis iam in superioribus
edocuimus, cum Mardochaei et Artaxersis fecimus men-
tionem.

5. Illud quoque consequenter requirendum puto, ex
quibus causis humana anima nunc quidem a bonis, nunc
185 autem moueatur a malis. Cuius rei causa suspicor esse
quasdam antiquiores etiam hac natiuitate corporea, sicut
designat Iohannes in matris uentre tripudians et exultans,
cum uox salutationis Mariae ad aures Elisabeth matris
eius adlata est, et ut declarat Hieremias propheta, qui
190 antequam plasmaretur in utero matris cognitus erat deo,
et antequam e uulua procederet sanctificatus ab eo est et
puer adhuc prophetiae gratiam cepit. Et rursum e contrario

III, 3. 167 cum mouetur : commouetur gBC^{ac} || uel *post* prouo-
catur *add.* A || 172 ex hoc et A || 180 iam *om.* g || 191 ab eo : a deo
A || 192 coepit A accepit M^{pc}

III, 3. 164 : Jn 13, 2 || 183-189 Illud — adlata est : Jérôme, *Lettre*
124, 8 || 187 : Lc 1, 41 || 189 : Jér. 1, 5.6 || 192-200 Et rursum —
responderi : Jérôme, *Lettre* 124, 8

le témoignage de l'Écriture : *Alors que le diable avait déjà mis dans le cœur de Judas l'Iscariote l'intention de le livrer.* On reçoit l'action ou l'opération du bon esprit lorsqu'on est mû et poussé au bien et lorsque l'inspiration porte sur les réalités célestes et divines : comme les saints anges, Dieu lui-même a agi dans les prophètes, les invitant et les exhortant à progresser par de saintes suggestions, mais en laissant, certes, à l'homme la liberté de juger s'il consent ou non à suivre l'invitation qui l'attire vers les réalités célestes et divines. C'est pourquoi il est possible de distinguer clairement[29] quand l'âme est mue par la présence d'un esprit meilleur : c'est le cas lorsque l'inspiration qui la presse ne lui fait subir absolument aucun trouble ni aliénation de l'intelligence et qu'elle ne perd pas le jugement de son libre arbitre ; tels étaient tous les prophètes et les apôtres qui collaboraient aux oracles divins sans aucun trouble de l'intelligence. Nous avons déjà enseigné plus haut par des exemples[30] comment la mémoire de l'homme peut être invitée par les suggestions du bon esprit à se souvenir des biens meilleurs, quand nous avons mentionné Mardochée et Artaxerxès.

L'inspiration par les bons ou les mauvais esprits dépend de causes préexistantes

3, 5. Il me paraît logique[31] de rechercher pourquoi l'âme humaine est tantôt mue par les bons esprits, tantôt par les mauvais. Je soupçonne que les causes en sont antérieures à notre naissance corporelle, comme le montre Jean, s'agitant et exultant dans le sein de sa mère, lorsque la voix de la salutation de Marie parvint aux oreilles de sa mère Élisabeth, et comme le déclare le prophète Jérémie[32] qui, avant d'être façonné dans le sein de sa mère, était connu de Dieu, avant de sortir de la matrice fut sanctifié par lui et reçut, encore enfant, la grâce de la prophétie. Et

manifeste ostenditur ab aduersariis spiritibus quosdam a
prima statim aetate possessos, id est nonnullos cum ipso
195 daemone esse natos, alios uero a puero diuinasse histo-
riarum fides declarat, alii a prima aetate daemonem quem
Pythonem nominant, id est uentriloquum, passi sunt.
Pro quibus omnibus ab his, qui dei prouidentia regi omnia
quae in hoc mundo sunt adserunt, sicut nostra quoque
200 continet fides, ut mihi uidetur, non aliter poterit responderi
ita, ut absque omni iniustitiae culpa diuina prouidentia
demonstretur, nisi priores quaedam fuisse eis causae
dicantur, quibus antequam in corpore nascerentur animae
aliquid culpae contraxerint in sensibus uel motibus suis,
205 pro quibus haec merito pati a diuina prouidentia iudicatae
sint. Liberi namque arbitrii semper est anima, etiam cum
in corpore hoc, etiam cum extra corpus est ; et libertas
arbitrii uel ad bona semper uel ad mala mouetur, nec
umquam rationabilis sensus, id est mens uel anima, sine
210 motu aliquo esse uel bono uel malo potest. Quos motus
causas praestare meritorum uerisimile est etiam prius
quam in hoc mundo aliquid agant ; ut pro his causis uel
meritis per diuinam prouidentiam statim a prima natiuitate, immo et ante natiuitatem, ut ita dicam, uel boni
215 aliquid uel mali perpeti dispensentur.

6 (5). Et haec quidem dicta sint de his, quae uidentur
hominibus uel a prima statim natiuitate uel etiam antequam in hanc lucem prorumpant euenire. De his uero, quae
a diuersis spiritibus animae, id est humanis cogitationibus,
220 suggeruntur, quae uel ad bona uel ad contraria prouocent,
interdum etiam in hoc existere quaedam anteriores
corporeae natiuitatis causae putandae sunt. Interdum
uero uigilans mens et abiciens a se quae mala sunt, bonorum
ad se adiutorium prouocat ; uel e contrario neglegens et

III, 3. 219 a diuersis : aduersis GAbS

III, 3. 193 : Mc 7, 25 ; 9, 17, etc. ‖ 196 : Act. 16, 16

en revanche[33] il est montré clairement que certains ont été possédés par des esprits ennemis dès leur premier âge, c'est-à-dire qu'ils sont nés ayant déjà leur démon ; d'autres ont été devins étant enfants, comme le garantit l'histoire, d'autres ont subi dès leur jeune âge l'action du démon nommé Python, c'est-à-dire ventriloque[34]. A tout cela, ceux qui déclarent que la providence de Dieu régit tout ce qui est dans ce monde — c'est là aussi une affirmation de notre foi[35], à ce qu'il me semble — ne pourront répondre autre chose que ce qui suit, pour montrer la providence divine indemne de toute faute d'injustice : il faut dire qu'il y a eu certaines causes antécédentes[36] qui, avant que les âmes ne naissent dans des corps, les ont rendues coupables dans leurs pensées et dans leurs mouvements, au point de mériter de souffrir cela au jugement de la providence divine. Car l'âme possède toujours son libre arbitre[37], qu'elle soit dans ce corps ou en dehors de ce corps ; le libre arbitre est attiré toujours soit au bien soit au mal, et jamais le sens de la raison, c'est-à-dire l'intelligence ou âme, ne peut rester sans mouvement, bon ou mauvais. Que ces mouvements soient causes de mérites, c'est vraisemblable, même avant qu'ils n'agissent en ce monde ; ainsi, selon ces causes et ces mérites, dès la naissance, bien mieux, pour ainsi parler, avant même la naissance, la divine providence a réglé que les hommes subiraient du bien ou du mal[38].

3, 6 (5). Tout cela est dit de ce qui
Nécessité de la garde du cœur paraît arriver à l'homme dès la naissance et même avant qu'il ne vienne à la lumière du jour. De tout ce qui est suggéré par des esprits divers à l'âme[39], c'est-à-dire aux pensées de l'homme, et le pousse au bien et au mal, il faut penser qu'il y a parfois des causes antécédentes à la naissance corporelle. Tantôt l'intelligence vigilante[40], rejetant d'elle le mal, s'attire l'aide des bons esprits ; ou au contraire, négligente

225 ignaua, dum minus cauta est, locum dat his spiritibus, qui
uelut latrones ex occulto insidiantes inruere humanas
mentes, cum locum sibi datum per segnitiem uiderint,
moliuntur, sicut ait Petrus apostolus quia *aduersarius*
uester diabolus tamquam leo rugiens circuit, quaerens quem
230 *transuoret*. Propter quod die noctuque cor nostrum omni
custodia conseruandum est, et locus non est dandus diabolo,
sed omnia agenda sunt, quibus ministri dei (hi uidelicet
spiritus, qui ad ministerium missi sunt eorum, qui ad
hereditatem salutis uocati sunt) inueniant in nobis locum
235 et delectentur ingredi hospitium animae nostrae et habi-
tantes apud nos, id est in corde nostro, melioribus nos
consiliis regant, si tamen habitaculum cordis nostri uirtutis
et sanctitatis cultu inuenerint exornatum.

Verum sufficiant ista pro uiribus disserta a nobis de his
240 uirtutibus, quae humano generi aduersantur.

4. Vtrum uerum sit quod dicunt, quasi binas animas esse per singulos

1. Nunc ergo ne de humanis quidem temptationibus
silendum puto, quae nascuntur interdum ex carne et
5 sanguine uel ex prudentia carnis et sanguinis, quae deo
esse dicitur inimica, posteaquam de his temptationibus
exposuimus, quae plus quam humanae dicuntur, id est
quas aduersum principatus et potestates et aduersum
mundi huius rectores tenebrarum et spiritalia nequitiae in

III, 3. 227 segnitiam AB (*ex* segnitiae) *Koe* ‖ 229 uester : noster
AbS ‖ 230 deuoret g *(= Vulg.)* ‖ 236 id est — melioribus nos *om.* g

III, 4. *Inscriptionem post* inimica *(l. 6) praebent codd.; Del, qui*
scribit, post Merlinium, de humanis temptationibus, *rest. ad loc.* ‖
3 ne : nec AM^pc *om.* C ‖ 4 silendum puto *ante* posteaquam *(l. 6)*
transp. A ‖ 6 dicitur : dicuntur A

et lâche, elle ne se tient guère sur ses gardes et donne place
à ces esprits qui, comme des larrons machinant leurs
embûches en cachette, s'arrangent pour faire irruption
dans les intelligences humaines, lorsqu'ils voient que la
paresse leur a fait place, comme le dit l'apôtre Pierre :
*Votre adversaire le diable tourne autour de vous comme un
lion rugissant, cherchant qui dévorer.* C'est pourquoi il
faut garder de toute façon notre cœur jour et nuit et ne
pas donner place au diable, mais faire tout ce qu'il faut
pour que les ministres de Dieu, à savoir ces esprits envoyés
au service de ceux qui sont appelés à hériter du salut,
trouvent en nous une place et se réjouissent d'entrer dans
le gîte de notre âme : habitant chez nous, c'est-à-dire en
notre cœur, ils nous dirigeront par des conseils meilleurs,
si toutefois ils trouvent l'habitacle de notre cœur orné des
parures de la vertu et de la sainteté.

Je pense[41] que cette discussion suffira, que nous avons
menée, dans la mesure de nos forces, à propos des puissances
qui s'opposent au genre humain.

Troisième section: Est-il vrai comme le disent certains que chacun possède deux âmes? (III, 4)

Une ou deux âmes ? **4,** 1. Maintenant je pense qu'il ne
faut pas passer sous silence les tenta-
tions qui naissent parfois de la chair et du sang ou de la
prudence[1] de la chair et du sang, dite ennemie de Dieu,
puisque nous avons déjà parlé de ces tentations qui sont
traitées de plus qu'humaines, les luttes que nous menons
*contre principautés et puissances, les chefs de ce monde
de ténèbres et les esprits de méchanceté qui sont aux cieux*

III, 3. 228 : I Pierre 5, 8 ‖ 230 : Éphés. 4, 27 ‖ 232 : Hébr. 1, 14.
III, 4. 4 : Éphés. 6, 12 ; Rom. 8, 7.8 ‖ 6 : I Cor. 10, 13 ‖ 8 : Éphés.
6, 12

10 caelestibus gerimus, uel quae nobis aduersum spiritus
malignos et inmundos daemones peraguntur. In qua re
consequenter arbitror requirendum si in nobis, id est
hominibus, qui ex anima constamus et corpore ac spiritu
uitali, est etiam aliud aliquid, quod incitamentum habeat
15 proprium et commotionem ad malum prouocantem ; sicut
haberi a quibusdam quaestio solet huiusmodi, utrumnam
uelut duae animae in nobis dicendae sunt, una quaedam
diuinior et caelestis et alia inferior, an uero ex hoc ipso,
quod corporibus inhaeremus (quae corpora secundum
20 propriam quidem naturam mortua sunt et penitus exanima,
quia ex nobis, id est ex animabus corpus materiale uiui-
ficatur, quod utique contrarium est et inimicum spiritui),
trahimur et prouocamur ad haec mala, quae corpori grata
sunt, an uero tertium, quod quidam Graecorum opinati
25 sunt, quia anima nostra cum una sit per substantiam, ex
pluribus tamen constet, id est quod pars eius rationabilis
dicatur, pars uero inrationabilis, et ea quidem pars, quam
inrationabilem dicunt, in duos rursum diuidatur affectus
cupiditatis et iracundiae. Has ergo tres quas supra diximus
30 de anima opiniones a nonnullis haberi inuenimus. Ex
quibus illud interim, quod quibusdam Graecorum philo-
sophis uisum diximus, quia tripertita sit anima, non ualde
confirmari ex diuinae scripturae auctoritate peruideo ; ad
alia uero duo, quae reliqua sunt, inueniri possunt aliquanta,
35 quae ex diuinis litteris aptari posse uideantur.

2. E quibus primo illud discutiamus, quod adstruere
solent quidam, quia una sit bona in nobis anima et caelestis,
alia uero inferior et terrena, et quod ea quidem, quae
melior est, caelitus inseratur, qualis est illa, quae et
40 Iacob aduersum Esau adhuc in utero posito palmam

III, 4. 11 in *om.* A in qua re *om.* C ‖ 17 sint BGᵃᶜ ‖ 24 opinati
a : arbitrati g ‖ 32 sit : est A ‖ 37 in *om.* GAbS

III, 4. 13 : Sag. 15, 11 ‖ 19-22 : Rom. 8, 10 ; Gal. 5, 17 ; Jn 6, 63
‖ 40 : Gen. 25, 22 s.

et celles que nous poursuivons contre les esprits malins ou les démons immondes. En cela il faut se demander, je crois, s'il y a en nous, hommes, qui sommes composés d'une âme et d'un corps et aussi d'un esprit de vie[2], quelque chose d'autre qui possède un stimulant qui lui est propre et un mouvement nous poussant au mal. C'est ainsi que certains se posent habituellement la question suivante : ne faut-il pas parler de deux âmes en nous[3], l'une plus divine et céleste et l'autre inférieure ; ou bien est-ce, parce que nous sommes attachés à des corps — des corps qui selon leur nature propre sont morts et tout à fait inanimés[4] puisque c'est par nous, c'est-à-dire par nos âmes[5] que le corps matériel est vivifié, alors qu'il est assurément en opposition et en inimitié avec l'esprit — que nous sommes attirés et poussés vers ces maux qui sont agréables au corps ; ou bien encore, troisième solution, suivant l'opinion de quelques Grecs, est-ce que notre âme, une par sa substance, est composée de plusieurs éléments, une partie dite rationnelle et une partie irrationnelle, cette partie dite irrationnelle se divisant de nouveau en deux tendances, la convoitise et la colère[6]. Ces trois opinions susdites concernant l'âme ont été tenues, nous le savons, par certains. De ces trois, celle qui professe selon quelques philosophes grecs, avons-nous dit, le tripartisme de l'âme, je ne la vois guère confirmée par le témoignage de la divine Écriture[7] ; quant aux deux autres qui restent, on peut trouver certaines affirmations dans les lettres divines qui paraissent pouvoir s'y adapter.

4, 2. Discutons d'abord l'opinion,

La thèse de la dualité des âmes :
- appuis scripturaires
habituelle chez certains[8], qu'il y a en nous une âme bonne et céleste et une autre plus basse et terrestre[9], et que la meilleure est mise en nous venant du ciel, comme celle qui donna à Jacob luttant contre Ésaü encore dans le sein maternel la palme de la victoire sur son frère qu'il

uictoriae subplantati praestitit fratris, et quae in Hieremia
sanctificatur ex uulua, et spiritu sancto repletur ex utero
in Iohanne. Illam uero inferiorem, quam dicunt, ex
corporali eam semine simul adserunt cum corpore seminari,
45 unde et praeter corpus uiuere eam uel subsistere negant
posse, propter quod et carnem eam frequenter appellari
dicunt. Quod enim scriptum est : *Caro concupiscit aduersum*
spiritum, non hoc de carne dictum accipiunt, sed de hac
anima, quae proprie carnis est anima. Sed et ex his student
50 nihilominus confirmare haec, quae in Leuitico ita scripta
sunt : *Anima omnis carnis sanguis ipsius est.* Ex eo enim,
quod per totam carnem sanguis diffusus uitam praestat
carni, in sanguine inesse aiunt hanc animam, quae dicitur
totius carnis esse anima. Hoc autem ipsum quod dictum
55 est, carnem repugnare aduersum spiritum, spiritum autem
aduersum carnem, et quod dictum est : *Anima omnis*
carnis sanguis ipsius est, alio nomine idem uocari dicunt
sapientiam carnis, quod est spiritus quidam materialis,
qui legi dei subiectus non est, sed nec potest esse subiectus,
60 quia uoluntates habet terrenas et desideria corporalia.
De hoc putant etiam apostolum dixisse illud, quod ait :
Video autem aliam legem in membris meis repugnantem
legi mentis meae et captiuum me ducentem in lege peccati,
quod est in membris meis.
65   Si uero quis obiciat eis haec dici de natura corporis,
quod secundum proprietatem quidem naturae suae
mortuum est, habere autem dicitur sensum uel sapientiam,
quae inimica est deo uel quae repugnat aduersum spiritum,
pro eo uelut si quis dicat quodammodo carnis ipsius esse
70 uocem, quae clamet non esuriendum, non sitiendum,
non algendum, neque uelle prorsus in aliquo molestiam

III, 4. 41 fratri g ǁ 51 est *om.* g ǁ 57 est *om.* g ǁ 63 in lege BCM^{pc}
(= Graec. Vulg.) : in legi A in legem GAbSM^{ac} ǁ 64 quod *codd.* : que
M^{pc} quae *Del, quem Koe secutus est (Vulg.)*

supplantait ainsi, comme celle qui dans Jérémie fut
sanctifiée dès la matrice, et celle qui fut remplie de l'Esprit
Saint dans Jean dès le sein de sa mère[10]. L'âme qu'ils
appellent inférieure, ils affirment qu'elle a été semée avec
le corps à partir de la semence corporelle[11] et ils nient en
conséquence qu'elle puisse vivre et subsister sans le corps :
c'est pourquoi fréquemment ils l'appellent la chair. Cette
phrase de l'Écriture : *La chair convoite contre l'esprit*,
ils ne l'entendent pas de la chair proprement dite, mais
de l'âme qui est à proprement parler l'âme de la chair.
Mais ils essaient cependant de confirmer cela par ce
passage du *Lévitique: L'âme de toute chair c'est le sang*[12].
Puisque c'est le sang répandu dans toute la chair qui lui
fournit la vie, ils disent que cette âme, qui est appelée
l'âme de toute chair, se trouve dans le sang[13]. Par eux
ces paroles : *La chair combat contre l'esprit et l'esprit contre
la chair*, et : *L'âme de toute chair c'est son sang*, désignent
en d'autres termes la sagesse de la chair, une sorte d'esprit
matériel[14], qui n'est pas soumis à la loi de Dieu et ne peut
lui être soumis, parce qu'il possède des volontés terrestres
et des désirs corporels[15]. Ils pensent que l'Apôtre a parlé
de cela dans ces termes : *Je vois une autre loi dans mes
membres, qui combat la loi de mon intelligence et me rend
captif de la loi du péché, qui est dans mes membres.*

**- objections
et réponses**

Quelqu'un objectera que cela est
dit de la nature du corps[16], mort selon
sa nature propre, mais possédant à
son avis une pensée ou une sagesse, ennemie de Dieu et
luttant contre l'esprit, comme lorsqu'on prétend que la
chair elle-même a de quelque façon une voix, qui proclame
qu'elle ne veut pas avoir faim ou soif, qu'elle ne veut pas
souffrir ni subir en quoi que ce soit aucun malaise, qu'il

III, 4. 41 : Jér. 1, 5 ‖ 42 : Lc 1, 41 ‖ 47 : Gal. 5, 17 ‖ 51 : Lév.
17, 14 ‖ 56 : Lév. 17, 14 ‖ 58 : Rom. 8, 7 ‖ 62 : Rom. 7, 23 ‖ 66 :
Rom. 8, 7 ‖ 67 : Gal. 5, 17

pati siue ex abundantia siue ex penuria : haec illi resoluere
atque inpugnare conabuntur, ostendentes quam plurimas
alias passiones esse animae, quae in nullo prorsus a carne
75 originem trahant, et tamen his spiritus aduersetur, sicut
est ambitio auaritia aemulatio inuidia superbia et his
similia ; cum quibus pugnam quandam esse humanae
menti uel spiritui uidentes, non aliud quid causam horum
omnium malorum ponent nisi hanc, de qua superius
80 diximus, uelut corporalem animam et ex seminis traduce
generatam. Adhibere quoque ad assertionem horum etiam
illud testimonium apostoli solent, quo ait : *Manifesta
autem sunt opera carnis, quae sunt fornicatio immunditia
impudicitia idolatria ueneficia inimicitiae contentiones*
85 *aemulationes irae rixae dissensiones haereses inuidiae*
ebrietates comessationes et his similia, dicentes non haec
omnia de usu uel delectatione carnis originem trahere, ita
ut putentur eius substantiae, quae animam non habet,
id est carnis, hi omnes motus existere. Sed et illud, quod
90 ait : *Videte, fratres, uocationem uestram, quoniam non multi*
inter uos sapientes secundum carnem, ad hoc uidebitur
inclinandum, ut propria quaedam uideatur esse carnalis
ac materialis sapientia, alia uero sit sapientia secundum
spiritum, quae utique non potest dici sapientia, nisi sit
95 anima carnis, quae sapiat hoc, quod carnis sapientia
nominatur. Ad haec addunt etiam illud : *Si caro repugnat*
aduersum spiritum et spiritus aduersum carnem, uti non
quae uolumus illa faciamus: qui sunt de quibus dicit :
Vt non quae uolumus faciamus? Certum est, aiunt, de
100 spiritu non dici, non enim uoluntas spiritus prohibetur ;

III, 4. 81 generatum BM^ac regeneratam A ‖ 82 quo : cum A ‖ 83
autem *om.* A ‖ 89 et *om.* CGM *add. sup. l. ex corr.* A ‖ 92 quaedam :
quidem A ‖ 96 addunt BC : aiunt gA ‖ 98 qui : quae SA^pc ‖ 99 ut
om. AC

III, 4. 82 : Gal. 5, 19 s. ‖ 90 : I Cor. 1, 26 ‖ 96 : Gal. 5, 17

vienne de l'abondance ou de la pénurie. Mais les partisans
de la doctrine des deux âmes essaieront de résoudre cette
objection et de la combattre en montrant qu'il y a en
l'âme de nombreuses passions qui ne tirent nullement de
la chair leur origine et que cependant l'esprit s'y oppose :
ainsi l'ambition, l'avarice, la jalousie, l'envie, l'orgueil
et tout ce qui leur est semblable[17]. Voyant que l'intelligence
ou l'esprit[18] de l'homme ont à les combattre, ils n'assignent
pas à tous ces maux d'autres causes que celle dont nous
avons parlé plus haut, une âme corporelle engendrée par
l'intermédiaire de la semence[19]. Ils trouvent d'ordinaire
une confirmation à cela dans ce témoignage de l'Apôtre :
Il est facile de savoir ce que sont les œuvres de la chair, la
fornication, l'impureté, l'impudicité, l'idolâtrie, les sortilèges,
les inimitiés, les disputes, les jalousies, les colères, les rixes,
les dissensions, les divergences d'opinions, les envies, les
ivrogneries, les orgies et tout ce qui leur est semblable. Pour
eux ce ne sont pas tous ces maux, mais une partie d'entre
eux, qui tirent leur origine de l'usage et de la délectation
de la chair, de sorte qu'on puisse penser qu'ils existent à
cause d'une substance que l'âme ne possède pas, c'est-à-dire
la chair[20]. Mais cette autre phrase de l'Apôtre : *Voyez,*
frères, d'où vous avez été appelés, car il n'y a pas parmi vous
beaucoup de sages selon la chair, semble tendre vers cette
solution qu'il paraît y avoir à proprement parler une
sagesse charnelle et matérielle, autre que la sagesse selon
l'esprit, et l'on ne pourrait l'appeler sagesse s'il n'y avait
pas une âme de la chair qui puisse être sage de cette
sagesse dite de la chair[21]. Ils ajoutent encore ceci : *Si*
la chair combat contre l'esprit et l'esprit contre la chair, de
telle sorte que nous ne faisions pas ce que nous voulons, qui
sont ceux dont il est dit : *de telle sorte que nous ne faisions pas*
ce que nous voulons ? Il est certain, disent-ils, qu'il ne s'agit
pas de l'esprit, car ce n'est pas la volonté de l'esprit qui

sed neque de carne, quia si non habet animam propriam,
sine dubio nec uoluntatem habebit ; superest ergo ut de
huius animae uoluntate dicatur, quae habere potest
propriam uoluntatem, quae utique aduersatur uoluntati
105 spiritus. Et si ita est, constat quod huius animae uoluntas
media quaedam est inter carnem et spiritum, uni sine
dubio e duobus seruiens et obtemperans, cuicumque
obtemperare delegerit, quaeque cum se delectationibus
carnis subdiderit, carnales homines facit, cum uero se
110 spiritui iunxerit, in spiritu esse hominem facit et propter
hoc spiritalem nominari. Quod designare uidetur apostolus,
cum dicit : *Vos autem in carne non estis, sed in spiritu.*

Requirendum ergo est, quae sit omnino ipsa haec
uoluntas inter carnem et spiritum praeter eam uoluntatem,
115 quae carnis esse uel spiritus dicitur. Pro certo namque
habetur quod omnia, quaecumque spiritus esse dicuntur,
uoluntas sit spiritus, et quaecumque opera carnis esse
dicuntur, uoluntas sit carnis. Quae ergo ista est praeter
haec animae uoluntas, quae extrinsecus nominatur, quam
120 uoluntatem nolens nos facere apostolus dicit : *Vt non
quae uultis illa faciatis?* In quo hoc uidetur designari,
quod neutro ex his duobus, id est neque carni neque
spiritui, debeat adhaerere. Sed dicet quis quia sicut melius
est quidem animae, si propriam faciat uoluntatem, quam
125 ut faciat uoluntatem carnis, sic iterum melius est facere
eam uoluntatem spiritus magis quam propriam uoluntatem. Quomodo ergo apostolus ait : *Vt non quae uultis
illa faciatis?* Quoniam in ea pugna, quae inter carnem et
spiritum geritur, non omni modo spiritus certa uictoria
130 est ; manifestum est enim obtinere in quam plurimis
carnem.

III, 4. 106 quaedam media g ‖ uno g ‖ 113 ipsa *om.* g ‖ 120 nolens
a : uolens g ‖ 122 quod a : quo g

III, 4. 112 : Rom. 8, 9 ‖ 114 : Gal. 5, 22.19 ‖ 120 : Gal. 5, 17 ‖
127 : Gal. 5, 17

est empêchée[22] ; ni de la chair, car si elle n'a pas une âme propre, sans aucun doute elle n'aura pas de volonté. Il ne reste qu'une solution, que cela soit dit de la volonté de cette âme, qui peut avoir une volonté propre s'opposant à la volonté de l'esprit. S'il en est ainsi[23] il est clair que la volonté de cette âme est comme un intermédiaire[24] entre la chair et l'esprit, servant sans aucun doute l'un des deux et obéissant à celui à qui elle a choisi d'obéir : et lorsque cette âme s'est soumise aux délectations de la chair elle rend les hommes charnels ; mais lorsqu'elle s'est jointe à l'esprit, elle fait vivre l'homme dans l'esprit et pour cela il est appelé spirituel[25]. L'Apôtre semble indiquer cela lorsqu'il dit : *Mais vous, vous n'êtes pas dans la chair, mais dans l'esprit.*

Digression : l'âme intermédiaire entre chair et esprit

Il faut nous demander ce qu'est cette volonté située entre la chair et l'esprit et autre que la volonté qui est de la chair ou de l'esprit. Il est certain que tout ce qui est dit appartenir à l'esprit est volonté de l'esprit et que tout ce qui est dit œuvre de la chair est volonté de la chair. Qu'est donc, outre ces deux volontés, cette volonté de l'âme qui est mentionnée en plus[26], cette volonté à laquelle l'Apôtre ne veut pas que nous obéissions lorsqu'il dit : *Afin que vous ne fassiez pas ce que vous voulez.* Cela semble indiquer que cette volonté ne doit adhérer à aucun des deux[27], à savoir ni à la chair ni à l'esprit. Mais on dira que, s'il est meilleur à l'âme de faire sa propre volonté que celle de la chair, de même il est meilleur à l'âme de faire la volonté de l'esprit que la sienne propre. Comment donc l'Apôtre dit-il : *Pour que vous ne fassiez pas ce que vous voulez?* Parce que dans le combat qui se mène entre la chair et l'esprit il n'est pas sûr que de toute façon la victoire revienne à l'esprit ; il est clair que très souvent c'est la chair qui l'obtient[28].

3. Verum quoniam disputationem incidimus perpro-
fundam, in qua necesse est ex singulis quibusque partibus
quae possunt moueri discutere, uideamus ne forte in hoc
135 loco tale aliquid tractari potest, quia sicut melius est
animae sequi spiritum tunc, cum spiritus carnem uicerit,
ita etiamsi uidetur ei esse deterius sequi carnem repugnantem aduersum spiritum et ad se reuocare animam
uolentem, tamen forte utilius uideatur obtineri animam
140 a carne, quam residere in suis propriis uoluntatibus ;
quoniam dum in suis uoluntatibus manet, tunc est quando
nec calida dicitur esse nec frigida, sed in medio quodam
tepore perdurans tardam et satis difficilem conuersionem
poterit inuenire ; si uero carni adhaereat, ex his ipsis
145 interdum malis, quae ex carnis uitiis patitur, satiata
aliquando ac repleta et uelut grauissimis oneribus luxuriae
ac libidinis fatigata, facilius et uelocius conuerti a mate-
rialibus sordibus ad caelestium desiderium et spiritalem
gratiam potest. Et hoc arbitrandum est dicisse apostolum,
150 idcirco pugnare spiritum aduersum carnem et carnem
aduersum spiritum, ut non quae uolumus illa faciamus
(sine dubio ea quae extra uoluntatem spiritus et extra
uoluntatem carnis designata sunt), ut si aliis nominibus
diceremus, quia melius est hominem aut in uirtute esse
155 aut in malitia, quam in nullo horum ; anima uero priusquam
conuertat se ad spiritum et unum efficiatur cum eo, dum
adhaeret corpori et de carnalibus cogitat, neque in bono
statu uidetur esse neque manifeste in malo, sed esse animali,
ut ita dixerim, similis. Melius autem est ut, si fieri potest,
160 adhaerens spiritui efficiatur spiritalis ; si uero id non potest,
magis expedit eam uel carnis malitiam sequi, quam in

III, 4. 132 in *ante* disputationem *add. Del, quod Koe secutus est* ‖
140 in : cum A ‖ 141 quoniam — uoluntatibus *om.* g ‖ 143 tepore : tempore ABGAbS *(omnes ante corr.)* ‖ conuersationem A ‖ 146 et *om.* g
‖ 160 spiritu A ‖ si uero : siue GAbSM *(corr.* si)

4, 3. Mais puisque nous en sommes venus à une discussion sur des réalités très profondes[29], il est nécessaire de toucher tous les points qui peuvent être soulevés de chaque côté. Voyons si on ne peut pas examiner à ce sujet si, de même qu'il vaut mieux pour l'âme suivre l'esprit quand l'esprit a vaincu la chair, de même, quoiqu'il paraisse pire de suivre la chair combattant contre l'esprit et voulant attirer l'âme à elle, cependant il pourrait paraître plus utile à l'âme d'être dominée par la chair que de s'en tenir à ses volontés propres. En effet, tant qu'elle reste dans ses volontés, elle n'est alors, selon ce qui est écrit, ni chaude ni froide[30], mais, puisqu'elle s'attarde dans une tiédeur indifférente, sa conversion risque d'être plus lente et assez difficile ; tandis que si elle adhère à la chair, parfois rassasiée[31] et remplie de ces maux qu'elle subit par suite des vices de la chair, fatiguée de la luxure et de la volupté comme de fardeaux très pesants, elle peut plus aisément et rapidement se détourner des souillures de la matière pour se tourner vers le désir des réalités célestes et la grâce spirituelle[32]. Je pense que c'est cela qu'a voulu dire l'Apôtre quand il montre l'esprit luttant contre la chair et la chair contre l'esprit, de sorte que nous ne faisons pas ce que nous voulons, désignant par là sans aucun doute ce qui est à la fois étranger à la volonté de l'esprit et à celle de la chair ; en d'autres termes, il vaut mieux pour l'homme être dans la vertu ou dans la malice que dans aucune des deux[33]. Avant de se tourner vers l'esprit et de devenir avec lui une seule chose, l'âme en effet, tant qu'elle adhère au corps et a des pensées charnelles, ne semble être ni dans un bon état ni expressément dans un mauvais, mais elle est semblable, pour ainsi dire, à l'animal[34]. Certes, il vaut mieux pour elle, si cela est possible, qu'elle adhère à l'esprit et devienne spirituelle ; mais si cela ne se peut, il est plus expédient qu'elle suive la

III, 4. 142 : Apoc. 3, 15 ‖ 150 : Gal. 5, 17

suis positam uoluntatibus animalis inrationabilis statum
tenere.

Haec autem tractauimus uolentes singularum asser-
165 tionum disserere opiniones, ampliore quam uoluimus usi
excessu, uti ne latere nos putarentur ea, quae moueri
solent ab his, qui quaerunt, utrum sit alia anima in nobis
praeter hanc caelestem et rationabilem, quae etiam huic
naturaliter aduersetur et uocetur uel caro uel sapientia
170 carnis uel anima carnis.

4. Nunc iam uideamus, quid etiam aduersum haec
responderi soleat ab his, qui defendunt unum esse in nobis
motum et unam uitam unius eiusdemque animae, cuius
siue salus siue perditio secundum actus suos ipsi proprie
175 adscribatur. Et primo uideamus, cuiusmodi sint passiones
animi, quas patimur, ubi sentimus intra nosmet uelut in
partes nos rapi per singula, cum pugna quaedam fit
cogitationum in cordibus nostris et quaedam nobis uerisimilitudines suggeruntur, quibus nunc in hoc, nunc in aliud
180 inclinemur, quibusque nunc quidem arguimur, nunc uero
nosmet ipsos amplectimur. Nihil autem magnum est, si
mala ingenia dicamus quia uarium ac sibi ipsi repugnans
iudicium habeant et a semet ipso discordans, cum etiam
in omnibus hominibus ita inueniatur, si quando deliberatio
185 incertae rei ad consilium uenerit et prospicitur uel consuli-
tur, quid rectius uel utilius eligatur. Nihil ergo mirum si
duae uerisimilitudines sibi inuicem occurrentes et contraria
suggerentes in diuersas partes animum rapiunt. Verbi
causa, si cogitatio inuitet aliquem ad fidem et timorem
190 dei, tunc non potest dici quia *caro aduersum spiritum*

III, 4. 165 uolumus BCA^{ac}G^{ac} ‖ usi *om.* A ‖ 166 excessu aM^{pc} (cf.
I, 4, 2 ; IV, 3, 15) : excussu SAb^{ac}M^{ac}G^{ac} excursu G^{pc}Ab^{pc} *Koe* ‖
175 sint a : sunt g ‖ 176 ubi *corr. Koe* : nisi *codd.* cum *Del* ‖ uelut
a : uel g

III, 4. 169 : Rom. 8, 7 ‖ 190 : Gal. 5, 17

malice de la chair, que de rester dans ses volontés propres et dans l'état d'un animal déraisonnable.

Nous avons traité tout cela dans le désir de discuter ces diverses opinions et nous l'avons fait comme une digression plus ample que nous ne l'aurions voulue, pour que l'on ne pense pas que nous aient échappé les points de vue exprimés habituellement par ceux qui se demandent s'il n'y a pas en nous une autre âme que celle qui est céleste et raisonnable, une autre âme qui s'oppose par nature[35] à celle-ci et est appelée soit chair, soit sagesse de la chair, soit âme de la chair.

La thèse de l'unité de l'âme : - explications de la dualité apparente

4, 4. Voyons maintenant la réponse que font d'ordinaire à cela ceux qui soutiennent qu'il y a en nous une seule sorte de mouvement intérieur et une seule vie pour une seule et même âme, à laquelle il faut attribuer proprement, par suite de ces actes, salut ou perdition. Examinons d'abord[36] de quelle sorte sont les passions dont souffre notre intelligence, lorsque nous nous sentons nous-mêmes comme déchirés intérieurement en partis opposés sur chaque point, lorsque nos pensées d'une certaine manière luttent ensemble dans nos cœurs, nous suggérant comme des apparences de vérité qui nous inclinent tantôt d'un côté, tantôt de l'autre, qui nous entraînent tantôt à nous accuser, tantôt à nous approuver. Il n'y a rien d'étrange à dire que les caractères pervers ont un jugement variable, en contradiction et en opposition avec lui-même, puisque cela se produit chez tous les hommes quand il s'agit de délibérer sur une chose douteuse et qu'on examine et recherche ce qui est le plus droit et le plus utile[37] à choisir. Rien d'étonnant par conséquent que deux apparences de vérité se présentent l'une contre l'autre, suggèrent des décisions contraires et déchirent l'intelligence en divers partis. Par exemple, quand une pensée nous pousse à la foi et à la crainte de Dieu, on ne peut dire que la chair combatte

pugnat ; sed dum incertum est quod uerum et utile est, animus in diuersa raptatur. Ita et cum putatur caro ad libidinem prouocare, consilium uero melius huiuscemodi incitamentis resistit, non putanda est uita esse aliqua
195 alia, quae aduersum aliam resistat, sed natura corporis, quae repleta satiui humoris loca euacuare gestit atque deplere ; sicut nec contraria aliqua uirtus aut uita alterius animae putanda est, quae nobis excitat sitim et prouocat ad bibendum, uel quae esurire facit et inritat ad cibum ;
200 sed sicut haec naturalibus motibus corporis uel adpetuntur uel euacuantur, ita et naturalis seminis congregatus per tempus in suis locis umor expelli gestit et abici, quod in tantum nequaquam inpulsu alterius cuiusquam prouocationis efficitur, ut interdum etiam sponte soleat egeri.
205 Cum ergo dicitur quia *caro pugnat aduersum spiritum*, ita intellegunt isti quia usus uel necessitas uel delectamentum carnis prouocans hominem abstrahit et abducit a diuinis et spiritalibus rebus. Pro necessitate etenim corporis abstracti, diuinis et in aeternum profuturis rebus
210 uacare non sinimur, sicut rursum in diuinis et spiritalibus anima uacans et spiritui dei coniuncta inpugnare dicitur carnem, dum resolui eam deliciis non sinit et uoluptatibus fluitare, quibus naturaliter delectatur. Hoc modo etiam illud adserent, quod dictum est : *Sapientia carnis inimica*
215 *est deo*, non quo uere animam habeat caro uel sapientiam propriam, sed sicut abusiue dicere solemus et sitire terram et uelle eam bibere aquam (hoc utique, quod dicimus uelle,

---

III, 4. 194 putanda est C : putandum est *cett. codd. Koe* ‖ 194-195 uita esse aliqua alia BCGM : uitam esse aliquam aliam AAbS *Koe* ‖ 195 natura aGM : naturam AbS *Koe* ‖ 197 deplere BC : replere A deflere GM defluere AbS ‖ 201 et *om.* g ‖ 213 fluctuare A ‖ 214 adserent : adserunt AM (*ex* adserent) ‖ 215 uere : uero GM^{ac} ueram AbS

III, 4. 205 : Gal. 5, 17 ‖ 214 : Rom. 8, 7

contre l'esprit[38] ; mais tant qu'on reste indécis sur ce qui est vrai et utile, l'intelligence est tirée de divers côtés. Ainsi, lorsqu'on pense que la chair pousse au plaisir tandis qu'un projet meilleur résiste à cette sorte d'incitation, il ne faut pas croire qu'il s'agisse d'une vie qui résiste à une autre, mais que cela vient de la nature du corps qui brûle d'éliminer et de vider les organes remplis d'humeur séminale. Pareillement il ne faut pas imaginer quelque puissance contraire ou quelque autre âme vivante qui excite en nous la soif et nous pousse à boire, ou qui nous donne faim et nous invite à manger. De même que ces appétits ou évacuations proviennent des mouvements naturels du corps, de même l'humeur contenant naturellement la semence, quand elle s'est rassemblée depuis un certain temps en son lieu, brûle d'être expulsée et rejetée, et ce n'est pas tellement l'action d'un stimulant extérieur qui le produit, puisque parfois cela s'accomplit spontanément.

- l'âme disputée entre chair et esprit Quand on dit que *la chair combat contre l'esprit*, les partisans de cette dernière explication comprennent par là que l'usage, les besoins ou le plaisir de la chair, quand ils excitent l'homme, le distraient et le détournent des réalités divines et spirituelles[39]. Lorsque nous sommes attirés par les besoins du corps, nous n'avons plus le moyen de vaquer aux réalités divines qui nous seront utiles pour l'éternité, et en revanche l'âme qui s'adonne au divin et est unie à l'Esprit de Dieu combat la chair, comme on dit, car elle ne la laisse pas s'amollir dans les délices et nager dans les plaisirs qui sont sa délectation naturelle. Ceux dont nous rapportons l'opinion expliqueront l'affirmation : *La sagesse de la chair est ennemie de Dieu*, sans penser que la chair ait vraiment une âme ou une sagesse propre, mais par une signification impropre, comme lorsque nous disons couramment que la terre a soif ou qu'elle veut boire de l'eau — le mot vouloir, nous ne l'employons pas

non proprie sed abusiue proferimus, uelut si dicamus
iterum quia domus reconponi uult, et alia multa his
220 similia), ita et sapientia carnis accipienda est uel quod
dictum est quia *caro concupiscit aduersum spiritum.*
Adicere solent etiam illud, quod dictum est : *Vox sanguinis*
fratris tui clamat ad me de terra. Quod enim clamat ad
deum, non est proprie sanguis ille, qui effusus est, sed
225 abusive sanguis clamare dicitur, dum eius qui sanguinem
effudit a deo uindicta deposcitur. Sed et illud, quod
apostolus ait : *Video autem aliam legem in membris meis,*
ita intellegunt tamquam si dixisset quod is, qui uerbo dei
uacare uult, pro necessitatibus et usibus corporalibus, quae
230 uelut lex quaedam corpori inest, distrahitur atque diuellitur
et inpeditur, ne sapientiae dei uacans intentius possit
diuina contueri mysteria.

5. Quod uero inter carnis opera descriptae sunt esse
etiam haereses et inuidiae et contentiones uel cetera, ita
235 accipiunt quod anima, cum crassioris sensus fuerit effecta,
ex eo quod corporis sese passionibus subdit, oppressa
uitiorum molibus et nihil subtile uel spiritale sentiens,
caro dicitur effecta et inde nomen trahit, in quo plus
studii uel propositi gerit. Addunt etiam haec requirentes :
240 Quis inuenietur, uel quis dicetur conditor mali huius
sensus, qui sensus dicitur carnis ? quia alium nullum
creatorem animae et carnis quam deum credendum esse
defendent. Et si dicamus quia bonus deus in ipsa conditione
sua aliquid sibi creauit inimicum, utique absurdum uide-
245 bitur. Si ergo scriptum est quia *sapientia carnis inimica*
est deo et hoc factum ex conditione dicetur, uidebitur ipse

III, 4. 218 proferimus : proferemus g (M *corr.* proferimus) ‖ 223-
224 ad dominum GM ‖ 226 effundit A ‖ a deo *om.* g ‖ 227 autem
om. A ‖ 231 dei *om.* g ‖ 236 passionibus sese A ‖ 237 uel a : ac AbS
om. GM ‖ 238 trahit nomen A ‖ 241 quia a : qui g ‖ 243 defendent :
defendunt M *Koe* ‖ deus bonus AB

III, 4. 221 : Gal. 5, 17 ‖ 222 : Gen. 4, 10 ‖ 227 : Rom. 7, 23 ‖
230 : I Cor. 1, 24 ‖ 233 : Gal. 5, 19 s. ‖ 245 : Rom. 8, 7

au sens propre mais au sens large, comme lorsque nous disons de même qu'une maison veut être restaurée et d'autres expressions semblables[40] — ; c'est donc ainsi qu'il faut entendre la sagesse de la chair et l'expression : *La chair convoite contre l'esprit.* Ils y ajoutent d'ordinaire cette expression : *La voix du sang de ton frère crie vers moi de la terre.* Ce qui crie vers Dieu, ce n'est pas à proprement parler le sang répandu, mais on dit au sens large que le sang crie, car il est demandé à Dieu de tirer vengeance de celui qui a répandu le sang. La phrase de l'Apôtre : *Je vois une autre loi dans mes membres,* ils l'entendent ainsi : celui qui veut vaquer à la parole de Dieu est distrait, dissipé et gêné par les besoins et l'usage du corps, présents en lui comme une sorte de loi : il ne peut s'adonner à la sagesse de Dieu et contempler les mystères divins.

- Dieu ne peut avoir créé une âme par nature opposée à lui

4, 5. Mais parmi les œuvres de la chair l'Apôtre cite aussi les divergences d'opinions, les envies, les disputes, etc., et ils les comprennent ainsi : l'âme, lorsqu'elle a acquis une sensibilité plus grossière, parce qu'elle se soumet aux passions du corps, est opprimée sous la masse des vices et elle ne sent plus rien de subtil et de spirituel ; on dit alors qu'elle est devenue chair et elle tire son nom de cette chair qui est davantage l'objet de son zèle et de sa volonté. Ceux qui se posent ces questions ajoutent : Peut-on trouver un créateur de ces pensées mauvaises qui sont dites la pensée[41] de la chair ou peut-on appeler quelqu'un ainsi ? En effet ils soutiendront qu'il faut croire qu'il n'y a pas d'autre créateur de l'âme et de la chair que Dieu. Si nous disons que c'est le Dieu bon qui, dans sa création elle-même, a créé quelque chose qui lui soit ennemi, cela paraîtra tout à fait absurde. Si donc il est écrit : *La sagesse de la chair est ennemie de Dieu* et si on dit que cela s'est fait à partir de la création, il semblera

deus naturam sibi aliquam fecisse inimicam, quae ei non
potest esse subiecta nec legi eius, quippe si animal esse
putabitur de quo haec dicuntur. Quodsi ita recipiatur,
250 quid iam differre uidebitur ab his, qui diuersas naturas
esse animarum dicunt creatas, quae naturaliter uel saluandae sint uel periturae ? Quod utique solis haereticis
placet, qui dum iustitiam dei pia ratione adseuerare non
possunt, huiuscemodi impietatis figmenta componunt.

255   Et nos quidem, prout potuimus, ex singulorum personis
quae dici possent disputationis modo de singulis dogma-
tibus in medium protulimus ; qui autem legit, eligat ex his
quae magis amplectenda sit ratio.

III, 4. 256 quae dici possent *post* singulis *transp.* A ‖ possent a :
possint g ‖ 258 sit : est A

que Dieu ait créé une nature qui lui soit ennemie, qui ne puisse être soumise ni à lui ni à sa loi, car on se sera représenté comme un être doué d'âme cette chair dont on parle. Si on accepte cette opinion, en quoi paraît-elle différer de la doctrine de ceux qui se prononcent pour la création de natures différentes d'âmes, destinées par leur nature au salut ou à la perdition[42]? Seuls des hérétiques pensent ainsi et, parce qu'ils n'arrivent pas à soutenir par des raisonnements conformes à la piété la justice de Dieu, ils inventent des imaginations aussi impies.

Nous avons exposé dans la mesure de nos forces, d'après les tenants des diverses opinions, ce qui peut être dit par manière de discussion sur chacune de ces doctrines : que le lecteur choisisse de cela ce qu'il trouvera plus raisonnable d'accepter[43].

η'. Ὅτι γενητὸς ὁ κόσμος καὶ φθαρτὸς ἀπὸ χρόνου ἀρξάμενος

5. Quod mundus ex tempore coeperit

1. Post haec iam quoniam quidem unum de ecclesiasticis
definitionibus habetur praecipue secundum historiae nostrae fidem, quod mundus hic factus sit et ex certo tempore
5 coeperit et secundum peruulgatam omnibus consummationem saeculi pro sui corruptione soluendus sit, etiam de
hoc pauca repetere non uidetur absurdum. Et quantum
quidem ad scripturarum fidem pertinet, perfacilis de hoc
uidetur adsertio. Denique et haeretici cum in alia multa
10 distracti sint, in hoc tamen scripturae auctoritati cedentes
uisi sunt consonare.

De conditione ergo mundi quae alia nos scriptura magis
poterit edocere quam ea, quae a Moyse de origine eius
descripta est? Quae licet maiora quaedam intra se conti-
15 neat, quam historiae narratio uidetur ostendere, et spiritalem in quam maximis contineat intellectum atque in
rebus mysticis et profundis uelamine quodam litterae
utatur : tamen nihilominus hoc indicat sermo narrantis,
quod ex certo tempore creata sint omnia quae uidentur.
20 De consummatione uero mundi primo Iacob indicat, cum
ad filios suos testatur dicens : *Conuenite ad me, filii Iacob,*

III, 5. 8 perfacilis BCGM : uel facilis A facilis AbS ‖ 13-14 eius
descripta a : eiusdem scripta g ‖ 19 sint : sunt AbSM^ac

III, 5. Titre grec : Photius, *Bibl.* 8 ‖ 12 : Gen. 1 ‖ 17 : II Cor. 3,
14 s. ‖ 21 : Gen. 49, 1

Huitième traité (III, 5-6)

**Première section: Que le monde a été fait et est périssable,
ayant commencé dans le temps (III, 5)
(Que le monde a commencé dans le temps)**

5, 1. Ensuite, puisqu'un article de la doctrine exprimée par l'Église comporte principalement, selon la foi qu'il faut avoir en notre histoire, que ce monde a été fait et qu'il a commencé à un certain moment, et que, selon la doctrine de la consommation des siècles connue de tous, il sera détruit parce qu'il se corrompra[1], il ne paraîtra pas absurde de revenir un peu sur le sujet. En ce qui concerne la garantie que donnent les Écritures, la preuve en est très facile. C'est pourquoi, si les hérétiques se sont égarés sur beaucoup d'autres points, sur celui-là, cédant à l'autorité des Écritures, ils paraissent d'accord[2].

**Début
et fin du monde
selon l'Écriture** Sur la création du monde, quelle autre Écriture pourra nous renseigner, si ce n'est celle où Moïse a décrit son origine? Bien qu'elle contienne des significations plus profondes que ce que semble montrer le récit des faits, bien qu'elle renferme presque partout une intelligence spirituelle et qu'elle se serve du voile de la lettre[3] pour cacher des réalités mystiques et profondes, cependant la parole du narrateur affirme qu'à un certain moment tout le visible a été créé. Jacob parle le premier de la fin du monde, dont il témoigne devant ses fils en ces termes: *Venez vers moi, fils de Jacob, que je vous annonce*

ut annuntiem uobis quid erit in nouissimis diebus uel *post*
nouissimos dies. Si ergo sunt nouissimi dies uel post
nouissimos dies, cessare dies necesse est qui coeperunt.
25 Dauid quoque ait : *Caeli peribunt, tu autem permanebis, et*
omnes sicut uestimentum ueterescent, et sicut opertorium
mutabis eos, et mutabuntur; tu autem ipse es, et anni tui
non deficient. Dominus uero et saluator noster, cum dicit :
Qui creauit ab initio, masculum et feminam fecit eos,
30 factum esse mundum etiam ipse testatur ; et rursum dicens
quia *caelum et terra transiet, uerba autem mea non transient,*
corruptibilem eum finiendumque designat. Sed et apostolus
dicens : *Vanitati enim creatura subiecta est, non uolens, sed*
propter eum, qui subiecit in spe, quia et ipsa creatura
35 *liberabitur a seruitute corruptionis in libertatem gloriae*
filiorum dei manifeste finem mundi declarat, et cum
rursum dicit : *Transiet enim habitus huius mundi.* Verum
in eo ipso, quod dixit quia *uanitati creatura subiecta est,*
etiam initium eius ostendit. Si enim uanitati creatura
40 subiecta est propter spem aliquam, ex causa utique
subiecta est, et quod ex causa est, necesse est ut coeperit ;
non enim poterat sine ullo initio uanitati creatura esse
subiecta et sperare liberari a seruitute corruptionis, quae
seruire corruptioni non coeperat. Sed et quam plurima alia
45 in diuinis scripturis huiusmodi dicta reperiet si quis
requirat ex otio, quibus et initium habere mundus et finem
sperare dicatur.

2. Si quis ergo est qui aduersetur in hac parte uel auctoritati scripturae nostrae uel fidei, inquiremus ab eo, utrum
50 dicat deum conpraehendere posse omnia, an non posse ?
Et dicere quidem non posse manifeste impium est. Si uero,

III, 5. 27 idem *post* autem *add.* CAbS *(= Vulg.)* ‖ 31 transiet
ACGAb *(= Graec.)* : transient BMS *Koe* ‖ 35 in libertate CBG ‖ 37
enim *om.* g

III, 5. 25 : Ps. 101, 27 s. ‖ 29 : Matth. 19, 4 ‖ 31 : Matth. 24, 35
‖ 33 : Rom. 8, 20 s. ‖ 37 : I Cor. 7, 31 ‖ 38 : Rom. 8, 20 s.

ce qui se passera dans les derniers jours, ou : *après les derniers jours*[4]. S'il y a des derniers jours ou un *après les derniers jours*, il faut que cessent des jours qui ont commencé. David dit de même[5] : *Les cieux périront, mais toi, tu demeureras, et tous s'useront comme un vêtement et comme une couverture tu les changeras, et ils seront changés ; mais toi, tu es le même et tes années ne cesseront pas.* Lorsque notre Seigneur et Sauveur dit : *Celui qui a créé au commencement les a fait mâle et femelle*, il atteste lui-même pareillement que le monde a été fait. Et lorsqu'il dit : *Le ciel et la terre passeront, mais mes paroles ne passeront pas*, il le montre corruptible et allant vers une fin. L'Apôtre dit aussi[6] : *A la vanité en effet la création est soumise, sans qu'elle le veuille, mais à cause de celui qui l'a soumise, dans l'espoir, car la création elle-même sera libérée de la servitude de la corruption pour recevoir la liberté glorieuse des fils de Dieu :* il affirme là clairement la fin du monde, et de même quand il dit : *L'état de ce monde passera.* Mais en disant : *La création est soumise à la vanité*, il montre aussi son commencement. Si en effet la création est soumise à la vanité à cause d'un espoir quelconque, elle est soumise par une cause, et ce qui est par une cause doit nécessairement avoir eu un commencement. Il n'était pas possible, sans un commencement, que la création soit soumise à la vanité et qu'elle espère être libérée de la servitude de la corruption, si elle n'avait pas commencé à être esclave de la corruption. Mais on peut trouver bien d'autres textes de ce genre dans les Écritures, si on recherche à loisir où il est dit que le monde a eu un commencement et espère une fin.

La création de Dieu est nécessairement limitée

5, 2. Si quelqu'un s'oppose sur ce point à l'autorité de nos Écritures et à la foi[7], nous lui demanderons si Dieu, selon lui, peut comprendre[8] toutes choses ou non. Dire qu'il ne le peut pas est manifestement impie. Mais s'il répond, comme c'est nécessaire,

quod necesse est, dixerit quia omnia conpraehendit,
superest ut eo ipso quo conpraehendi possunt, et initium
habere intellegantur et finem. Nam quod penitus sine ullo
55 initio est, conpraehendi omnino non potest. In quantumcumque enim se intellectus extenderit, in tantum conprae-
hendendi facultas sine fine subducitur et differtur, ubi
initium non habetur.

3. Sed solent nobis obicere dicentes : Si coepit mundus
60 ex tempore, quid ante faciebat deus quam mundus inci-
peret? Otiosam enim et immobilem dicere naturam dei
impium est simul et absurdum, uel putare quod bonitas
aliquando bene non fecerit et omnipotentia aliquando non
egerit potentatum. Haec nobis obicere solent dicentibus
65 mundum hunc ex certo tempore coepisse et secundum
scripturae fidem annos quoque aetatis ipsius numerantibus.
Ad quas propositiones non arbitror aliquem haereticorum
secundum rationem dogmatis sui posse facile respondere.
Nos uero consequenter respondebimus obseruantes regulam
70 pietatis et dicentes quoniam non tunc primum, cum
uisibilem istum mundum fecit deus, coepit operari, sed
sicut post corruptionem huius erit alius mundus, ita et
antequam hic esset, fuisse alios credimus. Quod utrumque
diuinae scripturae auctoritate firmabitur. Nam quod erit
75 post hunc alius mundus, Esaias docet dicens : *Erit caelum
nouum et terra noua, quae ego faciam permanere in conspectu
meo, dicit dominus.* Quod autem ante hunc mundum
fuerint etiam alii, Ecclesiastes ostendit dicens : *Quid est
quod factum est? ipsum quod futurum est. Et quid est quod
80 creatum est? hoc ipsum quod creandum est; et nihil est
omnino recens sub sole. Si qui loquetur et dicet: Ecce hoc*

III, 5. 56 se enim g ‖ extenderit : ostenderit ACSᵃᶜ ‖ 64 haec *om.* g
‖ nobis : nobis iterum AbS nobis etiam Mᵖᶜ ‖ 80 et *om.* AGM

III, 5. 69-86 Nos uero — futurum : Jérôme, *Lettre* 124, 8 ‖ 75 :
Is. 66, 22 ‖ 78 : Eccl. 1, 9 s.

que Dieu comprend toutes choses, il s'ensuit que, du fait même qu'elles peuvent être comprises, il faut entendre qu'elles ont un début et une fin. Car ce qui n'a absolument pas de début ne peut pas du tout être compris. Quelle que soit en effet l'extension que peut prendre l'intellect, la possibilité de comprendre se dérobe et s'éloigne sans fin là où il n'y a pas de commencement.

Que faisait Dieu avant que le monde ne commence ?
Il y a eu des mondes successifs

5, 3. Mais on nous objecte d'ordinaire[9] : Si le monde a commencé dans le temps, que faisait Dieu avant que le monde ne commence? Dire que la nature de Dieu est oisive et immobile[10] est à la fois impie et absurde, de même que penser qu'il fut un temps où la bonté ne faisait pas le bien et où la toute-puissance n'exerçait pas sa domination. On nous fait couramment cette objection quand nous disons que le monde a commencé à un certain temps et quand nous comptons les années de sa durée selon le témoignage de l'Écriture[11]. A ces propositions je ne crois pas qu'un hérétique[12] pourrait facilement répondre en gardant la logique de sa doctrine[13]. Mais nous, nous répondrons logiquement en restant fidèles à la règle de la piété[14] : ce n'est pas lorsque Dieu a fait ce monde visible qu'il a commencé à travailler, mais de même qu'après la corruption de ce monde il y en aura un autre, de même, avant que celui-ci soit, il y en a eu, croyons-nous, d'autres[15]. Ces deux points seront confirmés par l'autorité de l'Écriture divine. Isaïe enseigne[16] qu'après ce monde il y en aura un autre : *Il y aura un monde nouveau et une terre nouvelle, que je ferai subsister toujours devant ma face, dit le Seigneur.* Et l'*Ecclésiaste* montre qu'avant ce monde il y en eut d'autres : *Qu'est-ce qui a été fait? La même chose que ce qui sera. Et qu'est-ce qui a été créé? La même chose que ce qui sera créé. Il n'y a rien de nouveau sous le soleil. Si quelqu'un dit: voilà cela qui est nouveau. Mais cela a déjà*

nouum est, iam fuit id in saeculis quae fuerunt ante nos.
Quibus testimoniis utrumque simul probatur, quod et ante
fuerint saecula et futura sint postmodum. Non tamen
85 putandum est plures simul mundos esse, sed post hunc
interim alium futurum ; de quibus nunc non est necessarium per singula repetere, cum id iam in superioribus
fecerimus.

4. Illud sane otiose praetereundum esse non arbitror,
90 quod scripturae sanctae conditionem mundi nouo quodam
et proprio nomine nuncuparunt, dicentes καταβολήν mundi
(quod latine satis inproprie translatum constitutionem
mundi dixerunt ; καταβολή uero in graeco magis deicere
significat, id est deorsum iacere, quod latine inproprie, ut
95 diximus, constitutionem mundi interpraetati sunt), sicut
in euangelio secundum Iohannem, cum dicit saluator :
Et erit tribulatio in illis diebus, qualis non fuit a constitutione
mundi (hic constitutio καταβολή dicta est, quod ita intellegendum est, sicut superius exposuimus). Sed et apostolus
100 in epistola ad Ephesios eodem sermone usus est, cum ait :
Qui elegit nos ante constitutionem mundi (et hic constitutionem mundi καταβολήν dixit, eodem sensu quo superius
interpraetati sumus intellegendam). Dignum igitur uidetur
inquirere, quid est quod hoc nouo nomine indicetur.
105 Et arbitror, quoniam quidem finis et consummatio sanctorum erit in his, quae non uidentur et aeterna sunt, ex
ipsius finis contemplatione, sicut in superioribus frequenter
ostendimus, simile etiam initium rationabiles creaturas
habuisse censendum est. Et si tale initium habuerunt,
110 qualem finem sperant, fuerunt sine dubio iam ab initio

III, 5. 86 interim ACgBᵃᶜ : iterum Bᵖᶜ *Koe* initium *Del* ‖ alium
futurum : aliorum futurorum GM aliorum futurum *Del* ‖ 91 καταβολήν *scriptum est latinis litteris in codd. hic et deinceps* ‖ 99 exposuimus a : diximus g ‖ 100 sua *post* epistola *add.* A

III, 5. 91 : cf. Matth. 25, 34 ; Jn 17, 24 ; Éphés. 1, 4, etc. ‖ 97 :
Matth. 24, 21 ‖ 101 : Éphés. 1, 4 ‖ 106 : II Cor. 4, 18 ‖ 109-122 Et si
tale — institutus est : Jérôme, *Lettre* 124, 9 ‖ 110 : II Cor. 4, 18

été dans les siècles qui nous ont précédés. Les témoignages prouvent les deux points, que des siècles ont existé avant nous et que des siècles existeront après nous. Il ne faut pas penser que plusieurs mondes ont existé à la fois[17], mais qu'après celui-ci cependant suivra celui-là : à ce sujet il n'est pas nécessaire de tout reprendre dans le détail, car nous l'avons fait plus haut[18].

5, 4. Je pense[19] qu'il ne faut certes

L'expression *katabolè* **du monde : descente des âmes ici-bas, soit par leur faute, soit pour aider les autres**

pas passer sous silence comme inutile le fait que l'Écriture sainte ait appelé la création du monde d'un nom nouveau et précis parlant de *katabolè* du monde[20]. Ce mot a été traduit assez improprement en latin par *constitution* du monde : mais *katabolè* en grec signifie plutôt l'action de jeter bas, c'est-à-dire de jeter vers le bas : on l'a traduit en latin improprement, comme nous l'avons dit, par *constitution* du monde. C'est ainsi que, dans l'Évangile selon Jean[21], le Sauveur dit : *Il y aura ces jours-là une tribulation telle qu'il n'y en a pas eu de semblable depuis la constitution du monde :* ici *constitution* représente *katabolè* qu'il faut entendre comme nous l'avons exposé plus haut. L'Apôtre dans son *Épître aux Éphésiens* a utilisé la même parole : *Celui qui nous a choisis avant la constitution du monde ;* ici aussi *constitution* du monde traduit *katabolè*, à comprendre dans le même sens que nous avons exposé plus haut. Il vaut la peine, semble-t-il, de chercher ce qui est signifié par cette expression nouvelle. Je pense que, puisque la fin et la consommation des saints s'accompliront dans les réalités qu'on ne voit pas et qui sont éternelles[22], d'une réflexion sur cette fin on peut déduire, selon le principe que nous avons fréquemment exposé plus haut[23], que les créatures raisonnables ont eu un commencement semblable. Et si le commencement[24] qu'elles ont eu est pareil à la fin qu'elles espèrent, elles furent déjà sans aucun doute,

in his, quae non uidentur et aeterna sunt. Quod si est, de
superioribus ad inferiora descensum est non solum ab his
animabus, quae id motuum suorum uarietate meruerunt,
uerum et ab his, qui ad totius mundi ministerium ex illis
115 superioribus et inuisibilibus ad haec inferiora et uisibilia
deducti sunt, licet non uolentes. *Vanitati quippe creatura
subiecta est non uolens, sed propter eum, qui subiecit in spe,*
quo uel sol uel luna uel stellae uel angeli dei explerent
obsequium mundo ; et his animabus, quae ob nimios
120 defectus mentis suae crassioribus istis et solidioribus
indiguere corporibus, et propter eos, quibus hoc erat
necessarium, mundus iste uisibilis institutus est. Ex hoc
ergo communiter omnium per hanc significantiam, id est
per καταβολήν, a superioribus ad inferiora uidetur indicari
125 deductio. Spem sane libertatis uniuersa creatura gerit, ut a
seruitutis corruptione liberetur, cum filii dei, qui uel
prolapsi uel dispersi sunt, in unum fuerint congregati, uel
cum cetera officia expleuerint in hoc mundo, quae solus
cognoscit omnium artifex deus. Talem uero ac tantum
130 factum esse putandum est mundum, qui uel omnes eas
animas, quae in hoc mundo statutae sunt exerceri, caperet,
uel omnes eas uirtutes, quae adesse eis et dispensare eas
ac iuuare paratae sunt. Vnius namque naturae esse omnes
rationabiles creaturas, ex multis adsertionibus conpro-
135 batur ; per quod solum dei iustitia in omnibus earum
dispensationibus defendi potest, dum unaquaeque in semet
ipsa habet causas, quod in illo uel illo uitae ordine posita est.

5. Hanc ergo dispositionem dei, quam postea ordinauit,
iam tum ab origine mundi rationibus causisque prospectis

III, 5. 116 deducta a ‖ 118 quo a : qua g ‖ 132 ut *post* uel *add.* A
‖ eis : his A ‖ 137 uel illo AB : uel in illo gC *Koe* ‖ 139 tum BC : dum A
tunc g ‖ perspectis AbS

III, 5. 116 : Rom. 8, 20 ‖ 125 : Rom. 8, 21 ‖ 127-129 uel cum —
deus : Jérôme, *Lettre* 124, 9 ‖ 138-144 Hanc — compellebantur :
Jérôme, *Lettre* 124, 9

dès le début, dans les réalités qu'on ne voit pas et qui sont éternelles. S'il en est ainsi, sont descendues de haut en bas non seulement les âmes qui l'ont mérité par leurs mouvements divers, mais encore celles qui pour servir ce monde[25] ont été menées, bien que ne le voulant pas, de ces réalités-là, supérieures et invisibles, à ces réalités-ci, inférieures et visibles. *A la vanité en effet la création est soumise, sans qu'elle le veuille, mais à cause de celui qui l'a soumise, dans l'espoir*, afin que le soleil, la lune, les étoiles et les anges de Dieu accomplissent leur ministère envers le monde : pour ces âmes qui, à cause des trop grandes défaillances de leurs intelligences, eurent besoin de ces corps plus épais et plus solides, et en vue de ceux à qui cela était nécessaire, ce monde visible a été institué. A cause de cela, par la signification de ce mot *katabolè* est indiquée la descente de tous ensemble du haut en bas[26]. Certes toute la création porte en elle l'espoir de la liberté, afin d'être libérée de la servitude de la corruption, lorsque les fils de Dieu, qui sont tombés ou ont été dispersés, seront rassemblés dans l'unité, ou[27] lorsqu'ils auront accompli dans ce monde toutes les autres missions que connaît seul Dieu, artisan de l'univers. Il faut donc penser que le monde a été fait avec la nature et la grandeur nécessaire pour pouvoir contenir toutes les âmes qui ont été placées en ce monde pour s'y exercer[28] ou toutes les puissances qui sont prêtes à les assister, les gouverner et les aider. De nombreuses preuves démontrent que toutes les créatures raisonnables ont une seule nature[29] : cela est nécessaire pour défendre la justice de Dieu dans tous les actes par lesquels il les gouverne, puisque chacune a en elle-même les causes qui l'ont mise dans telle ou telle condition de vie.

5, 5. Telle est[30] la disposition que Dieu a réalisée dans la suite[31], mais que déjà, dès l'origine du monde, il avait

140 uel eorum, qui pro defectu mentis uenire in corpora
merebantur, uel eorum, qui uisibilium cupiditate rapta-
bantur, sed et illorum, qui uel uolentes uel inuiti praestare
officia quaedam his, qui in hunc statum deciderant,
conpellebantur ab eo, qui in spe subiciebat, non intelle-
145 gentes quidam nec aduertentes quod ex praecedentibus
liberi arbitrii causis instituta fuisset a deo dispositionis ista
uarietas, arbitrati sunt uel fortuitis motibus uel fatali
necessitate agi omnia, quae in hoc mundo fiunt nec esse
aliquid in nostro arbitrio. Vnde nec dei prouidentiam
150 inculpabilem adsignare potuerunt.

6. Sicut autem diximus quia multis uel ministris uel
rectoribus uel auxiliatoribus eguerunt animae omnes, quae
in hoc mundo uersatae sunt : ita in nouissimis temporibus,
cum iam finis mundo proximus immineret et in ultimam
155 perditionem omne humanum uergeret genus, infirmatis
non solum his, qui regebantur, uerum etiam illis, quibus
regendi fuerat sollicitudo commissa, non iam tali auxilio
nec similibus sui indiguit defensoribus, sed auctoris ipsius
et creatoris sui opem poposcit, qui et his oboediendi et
160 illis regendi corruptam profanamque restitueret disciplinam. Vnde unigenitus filius dei, qui erat uerbum et
sapientia patris, cum esset in ea gloria apud patrem,
quam habuit antequam mundus esset, exinaniuit se ipsum
et formam serui accipiens efficitur oboediens usque ad
165 mortem, ut oboedientiam doceret eos, qui non aliter nisi
per oboedientiam salutem consequi poterant, regendi
quoque regnandique corruptas restitueret leges, dum

III, 5. 148 fiunt AbSC *(non bene legitur)* : sunt ABC (?) *Koe*
om. GM ‖ 150 potuerunt, *hic finem facit* C ‖ 151 quia multis *om.*
GM ‖ multis *om.* AbS ‖ 156 qui regebantur : quae gerebantur a ‖ 158
sui AB : suis g ‖ 160 profanatamque B ‖ restituerit g ‖ 163 se ipsum
gB : semet ipsum A *Anonym. ad Ianuar. Koe (= Vulg.)* ‖ 167
restitueret AB : restituit AbS restituuntur MG *(corr.* restituantur)

III, 5. 144 : Rom. 8, 20 ‖ 162 : Jn 17, 5 ‖ 163 : Phil. 2, 7 s. ‖ 167 :
I Cor. 15, 25 s.

prise, ayant prévu les raisons et les causes, soit de ceux qui méritaient de venir dans des corps par suite de la défaillance de leur intelligence, soit de ceux qui étaient entraînés par le désir des réalités visibles, soit encore de ceux qui selon leur volonté ou sans le vouloir[32] étaient obligés de remplir certains offices à l'égard de ceux qui étaient tombés dans cet état, et cela par celui qui les y soumettait dans l'espoir. Mais certains[33], sans comprendre ni voir que ces dispositions diverses avaient été prises par Dieu à la suite de causes antécédentes tenant au libre arbitre, ont pensé que tout ce qui se passe dans le monde était mené par des mouvements fortuits ou par une nécessité fatale et que rien ne dépendait de notre libre arbitre. Par là, ils n'ont pu montrer que la providence de Dieu était sans faute.

La raison de l'Incarnation : la soumission du Fils à son Père

5, 6. Nous avons dit que toutes les âmes qui se sont trouvées dans ce monde ont eu besoin de beaucoup d'assistants, de directeurs, d'auxiliaires ; de même dans les derniers temps, alors que déjà la fin du monde était imminente et que tout le genre humain tournait à sa perte définitive, comme non seulement ceux qui étaient gouvernés, mais même ceux à qui avait été confié le soin de les gouverner, étaient atteints de faiblesse[34], le genre humain n'a plus eu besoin seulement d'une telle aide et de défenseurs semblables à lui, mais il a réclamé le secours de son auteur et créateur lui-même pour restaurer la discipline corrompue et profanée de l'obéissance chez les uns et de l'autorité chez les autres. C'est pourquoi le Fils Unique de Dieu, qui était la Parole et la Sagesse du Père lorsqu'il se trouvait auprès du Père dans cette gloire qu'il avait avant l'existence du monde, s'est anéanti lui-même et, prenant la forme de l'esclave[35], s'est fait obéissant jusqu'à la mort pour enseigner l'obéissance[36] à ceux qui ne pouvaient pas obtenir le salut autrement que par l'obéissance, pour restaurer aussi les lois corrom-

omnes inimicos subicit pedibus suis, et per hoc quod necesse
est eum regnare, donec ponat inimicos suos sub pedibus
170 suis et nouissimum inimicum destruat mortem, rectores
ipsos regendi doceat moderamina. Quia ergo non solum
regendi uel regnandi uerum etiam oboediendi, ut diximus,
reparare uenerat disciplinam, in semet ipso prius complens
quod ab aliis uolebat impleri, idcirco non solum usque ad
175 mortem crucis patri oboediens factus est, uerum etiam in
consummatione saeculi in semet ipso conplectens omnes,
quos subicit patri et qui per eum ueniunt ad salutem, cum
ipsis et in ipsis ipse quoque subiectus dicitur patri, dum
omnia in ipso constant, et ipse est caput omnium, et in
180 ipso est salutem consequentium plenitudo. Hoc ergo est
quod de eo dicit apostolus : *Cum autem omnia ei fuerint
subiecta, tunc et ipse filius subiectus erit ei, qui sibi subdidit
omnia, ut sit deus omnia in omnibus.*

7. Verum nescio quo pacto haeretici non intellegentes
185 apostoli sensum, qui in his uerbis continetur, subiectionis
in filio nomen infamant ; cuius appellationis si proprietas
requiritur, ex contrariis facile poterit inueniri. Nam si
subiectum esse non est bonum, restat ut illud, quod
contrarium est, bonum sit, id est non esse subiectum.
190 Sermo namque apostoli secundum quod isti uolunt hoc
uidetur ostendere, dum dicit : *Cum autem subiecta fuerint
ei omnia, tunc et ipse filius subiectus erit ei, qui sibi subdidit
omnia*, ut quasi is, qui nunc patri subiectus non sit,
subiectus futurus sit tunc, cum prius ei pater uniuersa
195 subiecerit. Sed miror quomodo hoc intellegi possit, ut is,
qui nondum sibi subiectis omnibus non est ipse subiectus,

III, 5. 168 suos *post* inimicos *add.* A ‖ 170 rectoresque A ‖ 175-
176 in consummationem g *Anonym. ad Ianuar.* ‖ 179 constant :
constent AbS constet GM[ac] ‖ 180 est[1] : est salus GM est salus et
AbS ‖ est[2] *om.* g ‖ 191 dum : cum B ‖ 192 ei erit g

III, 5. 174 : Phil. 2, 8 ‖ 178 : I Cor. 15, 28 ; Col. 1, 17 s. ; Éphés.
1, 22 s. ‖ 181 : I Cor. 15, 28 ‖ 191 : I Cor. 15, 28

pues de l'art de gouverner et de régner, en soumettant tous ses ennemis sous ses pieds, et puisqu'il lui est nécessaire de régner jusqu'à ce qu'il ait mis ses ennemis sous ses pieds et qu'il ait détruit le dernier ennemi, la mort, pour apprendre à ceux qui gouvernent eux-mêmes les règles du gouvernement. Puisque donc, comme nous l'avons dit, il était venu restaurer la discipline non seulement de l'art de gouverner et de régner, mais aussi de celui d'obéir, accomplissant en lui-même ce qu'il voulait être accompli par les autres, il ne s'est pas fait seulement obéissant au Père[37] jusqu'à la mort de la croix, mais aussi à la consommation du siècle, embrassant en lui-même[38] tous ceux qu'il a soumis à son Père et qui par lui viennent au salut, il est dit qu'avec eux et en eux il se soumettra au Père, puisque tout subsiste en lui et qu'il est la tête de toute chose et qu'en lui se trouve la plénitude de ceux qui obtiennent le salut. C'est ce que dit de lui l'Apôtre : *Lorsque tout lui sera soumis, alors le Fils lui-même sera soumis à celui qui lui a soumis toutes choses, afin que Dieu soit tout en tous*[39].

Comment entendre cette soumission ? 5, 7. Mais, je ne sais comment, des hérétiques[40], sans comprendre la signification que l'Apôtre met dans ces paroles, calomnient ce terme *soumission* en ce qui concerne le Fils : si on cherche la signification du mot, on pourra la trouver facilement en partant de son contraire. Car si la soumission n'est pas un bien, il s'ensuit que son contraire, l'insoumission, est un bien. La parole de l'Apôtre : *Lorsque tout lui sera soumis, alors le Fils lui-même sera soumis à celui qui lui a soumis toutes choses*, paraît montrer, selon la signification que ces hérétiques lui donnent, que celui qui maintenant n'est pas soumis à son Père, lui sera soumis[41] lorsque auparavant le Père lui aura soumis toutes choses. Mais je m'étonne qu'on puisse comprendre cela ainsi : si, tant que tout ne lui est pas soumis, il n'est pas lui-même

tunc cum subiecta sibi fuerint omnia, cum rex omnium
fuerit et potestatem tenuerit uniuersorum, tunc eum
subiciendum putent, cum subiectus ante non fuerit, non
200 intellegentes quod subiectio Christi ad patrem beatitudinem nostrae perfectionis ostendit et suscepti ab eo
operis palmam declarat, cum non solum regendi ac
regnandi summam, quam in uniuersa emendauerat creatura, uerum etiam oboedientiae et subiectionis correcta
205 reparataque humani generis patri offerat instituta. Si ergo
bona et salutaris accipitur ista subiectio, qua subiectus
esse dicitur filius patri, ualde consequens et cohaerens est
ut inimicorum quae dicitur filio dei esse subiectio salutaris
quaedam intellegatur et utilis ; ut sicut cum dicitur filius
210 patri subiectus, perfecta uniuersae creaturae restitutio
declaratur, ita cum filio dei inimici dicuntur esse subiecti,
subiectorum salus in eo intellegatur et reparatio perdi-
torum.

8. Verum certis quibusque et modis et disciplinis et
215 temporibus subiectio ista complebitur, id est non necessitate aliqua ad subiectionem cogente nec per uim subditus
fiet omnis mundus deo, sed uerbo ratione doctrina prouo-
catione meliorum institutionibus optimis comminationibus
quoque dignis et conpetentibus, quae iuste immineant his,
220 qui salutis et utilitatis suae curam sanitatemque contem-
nunt. Denique et nos homines, cum uel seruos uel filios
erudimus, dum adhuc per aetatem rationis incapaces sunt,
minis eos et metu cohercemus ; cum uero boni, utilis et
honesti intellegentiam ceperint, tunc iam cessante uerbe-

III, 5. 203 in uniuersam ... creaturam g ǁ 205 parataque A ǁ 209
utilis : utilitatis GM ǁ 210 uniuersa GM[ac]

III, 5. 197 : I Cor. 15, 25

soumis, alors, lorsque tout lui sera soumis, lorsqu'il sera
devenu roi de tout et qu'il aura pouvoir sur l'univers, il se
soumettra, selon ce qu'ils pensent, alors qu'il ne l'a pas
fait auparavant. Ils ne comprennent pas que la soumission
du Christ à son Père montre la béatitude qui viendra de
notre perfection et exprime l'achèvement victorieux de
l'œuvre qu'il a entreprise[42], lorsqu'il offre à son Père non
seulement le plus haut degré de l'art de gouverner et de
régner, qu'il a purifié dans toute la création, mais encore
les règles de conduite de l'obéissance et de la soumission,
corrigées et restaurées dans tout le genre humain. Si donc
on comprend comme bonne et salutaire la soumission par
laquelle le Fils est, selon ce qui est dit, soumis à son Père,
il s'ensuit de façon très logique et cohérente qu'il faut
entendre comme salutaire et utile ce qui est appelé la
soumission des ennemis au Fils de Dieu : dans ce qu'on
appelle la soumission du Fils au Père est affirmée la
restauration parfaite de toute la création ; pareillement
dans la soumission des ennemis au Fils de Dieu, on
comprend le salut en lui de ceux qui sont soumis et le
rétablissement de ceux qui sont perdus[43].

5, 8. Mais cette soumission s'accom-
Le gouvernement plira selon des manières, des normes
des âmes en vue et en des temps déterminés, ce qui
de cette soumission veut dire que ce n'est pas forcé par
une nécessité ou par suite de la violence[44] que le monde
entier se soumettra à Dieu, mais par l'action de la parole,
de la raison, de l'enseignement, de l'imitation des meilleurs,
des bonnes mœurs et aussi des menaces méritées et adaptées
qui pèsent justement sur ceux qui négligent de prendre
soin de leur salut et de leur intérêt et de veiller à leur
guérison. Ainsi, nous aussi, les hommes, dans l'éducation
de nos serviteurs et de nos fils, tant qu'ils ne sont pas
encore d'âge raisonnable, nous faisons pression sur eux
par des menaces et par la crainte[45] : mais lorsqu'ils ont
reçu l'intelligence de ce qui est bon, utile et honnête,

225 rum metu, uerbo ac ratione suasi ad omnia quae bona
sunt adquiescunt. Quomodo autem seruata omnibus
rationabilibus creaturis arbitrii libertate unusquisque
debeat dispensari, id est quos uelut iam paratos et capaces
sermo dei et inueniat et instruat, quos autem interim
230 differat, a quibus uero penitus occultetur et longe eorum
a se fieri dispenset auditum, quosque rursum contemnentes
indicatum sibi et praedicatum uerbum dei correptionibus
quibusdam et castigationibus inlatis perurgeat ad salutem
conuersionemque eorum quodammodo exigat et extor-
235 queat, quibus uero etiam occasiones quasdam praestet
salutis, ita ut interdum etiam ex responsione sola fide
prolata indubitatam quis ceperit salutem, quibus haec ex
causis uel quibus occasionibus fiant, quidue in his intro
inspiciens diuina sapientia, uel quos motus propositi
240 eorum uidens haec uniuersa dispenset : soli deo cognitum
est et unigenito eius, per quem creata ac reparata sunt
uniuersa, et spiritui sancto, per quem cuncta sanctificantur,
qui ab ipso patre procedit, cui est gloria in aeterna saecula.
Amen.

ϛ'. Περὶ τέλους

6. De consummatione mundi

1. De fine uero et consummatione omnium iam quidem
in superioribus pro uiribus nostris disseruimus, secundum
quod diuinae scripturae indulsit auctoritas, quae sufficere

III, 5. 228 iam : etiam A ‖ 230 quam *post* et *add.* A ‖ 231 quosque : quodque A ‖ 233 quibusdam *post* castigationibus *add.* g ‖
234 quodammodo AB : quemadmodo GM^{ac} quemadmodum AbSM^{pc} ‖
237 prolata AB : probata g ‖ 241 ac AB : et g

III, 5. 230 : Prov. 15, 29 ‖ 241 : Jn 1, 3 ‖ 243 : Jn 15, 26

alors cesse la crainte des coups et, persuadés par la parole
et la raison, ils acquiescent à tout ce qui est bon. Mais[46]
de quelle manière chacun doit être dirigé en respectant
le libre arbitre dans toutes les créatures raisonnables,
c'est-à-dire quels sont ceux que la parole de Dieu trouve
prêts et capables et ainsi instruits, ceux qu'elle retarde un
certain temps, ceux à qui elle se cache complètement,
faisant en sorte que leur oreille se tienne loin d'elle, ceux
en revanche que, pour avoir méprisé la parole de Dieu
qui leur a été indiquée et prêchée, elle accable de ses
réprimandes et des châtiments qu'ils subissent en vue de
leur salut, exigeant et leur arrachant en quelque sorte la
conversion, ceux à qui elle fournit quelques occasions de
salut pour que parfois quelqu'un puisse recevoir un salut
non douteux à la suite d'une réponse inspirée par la seule
foi[47], pour quelles causes et à quelles occasions tout cela
a lieu, que constate en eux la sagesse divine ou quels
mouvements de leur volonté voit-elle pour son gouvernement de l'univers : tout cela est su par Dieu seul[48] et par
son Fils Unique, par qui a été créé et restauré l'univers,
ainsi que par l'Esprit Saint qui sanctifie toutes choses,
procède[49] du Père lui-même, possède la gloire dans l'éternité
des siècles. Amen.

Seconde section: Au sujet de la fin (III, 6)
(Au sujet de la consommation du monde)

**La ressemblance
à Dieu,
fin de toutes choses**
6, 1. Nous avons déjà disserté plus
haut, selon nos possibilités, de la fin
et de la consommation du monde selon
que le permet l'autorité des divines
Écritures ; nous pensons que cela suffit à instruire, mais

III, 6. Titre grec : Photius, *Bibl.* 8

5 ad instructionem putamus, paucis etiam nunc ammonitis,
quoniam in hunc nos locum quaestionis ordo perduxit.
Igitur summum bonum, ad quod natura rationabilis
uniuersa festinat, qui etiam finis omnium dicitur, a quam
plurimis etiam philosophorum hoc modo terminatur, quia
10 summum bonum sit, prout possibile est, similem fieri deo.
Sed hoc non tam ipsorum inuentum, quam ex diuinis libris
ab eis adsumptum puto. Hoc namque indicat Moyses ante
omnes, cum primam conditionem hominis enarrat dicens :
Et dixit deus : Faciamus hominem ad imaginem et simili-
15 *tudinem nostram.* Tum deinde addit : *Et fecit deus hominem,*
ad imaginem dei fecit illum, masculum et feminam fecit eos,
et benedixit eos. Hoc ergo quod dixit *ad imaginem dei fecit*
eum et de similitudine siluit, non aliud indicat nisi quod
imaginis quidem dignitatem in prima conditione percepit,
20 similitudinis uero ei perfectio in consummatione seruata
est : scilicet ut ipse sibi eam propriae industriae studiis
ex dei imitatione consciceret, quo possibilitatem sibi
perfectionis in initiis datam per imaginis dignitatem, in
fine demum per operum expletionem perfectam sibi ipse
25 similitudinem consummaret. Sed apertius haec et euidentius ita se habere Iohannes apostolus definit, hoc modo
pronuntians : *Filioli, nondum scimus quid futuri sumus ;*
si uero reuelatus nobis fuerit (de saluatore sine dubio dicens)
similes illi erimus. Per quod certissime indicat et finem
30 omnium, quem adhuc sibi dicit ignotum, et similitudinem
dei sperandam, quae pro meritorum perfectione praesta-
bitur. Ipse quoque dominus in euangelio haec eadem non
solum futura, uerum etiam sui intercessione futura designat, dum ipse hoc a patre discipulis suis impetrare

III, 6. 20 ei B : et A *om.* g ‖ 22-23 possibilitatem ... datam *codd.* :
possibilitate ... data *Del, quem Koe secutus est* ‖ 23 in[1] *om.* g

III, 6. 9 : Platon, *Théétète* 176 B ‖ 14 : Gen. 1, 26 ‖ 15 : Gen. 1,
27 s. ‖ 27 : I Jn 3, 2

nous mentionnerons cependant quelques autres points, puisque la suite de l'argumentation nous ramène à ce sujet. Le bien suprême donc, vers lequel se hâte toute la nature raisonnable et qui est dit aussi la fin de toutes choses, a été exprimé pareillement par de très nombreux philosophes en ces termes : le bien suprême consiste à devenir semblable à Dieu dans la mesure du possible[1]. Mais cela, je ne pense pas qu'ils l'aient trouvé eux-mêmes, ils l'ont emprunté aux livres divins[2]. C'est en effet indiqué par Moïse avant tout autre quand il raconte la première création de l'homme : *Dieu dit : Faisons l'homme à notre image et ressemblance.* Ensuite il ajoute : *Et Dieu fit l'homme, à l'image de Dieu il le fit, mâle et femelle il les fit, et il les bénit.* Il dit alors : *A l'image de Dieu il le fit*, et il se tut sur la ressemblance[3] : cela indique seulement que l'homme a reçu la dignité de l'image dans sa première création[4], mais que la perfection de la ressemblance lui est réservée pour la consommation. C'est dire qu'il devait se la procurer lui-même par l'effort de son activité propre en imitant Dieu[5] : la possibilité de cette perfection qui lui était donnée dès le début par la dignité de l'image[6], il devait à la fin, en accomplissant les œuvres, la réaliser lui-même en ressemblance parfaite[7]. L'apôtre Jean certifie avec plus de clarté et d'évidence qu'il en est ainsi lorsqu'il dit[8] : *Mes petits enfants, nous ne savons pas encore ce que nous serons ; quand cela nous sera révélé, nous serons semblables à lui :* il parle là sans aucun doute du Sauveur[9]. Par là il indique avec une grande certitude et la fin de toutes choses — il dit qu'il l'ignore encore — et la ressemblance de Dieu à espérer, celle qui sera donnée selon la perfection des mérites. Le Seigneur lui-même dans l'Évangile la présente non seulement comme future, mais comme devant se produire par son intercession[10], puisqu'il daigne lui-même la demander à son Père pour ses disciples

35 dignatur dicens : *Pater, uolo ut ubi ego sum et isti mecum*
sint; et sicut ego et tu unum sumus, ita et isti in nobis
unum sint. In quo iam uidetur ipsa similitudo, si dici
potest, proficere et ex simili unum iam fieri, pro eo sine
dubio quod in consummatione uel fine omnia et in omnibus
40 deus est.

In quo requiritur a nonnullis, si ratio naturae corporeae,
quamuis expurgatae ad liquidum et penitus spiritalis
effectae, non uideatur obsistere uel ad similitudinis dignitatem uel ad unitatis proprietatem, quod naturae diuinae,
45 quae utique principaliter incorporea est, nec similis
uideatur posse dici quae in corpore est natura nec unum
cum ea uere ac merito designari, maxime cum id, quod
unum est filius cum patre, ad naturae proprietatem
referendum fidei ueritas doceat.

50   2. Cum ergo in fine deus esse omnia et in omnibus
promittatur, sicut consequens est, non est opinandum
uenire ad illum finem animalia uel pecora uel bestias, ne
etiam in animalibus aut pecoribus uel bestiis deus inesse
designetur ; sed nec ligna uel lapides, ne in his quoque
55 esse dicatur deus. Ita ne ullam quidem malitiam ad illum
finem putandum est peruenire, ne dum in omnibus deus
esse dicitur, etiam in aliquo malitiae uasculo inesse dicatur.
Nam etiamsi nunc quoque ubique et in omnibus esse
dicimus deum, pro eo quod nihil potest esse uacuum deo,
60 non tamen ita esse dicimus, ut omnia sit nunc in quibus est.
Vnde diligentius intuendum est quale est hoc, quod
perfectionem beatitudinis rerumque finem significat, quod
non solum in omnibus esse dicitur deus, sed etiam omnia

III, 6. 35 dignatur : designatur AS^ac ‖ 37 iam *om.* g ‖ 42 quamuis : quam g ‖ 45 principaliter : corporaliter g ‖ 47 uere : uera g
‖ 54 uel : nec g ‖ 58 esse : esit GM^ac sit AbSM^pc ‖ 60 in quibus : in
omnibus GM in quibuscumque S

III, 6. 35 : Jn 17, 24 ‖ 36 : Jn 17, 21 ‖ 39 : I Cor. 15, 28 ‖ 41-49
In quo — doceat : Jérôme, *Lettre* 124, 9 ‖ 48 : Jn 10, 30 ‖ 49 Après

quand il dit : *Père, je veux que là où je suis, eux aussi soient avec moi*, et : *comme moi et toi nous sommes uns, ainsi qu'eux aussi soient un avec nous.* Il semble par là que la ressemblance elle-même progressera, pour ainsi dire, et que de semblable on deviendra un[11], car sans aucun doute à la consommation ou fin Dieu est tout et en tous.

La thèse de l'incorporéité finale : Dieu tout en tous Là-dessus[12] certains se demandent si l'essence de la nature corporelle, bien que complètement purifiée et devenue totalement spirituelle, ne fera pas alors obstacle, à ce qu'il semble, à la dignité de la similitude et à l'unité au sens propre, puisque, comme la nature divine est certes principalement incorporelle, celle qui est dans un corps ne paraît pas pouvoir lui être dite semblable, ni être déclarée une avec elle, surtout lorsque la vérité de notre foi enseigne qu'il faut rapporter l'unité du Fils avec le Père à leur nature propre.

6, 2. Lorsque[13] donc il nous est promis que Dieu sera tout et en tous, il ne faut pas penser, comme c'est logique, que les animaux, les bestiaux et les bêtes parviendront à cette fin, pour qu'on n'indique pas que Dieu est présent dans les animaux, les bestiaux et les bêtes ; et non plus dans le bois et la pierre, de peur qu'on ne dise aussi que Dieu est en eux. Nous croyons aussi qu'aucune malice n'arrivera à cette fin, de peur que lorsqu'il est dit que Dieu est tout en tous, on n'affirme qu'il se trouve aussi dans quelque réceptacle de malice. Nous disons certes aussi que Dieu est partout et en tout en ce sens que rien ne peut être vide de Dieu[14], mais cependant nous ne disons pas qu'il soit tout maintenant dans ce en quoi il est. C'est pourquoi il faut examiner avec plus de soin ce que signifie la perfection de la béatitude et la fin de toutes choses : Dieu n'est pas dit

---

' doceat ', Koetschau insère un autre passage de Jérôme, *Lettre* 124, 9 ‖ 50-57 Cum ergo — dicatur (57) : Justinien, Mansi IX, 529 ‖ 50 s. : I Cor. 15, 28 ‖ 56 s. : I Cor. 15, 28

esse dicitur deus. Quae sint ergo ista omnia quae deus
65 futurus sit in omnibus, requiramus.

3. Et ego quidem arbitror quia hoc, quod in omnibus
omnia esse dicitur deus, significet etiam in singulis eum
omnia esse. Per singulos autem omnia erit hoc modo, ut
quidquid rationabilis mens, expurgata omni uitiorum
70 faece atque omni penitus abstersa nube malitiae, uel
sentire uel intellegere uel cogitare potest, omnia deus sit
nec ultra iam aliquid aliud nisi deum sentiat, deum cogitet,
deum uideat, deum teneat, omnes motus sui deus sit ;
et ita erit ei omnia deus : non enim iam ultra mali bonique
75 discretio, quia nusquam malum (omnia enim ei deus est,
cui iam non adiacet malum), nec ultra ex arbore sciendi
bonum et malum edere concupiscet qui semper in bono
est, et cui omnia deus est. Si ergo finis ad principium
reparatus et rerum exitus conlatus initiis restituet illum
80 statum, quem tunc habuit natura rationabilis, cum de
ligno sciendi bonum et malum edere non egebat, ut amoto
omni malitiae sensu et ad sincerum purumque deterso
solus qui est unus deus bonus hic ei fiat omnia, et non
in paucis aliquibus uel pluribus sed ut in omnibus ipse sit
85 omnia, cum iam nusquam mors, nusquam aculeus mortis,
nusquam omnino malum : tunc uere deus omnia in omnibus
erit. Verum istam perfectionem ac beatitudinem rationabilium naturarum ita demum quidam permanere in eo
statu quo supra diximus putant, id est ut deum omnia
90 habeant, et deus eis sit omnia, si nullatenus eas societas

---

III, 6. 64 quae sint — non possunt (148) *apud Ioannem Scotum
Erigenam, PL 122, 929 s. (= Sc)* ‖ 65 in *om.* gBA *(add. sup. l. ex
corr.)* ‖ 70 omni : omnium AbS ‖ 73 omnes motus sui deus sit *codd.* :
omnis motus suus deus sit *Anonym. ad Ianuar.* omnis motus sui
deus motus et mensura sit *Sc Del quos Koe secutus est* ‖ 78 est[1]
om. A ‖ si *codd.* : sic A *(ex* si) *Del* ‖ 80 tunc *om.* g ‖ 86 tunc : dum
A ‖ 89 quo : quod GAbS

seulement être en tout, mais aussi être tout. Demandons-nous ce que signifie cette expression, *tout*, que Dieu sera *en tout*.

6, 3. Je pense que cette expression attribuée à Dieu *être tout en tout* signifie aussi qu'il sera tout en chaque être[15]. Il sera tout en chaque être en ce sens que tout ce qu'une intelligence raisonnable, purifiée de toutes les ordures des vices et nettoyée complètement de tous les nuages de la malice, peut sentir, comprendre et croire, tout cela sera Dieu, et elle ne fera rien d'autre que sentir Dieu, penser Dieu, voir Dieu, tenir Dieu, Dieu sera tous ses mouvements[16] : et c'est ainsi que Dieu lui sera tout. Il n'y aura plus de discernement du mal et du bien, car il n'y aura plus de mal — Dieu en effet lui est tout, lui en qui il n'y a pas de mal — et celui-là ne désirera plus manger de l'arbre de la connaissance du bien et du mal qui est toujours dans le bien et à qui Dieu est tout. Si donc la fin restituée selon la condition initiale et la consommation des choses rapportée à leur début restaureront l'état qu'avait alors la nature raisonnable, quand elle n'avait pas besoin de manger de l'arbre de la connaissance du bien et du mal[17], après avoir écarté tout sentiment de malice, l'avoir nettoyé pour parvenir à la propreté et à la pureté, celui-là seul qui est l'unique Dieu bon lui deviendra tout et il sera tout, non seulement en quelques-uns, ni en beaucoup, mais en tous, quand il n'y aura plus de mort[18], plus d'aiguillon de la mort, et absolument plus de mal : alors Dieu sera vraiment tout en tous. Mais cette perfection et cette béatitude des natures raisonnables, certains pensent qu'elle perdurera dans l'état dont nous avons parlé, c'est-à-dire celui où tous les êtres possèdent Dieu et où Dieu est pour eux tout, si leur union avec la nature corporelle ne les en éloigne pas du tout.

III, 6. 76 : Gen. 2, 17 ‖ 85 : I Cor. 15, 55

naturae corporalis amoueat. Alioquin aestimant gloriam
summae beatitudinis inpediri, si materialis substantiae
interseratur admixtio. De qua re plenius nobis in superioribus quae occurrere potuerunt pertractata atque digesta
95 sunt.

4. Nunc uero quoniam apud apostolum Paulum mentio-
nem spiritalis corporis inuenimus, qualiter etiam inde
sentiri debeat de hoc, tantummodo prout possumus requiramus. Quantum ergo sensus noster capere potest, quali-
100 tatem spiritalis corporis talem quandam esse sentimus, in
quo inhabitare deceat non solum sanctas quasque perfec-
tasque animas, uerum etiam omnem illam creaturam,
quae liberabitur a seruitute corruptionis. De quo corpore
etiam illud apostolus dixit quia *domum habemus non manu*
105 *factam, aeternam in caelis*, id est in mansionibus beatorum.
Ex hoc ergo coniecturam capere possumus, quantae
puritatis, quantae subtilitatis quantaeque gloriae sit
qualitas corporis illius, si conparationem faciamus eius ad
ea, quae nunc, licet caelestia sint et splendidissima corpora,
110 *manu facta* tamen sunt et uisibilia. De illo autem dicitur
domus esse non manu facta, sed aeterna in caelis. Quia ergo
quae uidentur temporalia sunt, quae autem non uidentur
aeterna sunt, omnibus his corporibus, quae siue in terris
siue in caelis uidemus et quae uideri possunt et *manu*
115 *facta* sunt et aeterna non sunt, multa longe praelatione
praecellit illud, quod et uisibile non est nec manu factum
est, sed aeternum est. Ex qua conparatione conici potest,
quantus decor, quantus splendor quantusque fulgor sit
corporis spiritalis, et uerum esse illud, quod dictum est,
120 quia *oculus non uidit nec auris audiuit nec in cor hominis*
ascendit quae praeparauit deus his, qui diligunt eum. Non

III, 6. 91 amoueat M^pc *(mg.)* Sc : ammoneat *codd.* ammoueat A^pc
admoueat *uel* admoneat Sc ‖ 98 possimus A ‖ 114 et quae : quae et
A quae B ‖ 119 esse : est g

Autrement ils pensent que le mélange de la substance matérielle empêcherait la gloire de la béatitude suprême. Mais[19] sur ce sujet nous avons exposé et discuté plus complètement dans les pages précédentes tout ce qui a pu se présenter à notre pensée.

La thèse de la corporéité spirituelle finale

6, 4. Puisque nous trouvons[20] chez l'apôtre Paul une mention du corps spirituel, recherchons, comme nous le pouvons, ce qu'il faut penser à ce sujet. Autant que notre intelligence peut le comprendre, nous pensons que la qualité d'un corps spirituel doit permettre non seulement aux âmes saintes et parfaites de l'habiter, mais encore à toutes ces créatures[21] qui seront libérées de la servitude de la corruption. De ce corps l'Apôtre dit aussi que *nous avons une maison non faite de main d'homme, éternelle dans les cieux*, c'est-à-dire dans les demeures des bienheureux. De cela nous pouvons conjecturer la pureté, la subtilité et la gloire qui seront les qualités de ce corps, si nous le comparons à ceux qui maintenant, bien qu'ils soient des corps célestes et très resplendissants, sont cependant *faits par la main* et visibles[22]. Au contraire il est dit de celui-là qu'il est une *maison non faite de main d'homme, mais éternelle dans les cieux*. Puisque donc *le visible est temporel, l'invisible éternel*, tous ces corps que nous voyons soit sur terre soit dans les cieux, qui peuvent être vus, qui sont faits par la main et ne sont pas éternels, sont dépassés de très loin par celui-là qui n'est pas visible ni fait de main d'homme, mais est éternel. A partir de cette comparaison, on peut soupçonner la beauté, la splendeur et l'éclat du corps spirituel ; il est vrai, comme c'est écrit, que *l'œil n'a pas vu ni l'oreille entendu, qu'il n'est pas encore monté jusqu'au cœur de l'homme ce que Dieu a préparé pour ceux qui*

III, 6. 93 : après ' admixtio ' pourrait être inséré un passage de Jérôme *Lettre*, 124, 10 ‖ 96 : I Cor. 15, 44 ‖ 102 : Rom. 8, 21 ‖ 104 : II Cor. 5, 1 ‖ 112 : II Cor. 4, 18 ‖ 120 : I Cor. 2, 9

autem dubitandum est naturam corporis huius nostri
uoluntate dei, qui talem fecit eam, usque ad illam qualitatem subtilissimi et purissimi ac splendidissimi corporis
125 posse a creatore perduci, prout rerum status uocauerit et
meritum rationabilis naturae poposcerit. Denique cum
uarietate et diuersitate mundus indiguit, per diuersas rerum
facies speciesque omni famulatu praebuit se materia
conditori, utpote domino et creatori suo, quo diuersas
130 caelestium terrenorumque ex ea duceret formas. Cum uero
res ad illud coeperint festinare, ut sint omnes unum, sicut
est pater cum filio unum, consequenter intellegi datur quod,
ubi omnes unum sunt, iam diuersitas non erit.

5. Propterea namque etiam nouissimus inimicus, qui
135 mors appellatur, destrui dicitur, ut neque ultra triste sit
aliquid, ubi mors non est, neque diuersum sit, ubi non est
inimicus. Destrui sane nouissimus inimicus ita intellegendus
est, non ut substantia eius quae a deo facta est pereat,
sed ut propositum et uoluntas inimica, quae non a deo
140 sed ab ipso processit, intereat. Destruitur ergo, non ut non
sit, sed ut inimicus et mors non sit. Nihil enim omnipotenti
inpossibile est, nec insanabile est aliquid factori suo ;
propterea enim fecit omnia, ut essent ; et ea, quae facta
sunt, ut essent, non esse non possunt. Propter quod
145 immutationem quidem uarietatemque recipient, ita ut pro
meritis uel in meliore uel in deteriore habeantur statu ;
substantialem uero interitum ea, quae a deo ad hoc facta
sunt, ut essent et permanerent, recipere non possunt.
Non enim ea, quae opinione uulgi interire creduntur,

III, 6. 129 quo : quod g ‖ 140 destruitur AB : destruetur g *Sc Koe*

III, 6. 131 : Jn 17, 21 ‖ 134 : I Cor. 15, 26 ‖ 141 : Job 42, 2

l'aiment. Il n'est pas douteux que la nature de ce corps qui est nôtre, par la volonté de Dieu qui l'a créée ainsi, pourra parvenir par l'action du Créateur à cette qualité de corps très subtil, très pur et très resplendissant, selon que l'état des choses l'exigera et que les mérites de la nature raisonnable le demanderont. En fait, lorsque le monde a eu besoin de variété et de diversité, la matière s'est livrée en toute disponibilité dans les différents aspects et espèces des choses[23] à celui qui l'a faite, puisqu'il est son seigneur et son créateur, pour qu'il puisse tirer d'elle les formes diverses des êtres célestes et terrestres. Mais lorsque tous les êtres commenceront à se hâter à devenir tous un comme le Père est un avec le Fils, il faut comprendre logiquement que là où tous seront un, il n'y aura plus de diversité[24].

- destruction
de la mort
et restauration
du corps

6, 5. C'est pourquoi en effet même le dernier ennemi appelé la mort sera détruit selon ce qui est dit, de sorte qu'il n'y aura plus rien de funeste puisque la mort ne sera plus[25], ni de différent puisqu'il n'y aura plus d'ennemi. Il faut comprendre cette destruction du dernier ennemi non en ce sens que sa substance faite par Dieu périra, mais en celui que son propos et sa volonté d'inimitié, qui proviennent non de Dieu mais de lui-même, disparaîtront. Il est donc détruit, non pour qu'il n'existe plus, mais pour qu'il ne soit plus ennemi et mort[26]. Rien en effet n'est impossible au Tout-Puissant[27], rien n'est inguérissable pour son créateur : il a fait toutes choses pour qu'elles existent ; et tout ce qui a été fait pour exister ne peut pas cesser d'exister. C'est pourquoi si elles subissent des changements et des diversités[28], c'est pour qu'elles se trouvent dans un état meilleur ou pire conformément à leurs mérites. Mais les êtres qui ont été faits par Dieu pour exister et durer ne peuvent recevoir une mort qui les atteigne dans leur substance[29]. En effet, si l'opinion du vulgaire pense que des êtres ont péri, il ne s'ensuit pas

150 continuo etiam uel fidei uel ueritatis ratio ea interisse
consentit. Denique caro nostra ab inperitis et infidelibus
ita post mortem deperire aestimatur, ut nihil prorsus
substantiae suae reliquum habere credatur. Nos uero, qui
resurrectionem eius credimus, immutationem eius tantum-
155 modo per mortem factam intellegimus, substantiam uero
certum est permanere et uoluntate creatoris sui certo quo
tempore reparari rursus ad uitam, atque iterum permutationem eius fieri ; ut quae primo fuit caro ex terra terrena,
tum deinde dissoluta per mortem et iterum facta cinis ac
160 terra *(quoniam terra es* inquit *et in terram ibis)* rursum
resuscitetur e terra et post hoc iam, prout meritum
inhabitantis animae poposcerit, in gloriam corporis
proficiat spiritalis.

6. In hunc ergo statum omnem hanc nostram substan-
165 tiam corporalem putandum est perducendam, tunc cum
omnia restituentur, ut unum sint, et cum deus fuerit omnia
in omnibus. Quod tamen non ad subitum fieri sed paulatim
et per partes intellegendum est, infinitis et immensis
labentibus saeculis, cum sensim et per singulos emendatio
170 fuerit et correctio prosecuta, praecurrentibus aliis et
uelociore cursu ad summa tendentibus, aliis uero proximo
quoque spatio insequentibus, tum deinde aliis longe
posterius : et sic per multos et innumeros ordines profi-
cientium et deo se ex inimicis reconciliantium peruenitur
175 usque ad nouissimum inimicum, qui dicitur mors, ut etiam
ipse destruatur, ne ultra sit inimicus.

Cum ergo restitutae fuerint omnes rationabiles animae
in huiuscemodi statum, tunc etiam natura huius corporis
nostri in spiritalis corporis gloriam perducetur. Sicut enim

III, 6. 151 consensit g ǁ 161 e terra et : et terra *corr.* e terra A
terra et B ǁ 178 natura etiam g

III, 6. 158 : I Cor. 15, 44 s. ǁ 160 : Gen. 18, 27 ; 3, 19 ǁ 165 : Jn
17, 21 ; I Cor. 15, 28 ǁ 175 : I Cor. 15, 26

que la règle de la foi et de la vérité accepte qu'ils aient péri. Enfin si notre chair périt après la mort, au jugement des ignorants et des incroyants[30], de telle sorte que rien ne reste absolument de sa substance selon ce qu'ils croient, nous, qui croyons à sa résurrection, nous comprenons seulement que la mort opère là un changement, mais nous sommes certains que sa substance subsiste et qu'à un certain moment, selon la volonté du créateur, elle sera de nouveau restaurée pour vivre et subira encore un changement : en effet, ce qui fut d'abord une chair terrestre venue de la terre, dissoute ensuite par la mort et de nouveau faite cendre et terre — car *tu es terre*, dit l'Écriture, *et tu iras dans la terre* — ressuscitera de la terre et après cela désormais, selon que le demandent les mérites de l'âme qui l'habite, progressera jusqu'à la gloire du corps spirituel[31].

6, 6. Il faut penser que toute notre
- **Dieu sera alors tout en tous**   substance corporelle que voici sera menée à cet état, lorsque tout sera restauré pour être un et lorsque Dieu sera tout en tous. Il ne faut pas comprendre que tout cela s'accomplira d'un seul coup, mais peu à peu et par parties, à travers une succession de siècles sans fin et sans mesure[32], lorsque insensiblement et point par point l'amendement et la correction seront accomplis : les uns viendront en tête et tendront vers la perfection dans une course plus rapide[33], d'autres les suivront à une courte distance, d'autres enfin seront beaucoup plus loin ; ainsi à travers quantité de degrés innombrables constitués par ceux qui progressent et se réconcilient avec Dieu, d'ennemis qu'ils étaient auparavant, on parvient au dernier ennemi appelé mort et à sa destruction, pour qu'il ne soit plus ennemi[34].

Lorsque toutes les âmes raisonna-
- **nature du corps spirituel**   bles auront été rétablies en cet état, alors la nature de notre corps que voici sera elle aussi menée à la gloire du corps spirituel. De même

180 de rationabilibus naturis uidemus non alias esse, quae pro
peccatis in indignitate uixerint, et alias, quae pro meritis
ad beatitudinem inuitatae sunt, sed has easdem, quae
antea fuerant peccatrices, conuersas postmodum et deo
reconciliatas uidemus ad beatitudinem reuocari : ita etiam
185 de natura corporis sentiendum est quod non aliud corpus
est, quo nunc in ignobilitate et in corruptione et in infirmitate utimur, et aliud erit illud, quo in incorruptione et
in uirtute et in gloria utemur, sed hoc idem abiectis his
infirmitatibus, in quibus nunc est, in gloriam transmuta-
190 bitur, spiritale effectum, ut quod fuit indignitatis uas,
hoc ipsum expurgatum fiat uas honoris et beatitudinis
habitaculum. In quo statu etiam permanere semper et
immutabiliter creatoris uoluntate credendum est, fidem rei
faciente sententia apostoli Pauli dicentis : *Domum habemus*
195 *non manu factam, aeternam in caelis.*

Non enim secundum quosdam Graecorum philosophos
praeter hoc corpus, quod ex quattuor constat elementis,
aliud quintum corpus, quod per omnia aliud sit et diuersum
ab hoc nostro corpore, fides ecclesiae recipit ; quoniam neque
200 ex scripturis sanctis uel suspicionem aliquam de his proferre
quis potest neque ipsa rerum consequentia hoc recipi
patitur, maxime cum manifeste definiat sanctus apostolus
quia non noua aliqua corpora resurgentibus a mortuis
dentur, sed haec ipsa, quae uiuentes habuerant, ex dete-
205 rioribus in melius transformata recipiant. Ait enim :
Seminatur corpus animale, resurget corpus spiritale et
seminatur in corruptione, resurget in incorruptione; semi-
natur in infirmitate, resurget in uirtute; seminatur in
ignobilitate, resurget in gloria. Sicut ergo profectus est

III, 6. 182 sunt AB : sint g *Koe* ‖ 193 uoluntatem g ‖ 197 constat
AB : subsistit AbS *om.* GM ‖ 198 et *post* corpus *add.* AbSG ‖ 199
neque : quae g ‖ 209 resurget : surget BGM

III, 6. 189 : Rom. 9, 21 ‖ 194 : II Cor. 5, 1 ‖ 206 : I Cor. 15, 44.42.43

que, selon ce que nous voyons, parmi les natures raisonnables[35], celles qui ont vécu de façon indigne à cause de
leurs péchés ne sont pas différentes de celles qui ont été
invitées à la béatitude à cause de leurs mérites, mais nous
voyons les âmes qui étaient auparavant pécheresses, à la
suite de leur conversion et de leur réconciliation avec Dieu,
appelées de nouveau à la béatitude, de même faut-il
penser au sujet de la nature du corps : le corps dont nous
nous servons maintenant avec sa grossièreté, sa corruption
et son infirmité n'est pas autre que celui dont nous nous
servirons alors dans l'incorruption, la force et la gloire,
mais ce sera le même qui aura rejeté les infirmités dont il
souffre maintenant et se sera changé en gloire, devenu
spirituel, de sorte que ce qui avait été un vase d'indignité
deviendra par sa purification un vase d'honneur[36] et une
demeure de béatitude. Il faut croire qu'il subsistera toujours
et immuablement dans cet état par la volonté du créateur[37] ;
nous en voyons la garantie dans cette phrase de l'apôtre
Paul : *Nous avons une maison non faite de main d'homme,
éternelle dans les cieux.*

En effet la foi de l'Église ne reçoit pas ce que disent
certains philosophes grecs, que, outre ce corps-ci qui est
composé des quatre éléments, il y a un cinquième corps,
entièrement différent et distinct de notre corps[38] : on ne
peut trouver dans les Écritures saintes le moindre soupçon
de cela et la logique même des choses ne permet pas de
l'accepter, principalement parce que le saint Apôtre
affirme clairement que ce ne sont pas des corps nouveaux
qui seront donnés à ceux qui ressuscitent des morts, mais
ils recevront les mêmes corps qu'ils ont eus de leur vivant,
transformés du pire au meilleur. Il dit en effet : *Un corps
animal est semé, un corps spirituel ressuscitera,* et : *Il est
semé dans la corruption, il ressuscitera dans l'incorruption ;
il est semé dans l'infirmité, il ressuscitera dans la force ;
il est semé dans l'obscurité, il ressuscitera dans la gloire.*
De même qu'un homme peut progresser d'un état antérieur

210 homini quidam, ut cum sit prius animalis homo nec
intellegat quae sunt spiritus dei, ueniat in hoc per eruditionem, ut efficiatur spiritalis et diiudicet omnia, ipse uero
a nemine diiudicetur, ita etiam de corporis statu putandum
est quod idem ipsum corpus, quod nunc pro ministerio
215 animae nuncupatum est animale, per profectum quendam,
cum anima adiuncta deo unus cum eo spiritus fuerit
effecta, iam tum corpus quasi spiritui ministrans in statum
qualitatemque proficiat spiritalem, maxime cum, sicut
saepe ostendimus, talis a conditore facta sit natura cor-
220 porea, ut in quamcumque uoluerit uel res poposcerit
qualitatem facile subsequatur.

7. Omnis igitur haec ratio hoc continet, quod duas
generales naturas condiderit deus : naturam uisibilem, id
est corpoream, et naturam inuisibilem, quae est incorporea.
225 Istae uero duae naturae diuersas sui recipiunt permuta-
tiones. Illa quidem inuisibilis, quae et rationabilis est,
animo propositoque mutatur pro eo quod arbitrii sui
libertate donata est ; et per hoc aliquando in bonis,
aliquando in contrariis inuenitur. Haec uero natura
230 corporea substantialem recipit permutationem ; unde et
ad omne quodcumque moliri uel fabricari uel retractare
uoluerit artifex omnium deus, materiae huius habet in
omnibus famulatum, ut in quascumque uult formas uel
species, prout rerum merita deposcunt, naturam corpoream
235 transmutet et transferat. Quod euidenter propheta designans ait : *Deus*, inquit, *qui facit omnia et transmutat.*

8. Iam sane illud quaerendum est, si tunc, cum erit deus
omnia in omnibus, in consummatione omnium uniuersa
corporis natura una specie constabit, et omnis qualitas

III, 6. 213-214 disputandum est A ‖ 233 ut *om.* g ‖ 238 in² *om.* g

III, 6. 210 : I Cor. 2, 14 ‖ 212 : I Cor. 2, 15 ‖ 213 : I Cor. 6, 17 ‖
236 : Amos 5, 8 ‖ 237 : I Cor. 15, 28

d'homme animal, incapable d'entendre ce qui est de l'Esprit de Dieu, jusqu'à arriver, grâce à l'éducation, à devenir spirituel et à juger de toutes choses sans être lui-même jugé par personne[39], de même faut-il penser, à propos de la condition du corps, que le même corps qui maintenant en tant qu'instrument de l'âme est appelé animal, à la suite d'un progrès, lorsque l'âme jointe à Dieu sera devenue avec lui un seul esprit, progressera, en tant qu'instrument de l'esprit[40], pour atteindre une condition et une qualité spirituelles : cela est d'autant plus possible, nous l'avons souvent montré, que la nature corporelle a été faite par le créateur de telle sorte qu'elle puisse prendre successivement de manière aisée n'importe quelle qualité, selon la volonté de Dieu ou ce que demandent les circonstances.

- **les deux natures générales, corporelle et incorporelle**   **6, 7.** Tout ce raisonnement suppose que Dieu a créé deux natures générales[41] : une nature visible, c'est-à-dire corporelle, et une nature invisible qui est incorporelle. Mais ces deux natures reçoivent des mutations diverses. L'invisible, qui est raisonnable, change de mentalité et de propos par le fait qu'elle est douée de libre arbitre ; à cause de cela elle se trouve tantôt dans le bien tantôt dans son contraire. Mais la nature corporelle reçoit une mutation dans sa substance[42] : c'est pourquoi, quelle que soit la chose dans laquelle veuille la façonner, la travailler ou la remanier l'artisan de toutes choses, Dieu, la matière lui est disponible en tout, il peut donc la transmuer et la transformer en n'importe quelle forme ou apparence, selon ce que demandent les mérites des choses. Cela est exprimé clairement par le prophète : *Dieu*, dit-il, *qui a fait toutes choses et les transforme*[43].

- **le retour dans la « vraie » terre**   **6, 8.** Il faut se demander, certes, si alors, quand Dieu sera tout en tous, dans la consommation de toutes choses, toute la nature des corps aura une seule forme[44] et toute

240 corporis illa sola erit, quae in illa inenarrabili gloria
fulgebit, quae spiritalis corporis futura esse sentienda est.
Si enim recte accipimus id, quod in initio libri sui Moyses
scribit dicens : *In principio fecit deus caelum et terram*, hoc
esse principium totius creaturae, ad hoc principium finem
245 omnium consummationemque conuenit reuocari, id est ut
illud caelum atque illa terra habitatio et requies sit
piorum ; ita ut prius terrae illius sancti quique et mansueti
hereditatem capiant, quoniam quidem hoc et lex et
prophetae et euangelium docet. In qua terra puto esse
250 ueras illas et uiuas formas illius obseruantiae, quam Moyses
per legis umbram tradebat. De quibus dictum est quia
exemplario et umbrae deseruiunt caelestium, hi scilicet, qui
seruiebant in lege. Sed et ad ipsum Moysen dictum est :
Vide ut facias omnia secundum formam et similitudinem,
255 *quae tibi ostensa est in monte.* Vnde mihi uidetur quod,
sicut in hac terra lex paedagogus quidam fuit eorum, qui
ad Christum ab ipsa perduci deberent, eruditi ab ea et
instituti, ut facilius possent post institutionem legis
perfectiora quaeque Christi instituta suscipere, ita etiam
260 illa terra, sanctos quosque suscipiens, uerae et aeternae
legis institutionibus eos prius imbuat et informet, quo
facilius etiam caeli perfecta illa et quibus addi iam nihil
potest instituta patiantur ; in quo uere erit illud, quod
aeternum dicitur euangelium et testamentum semper
265 nouum, quod numquam ueterescet.

9. Hoc itaque modo in consummatione ac restitutione
omnium fieri putandum est, ut paulatim proficientes et
ascendentes modo et ordine perueniant primo ad terram
illam et eruditionem, quae in ea est, in qua ad meliora et
270 illa, quibus iam addi nihil potest, instituta praeparentur.

III, 6. 263 patiantur B : patiatur A potiantur g

III, 6. 243 ‖ Gen. 1, 1 ‖ 246 : Deut. 4, 38 ; Ps. 36, 11 ; Matth.
5, 4 ‖ 250 : Hébr. 10, 1 ‖ 252 : Hébr. 8, 5 ‖ 254 : Ex. 25, 40 ‖ 256 :
Gal. 3, 24 ‖ 264 : Apoc. 14, 6 ; Hébr. 9, 15

la qualité des corps sera seulement de briller dans la gloire inénarrable qui sera attribuée, il' faut le penser, au corps spirituel. Si nous comprenons bien ce qu'au début de son livre a écrit Moïse : *Au début Dieu a fait le ciel et la terre,* c'est là le début de toute la création[45], début auquel doit revenir la fin et la consommation de toutes choses, c'est-à-dire que ce ciel-là et cette terre-là soient la demeure et le repos des pieux, de sorte que d'abord les saints et les doux hériteront de cette terre, puisque l'enseignent la loi, les prophètes et l'évangile. Dans cette terre, je pense que se trouveront les modèles vrais et vivants des observances que Moïse enseignait par l'ombre de la loi. C'est pourquoi il est dit que ceux qui servaient sous la loi, servaient l'image et l'ombre des réalités célestes[46]. A ce même Moïse, il a été dit : *Prends garde à tout faire selon le modèle et à la ressemblance de ce qui t'a été montré sur la montagne*[47]. C'est pourquoi il me semble que, de même que sur cette terre la loi fut un pédagogue pour ceux qui, par elle, devaient être menés au Christ, à cause de l'enseignement et de l'instruction qu'elle leur donnait, afin qu'ils puissent plus aisément, après avoir été instruits par la loi, recevoir toute la science plus parfaite du Christ, de même cette terre[48] qui reçoit les saints les imprègne et les forme d'abord en leur enseignant la loi éternelle, pour qu'ils puissent plus facilement recevoir l'instruction parfaite du ciel, à laquelle rien ne peut être ajouté. Ils y trouveront ce qui est appelé l'Évangile éternel[49] et le Testament toujours nouveau qui jamais ne vieillira.

6, 9. De cette manière, il faut penser qu'à la consommation et à la restauration de toutes choses, progressant peu à peu[50] et montant avec ordre et mesure[51], les saints parviendront d'abord à cette terre-là et à l'instruction qui y est donnée, où ils seront préparés à un enseignement meilleur auquel rien ne peut être ajouté. Après les tuteurs

Post actores enim et procuratores Christus dominus, qui
est rex omnium, regnum ipse suscipiet, id est post eruditiones sanctarum uirtutum eos, qui eum capere possunt
secundum quod sapientia est, ipse instruet, regnans in eis
275 tamdiu usquequo eos etiam patri subiciat qui sibi subdidit
omnia, id est ut, cum capaces dei fuerint effecti, sit eis
deus omnia in omnibus. Tunc ergo consequenter etiam
natura corporea illum summum et cui addi iam nihil possit
recipiet statum.

280   Hactenus nobis etiam corporeae naturae uel spiritalis
corporis ratione discussa, arbitrio legentis relinquimus ex
utroque quod melius iudicauerit eligendum. Nos uero in
his finem libri tertii faciamus.

III, 6. 272 regnum : regum AS ‖ eruditiones AB : eruditione GM
eruditionem AbS *Koe* ‖ 273 sanctorum BGM ‖ eam A ‖ 276 effecti
fuerint g ‖ 283 faciamus AbS *Koe* : facimus BGM faciemus A ‖ explicit
liber III incipit liber IIII AAb *(deest* liber *secundo loco)* explicit
periarchon liber III incipit liber quartus B finit liber III incipit
periarchon liber IIII GM

et curateurs[52], le Seigneur Christ qui est le roi de tous
prendra lui-même la royauté, c'est-à-dire qu'après la
formation donnée par les puissances saintes, il enseignera
lui-même ceux[53] qui pourront le comprendre[54] en tant
qu'il est la Sagesse[55] et il régnera en eux jusqu'à ce qu'il
les soumette à son Père qui lui a soumis toutes choses :
c'est dire que, quand ils auront été faits capables de
recevoir Dieu[56], Dieu sera en eux tout en tous[57]. Et alors
pareillement la nature corporelle recevra sa condition
suprême, à laquelle rien ne pourra être ajouté.

Jusqu'ici nous avons discuté de la manière d'être de la
nature corporelle ou du corps spirituel : nous laissons à
la volonté du lecteur le soin de choisir de ces deux solutions
celle qu'il jugera la meilleure[58]. Mais nous, nous terminons
ici le troisième livre.

III, 6. 271 : Gal. 4, 2 ‖ 275 : I Cor. 15, 27 s. ‖ 276-279 sit —
statum : Jérôme, *Lettre* 124, 10

⟨ΠΕΡΙ ΑΡΧΩΝ ΤΟΜΟΣ ΤΕΤΑΡΤΟΣ⟩

α'. Ὅτι θεῖαι αἱ γραφαί· ... ὅπως δεῖ ἀναγινώσκειν καὶ νοεῖν τὰς γραφάς (Photius).

Περὶ τοῦ θεοπνεύστου τῆς θείας γραφῆς, καὶ πῶς ταύτην ἀναγνωστέον καὶ νοητέον· τίς τε ὁ τῆς ἐν αὐτῇ
5   ἀσαφείας λόγος καὶ τοῦ κατὰ τὸ ῥητὸν ἔν τισιν ἀδυνάτου ἢ ἀλόγου (Philocalie).

1. Ἐπεὶ περὶ τηλικούτων ἐξετάζοντες πραγμάτων, οὐκ ἀρκούμενοι ταῖς κοιναῖς ἐννοίαις καὶ τῇ ἐναργείᾳ τῶν βλεπομένων, προσπαραλαμβάνομεν εἰς τὴν φαινομένην ἡμῖν

IV, 1. *Titulus graecus completus cap. I Philocaliae* : Περὶ τοῦ θεοπνεύστου τῆς θείας γραφῆς καὶ πῶς ταύτην ἀναγνωστέον καὶ νοητέον, τίς τε ὁ τῆς ἐν αὐτῇ ἀσαφείας λόγος καὶ τοῦ κατὰ τὸ ῥητὸν ἔν τισιν ἀδυνάτου ἢ ἀλόγου, ἐκ τοῦ δ' τόμου τοῦ περὶ ἀρχῶν, καὶ διαφόρων ἄλλων συνταγμάτων Ὠριγένους ‖ 7 ἐπεὶ B Pat D : ἐπειδὴ Bas H ἐπεὶ δὲ *Koe, qui confert* verum quoniam *Ruf.*

LIBER QUARTVS

1. Quod scripturae diuinitus inspiratae sunt

1. Verum quoniam de tantis et talibus rebus disserentibus non sufficit humanis sensibus et communi intellectui summam rei committere et, ut ita dixerim, uisibiliter de

---

IV, 1. Titres grecs : Photius, *Bibl.* 8 ; *Philocalie*

LIVRE IV

SECOND CYCLE DE TRAITÉS (II, 4 à IV, 3)
CORRESPONDANT AUX DIVERS POINTS DE LA PRÉFACE

Neuvième traité (IV, 1-3):
Que les Écritures sont divines: comment il faut lire
et comprendre les Écritures (Photius)
Au sujet du caractère inspiré de l'Écriture divine
et comment il faut la lire et la comprendre :
Quelle est la raison de l'obscurité qui est en elle
et des impossibilités ou des illogismes selon la lettre
qu'on trouve en divers passages (Philocalie 1)

Première section (IV, 1)
Que les Écritures sont divines (Photius)
Au sujet du caractère inspiré de l'Écriture divine
(Philocalie 1)

1, 1. Puisque, dans nos recherches sur des réalités si importantes, il ne nous suffit pas de faire appel aux conceptions communes[1] et à l'évidence de ce qui est vu,

---

Première section (IV, 1)

Que les Écritures ont été inspirées par Dieu

1, 1. Mais puisque, quand nous discutons de réalités si nombreuses et si importantes, il ne suffit pas de nous confier entièrement aux pensées humaines et aux conceptions communes et, pour ainsi dire, de nous prononcer de

10 ἀπόδειξιν τῶν λεγομένων μαρτύρια τὰ ἐκ τῶν πεπιστευμένων
ἡμῖν εἶναι θείων γραφῶν, τῆς τε λεγομένης παλαιᾶς διαθήκης
καὶ τῆς καλουμένης καινῆς, λόγῳ τε πειρώμεθα κρατύνειν
ἡμῶν τὴν πίστιν, καὶ οὐδέπω περὶ τῶν γραφῶν ὡς θείων
διελέχθημεν · φέρε καὶ περὶ τούτων ὀλίγα ὡς ἐν ἐπιτομῇ
15 διαλάβωμεν, τὰ κινοῦντα ἡμᾶς ὡς περὶ θείων γραμμάτων
εἰς τοῦτο παρατιθέμενοι. Καὶ πρῶτόν γε, <πρὸ> τοῦ
ἀπ' αὐτῶν τῶν γραμμάτων καὶ τῶν ἐν αὐτοῖς δηλουμένων
ῥητοῖς χρήσασθαι, περὶ Μωσέως καὶ Ἰησοῦ Χριστοῦ, τοῦ
νομοθέτου τῶν Ἑβραίων καὶ τοῦ εἰσηγητοῦ τῶν κατὰ
20 χριστιανισμὸν σωτηρίων δογμάτων, ταῦτα διαληπτέον.

IV, 1. 10 μαρτυρίαν B ‖ 16 πρὸ *ante* τοῦ *suppl. Koe* ‖ 17 τῶν
γραμμάτων Pat H : τῶν πραγμάτων B *om.* Bas D

---

5 inuisibilibus pronuntiare, assumenda sunt nobis ad probationem horum, quae dicimus, etiam diuinarum scripturarum testimonia. Quae testimonia ut certam et indubitatam habeant fidem siue in his, quae dicenda a nobis,
siue quae iam dicta sunt, necessarium prius uidetur
10 ostendere quod ipsae scripturae diuinae sint, id est dei
spiritu inspiratae. Igitur quam poterimus breuiter etiam
de hoc adsignabimus ex ipsis diuinis scripturis quae nos
conpetenter mouerint proferentes, id est de Moyseo primo,
legislatore gentis Hebraeae, et ex uerbis Iesu Christi,
15 auctoris et principis Christianorum religionis et dogmatis.

IV, 1. 12 adsignauimus GM adsignamus A

mais que nous prenons en outre pour faire la démonstration
de ce que nous disons des témoignages venant des
Écritures que nous croyons divines[2], celle qui est dite
l'Ancien Testament et celle qui est appelée le Nouveau[3],
nous tentons d'affermir notre foi par la raison et nous
n'avons pas encore établi la divinité des Écritures[4].
Permettez que nous nous expliquions un peu, comme en
résumé[5], sur ce sujet, exposant pour cela ce qui nous pousse
à considérer les Écritures comme divines. Et d'abord, avant
d'utiliser les Écritures elles-mêmes et tout ce qui y est
exprimé, il nous faut discuter de Moïse et de Jésus-Christ,
du législateur des Hébreux et de l'auteur des doctrines
salvatrices du Christianisme[6].

---

façon visible au sujet des réalités invisibles, pour prouver
ce que nous disons il faut aussi prendre les témoignages
qui viennent des Écritures divines[3a]. Pour établir que
ces témoignages méritent une confiance sûre et ne souffrent
aucun doute, à propos de ce que nous devons dire ou de ce
que nous avons déjà dit, il semble d'abord nécessaire de
montrer que ces mêmes Écritures sont divines, c'est-à-dire
inspirées par l'Esprit de Dieu[4a]. C'est pourquoi, le plus
brièvement possible, nous confirmerons cela en présentant
les textes des divines Écritures elles-mêmes qui nous y
poussent directement, c'est-à-dire ce qui concerne d'abord
Moïse, le législateur de la nation hébraïque, et les paroles
de Jésus-Christ, auteur et chef de la religion et de la doctrine
chrétienne[6a].

Πλείστων γὰρ ὅσων νομοθετῶν γεγενημένων ἐν "Ελλησι
καὶ βαρβάροις, καὶ διδασκάλων δόγματα καταγγελλόντων
ἐπαγγελλόμενα τὴν ἀλήθειαν, οὐδένα ἱστορήσαμεν νομοθέτην
ζῆλον ἐμποιῆσαι δεδυνημένον τοῖς λοιποῖς ἔθνεσι περὶ τοῦ
25 παραδέξασθαι τοὺς λόγους αὐτοῦ · πολλήν τε παρασκευὴν
τὴν μετὰ τῆς δοκούσης ἀποδείξεως λογικῆς εἰσενεγκαμένων
τῶν περὶ ἀληθείας φιλοσοφεῖν ἐπαγγελλομένων, οὐδεὶς
δεδύνηται τὴν νομισθεῖσαν αὐτῷ ἀλήθειαν ἔθνεσι διαφόροις
ἐμποιῆσαι, ἢ ἑνὸς ἔθνους ἀξιολόγοις πλήθεσι. Καίτοιγε
30 ἐβούλοντο ἂν καὶ οἱ νομοθέται κρατῦναι τοὺς φανέντας
νόμους εἶναι καλοὺς εἰ δυνατὸν παρὰ παντὶ τῷ τῶν ἀνθρώπων
γένει, οἵ τε διδάσκαλοι ἐπινεμηθῆναι ἣν ἐφαντάσθησαν εἶναι
ἀλήθειαν πανταχοῦ τῆς οἰκουμένης. Ἀλλ' ὡς οὐ δυνάμενοι
προσκαλέσασθαι τοὺς ἀπὸ τῶν ἑτέρων διαλέκτων καὶ τῶν

IV, 1. 33 οὐ B : οἷα Pat οἷα μὴ Bas DH

Cum enim permulti legislatores extiterint apud Graecos
et barbaros, innumeri quoque doctores uel philosophi
ueritatem se pollicentes adserere, nullum meminimus
legislatorem adfectum quendam et studium etiam exte-
20 rarum gentium animis inicere potuisse, ut leges suas uel
susciperent libenter uel cum omni animi intentione defen-
derent. Nemo ergo eam quae sibi uisa est ueritatem non
solum pluribus aliis exteris nationibus, sed ne uni quidem
genti ita insinuare atque inolescere potuit, ut ad omnes
25 eius scientia uel credulitas perueniret. Et quidem dubitari
non potest quod et legislatores optauerint obseruari ab
omnibus, si fieri posset, hominibus leges suas, et magistri,
omnibus innotescere eam quae sibi uisa fuerat ueritatem.
Sed scientes quia id omnino non possent, nec uirtus in eis

IV, 1. 20 animis inicere : animi sincere GM admiscere sic S
admiserere sic Ab ‖ 24 inolescere : innotescere AbS ‖ 28 fuerit A

**L'expansion
universelle
de la prédication
du Christ,
preuve
de son origine divine**
Il y a eu certes beaucoup de législateurs chez les Grecs et les barbares, beaucoup de maîtres qui prêchaient des doctrines promettant la vérité ; nous ne connaissons cependant aucun législateur qui ait pu faire naître dans les autres nations le désir de recevoir ses paroles[7] ; et alors que ceux qui promettaient de philosopher au sujet de la vérité y apportaient tout un appareil probatoire avec des démonstrations qui paraissaient raisonnables, aucun n'a pu répandre ce qu'il croyait la vérité dans des nations différentes ou même dans un nombre suffisant de gens appartenant à une seule nation. Et cependant les législateurs auraient bien voulu que les lois qui leur paraissaient bonnes aient autorité, si c'était possible, sur toute la race humaine, et les maîtres que ce qu'ils s'imaginaient être la vérité se soit répandu partout sur la terre[8]. Mais comme ils ne pouvaient pas exhorter ceux qui

---

Il y a eu, certes, beaucoup de législateurs chez les Grecs et les barbares, d'innombrables docteurs et philosophes promettaient d'annoncer la vérité ; nous ne nous souvenons pas cependant qu'un législateur ait pu susciter dans les intelligences de ceux qui appartiennent à des nations étrangères la volonté et le désir de recevoir volontiers ses lois et de les défendre de toutes leurs forces[7a]. Personne donc n'a pu faire naître ni faire croître ce qui lui a paru la vérité, non seulement chez plusieurs autres nations étrangères, mais même pas dans une seule nation, de sorte que tous la connaissent et la croient. Et cependant on ne peut douter que les législateurs souhaitaient que leurs lois soient observées, si c'était possible, par tous les hommes, et les maîtres que ce qu'ils pensaient la vérité soit connu de tous[8a]. Mais, parce qu'ils savaient que cela leur était

35 πολλῶν ἐθνῶν ἐπὶ τὴν τήρησιν τῶν νόμων καὶ τὴν παραδοχὴν
τῶν μαθημάτων, τοῦτο ποιῆσαι οὐδὲ ἐπεβάλοντο τὴν ἀρχήν,
οὐκ ἀφρόνως γε σκοπήσαντες περὶ τοῦ ἀδύνατον αὐτοῖς
τὸ τοιοῦτον τυγχάνειν. Πᾶσα δὲ Ἑλλὰς καὶ βάρβαρος ἡ
κατὰ τὴν οἰκουμένην ἡμῶν ζηλωτὰς ἔχει μυρίους, κατα-
40 λιπόντας τοὺς πατρῴους νόμους καὶ νομιζομένους θεούς,
τῆς τηρήσεως τῶν Μωσέως νόμων καὶ τῆς μαθητείας τῶν
Ἰησοῦ Χριστοῦ λόγων · καίτοιγε μισουμένων μὲν ὑπὸ τῶν
τὰ ἀγάλματα προσκυνούντων τῶν τῷ Μωσέως νόμῳ προσ-
τιθεμένων, καὶ τὴν ἐπὶ θανάτῳ δὲ πρὸς τῷ μισεῖσθαι
45 κινδυνευόντων τῶν τὸν Ἰησοῦ Χριστοῦ λόγον παραδεξα-
μένων.

IV, 1. 39-40 καταλείποντας B

---

30 aliqua tanta subsisteret, quae etiam exteras nationes ad
legum suarum uel adsertionum obseruantiam prouocaret,
ne conari quidem hoc aut incipere omnino ausi sunt, ne
inprudentes eos etiam in hoc inefficax et inexplebile
notaret inceptum. At uero in omni orbe terrarum, in omni
35 Graecia atque uniuersis exteris nationibus innumeri sunt
et inmensi, qui relictis patriis legibus et his, quos putabant
deos, ad obseruantiam Moysi legis et discipulatum se
Christi cultumque tradiderunt, et hoc non sine ingenti
odio aduersum se commoto eorum, qui simulacra uene-
40 rantur, ita ut ab his frequenter et cruciatibus adfligantur,
nonnumquam etiam agantur in mortem ; amplectuntur
tamen et cum omni affectu custodiunt doctrinae Christi
sermonem.

IV, 1. 30-31 qua ... prouocarent g ǁ 34 inceptum : ineptum GM
ǁ 34-145 in omni[1] — nocendis *adducit* Pa ǁ 35 uniuersis *om.* Pa ǁ 36
putant Pa ǁ 39 aduersum se commoto *om.* Pa ǁ 42 et *om.* G ǁ cum
omni affectu et MAbS

parlaient d'autres dialectes ou appartenaient à de nombreuses nations à observer leurs lois et à recevoir leurs
enseignements, ils n'ont même pas essayé de commencer
à le faire, car, non sans raison, ils constataient qu'il leur
était impossible d'y parvenir. En revanche, tout pays du
monde, qu'il soit grec ou barbare, a des myriades de nos
fidèles qui ont abandonné les lois paternelles et ceux qu'on
croit être des dieux, pour observer les lois de Moïse et
pour suivre en disciples les paroles de Jésus-Christ ; et
cependant ceux qui se sont livrés à la loi de Moïse sont haïs
de ceux qui adorent les statues, et ceux qui ont reçu la
parole de Jésus-Christ risquent en outre, par suite de
cette haine, une sentence de mort[9].

---

impossible et qu'ils n'avaient pas assez de puissance pour
exhorter même des nations étrangères à observer leurs lois
et leurs affirmations, ils n'ont même pas osé l'entreprendre
ni commencer à le faire pour ne pas encourir ainsi le blâme
de s'être lancés étourdiment dans une entreprise sans effet
ni accomplissement possible. En revanche dans le monde
entier, dans tout pays grec et dans toutes les nations
extérieures, on ne peut compter ni mesurer le nombre
de ceux qui ont abandonné leurs lois paternelles et ce
qu'ils pensaient des dieux pour se mettre à observer les
lois de Moïse, à suivre le Christ en disciples et à l'honorer,
et cela non sans soulever contre eux une haine puissante
de la part de ceux qui vénèrent des statues, au point d'être
fréquemment soumis aux tourments, parfois même à la
mort[9a] : ils embrassent cependant l'enseignement du
Christ et le gardent de tout leur amour[9b].

2. Καὶ ἐὰν ἐπιστήσωμεν πῶς ἐν σφόδρα ὀλίγοις ἔτεσι,
τῶν ὁμολογούντων τὸν χριστιανισμὸν ἐπιβουλευομένων, καί
τινων διὰ τοῦτο ἀναιρουμένων, ἑτέρων δὲ ἀπολλύντων τὰς
50 κτήσεις, δεδύνηται ὁ λόγος, καίτοιγε οὐδὲ τῶν διδασκάλων
πλεοναζόντων, πανταχόσε κηρυχθῆναι τῆς οἰκουμένης, ὥστε
Ἕλληνας καὶ βαρβάρους, σοφούς τε καὶ ἀνοήτους προσθέσθαι
τῇ διὰ Ἰησοῦ θεοσεβείᾳ, μεῖζον ἢ κατὰ ἄνθρωπον τὸ πρᾶγμα
εἶναι λέγειν οὐ διστάξομεν, μετὰ πάσης ἐξουσίας καὶ
55 πειθοῦς τῆς περὶ τοῦ κρατυνθήσεσθαι τὸν λόγον τοῦ Ἰησοῦ
διδάξαντος · ὥστε εὐλόγως ἂν χρησμοὺς νομίσαι τὰς φωνὰς
αὐτοῦ, οἷον ὅτι Ἐπὶ βασιλέων καὶ ἡγεμόνων ἀχθήσεσθε

IV, 1. 54 οὐ διστάξομεν : οὐδεὶς τάξομεν Bᵃᶜ οὐ διστάζομεν Bas
DH ‖ 55 κρατυνθῆναι Bas D ‖ 56 νομίσαι τὰς φωνὰς : νοῆσαι τὰς
εὐχὰς Β

---

2. Et est uidere quomodo breui tempore ipsa religio
45 creuerit, poenis cultorum mortibusque proficiens, sed et
bonorum direptionibus atque omni ab his suppliciorum
genere tolerato ; et eo maxime mirum est quod ne doctores
quidem ipsi uel satis idonei sunt uel satis plures : praedi-
catur tamen sermo iste in omni orbe terrarum, ita ut
50 Graeci ac barbari, sapientes et insipientes religionem
Christianae doctrinae suscipiant. Ex quo dubium non est
non haec humanis uiribus aut opibus agi, ut cum omni
potestate et credulitate sermo Christi Iesu apud omnium
mentes atque animos conualescat. Nam et praedicta esse
55 ab eo haec ipsa et diuinis ab eo responsis confirmata,
manifestum est cum dicit quia *apud praesides et iudices
adducemini propter me, in testimonium ipsis et gentibus;*

IV, 1. 46 ab his omni g ‖ suppliciorum : affectionum Pa ‖ 47 et
ex eo A ‖ 53 credulitate : persuasione Pa ‖ 54 praedicata g

**Malgré
les persécutions**

1, 2. Si nous considérons comment, en très peu d'années, malgré les embûches qui menacent ceux qui professent le christianisme, malgré même la mort de certains[10], la spoliation d'autres, la Parole[11] a pu, sans posséder des maîtres en abondance, être prêchée partout sur la terre, de sorte que Grecs et barbares, sages et insensés, se sont adjoints à la religion annoncée par Jésus, nous ne pouvons douter que ce fait est au-dessus des forces de l'homme, puisque Jésus a enseigné avec toute l'autorité et la force persuasive nécessaires pour que la Parole s'impose[12]. Ainsi c'est à bon droit que nous pouvons considérer ses paroles comme des prédictions, par exemple : *Vous serez conduits devant les rois et les chefs à cause de moi, pour rendre*

1, 2. On peut voir comment en peu de temps la religion elle-même a grandi, tirant profit des châtiments et de la mort de ses fidèles et même des spoliations et de toute sorte de supplices[10a] : cela est d'autant plus étonnant que ses maîtres eux-mêmes ne sont pas suffisamment adaptés à cela ni suffisamment nombreux ; et cependant cette Parole est prêchée dans le monde entier, de sorte que Grecs et barbares, sages et insensés, ont reçu la religion et la doctrine chrétiennes. Il n'est donc pas douteux que ce n'est pas par l'effet des forces ou des ressources humaines[11a] que la Parole de Jésus-Christ avec toute son autorité et sa force persuasive est devenue si forte dans les intelligences et les cœurs de tous. Car il est clair que tout cela a été prédit par lui et confirmé par ses réponses divines, par exemple : *Vous serez conduits devant les rois et les juges à cause de moi, pour rendre témoignage devant eux et devant les nations ;* et de nouveau : *Cet évangile*[13a] *sera prêché*

IV, 1. *50*, 48 : Matth. 24, 14 ‖ *51*, 49 : Rom. 1, 14 ‖ *57*, 56 : Matth. 10, 18

ἕνεκεν ἐμοῦ, εἰς μαρτύριον αὐτοῖς καὶ τοῖς ἔθνεσι καὶ
Πολλοὶ ἐροῦσί μοι ἐν ἐκείνῃ τῇ ἡμέρᾳ · Κύριε, κύριε, οὐ
60 τῷ ὀνόματί σου ἐφάγομεν καὶ τῷ ὀνόματί σου ἐπίομεν καὶ
τῷ ὀνόματί σου δαιμόνια ἐξεβάλομεν ; Καὶ ἐρῶ αὐτοῖς ·
'Αποχωρεῖτε ἀπ' ἐμοῦ οἱ ἐργαζόμενοι τὴν ἀνομίαν, οὐδέποτε
ἔγνων ὑμᾶς. Εἰρηκέναι μὲν γὰρ ταῦτα ἀποφθεγγόμενον
μάτην, ὥστε αὐτὰ μὴ ἀληθῆ γενέσθαι, τάχα εἰκὸς ἦν ·
65 ὅτε δὲ ἐκβέβηκε τὰ μετὰ τοσαύτης ἐξουσίας εἰρημένα,
ἐμφαίνει θεὸν ἀληθῶς ἐνανθρωπήσαντα σωτηρίας δόγματα
τοῖς ἀνθρώποις παραδεδωκέναι.
    3. Τί δὲ δεῖ λέγειν καὶ ὅτι προεφητεύθη ὁ Χριστός, τότε
ἐκλείψειν τοὺς ἐξ Ἰούδα ἄρχοντας εἰρημένους καὶ ἡγου-

IV, 1. 59 ante πολλοὶ lacunam signauit Koe, qui Ruf. conferens
intercidisse putauit Matth. 24, 14: sed hic locus deest quoque in Pa
(cf. infra lat. l. 59) ; qua re patet eum Rufinus hic de suo addidisse ‖
60 τῷ σῷ ὀνόματι Bas D ‖ 68 ὁ χριστός secl. Koe, sed cf. Ruf. ‖
69 εἰρημένους om. Bas H

---

et rursum : *Praedicabitur hoc euangelium in omnibus
gentibus;* et iterum : *Multi mihi dicent in illa die: Domine,*
60 *domine, nonne in tuo nomine manducauimus et bibimus, et
in tuo nomine daemonia eiecimus? et dicam eis: Discedite
a me, operarii iniquitatis, numquam cognoui uos.* Quae si
ita quidem dicta ab eo fuissent nec tamen ad finem ea,
quae praedicta sunt, peruenissent, fortassis minus esse
65 uera uiderentur nec habere aliquid auctoritatis. Nunc uero
cum in effectum res, quae fuerant ab eo praedictae,
perueniant, cum tanta autem potestate atque auctoritate
praedicta sint, manifestissime declaratur deum uere esse,
qui homo factus salutaria praecepta hominibus tradidit.
70   3. Quid uero inde dicendum est quod prophetae de ipso
antea praedixerant *non cessaturos principes ex Iuda neque*

IV, 1. 58-59 et rursum — gentibus om. Pa ‖ 60 manducabimus
GM magnificauimus A ‖ 63 dicta fuissent ab eo g ‖ 64 fortasse g ‖
64-65 uera esse AbS esse uera esse GM ‖ 66 praedicatae GM ‖ 68
praedicta APa : praedictae B *Koe* praedicata g ‖ deum om. g

témoignage devant eux et devant les nations[13] ; et : *Beaucoup
me diront ce jour-là: Seigneur ! Seigneur ! n'est-ce pas en
ton nom que nous avons mangé, en ton nom que nous avons
bu et en ton nom que nous avons chassé les démons? Et je
leur dirai: Éloignez-vous de moi, vous qui pratiquez
l'injustice, jamais je ne vous ai connus*[14]. Il aurait pu être
vraisemblable que cela ait été dit en vain, de sorte que
ces paroles ne soient pas vraies ; mais lorsque a été réalisé
ce qu'il a dit avec tant d'autorité, cela montre[15] qu'il est
véritablement Dieu, devenu homme pour donner aux
hommes ses doctrines salutaires.

**Le Christ
a été prophétisé
par
l'Ancien Testament**

1, 3. Que faut-il dire aussi du fait
que le Christ ait été prophétisé?
Alors, *ceux*[16] *qu'on appelle des princes
venant de Juda feront défaut, et les*

---

dans toutes les nations ; et encore : *Beaucoup me diront ce
jour-là: Seigneur ! Seigneur ! n'est-ce pas en ton nom que
nous avons mangé et bu, en ton nom que nous avons chassé
les démons? Et je leur dirai: éloignez-vous de moi, ouvriers
d'iniquité, jamais je ne vous ai connus.* Si tout cela avait
été dit par lui sans parvenir cependant à l'accomplissement
prédit, cela aurait paru peut-être moins vrai et aurait eu
moins d'autorité. Mais maintenant, lorsque les choses
prédites parviennent à leur accomplissement, puisqu'elles
ont été annoncées d'avance avec tant de pouvoir et
d'autorité, cela montre avec beaucoup d'évidence la
divinité de celui qui, fait homme, a donné aux hommes
ses commandements salutaires.

1, 3. Que faut-il dire de ce que les prophètes autrefois
avaient prédit de lui : *Les princes venant de Juda ne feront*

IV, 1. 58 : Matth. 24, 14 ‖ *59*, 59 : Matth. 7, 22 ‖ *69*, 71 : Gen.
49, 10

70 μένους ἐκ τῶν μηρῶν αὐτοῦ, ὅταν ἔλθῃ ᾧ ἀπόκειται,
δηλονότι ἡ βασιλεία, καὶ ἐπιδημήσῃ ἡ τῶν ἐθνῶν προσδοκία;
Σαφῶς γὰρ ἐκ τῆς ἱστορίας δῆλον, καὶ ἐκ τῶν σήμερον
ὁρωμένων, ὅτι ἀπὸ τῶν χρόνων Ἰησοῦ οὐκέτι βασιλεῖς
Ἰουδαίων ἐχρημάτισαν, πάντων τῶν Ἰουδαϊκῶν πραγμάτων
75 ἐν οἷς ἐσεμνύνοντο, λέγω δὲ τῶν τε κατὰ τὸν ναὸν καὶ τὸ
θυσιαστήριον καὶ τὴν ἐπιτελουμένην λατρείαν καὶ τὰ ἐνδύματα
τοῦ ἀρχιερέως, καταλελυμένων. Ἐπληρώθη γὰρ ἡ λέγουσα
προφητεία · Ἡμέρας πολλὰς καθήσονται οἱ υἱοὶ Ἰσραὴλ
οὐκ ὄντος βασιλέως οὐδὲ ὄντος ἄρχοντος, οὐκ οὔσης θυσίας
80 οὐδὲ ὄντος θυσιαστηρίου οὐδὲ ἱερατείας οὐδὲ δήλων.
    Καὶ τούτοις χρώμεθα τοῖς ῥητοῖς πρὸς τοὺς ἐν τῷ
θλίβεσθαι ἀπὸ τῶν ἐν τῇ Γενέσει ὑπὸ τοῦ Ἰακὼβ πρὸς
τὸν Ἰούδαν εἰρημένων φάσκοντας τὸν ἐθνάρχην, ἀπὸ τοῦ

IV, 1. 70 ἐκ om. Pat ‖ ᾧ : ὃ Pat B^pc *(mg.)*

---

duces ex femoribus eius, usquequo ueniat ille, cui repositum
est, regnum scilicet, et usquequo ueniat expectatio gentium?
Manifestissime enim ex ipsa historia apparet et ex his,
75 quae hodie peruidentur, quia ex temporibus Christi ultra
reges apud Iudaeos non extiterunt. Sed et omnes illae
ambitiones Iudaicae, in quibus iactantiae quam plurimum
gerebant et in quibus exultabant, id est uel de templi
decore uel de altaris insignibus atque omnibus illis sacer-
80 dotalibus infulis indumentisque pontificum, simul uniuersa
destructa sunt. Completa est enim prophetia, quae dixerat:
*Per dies multos sedebunt filii Israhel sine rege, sine principe;
non erit hostia nec altare nec sacerdotium nec responsa.*
    His ergo testimoniis utimur aduersum eos, qui uidentur
85 adserere de his quae in Genesi ab Iacob dicta sunt, quod
de Iuda dicta sint et dicunt permanere adhuc principem

IV, 1. 78 exultabant : gloriabantur Pa ‖ 85 quod om. Pa ‖ 86
dicta sint om. Pa

*chefs sortis de sa race, quand viendra celui à qui
est réservé*, évidemment le royaume[17], et qu'*arrivera
l'attente des nations.* Car l'histoire et tout ce qu'on voit
aujourd'hui montrent clairement que depuis le temps
de Jésus il n'y a plus eu de roi des Juifs qui ait pris ce titre,
puisque toutes les réalités qui étaient l'orgueil des Juifs,
je veux dire ce qui avait rapport au temple, à l'autel, au
culte qui s'y célébrait et aux vêtements du grand-prêtre
ont été détruites. Car fut accomplie la prophétie : *Pendant
de nombreux jours les fils d'Israël siégeront sans roi ni
prince, sans victime ni autel ni sacerdoce ni oracles*[18].

Nous utilisons ce texte contre ceux qui disent, troublés
par les paroles que dans la *Genèse* Jacob adresse à Juda,
que l'ethnarque[19], issu de la race de Juda, commandera

---

*pas défaut, ni les chefs sortis de sa race, jusqu'à ce que
vienne celui à qui a été réservé*, le royaume évidemment,
et qu'arrive l'attente des nations? Car l'histoire et tout
ce qu'on voit aujourd'hui montrent très clairement que
depuis le temps du Christ il n'y a pas eu de roi sur les Juifs.
Mais tout le faste des Juifs qui était pour eux cause
d'orgueil sans borne et d'exultation, c'est-à-dire la beauté
du temple, les ornements de l'autel, toutes les bandelettes
des prêtres et vêtements des grands prêtres, tout cela
ensemble a été détruit. Car fut accomplie la prophétie :
*Pendant de nombreux jours les fils d'Israël siégeront sans
roi ni prince, sans victime ni autel ni sacerdoce ni oracles.*

Nous utilisons ce texte contre ceux qui paraissent
affirmer, à partir des mots que dans la *Genèse* Jacob
prononce au sujet de Juda, qu'il reste un chef de la

IV, 1. *78*, 82 : Os. 3, 4 ‖ *82*, 85 : Gen. 49, 10

Ἰούδα γένους τυγχάνοντα, ἄρχειν τοῦ λαοῦ, οὐκ ἐκλειψόντων
85 τῶν ἀπὸ τοῦ σπέρματος αὐτοῦ, ἕως ἧς φαντάζονται Χριστοῦ
ἐπιδημίας. Εἰ γὰρ ἡμέρας πολλὰς καθήσονται οἱ υἱοὶ Ἰσραὴλ
οὐκ ὄντος βασιλέως οὐδὲ ὄντος ἄρχοντος, οὐκ οὔσης θυσίας
οὐδὲ θυσιαστηρίου οὐδὲ ἱερατείας οὐδὲ δήλων, ἐξ οὗ δὲ
κατεσκάφη ὁ ναός, οὐκ ἔστι θυσία οὐδὲ θυσιαστήριον οὐδὲ
90 ἱερατεία, δῆλον ὅτι ἐξέλιπεν ἄρχων ἐξ Ἰούδα καὶ ἡγούμενος
ἐκ τῶν μηρῶν αὐτοῦ. Ἐπεὶ δὲ ἡ προφητεία φησίν · Οὐκ
ἐκλείψει ἄρχων ἐξ Ἰούδα οὐδὲ ἡγούμενος ἐκ τῶν μηρῶν
αὐτοῦ, ἕως ἂν ἔλθῃ τὰ ἀποκείμενα αὐτῷ, δῆλον ὅτι ἐλήλυθεν
ᾧ τὰ ἀποκείμενα, ἡ προσδοκία τῶν ἐθνῶν. Καὶ τοῦτο
95 σαφὲς ἐκ τοῦ πλήθους τῶν ἐθνῶν τῶν διὰ Χριστοῦ πεπιστευκότων εἰς τὸν θεόν.

IV, 1. 86 καθίσονται DH ‖ 89 οὐκ ἔστι B : οὐκέτι Bas DH

---

ex genere Iudae, istum uidelicet, qui est gentis ipsorum
princeps, quem nominant patriarcham, nec deficere posse
de semine eius qui permaneant usque ad aduentum eius
90 Christi, quem sibi ipsi describunt. Sed si uerum est quod
ait propheta, quia *dies multos sedebunt filii Israhel sine*
rege, sine principe; nec erit hostia nec altare nec sacerdotium,
et utique ex quo subuersum est templum nec hostiae
offeruntur nec altare inuenitur nec sacerdotium constat :
95 certissimum est defecisse principes ex Iuda, sicut scriptum
est, et ducem ex femoribus eius, usquequo uenit ille, cui
repositum est. Constat ergo quia uenit ille, cui repositum
est, in quo et expectatio gentium est. Quod manifeste
uidetur impletum de multitudine eorum, qui per Christum
100 deo ex diuersiseru gcrdidusib nt. tnee

IV, 1. 91-92 sine rege *om.* Pa ‖ 92 nec erit hostia : nec est sacrifi-
cium Pa ‖ 97 repositum : repromissum Pa ‖ 98 in quo — gentium est
om. Pa ‖ et *om.* g

le peuple, sans que manquent ceux qui viennent de sa
famille, jusqu'à la venue du Christ telle qu'ils se l'imaginent.
Car *si pendant de nombreux jours les fils d'Israël siégeront
sans roi ni prince, sans victime ni autel ni sacerdoce ni
oracles* — et depuis la destruction du temple il n'y a pas
eu de victime, d'autel ni de sacerdoce —, il est clair qu'il
a manqué un prince venant de Juda et un chef sorti de sa
race. Puisque la prophétie dit : *Un prince venant de Juda
ne fera pas défaut ni un chef sorti de sa race jusqu'à ce que
vienne ce qui lui est réservé*[20], il est évident qu'il est venu,
celui à qui appartient ce qui lui est réservé, l'attente
des nations. Et cela est clair par suite de la multitude
des nations de ceux qui ont cru par le Christ à Dieu.

---

race de Juda, à savoir celui qui est le prince de leur nation
et qu'ils nomment patriarche[19a], sans que manquent ceux
qui viennent de sa famille et qui subsistent jusqu'à la
venue de ce Christ qu'ils se figurent. Si c'est vrai ce que
dit le prophète, que *pendant de nombreux jours les fils
d'Israël siégeront sans roi ni prince, sans victime ni autel
ni sacerdoce*, et réellement depuis la destruction du temple
on n'offre plus de victime, on ne trouve plus d'autel, on ne
constate plus de sacerdoce, il est très certain qu'ont
manqué des princes venant de Juda, comme c'est écrit,
et un chef sorti de sa race, jusqu'à ce que vînt celui pour
qui cela a été réservé. Il est donc clair qu'il est venu celui
pour qui cela a été réservé, en qui se trouve l'attente des
nations. Cela paraît manifestement accompli par la
multitude de ceux qui, venant de nombreuses nations,
ont cru par le Christ à Dieu.

IV, 1. *86*, 91 : Os. 3, 4 ‖ *91*, 95 : Gen. 49, 10.

4. Καὶ ἐν τῇ τοῦ Δευτερονομίου δὲ ᾠδῇ προφητικῶς δηλοῦται ἡ διὰ τὰ ἁμαρτήματα τοῦ προτέρου λαοῦ ἐσομένη τῶν ἀσυνέτων ἐθνῶν ἐκλογή, οὐ δι' ἄλλου τινὸς ἢ τοῦ 100 Ἰησοῦ γεγενημένη. Αὐτοὶ γάρ φησι *Παρεζήλωσάν με ἐπ' οὐ θεῷ, παρώργισάν με ἐν τοῖς εἰδώλοις αὐτῶν · κἀγὼ παραζηλώσω αὐτοὺς ἐπ' οὐκ ἔθνει, καὶ ἐπὶ ἔθνει ἀσυνέτῳ παροργιῶ αὐτούς.* Καὶ ἔστι σφόδρα σαφῶς καταλαβεῖν δυνατόν, τίνα τρόπον οἱ λεγόμενοι παρεζηλωκέναι τὸν θεὸν 105 Ἑβραῖοι ἐπὶ τῷ οὐ θεῷ καὶ παρωργικέναι αὐτὸν ἐν τοῖς εἰδώλοις αὐτῶν, παρωργίσθησαν εἰς ζηλοτυπίαν ἐπὶ τῷ οὐκ ἔθνει, τῷ ἀσυνέτῳ ἔθνει, ὅπερ ὁ θεὸς ἐξελέξατο διὰ τῆς ἐπιδημίας Χριστοῦ Ἰησοῦ καὶ τῶν μαθητῶν αὐτοῦ. Βλέπομεν οὖν τὴν κλῆσιν ἡμῶν, ὅτι οὐ πολλοὶ σοφοὶ κατὰ 110 σάρκα, οὐ πολλοὶ δυνατοί, οὐ πολλοὶ εὐγενεῖς · ἀλλὰ τὰ

IV, 1. 102 αὐτοὺς : αὐτοῖς B ‖ 103 αὐτοὺς : αὐτοῖς B ‖ ἔστι : ἔτι B ‖ σαφῶς Bas D : τρανῶς H om. B ‖ 106 παρωργίσθησαν B : παρωξύνθησαν Bas DH

---

4. Sed et in Deuteronomii cantico per prophetiam designatur pro peccatis prioris populi futura esse insensatae gentis electio, non alia utique quam haec, quae per Christum facta est. Sic enim ait : *Exacerbauerunt me in* 105 *simulacris suis, et ego in zelo concitabo eos, in gente insipiente inritabo eos.* Est ergo satis euidenter agnoscere, quemadmodum Hebraei, qui deum exacerbasse dicuntur in his, qui non sunt dii, et inritasse eum in simulacris suis, inritati sunt et ipsi in zelotypia per gentem insipientem, quam 110 deus elegit per aduentum Christi Iesu et discipulos eius. Sic enim dicit apostolus : *Videte enim uocationem uestram, fratres, quoniam non multi sapientes inter uos secundum*

IV, 1. 104 enim *ante* me *add.* A ‖ 105-106 in gente — eos *om.* Pa ‖ 107 exacerbare g ‖ 110 elegerit *ex* egerit A

1, 4. Le cantique du *Deutéronome* montre prophétiquement que l'élection des nations sans intelligence par suite des péchés du premier peuple ne s'est pas faite par un autre que par Jésus. Car il dit[21] : *Ceux-ci m'ont rendu jaloux à cause de ce qui n'est pas Dieu, ils m'ont irrité avec leurs idoles ; et moi je les rendrai jaloux à cause de ce qui n'est pas une nation, je les irriterai avec une nation sans intelligence.* Il est possible de comprendre avec beaucoup de clarté de quelle manière les Hébreux qui, selon l'Écriture, ont rendu Dieu jaloux à cause de ce qui n'est pas Dieu et l'ont irrité avec leurs idoles, se sont irrités eux-mêmes jusqu'à la jalousie à cause de ce qui n'est pas une nation, à cause de la nation sans intelligence que Dieu a choisie par la venue du Christ Jésus[22] et par ses disciples. Nous voyons donc *comment nous avons été appelés : il n'y a pas beaucoup de sages selon la chair, pas beaucoup de puissants, pas beaucoup de nobles ; mais Dieu a choisi ce*

1, 4. Mais le cantique du *Deutéronome* s'applique prophétiquement à l'élection à venir d'une nation sans intelligence par suite des péchés du premier peuple, et il ne s'agit certainement pas d'une autre que de celle qui a été faite par le Christ. Il parle ainsi[21a] : *Ceux-ci m'ont exaspéré avec leurs statues et moi j'exciterai leur jalousie, je les irriterai avec une nation sans intelligence.* Il est possible de connaître avec assez d'évidence comment les Hébreux qui, selon l'Écriture, ont exaspéré Dieu avec ceux qui ne sont pas des dieux, l'ont irrité avec leurs statues, se sont irrités eux-mêmes de jalousie[21b] pour une nation sans intelligence que Dieu a choisie par la venue du Christ Jésus et par ses disciples. Ainsi en effet parle l'Apôtre : *Voyez comment nous avons été appelés, frères : il n'y a pas parmi vous*

IV, 1. *100,* 104 : Deut. 32, 21 ‖ *109,* 111 : I Cor. 1, 26 s.

μωρὰ τοῦ κόσμου ἐξελέξατο ὁ θεός, ἵνα καταισχύνῃ τοὺς
σοφούς, καὶ τὰ ἀγενῆ καὶ τὰ ἐξουθενημένα ἐξελέξατο ὁ
θεὸς καὶ τὰ μὴ ὄντα, ἵνα ἐκεῖνα τὰ πρότερον ὄντα καταργήσῃ ·
καὶ μὴ καυχήσηται ὁ κατὰ σάρκα Ἰσραήλ, καλούμενος ὑπὸ
115 τοῦ ἀποστόλου σάρξ, ἐνώπιον τοῦ θεοῦ.

5. Τί δὲ δεῖ λέγειν περὶ τῶν ἐν ψαλμοῖς προφητειῶν
περὶ Χριστοῦ, ᾠδῆς τινος ἐπιγεγραμμένης ὑπὲρ τοῦ ἀγαπη-
τοῦ, οὗ ἡ γλῶσσα λέγεται εἶναι κάλαμος γραμματέως
ὀξυγράφου, ὡραῖος κάλλει παρὰ τοὺς υἱοὺς τῶν ἀνθρώπων,
120 ἐπεὶ ἐξεχύθη χάρις ἐν χείλεσιν αὐτοῦ ; τεκμήριον γὰρ τῆς
ἐκχυθείσης χάριτος ἐν χείλεσιν αὐτοῦ τὸ ὀλίγου διαγεγενη-
μένου χρόνου τῆς διδασκαλίας αὐτοῦ (ἐνιαυτὸν γάρ που
καὶ μῆνας ὀλίγους ἐδίδαξε) πεπληρῶσθαι τὴν οἰκουμένην
τῆς διδασκαλίας αὐτοῦ καὶ τῆς δι' αὐτοῦ θεοσεβείας.

IV, 1. 112 ἀγενῆ : ἀσθενῆ Bas D ‖ 121 ἐν χείλεσιν *om.* B ‖ 122
χρονοῦ BH : τοῦ χρονοῦ Bas D ‖ 123 ὀλίγους *om.* B ‖ 124 τῆς διδασκαλίας αὐτοῦ καὶ *om.* B

---

carnem, non multi potentes, non multi nobiles; sed quae
stulta sunt mundi elegit deus et ea, quae non sunt, ut ea,
115 *quae erant prius, destrueret.* Non ergo glorietur carnalis
Israhel ; ita namque ab apostolo uocatur : *non* inquam
glorietur caro in conspectu dei.

5. Sed et de his, quae in psalmis prophetantur de Christo,
quid dicendum est, in eo maxime, qui superscribitur
120 *Canticum pro dilecto,* ubi refertur quia *lingua* eius *calamus*
scribae uelociter scribentis, decorus specie super filios
hominum, quoniam *effusa est gratia in labiis eius?* Indicium
autem effusae gratiae in labiis eius hoc est, quod breui
tempore transacto doctrinae eius (anno enim et aliquot
125 mensibus docuit) uniuersus tamen orbis doctrina ac fide

IV, 1. 114 et *om.* BGM ‖ 122 eius : tuis g ‖ 122-123 indicium —
eius *om.* Pa ‖ 125 doctrina : praedicatione Pa

*qui est fou dans ce monde pour confondre les sages, et Dieu
a choisi ce qui est sans naissance, méprisé, et ce qui n'existe
pas pour détruire ce qui auparavant existait ;* et que l'Israël
selon la chair ne se glorifie pas devant Dieu, lui qui est
appelé chair par l'Apôtre !

1, 5. Que dire des prophéties sur le Christ contenues
dans les *Psaumes*, du cantique qui a pour titre *Pour le
bien-aimé*[23] dont la langue est appelée *le calame d'un
scribe qui écrit vite, le plus beau des fils des hommes,* puisque
la grâce a été répandue sur ses lèvres[24]. Un indice de cette
grâce répandue sur ses lèvres est que, passé le court
moment de son enseignement — il a enseigné à peu près
une année et quelques mois[25] — toute la terre a été remplie
de sa doctrine et de la religion qu'il a introduite[26]. Car

---

*beaucoup de sages selon la chair, pas beaucoup de puissants,
pas beaucoup de nobles ; mais Dieu a choisi ce qui est sot
dans le monde et ce qui n'existe pas pour détruire ce qui
auparavant existait*[22a]. Que l'Israël selon la chair ne se
glorifie pas, car il est appelé ainsi par l'Apôtre : *Que ne
se glorifie aucune chair devant Dieu.*

1, 5. Que dire de ce qui est prophétisé sur le Christ
dans les *Psaumes*, surtout de celui qui a pour titre *Cantique
pour le Bien-Aimé*, où il est rapporté que sa langue est
*le calame d'un scribe qui écrit vite, le plus beau des fils des
hommes,* puisque *la grâce a été répandue sur ses lèvres?*
Un indice de cette grâce répandue sur ses lèvres est que,
passé le court moment de son enseignement — il a enseigné
en effet une année et quelques mois —, toute la terre a été
remplie de sa doctrine et de la foi en sa religion. Car *dans*

IV, 1. *114*, 115 : I Cor. 10, 18 ‖ *115*, 116 : I Cor. 1, 29 ‖ *117*,
120 : Ps. 44, 1 s.

125 Ἀνατέταλκε γὰρ ἐν ταῖς ἡμέραις αὐτοῦ δικαιοσύνη καὶ
πλῆθος εἰρήνης παραμένον ἕως συντελείας, ὃ ἀνταναίρεσις
ὠνόμασται σελήνης · καὶ μένει κατακυριεύων ἀπὸ θαλάσσης
ἕως θαλάσσης καὶ ἀπὸ ποταμῶν ἕως περάτων τῆς οἰκουμένης. Καὶ δέδοται σημεῖον τῷ οἴκῳ Δαυείδ · ἡ παρθένος
130 γὰρ [ἔτεκε καὶ] ἐν γαστρὶ ἔσχε καὶ ἔτεκεν υἱόν, καὶ τὸ
ὄνομα αὐτοῦ Ἐμμανουήλ, ὅπερ ἐστὶ μεθ' ἡμῶν ὁ θεός.
Πεπλήρωται, ὡς ὁ αὐτὸς προφήτης φησί · Μεθ' ἡμῶν ὁ
θεός · γνῶτε, ἔθνη, καὶ ἡττᾶσθε, ἰσχυκότες ἡττᾶσθε.
Ἡττήμεθα γὰρ καὶ νενικήμεθα οἱ ἀπὸ τῶν ἐθνῶν ἑαλωκότες
135 ὑπὸ τῆς χάριτος τοῦ λόγου αὐτοῦ. Ἀλλὰ καὶ προείρηται
τόπος γενέσεως αὐτοῦ ἐν τῷ Μιχαίᾳ · Καὶ σὺ γὰρ φησι
Βηθλεέμ, γῆ Ἰούδα, οὐδαμῶς ἐλαχίστη εἶ ἐν τοῖς ἡγεμόσιν
Ἰούδα · ἐκ σοῦ γὰρ ἐξελεύσεται ἡγούμενος, ὅστις ποιμανεῖ

IV, 1. 125 δικαιοσύνη om. B ‖ 127 κατακυριεῦον Bas DH ‖ 130
ἔτεκε καὶ secl. Klostermann, Koe ‖ 138 ἐκ σοῦ : ἐξ οὗ B

---

pietatis eius impletus est. Orta est enim *in diebus eius
iustitia et multitudo pacis* permanens usque ad finem, qui
finis ablatio lunae appellata est ; et dominatur *a mari
usque ad mare et a flumine usque ad fines terrae.* Datum est
130 autem et signum domui Dauid. *Virgo enim in utero
concepit et peperit Emmanuhel, quod est interpretatum
nobiscum deus*, et impletum est quod ait ipse propheta :
Nobiscum deus. Scitote, gentes, et uincimini. Victi enim
nos sumus et superati, qui ex gentibus sumus, et uelut
135 exuuiae quaedam uictoriae eius existimus, qui eius gratiae
nostra colla subiecimus. Sed et locus natiuitatis eius
praedictus est in Michea propheta dicente : *Et tu Bethlem,
terra Iuda, nequaquam exigua es in ducibus Iuda; ex te*

IV, 1. 126 enim : ergo g ‖ 127 pacis *om.* Pa ‖ 130 enim : namque
A ‖ in utero : in ventre Pa ‖ 133 uincimini : conuincimini B ‖ 134
qui ex gentibus sumus *om.* Pa ‖ 135 quaedam uictoriae *om.* Pa ‖
gratia GM

*dans ses jours se sont levées la justice et une abondance de
paix* subsistant jusqu'à la consommation qui est appelée
disparition de la lune, et il subsiste dominant *de la mer
à la mer et des fleuves aux confins de la terre.* Et il a été
donné un signe à la maison de David, car *la vierge a porté
dans son sein et a engendré un fils qui s'appelle Emmanuel,
c'est-à-dire Dieu avec nous*[27]. Ce que dit le même prophète
s'accomplit : *Dieu avec nous : sachez-le, nations, et soyez
vaincues, vous qui êtes puissants soyez vaincus.* Nous avons
eu le dessous et nous avons été vaincus, nous qui venons
des nations, saisis par la grâce de sa Parole. Mais le lieu
de sa naissance est prédit chez Michée[28] : *Et toi,* dit-il,
*Bethléem, terre de Juda, tu n'es en rien la plus petite parmi
les chefs de Juda, car de toi sortira le chef qui paîtra*

---

ses jours se sont levées la justice et une abondance de paix
subsistant jusqu'à la fin, qui est appelée disparition de
la lune ; et il domine *de la mer à la mer et du fleuve aux
confins de la terre.* En effet il est donné aussi un signe à
la maison de David : *La vierge a conçu dans son sein et a
engendré Emmanuel, qu'il faut comprendre Dieu avec nous.*
Ce que dit le prophète lui-même s'accomplit : *Dieu avec
nous ; sachez-le, nations, et soyez vaincues*[27a]. En effet nous
avons été vaincus et dominés, nous qui venons des nations,
nous sommes comme le butin de sa victoire[27b], nous qui
avons soumis nos cous à sa grâce. Mais le lieu de sa
naissance est prédit chez le prophète Michée : *Et toi,
Bethléem, terre de Juda, tu n'es en rien petite parmi les
chefs de Juda, car de toi sortira le chef qui gouvernera*

IV, 1. *125,* 126 : Ps. 71, 7 s. ‖ *129,* 130 : Is. 7, 14.13 ; Matth. 1,
23 ‖ *132,* 133 : Is. 8, 8 s. ‖ *136,* 137 : Mich. 5, 2 ; Matth. 2, 6

τὸν λαόν μου τὸν Ἰσραήλ. Καὶ αἱ ἑβδομήκοντα ἑβδομάδες
140 ἐπληρώθησαν ἕως Χριστοῦ ἡγουμένου κατὰ τὸν Δανιήλ.
Ἦλθέ τε κατὰ τὸν Ἰὼβ ὁ τὸ μέγα κῆτος χειρωσάμενος
καὶ δεδωκὼς ἐξουσίαν τοῖς γνησίοις αὐτοῦ μαθηταῖς πατεῖν
ἐπάνω ὄφεων καὶ σκορπίων καὶ ἐπὶ πᾶσαν τὴν δύναμιν
τοῦ ἐχθροῦ, οὐδὲν ὑπ' αὐτῶν ἀδικουμένοις. Ἐπιστησάτω
145 δέ τις καὶ τῇ τῶν ἀποστόλων πανταχόσε ἐπιδημίᾳ τῶν
ὑπὸ τοῦ Ἰησοῦ ἐπὶ τὸ καταγγεῖλαι τὸ εὐαγγέλιον πεμφθέντων,
καὶ ὄψεται καὶ τὸ τόλμημα οὐ κατὰ ἄνθρωπον καὶ τὸ
ἐπίταγμα θεῖον. Καὶ ἐὰν ἐξετάσωμεν πῶς ἄνθρωποι καινῶν
μαθημάτων ἀκούοντες καὶ ξένων λόγων προσήκαντο τοὺς
150 ἄνδρας, νικηθέντες ἐν τῷ θέλειν αὐτοῖς ἐπιβουλεύειν ὑπό
τινος θείας δυνάμεως ἐπισκοπούσης αὐτούς, οὐκ ἀπιστήσομεν
εἰ καὶ τεράστια πεποιήκασιν, ἐπιμαρτυροῦντος τοῦ θεοῦ

IV, 1. 144 τοῦ om. B || 152 καὶ εἰ Bas D

---

enim exiet dux, qui regat populum meum Israhel. Sed et
140 septimanae annorum impletae sunt usque ad Christum
ducem, quas praedixerat Danihel propheta. Adest nihilominus et is, qui per Iob praedicatus est beluam ingentem
consumpturus, qui et dedit potestatem familiaribus suis
discipulis calcare super serpentes et scorpiones et supra
145 omnem uirtutem inimici, nihil ab eo nocendis. Sed et si
quis consideret apostolorum Christi per loca singula
discursus, in quibus ab eo missi euangelium praedicarant,
inueniet quod et quae ausi sunt adgredi, supra hominem
est, et quod explere quae ausi sunt potuerunt, ex deo est.
150 Si consideremus quomodo homines, nouam doctrinam ab
his audientes inferri, suscipere eos potuerunt, uel potius
quod saepe eis uolentes inferre perniciem diuina quadam
quae eis aderat uirtute repressi sunt, inueniemus nihil in
hac causa humanis uiribus, sed totum diuina uirtute ac

IV, 1. 139 in *post* meum *add.* A || 140-141 ducem christum g
|| 142 praedictum B praedictus Pa || 143 consummaturus A || 144
super : supra g || 148 quae ausi sunt *om.* g

mon peuple Israël. Et les soixante-dix semaines[29] ont été
accomplies jusqu'au Christ chef, selon Daniel. Il est venu
aussi selon Job, celui qui a dompté le grand cétacé et qui
a donné à ses authentiques disciples le pouvoir de fouler
aux pieds serpents et scorpions, ainsi que toute la puissance
de l'ennemi, sans recevoir d'eux aucun dommage. Qu'on
réfléchisse sur la venue en tous lieux des apôtres, de ceux
qui ont été envoyés par Jésus annoncer l'Évangile, et
l'on verra que leur audace dépassait l'homme et que leur
entreprise était divine. Et lorsque nous examinons comment
des hommes écoutant cet enseignement nouveau et ces
paroles étrangères[30] sont venus à eux, vaincus, quand ils
voulaient leur tendre des embûches, par une puissance
divine qui les protégeait, nous ne sommes pas incroyants

---

mon peuple Israël. Et les semaines d'années[29a] ont été
accomplies jusqu'au Christ chef, celles qu'avait prédites le
prophète Daniel. Il est là cependant aussi celui que Job a
prêché comme devant faire périr la bête immense, celui qui
a donné à ses disciples familiers le pouvoir de fouler aux
pieds serpents et scorpions, ainsi que toute la puissance de
l'ennemi, sans recevoir d'eux aucun dommage. Si quelqu'un
considère les voyages des apôtres du Christ en tous lieux,
où ils étaient envoyés par lui pour prêcher l'Évangile,
il découvrira que ce qu'ils ont eu l'audace d'entreprendre
dépassait l'homme et que le fait qu'ils aient pu accomplir
ce qu'ils ont osé venait de Dieu. Et si nous considérons
comment des hommes, écoutant l'enseignement nouveau
qu'ils leur apportaient, ont pu les recevoir, ou même
plutôt que souvent, alors qu'ils voulaient leur faire du
mal, ils étaient repoussés par une puissance divine présente
en eux, nous ne trouvons en cela rien qui vienne des forces
humaines, mais tout vient de la puissance et de la providence

---

VI, 1. *139*, 140 : Dan. 9, 24 ‖ *141*, 141 : Job 3, 8 ; Lc 10, 19 ‖
150, 153 : Act. 5, 12 ‖ *152*, 154 : Hébr. 2, 4

τοῖς λόγοις αὐτῶν καὶ διὰ σημείων καὶ τεράτων καὶ ποικίλων
δυνάμεων.

155　　6. Ἀποδεικνύντες δὲ ὡς ἐν ἐπιτομῇ περὶ τῆς θεότητος
Ἰησοῦ καὶ χρώμενοι τοῖς περὶ αὐτοῦ λόγοις προφητικοῖς,
συναποδείκνυμεν θεοπνεύστους εἶναι τὰς προφητευούσας περὶ
αὐτοῦ γραφάς, καὶ τὰ καταγγέλλοντα τὴν ἐπιδημίαν αὐτοῦ
γράμματα καὶ διδασκαλίαν μετὰ πάσης δυνάμεως καὶ
160　ἐξουσίας εἰρημένα καὶ διὰ τοῦτο τῆς ἀπὸ τῶν ἐθνῶν ἐκλογῆς
κεκρατηκότα. Λεκτέον δὲ ὅτι τὸ τῶν προφητικῶν λόγων
ἔνθεον καὶ τὸ πνευματικὸν τοῦ Μωσέως νόμου ἔλαμψεν
ἐπιδημήσαντος Ἰησοῦ. Ἐναργῆ γὰρ παραδείγματα περὶ τοῦ
θεοπνεύστους εἶναι τὰς παλαιὰς γραφὰς πρὸ τῆς ἐπιδημίας
165　τοῦ Χριστοῦ παραστῆσαι οὐ πάνυ δυνατὸν ἦν · ἀλλ' ἡ

IV, 1. 157 συναποδεικνύντες B

---

155 prouidentia procuratum, euidentibus procul dubio signis
et uirtutibus testimonium reddentibus uerbo doctrinaeque
eorum.

　　6. His autem breuiter demonstratis, id est de deitate
Iesu Christi et de omnibus his, quae de ipso prophetata
160 fuerant, expletis, simul etiam illud arbitror adprobatum,
quod et scripturae ipsae, quae de eo prophetauerant,
diuinitus inspiratae sint, quae uel de aduentu eius uel de
potestate doctrinae uel de omnium gentium adsumptione
praedixerant. Quibus etiam illud addendum est, quod siue
165 prophetarum uaticinatio siue Moysi lex diuina esse et
diuinitus inspirata ex eo maxime inluminata est et probata,
ex quo in hunc mundum Christus aduenit. Ante enim quam
complerentur ea, quae ab illis fuerant praedicta, quamuis
uera essent et a Deo inspirata, tamen ostendi uera esse non
170 poterant pro eo quod nondum probarentur impleta ;

IV, 1. 161 prophetauerant gB : prophetauerunt A Koe

à l'égard des prodiges qu'ils ont faits, Dieu apportant à leurs paroles son témoignage par des signes, des prodiges et des puissances diverses.

La venue de Jésus a montré l'inspiration divine des vieilles Écritures 1, 6. En montrant succinctement ce qui regarde la divinité de Jésus, en nous servant des paroles prophétiques qui le concernent, nous montrons que les Écritures qui ont prophétisé à son sujet étaient inspirées par Dieu[31], ainsi que les écrits qui ont annoncé sa venue, qui ont rapporté un enseignement donné avec puissance et autorité et qui pour cela a dominé sur ceux qui ont été élus parmi les nations. Il faut dire que l'inspiration divine[32] des paroles prophétiques et le caractère spirituel de la loi de Moïse apparurent d'une manière éclatante avec la venue de Jésus[33]. Il n'était pas très possible de présenter des exemples clairs de l'inspiration divine des anciennes Écritures avant la venue du Christ ; mais la venue de

---

divines qui, par des signes et des miracles au-dessus de toute évidence, rendait témoignage à leur parole et à leur doctrine.

1, 6. Après avoir montré succinctement ce qui regarde la divinité de Jésus-Christ et l'accomplissement de ce qu'on a prophétisé à son sujet, je pense qu'a été aussi démontrée l'inspiration divine des Écritures qui l'avaient prophétisé, et qui ont fait des prédictions sur sa venue, la puissance de son enseignement et l'assomption de toutes les nations. Il faut ajouter que le caractère divin et l'inspiration divine des oracles des prophètes et de la loi de Moïse ont été perçus d'une manière plus éclatante et ont été prouvés par la venue du Christ en ce monde. Avant que soit réalisé ce qui avait été prédit, bien que cela ait été vrai et inspiré par Dieu, on ne pouvait cependant pas montrer que c'était vrai, car leur accomplissement

Ἰησοῦ ἐπιδημία δυναμένους ὑποπτεύεσθαι τὸν νόμον καὶ
τοὺς προφήτας ὡς οὐ θεῖα εἰς τοὐμφανὲς ἤγαγεν ὡς οὐρανίῳ
χάριτι ἀναγεγραμμένα. Ὁ δὲ μετ' ἐπιμελείας καὶ προσοχῆς
ἐντυγχάνων τοῖς προφητικοῖς λόγοις, παθὼν ἐξ αὐτοῦ τοῦ
170 ἀναγινώσκειν ἴχνος ἐνθουσιασμοῦ, δι' ὧν πάσχει πεισθήσεται
οὐκ ἀνθρώπων εἶναι συγγράμματα τοὺς πεπιστευμένους
ἡμῖν εἶναι θεοῦ λόγους. Καὶ τὸ ἐνυπάρχον δὲ φῶς τῷ
Μωσέως νόμῳ, καλύμματι ἐναποκεκρυμμένον, συνέλαμψε τῇ
Ἰησοῦ ἐπιδημίᾳ, περιαιρεθέντος τοῦ καλύμματος, καὶ τῶν
175 ἀγαθῶν κατὰ βραχὺ εἰς γνῶσιν ἐρχομένων, ὧν σκιὰν εἶχε
τὸ γράμμα.

---

aduentus uero Christi uera esse et diuinitus inspirata quae
dixerant declarauit, cum utique prius haberetur incertum,
si eorum quae praedicta fuerant exitus esset implendus.
Sed et si qui cum omni studio et reuerentia qua dignum
175 est prophetica dicta consideret, in eo ipso dum legit et
diligentius intuetur, certum est quod ab aliquo diuiniore
spiramine mentem sensumque pulsatus agnoscat non
humanitus esse prolatos eos, quos legit, sed dei esse
sermones ; et ex semet ipso sentiet non humana arte nec
180 mortali eloquio sed diuino, ut ita dixerim, coturno libros
esse conscriptos. Legem ergo Moysei splendor aduentus
Christi per fulgorem ueritatis inluminans, id quod super-
positum erat litterae eius uelamen abstraxit et omnia, quae
cooperta inibi bona tegebantur, uniuersis in se credentibus
185 reserauit.

IV, 1. 178 probatos A

Jésus a mené ceux qui pouvaient supposer que la loi et les prophètes n'étaient pas divins à constater avec évidence qu'ils avaient été écrits à l'aide d'une grâce céleste. Celui qui étudie avec soin et attention les écrits prophétiques ressentira à leur lecture une trace d'enthousiasme[34] et ce sentiment le persuadera que ce que nous croyons être les paroles de Dieu ne sont pas des écrits d'hommes. Et la lumière que contient la loi de Moïse, cachée auparavant sous le voile[35], a brillé avec la venue de Jésus qui a écarté le voile et a fait connaître peu à peu les biens dont la lettre possédait l'ombre[36].

---

n'était pas encore prouvé ; mais la venue de Jésus a manifesté la vérité et l'inspiration divine de ce qui avait été dit, alors qu'auparavant de toute manière on ne pouvait pas savoir que l'accomplissement de ces prédictions se réaliserait. Si on étudie les paroles prophétiques avec le soin et la révérence qu'elles méritent, dans cette lecture même et cette considération plus attentive l'intelligence et la pensée seront frappées comme d'un souffle plus divin et on reconnaîtra que ce qu'on lit n'est pas une œuvre d'hommes, mais des paroles de Dieu ; on sentira en soi-même que ces livres n'ont pas été rédigés avec un art humain ni avec le style d'un mortel, mais, pour ainsi dire, avec une élévation divine[34a]. La splendeur de la venue du Christ illuminant la loi de Moïse de l'éclat de la vérité a écarté le voile qui couvrait sa lettre et a découvert à tous les croyants tous les biens qui y étaient cachés.

IV, 1. *172*, 181 : II Cor. 3, 15 s.

7. Πολὺ δ' ἂν εἴη νῦν ἀναλέγεσθαι τὰς περὶ ἑκάστου
τῶν μελλόντων ἀρχαιοτάτας προφητείας, ἵνα δι' αὐτῶν ὁ
ἀμφιβάλλων πληχθεὶς ὡς ἐνθέων, διψυχίαν πᾶσαν καὶ
180 περισπασμὸν ἀποθέμενος, ὅλῃ ἑαυτὸν ἐπιδῷ τῇ ψυχῇ τοῖς
λόγοις τοῦ θεοῦ. Εἰ δὲ μὴ καθ' ἕκαστον τῶν γραμμάτων
τοῖς ἀνεπιστήμοσι προσπίπτειν δοκεῖ τὸ ὑπὲρ ἄνθρωπον
τῶν νοημάτων, θαυμαστὸν οὐδέν · καὶ γὰρ ἐπὶ τῶν τῆς
ἁπτομένης τοῦ παντὸς κόσμου προνοίας ἔργων, τινὰ μὲν
185 ἐναργέστατα φαίνεται, ᾗ προνοίας ἐστὶν ἔργα, ἕτερα δὲ
οὕτως ἀποκέκρυπται, ὡς ἀπιστίας χώραν παρέχειν δοκεῖν
τῆς περὶ τοῦ τέχνῃ ἀφάτῳ καὶ δυνάμει διοικοῦντος τὰ ὅλα

IV, 1. 177 νῦν om. Bas D

---

7. Verum satis operosa res est enumerare singula, quae
a prophetis olim praedicta sunt, qualiter uel quando
completa sint, ut ex his uideamur eos, qui dubitant,
confirmare, cum possibile sit unicuique uolenti de his
190 diligentius noscere ex ipsis libris ueritatis probamenta
abundantius congregare. Si uero his, qui minus in diuinis
eruditi sunt disciplinis, non statim in prima fronte litterae
sensus, qui supra hominem est, uidetur occurrere, nihil
mirum est, quod quae diuina sunt ad homines paulo
195 latentius deferuntur et eo magis latent, quo quis uel
incredulus fuerit uel indignus. Nam et cum certum sit
omnia, quae in hoc mundo sunt uel geruntur, dei prouidentia dispensari, quaedam quidem satis euidenter apparet
quod prouidentiae gubernatione digesta sint, alia uero
200 tam occulte tamque inconpraehensibiliter explicantur, ut

IV, 1. 188 uideamur B : uideamus gA ‖ 190 ex ipsis : ex his Aᵃᶜ et
ex his Aᵖᶜ ‖ 195 latentius : lentius g ‖ 196 nam et AB : nam g Koe ‖
198 apparet A : apparent gB Koe

Difficulté de percevoir cette inspiration pour qui en reste à la lettre **1, 7.** Ce serait un gros travail de passer en revue les prophéties très anciennes concernant chacune des réalités futures, afin que celui qui doute, frappé de leur inspiration divine, rejette toute hésitation et tout ce qui le tire en arrière et se donne de toute son âme aux paroles de Dieu. Mais si le caractère surhumain des pensées[37] (de l'Écriture) pour ceux qui ne sont pas instruits n'apparaît guère dans la lettre de chaque passage, il n'y a là rien d'étonnant : en effet, en ce qui concerne les œuvres de la providence[38] qui s'étend à tout l'univers, certaines apparaissent très clairement en tant qu'[39]œuvres de la Providence, mais d'autres sont cachées[40] pour rendre possible l'incroyance envers le Dieu qui gouverne toutes choses avec un art et une puissance

---

1, 7. C'est un gros travail que de passer en revue tout ce que les prophètes ont prédit en examinant comment et quand cela a été accompli, pour essayer par cette lecture de raffermir ceux qui doutent, puisqu'il est possible à quiconque veut parvenir à une connaissance plus attentive de trouver en abondance dans ces livres des preuves de leur vérité. Mais si la signification qui dépasse l'homme n'apparaît pas aussitôt à ceux qui sont moins instruits dans les disciplines divines, dans leur premier contact avec la lettre, il n'y a là rien d'étonnant : car les réalités divines sont apportées aux hommes d'une manière un peu plus recouvertes et elles sont d'autant plus cachées que le lecteur est incroyant ou indigne[37a]. En effet[38a], bien qu'il soit certain que tout ce qui est ou se passe en ce monde est gouverné par la providence de Dieu, certaines réalités apparaissent assez clairement comme dirigées par le gouvernement de la Providence, mais d'autres se déroulent d'une manière si obscure et si incompréhensible qu'on ne

θεοῦ. Οὐχ οὕτω γὰρ σαφὴς ὁ περὶ τοῦ προνοοῦντος τεχνικὸς
λόγος ἐν τοῖς ἐπὶ γῆς, ὡς ἐν ἡλίῳ καὶ σελήνῃ καὶ ἄστροις ·
190 καὶ οὐχ οὕτω δῆλος ἐν τοῖς κατὰ τὰ ἀνθρώπινα συμπτώματα,
ὡς ἐν ταῖς ψυχαῖς καὶ τοῖς σώμασι τῶν ζῴων, σφόδρα τοῦ
πρὸς τί καὶ ἕνεκα τίνος εὑρισκομένου τοῖς τούτων ἐπιμελο-
μένοις, περὶ τὰς ὁρμὰς καὶ τὰς φαντασίας καὶ φύσεις τῶν
ζῴων καὶ τὰς κατασκευὰς τῶν σωμάτων. Ἀλλ' ὥσπερ οὐ
195 χρεοκοπεῖται ἡ πρόνοια διὰ τὰ μὴ γινωσκόμενα παρὰ τοῖς
γε ἅπαξ παραδεξαμένοις αὐτὴν καλῶς, οὕτως οὐδὲ ἡ τῆς
γραφῆς θειότης διατείνουσα εἰς πᾶσαν αὐτήν, διὰ τὸ μὴ

IV, 1. 190 τὰ *om.* B ‖ 193 φύσεις : τὰς φύσεῖς Bas D ‖ 195
χρεοκοπῆσαι B ‖ παρὰ *om.* Bas D

---

penitus in his lateat diuinae ratio prouidentiae ; ita ut
interdum a nonnullis nec credantur quaedam ad prouidentiam pertinere, quoniam quidem ratio ab eis latet, per
quam ineffabili quadam arte opera diuinae prouidentiae
205 dispensantur ; quae tamen ratio non aequaliter omnibus
in occulto est. Nam et inter ipsos homines ab alio minus,
ab alio amplius consideratur ; plus uero ab omni homine,
qui in terris est, quisque ille est caeli habitator agnoscit.
Et aliter claret corporum ratio, aliter arborum, aliter
210 animalium, aliter uero tegitur animorum ; et diuersi
rationabilium mentium motus qualiter per diuinam prouidentiam dispensentur, plus quidem homines, non parum
tamen, ut ego arbitror, etiam angelos latet. Sed sicut non
idcirco refellitur diuina prouidentia ab his maxime, qui
215 eam esse certi sunt, quia opera eius uel dispensationes
humanis ingeniis conpraehendi non possunt : ita nec

IV, 1. 201 diuina A ‖ 203 ratio ab eis : rationabilis A ‖ 209 aliter
arborum *om.* g ‖ 215 quia : qui g ‖ 216 nec AAb : ne BGM *Koe*

indicibles. La manière[41] dont opère le Dieu provident n'est pas aussi claire quand il s'agit des réalités terrestres que quand il s'agit du soleil, de la lune ou des étoiles[42], mais elle n'est pas non plus aussi claire en ce qui concerne les événements humains que quand il s'agit des âmes et des corps des animaux[43], car le pourquoi et la finalité peuvent être parfaitement trouvés par ceux que cela intéresse, au sujet des instincts, des imaginations et des natures des animaux et de la constitution des corps. Mais la Providence n'est pas victime d'une banqueroute[44] à cause de nos ignorances aux yeux de ceux, du moins, qui l'ont une fois pour toutes bien acceptée ; il en est de même de la divinité de l'Écriture, qui s'étend à toute l'Écriture, bien que notre

---

voit plus du tout en elle la manière d'agir de la divine Providence ; et ainsi d'aucuns ne croient pas que certaines réalités soient régies par la Providence, parce qu'ils ne voient pas la manière dont, avec un art ineffable, les œuvres de la Providence divine sont gouvernées ; cependant[41a] cette manière n'est pas cachée pareillement à tous. Car parmi les hommes les uns en aperçoivent moins, les autres plus ; et plus que tout homme qui est sur terre en connaît celui qui est habitant du ciel. Autre est la clarté que présente la manière d'être des corps, autre quand il s'agit des arbres, autre quand il s'agit des animaux, mais la manière d'être des intelligences est autrement obscure. Comment la divine Providence gouverne-t-elle les mouvements divers des intelligences raisonnables, cela échappe aux hommes plus qu'aux anges, mais échappe aussi à ces derniers, à mon avis, dans une mesure qui n'est pas sans importance. Mais la divine Providence ne craint pas de démenti, surtout de ceux qui ont la certitude de son existence, parce que ses œuvres et son gouvernement ne peuvent être saisis par des intelligences humaines ; de même l'inspiration divine de l'Écriture sainte elle-même,

καθ' ἑκάστην λέξιν δύνασθαι τὴν ἀσθένειαν ἡμῶν παρίστασθαι
τῇ κεκρυμμένῃ λαμπρότητι τῶν δογμάτων ἐν εὐτελεῖ καὶ
200 εὐκαταφρονήτῳ λέξει ἀποκειμένη. Ἔχομεν γὰρ θησαυρὸν
ἐν ὀστρακίνοις σκεύεσιν, ἵνα λάμψῃ ἡ ὑπερϐολὴ τῆς δυνάμεως
τοῦ θεοῦ, καὶ μὴ νομισθῇ εἶναι ἐξ ἡμῶν τῶν ἀνθρώπων.
Εἰ γὰρ αἱ κατημαξευμέναι τῶν ἀποδείξεων ὁδοὶ παρὰ τοῖς
ἀνθρώποις ἐναποκείμεναι τοῖς βιϐλίοις κατίσχυσαν τῶν
205 ἀνθρώπων, ἡ πίστις ἡμῶν ἂν εὐλόγως ὑπελαμϐάνετο ἐν
σοφίᾳ ἀνθρώπων καὶ οὐκ ἐν δυνάμει θεοῦ · νῦν δὲ τῷ
ἐπάραντι τοὺς ὀφθαλμοὺς σαφὲς ὅτι ὁ λόγος καὶ τὸ κήρυγμα
παρὰ τοῖς πολλοῖς δεδύνηται οὐκ ἐν πειθοῖς σοφίας λόγοις,
ἀλλ' ἐν ἀποδείξει πνεύματος καὶ δυνάμεως. Διόπερ δυνάμεως

scripturae quidem sanctae diuina esse inspiratio, quae per
omne corpus eius extenditur, pro eo non putabitur, quod
infirmitas intellegentiae nostrae non ualet per singula uerba
220 occultas et latentes inuestigare sententias, dum in uilioribus
et incomptis uerborum uasculis diuinae sapientiae thesaurus absconditur, sicut et apostolus designat dicens :
Habemus autem thesaurum hunc in uasis fictilibus, ut eo
magis diuinae potentiae uirtus effulgeat, dum nullus
225 humanae eloquentiae fucus in dogmatum ueritate miscetur.
Si enim uel arte rhetorica uel calliditate philosophica
conscripti libri nostri ad credendum inlicerent homines,
sine dubio *fides nostra* putaretur *in uerborum arte consistere*
atque in sapientia humana, et non in uirtute dei. Nunc uero
230 omnibus notum est quod praedicationis huius uerbum ita
a quam plurimis in omni paene orbe susceptum est, ut
non in suasoriis sapientiae uerbis, sed in ostentatione
spiritus et uirtutis esse intellegerent quae credebant.

IV, 1. 217 diuina A^pc : diuinae GM diuine A^ac ‖ 218 omne *om.* g
‖ 226 philosophica calliditate g

VI, 1. *200*, 223 : II Cor. 4, 7 ‖ *205*, 228 : I Cor. 2, 5 ‖ *207*, 230 :
I Cor. 2, 4

faiblesse ne puisse faire ressortir dans chacune de ses expressions[45] la splendeur cachée des doctrines qui est déposée dans une lettre vile et méprisable[46] : *Nous avons en effet ce trésor dans des vases d'argile afin qu'éclate la démesure de la puissance de Dieu* et qu'on ne pense pas qu'elle vienne de nous, les hommes. En effet, si les méthodes de démonstration dont les hommes ont l'habitude et qui sont consignées dans les livres avaient convaincu l'humanité, on soupçonnerait avec raison notre foi d'avoir pour origine *la sagesse des hommes et non la puissance de Dieu ;* mais maintenant, pourvu qu'on lève les yeux, il est clair que *la parole et la prédication* tiennent leur pouvoir sur la foule, *non des expressions persuasives de la sagesse, mais de la manifestation de l'esprit et de la puissance.*

---

qui s'étend à tout son ensemble, ne sera pas refusée parce que la faiblesse de notre intelligence n'est pas capable de fouiller dans chaque mot les significations occultes et latentes, car le trésor de la divine sagesse est caché dans les vases vils et négligés des mots, comme le déclare l'Apôtre : *Nous avons en effet ce trésor dans des vases d'argile, afin que la grandeur de la puissance divine en brille d'autant plus*, puisque aucun maquillage dû à l'éloquence humaine ne se mêle à la vérité des doctrines. En effet, si nos livres avaient été écrits avec l'art du rhéteur ou l'adresse du philosophe et qu'ainsi ils aient séduit les hommes pour les amener à croire, on penserait sans aucun doute que *notre foi* viendrait de *l'art des mots ou de la sagesse humaine et non de la puissance de Dieu*. Mais maintenant tout le monde sait que les paroles que nous prêchons sont reçues par la plupart dans le monde presque entier[46a], de telle sorte qu'ils comprennent que ce qu'ils croient ne vient pas *des expressions persuasives de la sagesse, mais de la manifestation de l'esprit et de la puissance.* C'est pourquoi,

210 ἡμᾶς οὐρανίου ἢ καὶ ὑπερουρανίου πληττούσης ἐπὶ τὸ
σέβειν τὸν κτίσαντα ἡμᾶς μόνον, πειραθῶμεν ἀφέντες τὸν
τῆς ἀρχῆς τοῦ Χριστοῦ λόγον, τουτέστι τῆς στοιχειώσεως,
ἐπὶ τὴν τελειότητα φέρεσθαι, ἵνα ἡ τοῖς τελείοις λαλουμένη
σοφία καὶ ἡμῖν λαληθῇ. Σοφίαν γὰρ ἐπαγγέλλεται ὁ ταύτην
215 κεκτημένος λαλεῖν ἐν τοῖς τελείοις, ἑτέραν τυγχάνουσαν
παρὰ τὴν σοφίαν τοῦ αἰῶνος τούτου καὶ τὴν σοφίαν τῶν
ἀρχόντων τοῦ αἰῶνος τούτου τὴν καταργουμένην · αὕτη
δὲ ἡ σοφία ἡμῖν ἐντυπωθήσεται τρανῶς κατὰ ἀποκάλυψιν
μυστηρίου χρόνοις αἰωνίοις σεσιγημένου, φανερωθέντος δὲ
220 νῦν διά τε γραφῶν προφητικῶν καὶ τῆς ἐπιφανείας τοῦ

IV, 1. 210 καὶ om. DH ‖ 211 μόνον : θεόν Bas D

Propter quod caelesti uirtute, immo etiam plus quam
235 caelesti, ad fidem credulitatemque perducti, pro eo scilicet,
ut solum creatorem omnium nostrum deum colamus,
temptemus et nos niti magnopere, quo *derelinquentes
initiorum Christi sermonem,* quae sunt prima initia scientiae,
ad perfectionem feramur, ut illa sapientia, quae perfectis
240 traditur, etiam nobis tradatur. Ita namque pollicetur ille,
cui commissa est huius sapientiae praedicatio, dicens :
*Sapientiam autem loquimur inter perfectos, sapientiam
autem non huius mundi neque principum huius mundi, qui
destruentur.* Ex quo ostendit quia nihil commune habeat
245 haec nostra sapientia, quantum ad sermonis decorem
pertinet, cum huius mundi sapientia. Haec igitur sapientia
clarius et perfectius describetur in cordibus nostris, si
nobis patefacta fuerit *secundum reuelationem mysterii, quod
temporibus aeternis absconditum est, nunc autem mani-*
250 *festatum est per scripturas propheticas* et *per aduentum*

IV, 1. 237 niti : initi B ‖ 249-250 manifestum GM

C'est pourquoi[47], maintenant qu'une puissance céleste,
bien mieux supracéleste, nous a frappés, nous incitant à
adorer seulement notre créateur, efforçons-nous de *laisser
la science des débuts du Christ*, c'est-à-dire celle des rudi-
ments[48], *pour être portés vers la perfection*, afin qu'on nous
parle de la sagesse dont on parle parmi les parfaits. C'est
en effet la sagesse dont celui qui l'a acquise promet de
parler parmi les parfaits, autre[49] que la sagesse de ce siècle
et que la sagesse des princes de ce siècle, celle qui est
détruite ; cette sagesse sera imprimée en nous[50] clairement
*selon la révélation du mystère qui a été tu pendant des siècles
sans fin, qui a été dévoilé maintenant par les Écritures
prophétiques*, et *par la manifestation de notre Seigneur et*

---

maintenant que nous avons été menés à la foi et à la
croyance par une puissance céleste, bien mieux plus que
céleste, afin d'adorer seulement notre Dieu créateur de
tous, essayons, nous aussi, de faire tous nos efforts pour
laisser la science des débuts du Christ, c'est-à-dire les
premiers commencements de la connaissance, *pour être
portés à la perfection*, afin que la sagesse qui est livrée aux
parfaits nous soit aussi transmise. C'est ce que promet
celui qui a reçu en charge la prédication de cette sagesse
quand il dit : *Nous parlons[49a] de la sagesse entre les parfaits,
non de la sagesse de ce monde ni des princes de ce monde
qui sont détruits ;* par là il montre que notre sagesse n'a
rien de commun, en ce qui concerne l'ornementation du
discours, avec celle de ce monde[49b]. Cette sagesse sera
inscrite dans nos cœurs avec plus de clarté et de perfection
si elle nous est découverte *selon la révélation du mystère
qui a été caché pendant des siècles sans fin, qui a été manifesté
maintenant par les Écritures prophétiques et par la venue*

IV, 1. *211*, 237 : Hébr. 6, 1 ‖ 242 : I Cor. 2, 6 ‖ *218*, 248 : Rom.
16, 25 s. ‖ *220*, 250 : II Tim. 1, 10

κυρίου καὶ σωτῆρος ἡμῶν Ἰησοῦ Χριστοῦ · ᾧ ἡ δόξα εἰς
τοὺς σύμπαντας αἰῶνας. Ἀμήν.

β'. 1 (8). Μετὰ τὸ ὡς ἐν ἐπιδρομῇ εἰρηκέναι περὶ τοῦ
θεοπνεύστους εἶναι τὰς θείας γραφάς, ἀναγκαῖον ἐπεξελθεῖν
τῷ τρόπῳ τῆς ἀναγνώσεως καὶ νοήσεως αὐτῶν, πλείστων
ἁμαρτημάτων γεγενημένων παρὰ τὸ τὴν ὁδὸν τοῦ πῶς δεῖ
5 ἐφοδεύειν τὰ ἅγια ἀναγνώσματα τοῖς πολλοῖς μὴ εὑρῆσθαι.
Οἵ τε γὰρ σκληροκάρδιοι καὶ ἰδιῶται τῶν ἐκ περιτομῆς

IV, 2. 1 ἐπιδρομῇ : παραδρομῇ Bas περιδρομῇ D

---

domini et saluatoris nostri Iesu Christi, cui est gloria in
aeterna saecula. Amen.

2. Quod multi spiritaliter non intelligentes scripturas et male intellegendo in haereses declinarint

1 (8). His igitur breuiter adsignatis de eo, quod per
spiritum sanctum diuinae scripturae inspiratae sint,
5 necessarium uidetur etiam illud explicare, quo pacto non
recte quidam legentes uel intellegentes erroribus se quam
plurimis tradiderunt, pro eo quod qua uia ad intellegentiam
diuinarum litterarum debet incedi, a quam plurimis
ignoratur. Denique Iudaei per duritiam cordis sui, et dum

IV, 2. 6 uel intellegentes om. g ‖ 8 pluribus g

Sauveur Jésus-Christ[51], à qui est la gloire dans tous les siècles. Amen[52].

Deuxième section (IV, 2-3)

Compréhensions trop littérales des Écritures

2, 1 (*8*). Après avoir indiqué succinctement que les Écritures divines sont inspirées par Dieu, il faut discourir sur la manière de les lire et de les comprendre, car beaucoup de faux pas sont commis parce que beaucoup n'ont pas trouvé la voie par laquelle il faut parcourir les divines lectures. Ceux de la circoncision à cause de leur dureté de cœur et de leur peu de compré-

---

de notre Seigneur et Sauveur Jésus-Christ, à qui est la gloire dans les siècles des siècles. Amen.

Deuxième section (IV, 2-3)
Que beaucoup ne comprennent pas spirituellement les Écritures et les entendant mal sont tombés dans les hérésies

2, 1 (*8*). Après avoir indiqué succinctement que les Écritures divines ont été inspirées par l'Esprit Saint, il faut expliquer aussi de quelle façon certains qui ne les lisaient pas et ne les comprenaient pas correctement sont tombés dans de nombreuses erreurs, parce que beaucoup ignorent la voie qu'on doit parcourir pour comprendre les lettres divines. Maintenant les Juifs, à cause de la dureté de leurs cœurs et parce qu'ils veulent

---

IV, 2. Titres grecs : voir la seconde partie de chacun des deux titres du traité, p. 256

εἰς τὸν σωτῆρα ἡμῶν οὐ πεπιστεύκασι, τῇ λέξει τῶν περὶ
αὐτοῦ προφητειῶν κατακολουθεῖν νομίζοντες, καὶ αἰσθητῶς
μὴ ὁρῶντες αὐτὸν κηρύξαντα αἰχμαλώτοις ἄφεσιν μηδὲ
10 οἰκοδομήσαντα ἣν νομίζουσιν ἀληθῶς πόλιν εἶναι τοῦ θεοῦ
μηδὲ ἐξολοθρεύσαντα ἅρματα ἐξ Ἐφραΐμ καὶ ἵππον ἐξ
Ἱερουσαλήμ, μηδὲ βούτυρον καὶ μέλι φαγόντα, καὶ πρὶν
γνῶναι αὐτὸν ἢ προελέσθαι πονηρὰ ἐκλέξασθαι τὸ ἀγαθόν ·
ἔτι δὲ λύκον τὸ ζῷον τὸ τετράπο δον οἰόμενοι προφητεύεσθαι
15 μέλλειν βόσκεσθαι μετὰ ἀρνὸς καὶ πάρδαλιν ἐρίφῳ συνανα-
παύεσθαι μοσχάριόν τε καὶ ταῦρον καὶ λέοντα ἅμα βοσκη-
θήσεσθαι ὑπὸ μικροῦ παιδίου ἀγόμενα καὶ βοῦν καὶ ἄρκον
ἅμα νεμηθήσεσθαι, συνεκτρεφομένων αὐτῶν ἀλλήλοις τῶν

IV, 2. 18 καὶ post νεμηθήσεσθαι add. B

---

10 sibimet ipsis uolunt uideri esse sapientes, domino et
saluatori nostro non crediderunt, ea quae de ipso prophetata sunt secundum litteram debere intellegi aestimantes,
id est quod sensibiliter ac uisibiliter debuerit praedicare
captiuis remissionem, et quod debuerit prius aedificare
15 ciuitatem, quam uere putant esse ciuitatem dei, simul et
exterminare currus Efrem et equum de Hierusalem, sed
et butyrum et mel manducare ut, priusquam cognosceret,
proferre malum, et eligere bonum ; sed et lupum, animal
istud quadrupes, aestimarunt esse prophetatum quia
20 deberet in aduentu Christi pasci cum agnis, et pardus
requiescere cum hedis, uitulus autem et taurus simul cum
leonibus pasci et a paruulo puero duci ad pascua, bouem
uero et ursum simul in pastibus recubare eorumque fetus
pariter enutriri, leones quoque una cum bubus adstare

IV, 2. 11 prophetata : probata g ‖ 17-18 ut ... et eligere bonum
AM^pc : ut ... eligere bonum GM^ac ut ... eligeret bonum BAbS
et ... eligere bonum Koe, qui confert textum graecum ‖ cognosceret aut proferret malit in appar. Koe ‖ 22 a om. AB

hension n'ont pas cru en notre Sauveur, parce qu'ils pensent
qu'il faut suivre la lettre des prophéties le concernant et
qu'ils ne le voient pas de façon sensible[1] prêcher aux prisonniers la rémission, ni bâtir celle qu'ils croient être vraiment
la ville de Dieu, ni détruire les chars d'Éphraïm et les
chevaux de Jérusalem, ni manger le beurre et le miel et
avant de connaître et de choisir le mal élire le bien. Ils ont
pensé encore que, selon la prophétie, un loup, l'animal
quadrupède, devait paître avec un agneau, et une panthère
se reposer avec un chevreau, qu'un veau, un taureau et
un lion devaient paître ensemble et être menés par un
petit enfant, qu'une vache et une ourse devaient paître
ensemble et leurs petits être élevés les uns avec les autres,
qu'un lion mangerait de la paille comme un bœuf et,

---

paraître sages par eux-mêmes, n'ont pas cru à notre
Seigneur et Sauveur, parce qu'ils estiment qu'il faut
comprendre selon la lettre ce qui a été prophétisé de lui,
c'est-à-dire qu'il aurait dû de façon sensible et visible
prêcher aux prisonniers la rémission, qu'il aurait dû
d'abord construire la cité qu'ils pensent être vraiment la
ville de Dieu, et en même temps détruire les chars
d'Éphraïm et les chevaux de Jérusalem, manger aussi le
beurre et le miel, comme aussi savoir connaître le mal et
choisir le bien. Ils ont pensé encore que selon la prophétie
un loup, cet animal quadrupède, devait à la venue du
Christ paître avec des agneaux et une panthère se reposer
avec des chevreaux, qu'un veau même et un taureau
paîtraient avec des lions et seraient menés au pâturage
par un petit enfant, qu'une vache et une ourse s'étendraient
ensemble dans les pacages et que leurs petits seraient
élevés en même temps, que des lions se tiendraient devant
des mangeoires[1a] avec des bœufs et seraient nourris de

IV, 2. *9*, 13 : Is. 61, 1 ; Lc 4, 19 ‖ *10*, 14 : Éz. 48, 15 s. ‖ *10*, 15 :
Ps. 45, 5 ; Zach. 9, 10 ‖ *11*, 16 : Is. 7, 15 ‖ *14*, 18 : Is. 11, 6 s.

παιδίων, καὶ λέοντα ὡς βοῦν φάγεσθαι ἄχυρα, μηδὲν τούτων
20 αἰσθητῶς ἑωρακότες γεγενημένον ἐν τῇ τοῦ πεπιστευμένου
ἡμῖν Χριστοῦ ἐπιδημίᾳ, οὐ προσήκαντο τὸν κύριον ἡμῶν
Ἰησοῦν, ἀλλ᾽ ὡς παρὰ τὸ δέον Χριστὸν ἑαυτὸν ἀναγορεύσαντα
ἐσταύρωσαν. Οἵ τε ἀπὸ τῶν αἱρέσεων ἀναγινώσκοντες τὸ
Πῦρ ἐκκέκαυται ἐκ τοῦ θυμοῦ μου καὶ Ἐγὼ θεὸς ζηλωτής,
25 ἀποδιδοὺς ἁμαρτίας πατέρων ἐπὶ τέκνα ἐπὶ τρίτην καὶ
τετάρτην γενεάν, καὶ Μεταμεμέλημαι χρίσας τὸν Σαοὺλ
εἰς βασιλέα καὶ Ἐγὼ θεὸς ποιῶν εἰρήνην καὶ κτίζων κακά,
καὶ ἐν ἄλλοις τὸ Οὐκ ἔστι κακία ἐν πόλει, ἣν κύριος οὐκ
ἐποίησεν, ἔτι δὲ καὶ τὸ Κατέβη κακὰ παρὰ κυρίου ἐπὶ
30 πύλας Ἱερουσαλὴμ καὶ Πνεῦμα πονηρὸν παρὰ θεοῦ ἔπνιγε
τὸν Σαοὺλ καὶ μυρία ὅσα τούτοις παραπλήσια, ἀπιστῆσαι

IV, 2. 19 παίδων Bas D ‖ 27 εἰς *om.* B ‖ 28 τὸ *om.* Bas D

---

25 praesepibus et uesci paleis. Horum igitur omnium, quae
de eo prophetata sunt, nihil gestum esse secundum historiam peruidentes, in quibus praecipue aduentus Christi
signa obseruanda esse credebant, suscipere praesentiam
domini nostri Iesu Christi noluerunt ; quin immo et uelut
30 contra ius fasque, id est contra prophetiae fidem, adsu-
mentem sibi eum Christi nomen, cruci illum adfixerunt.
Tum uero haeretici legentes quod in lege scriptum est :
Ignis accensus est ex furore meo et : *Ego deus zelans et
reddens peccata patrum in filios in tertiam et quartam
35 progeniem* et : *Paeniteor quod unxi Saul in regem* et :
Ego deus, qui facio pacem et creo mala, et iterum : *Non
est malitia in ciuitate, quam dominus non fecit*, et : *Descen-
derunt mala a domino super portas Hierusalem* et quod
spiritus malignus a deo suffocabat Saul et multa alia his

IV, 2. 25-26 quae prophetata sunt de eo g ‖ 31 eum sibi g ‖ 32
tunc g ‖ 35 paeniteor MG : peniteo *ex corr. in rasura* A peniter
AbS penitet me B

n'ayant vu rien de cela se réaliser sensiblement[2] à la venue
de celui que nous croyons le Christ, ils n'ont pas accepté
notre Seigneur Jésus, mais ils l'ont crucifié parce qu'il
affirmait qu'il était le Christ, contrairement à la loi[3].
Quant aux hérétiques[4], quand ils lisent : *Un feu est allumé*
par ma colère ; je suis un Dieu jaloux, punissant les péchés
des pères sur les fils jusqu'à la troisième et quatrième
génération ; je me suis repenti d'avoir oint Saül comme
roi ; Je suis un Dieu qui fais la paix et qui produis le mal ;
et ailleurs : *Il n'y a pas dans la ville de mal que le Seigneur*
n'ait pas produit ; et encore : *Le mal descendit d'auprès*
du Seigneur sur les portes de Jérusalem ; Un esprit mauvais
venant de Dieu étouffait Saül ; et bien d'autres choses

---

paille. Voyant que rien de ce qu'on avait prophétisé à son
sujet ne s'est réalisé selon l'histoire — ils croyaient[2a] que
c'étaient là les principaux signes de la venue du Christ —,
ils ne voulurent pas accepter la présence de notre Seigneur
Jésus-Christ ; bien mieux, contre tout droit et toute justice,
c'est-à-dire contre la foi en la prophétie[3a], ils attachèrent
à la croix celui qui s'attribuait le nom de Christ. D'autre
part les hérétiques, quand ils lisent ce qui est écrit dans la
loi : *Un feu s'est allumé par ma colère ; Je suis un Dieu*
jaloux, punissant les péchés des pères sur les enfants jusqu'à
la troisième et quatrième génération ; Je me repens d'avoir
oint Saül comme roi ; Je suis un Dieu qui fais la paix et
qui crée le mal ; et de même : *Il n'y a pas dans la ville de*
mal que le Seigneur n'ait pas fait ; Les maux descendirent
d'auprès du Seigneur sur les portes de Jérusalem ; Un
esprit mauvais venant de Dieu étouffait Saül ; et bien

IV, 2. *24*, 33 : Jér. 15, 14 ; Ex. 20, 5 ‖ *26*, 35 : I Rois (I Sam.)
15, 11 ; Is. 45, 7 ‖ *28*, 36 : Amos 3, 6 ‖ *29*, 37 : Mich. 1, 12 ‖ *30*, 39 :
I Rois (I Sam.) 18, 10

μὲν ὡς θεοῦ ταῖς γραφαῖς οὐ τετολμήκασι, πιστεύοντες
δὲ αὐτὰς εἶναι τοῦ δημιουργοῦ, ᾧ Ἰουδαῖοι λατρεύουσιν,
ᾠήθησαν, ὡς ἀτελοῦς καὶ οὐκ ἀγαθοῦ τυγχάνοντος τοῦ
35 δημιουργοῦ, τὸν σωτῆρα ἐπιδεδημηκέναι τελειότερον καταγγέλλοντα θεόν, ὅν φασι μὴ τὸν δημιουργὸν τυγχάνειν,
διαφόρως περὶ τούτου κινούμενοι · καὶ ἅπαξ ἀποστάντες
τοῦ δημιουργοῦ, ὅς ἐστιν ἀγέννητος μόνος θεός, ἀναπλασμοῖς
ἑαυτοὺς ἐπιδεδώκασι, μυθοποιοῦντες ἑαυτοῖς ὑποθέσεις,
40 καθ᾽ ἃς οἴονται γεγονέναι τὰ βλεπόμενα, καὶ ἕτερά τινα
μὴ βλεπόμενα, ἅπερ ἡ ψυχὴ αὐτῶν ἀνειδωλοποίησεν. Ἀλλὰ
μὴν καὶ οἱ ἀκεραιότεροι τῶν ἀπὸ τῆς ἐκκλησίας αὐχούντων
τυγχάνειν τοῦ μὲν δημιουργοῦ μείζονα οὐδένα ὑπειλήφασιν,
ὑγιῶς τοῦτο ποιοῦντες · τοιαῦτα δὲ ὑπολαμβάνουσι περὶ

IV, 2. 38 ἀγένητος DHᵖᶜ ‖ θεός *om.* B

40 similia, quae scripta sunt, legentes, dicere quidem eas non
esse dei scripturas non ausi sunt, esse tamen eas conditoris
dei illius, quem Iudaei colebant, putarunt, quem iustum
tantummodo, non etiam bonum credi debere aestimarunt :
saluatorem uero aduenisse, ut perfectiorem nobis adnun-
45 tiaret deum, quem negant esse conditorem mundi, diuersis
etiam de hoc ipso opinionibus dissidentes, quoniam quidem
semel recedentes a fide creatoris dei, qui est omnium deus,
figmentis se uariis ac fabulis tradiderunt, commentantes
quaedam et dicentes alia esse uisibilia et ab alio facta,
50 alia uero quaedam inuisibilia et ab alio condita, prout eis
animae suae fantasia uanitasque suggesserit. Sed et
nonnulli ex simplicioribus quibusque eorum, qui intra
ecclesiae fidem contineri uidentur, maiorem quidem
creatore deo nullum esse opinantur, rectam in hoc tenentes
55 sanamque sententiam, uerum talia de eo sentiunt, quae

IV, 2. 43 etiam AB : enim GM autem AbS ‖ 51 suggerit g ‖ 52
quibusque AB : que GM scilicet AbS

semblables, n'ont pas osé cependant ne pas croire que les Écritures étaient d'un Dieu, mais ils ont cru qu'elles étaient du créateur adoré par les Juifs et ils ont pensé que, puisque ce créateur était imparfait et non bon, le Sauveur était venu annoncer un Dieu plus parfait, qu'ils disent différent du créateur, ayant des sentiments divers à son égard. Une fois qu'ils se sont éloignés du créateur, qui est le seul Dieu inengendré[5], ils se sont adonnés à des inventions, fabriquant eux-mêmes des suppositions mythiques sur la création des réalités visibles et sur celle d'autres non visibles[6] que leur âme[7] a représentées en figures. Mais, certes, les plus simples[8] aussi de ceux qui sont fiers d'appartenir à l'Église n'ont pas accepté d'autre Dieu plus grand que le Créateur, agissant en cela sainement ;

---

d'autres choses semblables qui sont dans l'Écriture, n'ont pas osé cependant dire que ces écrits ne sont pas d'un Dieu, mais ont pensé qu'ils étaient de ce Dieu créateur adoré par les Juifs, un Dieu que, selon eux, il fallait croire seulement juste et non bon. Selon eux encore le Sauveur est venu nous annoncer un Dieu plus parfait, qu'ils nient être le créateur du monde, tout en différant entre eux d'opinion à son égard, parce qu'une fois qu'ils se sont éloignés de la foi dans le Dieu créateur, qui est le Dieu de l'univers[5a], ils se sont livrés à des inventions variées et à des fables, imaginant certaines choses et disant qu'il y a des réalités visibles faites par l'un et des réalités invisibles créées par l'autre[6a], selon les suggestions qui viennent de l'imagination et de la vanité de leurs âmes. Mais quelques-uns des plus simples parmi ceux qui paraissent appartenir à la foi de l'Église ne pensent pas qu'il y a un Dieu plus grand que le Créateur, tenant en cela une opinion correcte et saine,

45 αὐτοῦ, ὁποῖα οὐδὲ περὶ τοῦ ὠμοτάτου καὶ ἀδικωτάτου
ἀνθρώπου.

2 (9). Αἰτία δὲ πᾶσι τοῖς προειρημένοις ψευδοδοξιῶν
καὶ ἀσεβειῶν ἢ ἰδιωτικῶν περὶ θεοῦ λόγων οὐκ ἄλλη τις
εἶναι δοκεῖ ἢ ἡ γραφὴ κατὰ τὰ πνευματικὰ μὴ νενοημένη,
50 ἀλλ' ὡς πρὸς τὸ ψιλὸν γράμμα ἐξειλημμένη. Διόπερ τοῖς
πειθομένοις μὴ ἀνθρώπων εἶναι συγγράμματα τὰς ἱερὰς
βίβλους, ἀλλ' ἐξ ἐπιπνοίας τοῦ ἁγίου πνεύματος βουλήματι
τοῦ πατρὸς τῶν ὅλων διὰ Ἰησοῦ Χριστοῦ ταύτας ἀναγεγράφθαι καὶ εἰς ἡμᾶς ἐληλυθέναι, τὰς φαινομένας ὁδοὺς
55 ὑποδεικτέον, ἐχομένοις τοῦ κανόνος τῆς Ἰησοῦ Χριστοῦ
κατὰ διαδοχὴν τῶν ἀποστόλων οὐρανίου ἐκκλησίας.

IV, 2. 47 ψευδολογιῶν Bas D

---

ne de aliquo iniustissimo et inmitissimo homine sentienda
sunt.

2 (9). Horum autem omnium falsae intellegentiae causa
his quibus supra diximus non alia extitit, nisi quod sancta
60 scriptura ab his non secundum spiritalem sensum, sed
secundum litterae sonum intellegitur. Propter quod
conabimur pro mediocritate sensus nostri his, qui credunt
scripturas sanctas non per humana uerba aliqua esse
conpositas, sed spiritus sancti inspiratione conscriptas et
65 uoluntate dei patris per unigenitum filium suum Iesum
Christum nobis quoque esse traditas et conmissas, quae
nobis uidetur recta esse uia intellegentiae demonstrare
obseruantibus illam regulam disciplinamque, quam ab
Iesu Christo traditam sibi apostoli per successionem
70 posteris quoque suis caelestem ecclesiam docentibus
tradiderunt.

IV, 2. 56 ne *codd.* : nec *Del Koe* ‖ 63 per *om. codd.*, *add.* A *ex
corr. sup. l.* ‖ 64 conpositas A : conposita gB ‖ conscripta g ‖ 66
tradita et commissa g ‖ 67-68 obseruantibus demonstrare g
demonstrare obseruantes B

cependant ils acceptent à son sujet ce qu'ils ne supporte-
raient pas du plus cruel et du plus injuste des hommes[9].

**Leur origine :
ignorance
du sens spirituel**

2, 2 (*9*). Pour tous ceux dont nous
venons de parler, la cause de ces
fausses opinions, de ces impiétés et
de ces paroles stupides au sujet de
Dieu ne semble pas être autre chose que le fait de ne pas
comprendre l'Écriture dans son sens spirituel, mais de
l'interpréter selon la lettre seule. C'est pourquoi, à ceux
qui sont persuadés que les livres saints ne sont pas des
écrits d'hommes, mais qu'ils ont été rédigés par l'inspiration
de l'Esprit Saint d'après la volonté du Père de l'univers
par le moyen de Jésus Christ[10] et qu'ainsi ils sont venus
jusqu'à nous, il faut montrer ce qui nous paraît la méthode
convenable pour les comprendre, pour ceux qui tiennent
à la règle[11] de l'Église céleste de Jésus-Christ transmise
par la succession des apôtres[12].

---

mais ils pensent de lui ce qu'on ne peut même pas penser
de l'homme le plus injuste et le plus cruel.

2, 2 (*9*). Pour tous ceux dont nous venons de parler, la
cause de leurs fausses compréhensions n'est pas autre que
le fait de ne pas entendre l'Écriture selon le sens spirituel,
mais selon ce que dit la lettre. C'est pourquoi nous essaie-
rons, malgré la faiblesse de notre intelligence[9a], de montrer
à ceux qui croient que les Écritures saintes n'ont pas été
composées par des paroles d'hommes, mais qu'elles ont été
rédigées sous l'inspiration de l'Esprit Saint et qu'elles nous
ont été transmises et confiées d'après la volonté de Dieu le
Père par le moyen de son Fils Unique Jésus-Christ, ce
qui nous paraît être la méthode correcte pour les comprendre, pour ceux qui observent la règle et l'enseignement
que les apôtres, à qui Jésus-Christ les avait transmis, ont
livré par succession à ceux qui sont venus après eux pour
enseigner l'Église céleste.

Καὶ ὅτι μὲν οἰκονομίαι τινές εἰσι μυστικαί, δηλούμενοι
διὰ τῶν θείων γραφῶν, πάντες καὶ οἱ ἀκεραιότατοι τῶν τῷ
λόγῳ προσιόντων πεπιστεύκασι · τίνες δὲ αὗται, οἱ εὐγνώ-
60 μονες καὶ ἄτυφοι ὁμολογοῦσι μὴ εἰδέναι. Εἰ γοῦν ἐπαπορῆσαι
τις περὶ τῆς τοῦ Λὼτ θυγατρομιξίας καὶ τῶν δύο γυναικῶν
τοῦ Ἀβραὰμ δύο τε ἀδελφῶν γεγαμημένων τῷ Ἰακὼβ καὶ
δύο παιδισκῶν τετεκνωκυιῶν ἐξ αὐτοῦ, οὐδὲν ἄλλο φήσουσιν
ἢ μυστήρια ταῦτα τυγχάνειν ὑφ' ἡμῶν μὴ νοούμενα. Ἀλλὰ
65 καὶ ἐπὰν ἡ κατασκευὴ τῆς σκηνῆς ἀναγινώσκηται, πειθόμενοι
τύπους εἶναι τὰ γεγραμμένα ζητοῦσιν ᾧ δυνήσονται ἐφαρμόσαι ἕκαστον τῶν κατὰ τὴν σκηνὴν λεγομένων · ὅσον μὲν
ἐπὶ τῷ πείθεσθαι ὅτι τύπος τινός ἐστιν ἡ σκηνὴ οὐ διαμαρτά-
νοντες, ὅσον δὲ ἐπὶ τῷ, τῷδέ τινι ἀξίως τῆς γραφῆς ἐφαρμόζειν
70 τὸν λόγον, οὗ ἐστι τύπος ἡ σκηνή, ἔσθ' ὅτε ἀποπίπτοντες ·

IV, 2. 60 ἐπαπορήσει Bas D ‖ 65 πειθόμενα Bᵃᶜ ‖ 68 ἐπὶ τῷ : ἐπὶ
τὸ B ἐν τῷ D

Et quidem quod dispensationes quaedam mysticae
indicentur per scripturas sanctas, omnes, ut arbitror, etiam
simpliciores quique credentium confitentur. Quae tamen
75 istae uel cuiusmodi sint, si qui rectae mentis est nec
iactantiae uitio fatigatur, religiosius se fatebitur ignorare.
Nam si qui, uerbi gratia, proponat nobis de filiabus Loth
quod patri contra fas uidentur admixtae, uel de duabus
uxoribus Abraham, siue de duabus sororibus, quae nuptae
80 sunt Iacob, et de duabus ancillis, numerositatem ei augen-
tibus filiorum, quid aliud responderi potest quam esse haec
sacramenta quaedam et formas spiritalium rerum, a nobis
tamen ignorari cuiusmodi sint? Sed et constructionem
tabernaculi cum legimus, certum quidem habemus quod

IV, 2. *60*, 77 : Gen. 19, 30 s. ‖ *61*, 78 : Gen. 16 ‖ *62*, 79 : Gen.
29, 21 s. ‖ *63*, 80 : Gen. 30 ‖ *65*, 83 : Ex. 25

Qu'il y a des économies mystérieu-
Les mystères contenus ses, montrées par les divines Écritures,
dans les Écritures
tous, même les plus simples, parmi
ceux qui viennent à notre doctrine, le croient ; que sont-elles
en revanche, ceux qui sont sages et sans orgueil[13] avouent
qu'ils ne le savent pas. Si quelqu'un est embarrassé au
sujet de l'union de Lot avec ses filles[14], des deux épouses
d'Abraham, des deux sœurs mariées à Jacob et des deux
servantes qui ont enfanté par lui, ils diront seulement
qu'il y a là des mystères que nous ne comprenons pas. Et
lorsqu'ils lisent la manière dont le tabernacle fut construit[15],
persuadés que ce qui est écrit est symbole[16], ils cherchent
à qui on pourra appliquer chacun des détails indiqués
à propos du tabernacle : ils ne se trompent pas[17] quand
ils sont persuadés que le tabernacle est symbole de quelque
chose, mais parfois ils s'égarent lorsqu'ils veulent appliquer
la parole de façon digne de l'Écriture à telle réalité dont
le tabernacle est symbole. Et tout récit qu'on croit raconter
des noces, des enfantements, des guerres ou n'importe

En effet, que des économies mystérieuses sont indiquées
par les Écritures saintes, tous, je pense, même les plus
simples des croyants, le reconnaissent. Que sont-elles
cependant et de quelle sorte, celui qui a l'intelligence droite
et n'est pas travaillé par le vice de l'orgueil avouera en
conscience qu'il l'ignore. En effet, si quelqu'un par exemple
nous parle des filles de Lot qui se sont unies à leur père
contre toute morale, des deux épouses d'Abraham, des deux
sœurs mariées à Jacob et des deux servantes qui ont
augmenté le nombre de ses fils, que lui répondre sinon que
ce sont des symboles et des figures de réalités spirituelles
dont nous ignorons la nature ? Et lorsque nous lisons la
manière dont le tabernacle fut construit, nous sommes
certains que ce qui est écrit est symbole de certaines

καὶ πᾶσαν δὲ διήγησιν νομιζομένην περὶ γάμων ἀπαγγέλλειν
ἢ παιδοποιϊῶν ἢ πολέμων ἢ ὧν δήποτε ἱστοριῶν ἂν παρὰ
τοῖς πολλοῖς δεχθησομένων, ἀποφαίνονται εἶναι τύπους ·
ἐν δὲ τῷ τίνων, πῇ μὲν διὰ τὴν ἕξιν οὐ πάνυ συγκεκροτημένην,
75 πῇ δὲ διὰ τὴν προπέτειαν, ἔσθ' ὅτε κἂν συγκεκροτημένος
τις τυγχάνῃ καὶ ἀπρόπτωτος, διὰ τὴν εἰς ὑπερβολὴν
χαλεπωτάτην εὕρεσιν τῶν πραγμάτων τοῖς ἀνθρώποις, οὐ
πάνυ σαφηνίζεται ὁ περὶ τούτων ἑκάστου λόγος.
   3 (*10*). Καὶ τί δεῖ λέγειν περὶ τῶν προφητειῶν, ἃς

IV, 2. 73 λεχθησομένων BH ‖ ἀποφαινωνται B ‖ 78 ἕκαστος B

---

85 haec, quae scripta sunt, figurae occultarum quarundam
rerum sunt ; aptare tamen ea suis modis et per singula
aperire atque disserere perdifficile, ut non dicam inpossibile,
puto esse. Tamen, ut dixi, descriptionem illam plenam esse
mysteriorum, etiam communem non refugit intellectum.
90 Sed et omnis illa narratio, quae uel de nuptiis uel de filiis
procreatis uidetur esse conscripta uel de diuersis proeliis
uel de quibuslibet aliis historiis, quid aliud quam formae
ac figurae credendae sunt latentium sacrarumque rerum ?
Verum uel pro eo quod parum studii ad exercendum
95 ingenium homines adhibent uel quod, antequam discant,
scire se putant, inde fit ut numquam scire incipiant ; aut
si certe nec studium defuerit nec magister, si tamquam
diuina haec et non quasi humana quaerantur, id est
religiose et pie, et quae deo reuelante in quam plurimis
100 sperentur aperiri, quoniam quidem humanis sensibus ualde
et difficilia et occulta sunt : tunc demum fortassis qui ita
quaesierit, quae inuenire fas est inueniet.
   3 (*10*). Sed fortassis tantummodo in propheticis haec

IV, 2. 86 ea : eas B ‖ 97 tamquam : tam quae GM tamen ut AbS
‖ 98 haec et non quasi humana *om.* g

quoi qui serait compris par la foule comme des histoires, ils affirment qu'il y a là des symboles[18]. Quant à savoir de quoi, tantôt à cause de capacités insuffisamment exercées, tantôt par précipitation, parfois aussi malgré l'exercice et la réflexion, à cause de la difficulté sans mesure qu'ont les hommes pour trouver les réalités[19], on n'arrive pas à éclaircir le sens de chaque chose.

2, 3 (*10*). Et que dire des prophéties que nous savons

———————————

réalités cachées ; cependant je pense[17a] qu'il est très difficile, pour ne pas dire impossible, de pousser l'application jusque dans les détails, de découvrir et de discuter chaque chose une à une. Mais, je l'ai dit, cette description est pleine de mystères et cela n'échappe pas à l'intelligence qu'on en a communément. Et tout récit qui paraît avoir été écrit pour raconter des noces ou des enfantements, des guerres diverses, ou n'importe quelles autres histoires, faut-il le croire autre chose que les formes ou les figures de réalités cachées et sacrées ? Mais, parce que les hommes mettent peu de soin à exercer leur talent et parce que, avant d'apprendre, ils croient savoir, il s'ensuit qu'ils ne commencent jamais à savoir. Mais si ni l'étude ni le maître n'ont fait défaut, si tout cela est recherché comme divin et non comme humain, c'est-à-dire d'une manière religieuse et pieuse, comme des mystères dont on espère l'ouverture par la révélation de Dieu sur la plupart des points, car ils sont très difficiles et cachés aux intelligences humaines, alors enfin peut-être celui qui aura cherché de la sorte trouvera ce qu'il lui est possible de trouver.

2, 3 (*10*). Mais on pourrait penser peut-être que cette difficulté se trouve seulement dans les paroles prophétiques,

———————————

IV, 2. *79*, 104 : Prov. 1, 6

80 πάντες ἴσμεν αἰνιγμάτων καὶ σκοτεινῶν πεπληρῶσθαι λόγων ;
Κἂν ἐπὶ τὰ εὐαγγέλια δὲ φθάσωμεν, κἀκείνων ὁ ἀκριβὴς
νοῦς, ἅτε νοῦς ὢν Χριστοῦ, δεῖται χάριτος τῆς δοθείσης
τῷ εἰρηκότι · Ἡμεῖς δὲ νοῦν Χριστοῦ ἔχομεν, ἵνα εἰδῶμεν
τὰ ὑπὸ τοῦ θεοῦ χαρισθέντα ἡμῖν · ἃ καὶ λαλοῦμεν, οὐκ
85 ἐν διδακτοῖς ἀνθρωπίνης σοφίας λόγοις, ἀλλ᾽ ἐν διδακτοῖς
πνεύματος. Καὶ τὰ ἀποκεκαλυμμένα δὲ τῷ Ἰωάννῃ τίς οὐκ
ἂν ἀναγνοὺς καταπλαγείη τὴν ἐπίκρυψιν ἀπορρήτων μυστηρίων καὶ τῷ μὴ νοοῦντι τὰ γεγραμμένα ἐμφαινομένων ;
Αἱ δὲ τῶν ἀποστόλων ἐπιστολαὶ τίνι τῶν βασανίζειν λόγους
90 ἐπισταμένων δόξαιεν ἂν εἶναι σαφεῖς καὶ εὐχερῶς νοούμεναι,
μυρίων ὅσων κἀκεῖ ὡς δι᾽ ὀπῆς μεγίστων καὶ πλείστων

IV, 2. 80 λόγων πεπληρῶσθαι B Rob. ‖ 81 δὲ om. B ‖ 84 τοῦ om.
Bas D ‖ 87 τῶν post ἐπίκρυψιν add. Pat Bas HBᵖᶜ ‖ 89-90 ἐπισταμένων
λόγους Pat Bas DHBᵖᶜ ‖ 90 δόξαιεν ἂν H : δόξαι ἂν B Pat δόξαιεν
Bas D

difficultas putetur inesse sermonibus, quoniam quidem
105 certum est apud omnes stilum propheticum figuris semper
et aenigmatibus consitum : quid, cum ad euangelia
uenimus? Numquid non etiam ibi sensus interior, utpote
sensus domini, latet, qui per illam tantummodo gratiam
reuelatur, quam acceperat ille, qui dicebat : *Nos autem*
110 *sensum Christi habemus, ut sciamus quae a deo donata sunt*
nobis, quae et loquimur, non in doctrinae humanae sapientiae
uerbis, sed in doctrina spiritus? Iam uero illa, quae Iohanni
reuelata sunt, si quis legat, quomodo non obstupescet
tantam ibi inesse occultationem ineffabilium sacramen-
115 torum? in quibus manifeste etiam ab his, qui intellegere
non possunt, quid in his lateat, intellegitur tamen quia
lateat quid. At uero epistulae apostolorum, quae quidem
uidentur aliquibus esse planiores, nonne tam profundis
repletae sunt sensibus, ut per eas his, qui possunt intellegere
120 diuinae sapientiae sensum, quasi per breue quoddam

IV, 2. 107 etiam om. g ‖ 111 in om. GM

tous pleines d'énigmes et de paroles obscures[20]? Et si
nous en venons aux évangiles, leur sens exact, puisqu'il
est la pensée du Christ[21], exige pour être compris la grâce
qui a été donnée à celui qui a dit : *Nous, nous avons la
pensée du Christ pour que nous sachions ce que Dieu nous
a accordé : ce que nous disons, nous ne le disons pas dans des
paroles apprises de la sagesse humaine, mais dans des
paroles apprises de l'Esprit.* Quant à ce qui a été révélé
à Jean[22], quel lecteur ne serait pas frappé de constater
qu'y sont cachés des mystères ineffables[23], dont la présence
apparaît même à celui qui ne comprend pas ce qui est
écrit? A qui, parmi ceux qui savent examiner les textes,
les épîtres des apôtres sembleraient claires et faciles à
comprendre, alors que d'innombrables passages donnent
l'occasion d'entrevoir[24], là aussi, comme à travers une

---

puisqu'il est clair pour tous que le style des prophètes
est constamment rempli de figures et d'énigmes[20a] ;
qu'en est-il lorsqu'on en vient aux Évangiles ? Est-ce que
là aussi le sens intérieur, en tant qu'il est la pensée du
Seigneur, n'est pas caché et révélé seulement par la grâce
qu'avait reçue celui qui disait : *Nous, nous avons la pensée
du Christ pour que nous sachions ce que Dieu nous a accordé ;
ce que nous disons, nous ne le disons pas dans des paroles
apprises de la sagesse humaine, mais dans l'enseignement
de l'Esprit* ? Quant à ce qui a été révélé à Jean, si quelqu'un
le lit, ne sera-t-il pas frappé de constater qu'y sont latents
tant de mystères ineffables ? Même ceux qui ne peuvent
comprendre ce qui y est caché comprennent cependant que
quelque chose y est caché. Mais les épîtres des apôtres, qui
paraissent plus simples à certains, ne sont-elles pas rem-
plies de pensées si profondes qu'à travers elles ceux qui
peuvent comprendre le sens voulu par la sagesse divine,

IV, 2. *83*, 109 : I Cor. 2, 16.12.13

νοημάτων βραχεῖαν ἀφορμὴν παρεχόντων ; Διόπερ τούτων
οὕτως ἐχόντων καὶ μυρίων ὅσων σφαλλομένων, οὐκ ἀκίνδυνον
ἐν τῷ ἀναγινώσκειν εὐχερῶς ἀποφαίνεσθαι νοεῖν τὰ δεόμενα
95 τῆς κλειδὸς τῆς γνώσεως, ἥντινα ὁ σωτήρ φησιν εἶναι
παρὰ τοῖς νομικοῖς · καὶ ἀπαγγελλέτωσαν οἱ μὴ βουλόμενοι
παρ' αὐτοῖς πρὸ τῆς ἐπιδημίας τοῦ Χριστοῦ τὴν ἀλήθειαν
τυγχάνειν, πῶς ἡ τῆς γνώσεως κλεὶς ὑπὸ τοῦ κυρίου ἡμῶν
Ἰησοῦ Χριστοῦ λέγεται παρ' ἐκείνοις τυγχάνειν, τοῖς, ὡς
100 φασιν αὐτοί, μὴ ἔχουσι βίβλους περιεχούσας τὰ ἀπόρρητα
τῆς γνώσεως καὶ παντελῆ μυστήρια. Ἔχει γὰρ οὕτως ἡ λέξις ·
Οὐαὶ ὑμῖν τοῖς νομικοῖς, ὅτι ἤρατε τὴν κλεῖδα τῆς γνώσεως ·
αὐτοὶ οὐκ εἰσήλθετε, καὶ τοὺς εἰσερχομένους ἐκωλύσατε.

IV, 2. 97 παρ' αὐτοῖς Bᵖᶜ : παρὰ τοῖς codd. Rob. ‖ 101 τῆς γνώσεως
om. Bas D ‖ 103 ἐκωλύσετε B

---

receptaculum inmensae lucis claritas uideatur infundi?
Vnde quoniam haec ita se habent et multi sunt, qui in
hac uia errant, non arbitror esse sine periculo facile pronuntiare quemquam nosse se uel intellegere ea, quae ut
125 aperiri possint, scientiae claue opus est, quam clauem
dicebat saluator esse apud legis peritos. In hoc loco, licet
per excessum quendam, inquirendum tamen ab his puto,
qui dicunt quod ante aduentum saluatoris non erat
ueritas apud eos, qui in lege uersabantur, quomodo a
130 domino nostro Iesu Christo dicatur quia claues scientiae
apud illos sint, qui libros legis et prophetarum habebant
in manibus. Ita enim dixit dominus : *Vae uobis, legis
doctoribus, quoniam tulistis clauem scientiae; ipsi non
introistis, et uolentes introire prohibuistis.*

IV, 2. 123 uia : uita AG (*corr.* via) *Koe* ‖ 130 dicatur *om.* A *(add.*
dicitur *ex corr.)*

ouverture, des pensées très sublimes et très nombreuses ?
C'est pourquoi, les choses étant ainsi et de nombreuses
personnes s'y trompant, il n'est pas sans danger, quand
on lit l'Écriture, de déclarer facilement qu'on comprend,
ce qui exige qu'on soit en possession de la clef de la connaissance[25] qui, d'après le Seigneur, se trouve chez les docteurs
de la loi. Qu'ils nous disent[26], ceux qui ne veulent pas
accepter qu'avant la venue du Christ la vérité se trouvait
chez les docteurs de la loi, comment il se fait que notre
Seigneur Jésus-Christ nous déclare que la clef de la
connaissance est chez eux, alors que, d'après nos contra-
dicteurs, ils n'ont pas de livres contenant les mystères
secrets et parfaits de la connaissance[27]. Le texte en effet
est le suivant : *Malheur à vous, docteurs de la loi, car vous
avez ôté la clef de la connaissance ; vous n'êtes pas entrés
vous-mêmes et vous avez empêché les autres d'entrer.*

---

semblent inondés de la clarté d'une lumière infinie, rayon-
nant d'un tout petit réceptacle ? C'est pourquoi, les choses
étant ainsi et de nombreuses personnes s'égarant sur cette
voie, il n'est pas sans danger, à mon avis, de déclarer
facilement qu'on connaît et comprend ce dont l'ouverture
exige la clef de la connaissance, clef qui, d'après le Seigneur,
se trouve chez les docteurs de la loi. A ce sujet, comme par
digression[26a], demandons à ceux qui disent qu'avant la
venue du Sauveur la vérité n'était pas chez ceux qui se
trouvaient sous la loi, comment se fait-il que notre Seigneur
Jésus-Christ déclare que les clefs de la connaissance sont
chez eux, qui avaient en mains les livres de la loi et des
prophètes[27a]. Car le Seigneur a dit : *Malheur à vous,
docteurs de la loi, car vous avez ôté la clef de la connaissance ;
vous n'êtes pas entrés vous-mêmes et vous avez empêché
d'entrer ceux qui le voulaient.*

IV, 2. *102*, 132 : Lc 11, 52

4 (*11*). Ἡ τοίνυν φαινομένη ἡμῖν ὁδὸς τοῦ πῶς δεῖ
105 ἐντυγχάνειν ταῖς γραφαῖς καὶ τὸν νοῦν αὐτῶν ἐκλαμβάνειν
ἐστὶ τοιαύτη, ἀπ' αὐτῶν τῶν λογίων ἐξιχνευομένη. Παρὰ
τῷ Σολομῶντι ἐν ταῖς Παροιμίαις εὑρίσκομεν τοιοῦτόν τι
προστασσόμενον περὶ τῶν γεγραμμένων θείων δογμάτων ·
Καὶ σὺ δὲ ἀπόγραψαι αὐτὰ τρισσῶς ἐν βουλῇ καὶ γνώσει,
110 τοῦ ἀποκρίνασθαι λόγους ἀληθείας τοῖς προβαλλομένοις σοι.
Οὐκοῦν τριχῶς ἀπογράφεσθαι δεῖ εἰς τὴν ἑαυτοῦ ψυχὴν τὰ
τῶν ἁγίων γραμμάτων νοήματα · ἵνα ὁ μὲν ἁπλούστερος
οἰκοδομῆται ἀπὸ τῆς οἱονεὶ σαρκὸς τῆς γραφῆς, οὕτως
ὀνομαζόντων ἡμῶν τὴν πρόχειρον ἐκδοχήν, ὁ δὲ ἐπὶ ποσὸν
115 ἀναβεβηκὼς ἀπὸ τῆς ὡσπερεὶ ψυχῆς αὐτῆς, ὁ δὲ τέλειος
καὶ ὅμοιος τοῖς παρὰ τῷ ἀποστόλῳ λεγομένοις · Σοφίαν

IV, 2. 109 ἀπόγραψε B ‖ 111 ἀπογράψασθαι Bas D

---

135 4 (*11*). Verum, ut dicere coeperamus, uiam, quae nobis
uidetur recta esse ad intellegendas scripturas et sensum
earum requirendum, huiusmodi esse arbitramur, sicut ab
ipsa nihilominus scriptura, qualiter de ea sentiri debeat,
edocemur. Apud Salomonem in Prouerbiis inuenimus tale
140 aliquid de diuinae scripturae obseruantia praecipi. *Et tu*
inquit *describe tibi haec tripliciter in consilio et scientia, et
ut respondeas uerba ueritatis his, qui proposuerunt tibi.*
Tripliciter ergo describere oportet in anima sua unumquemque diuinarum intellegentiam litterarum : id est, ut sim-
145 pliciores quique aedificentur ab ipso, ut ita dixerim,
corpore scripturarum (sic enim appellamus communem
istum et historialem intellectum) ; si qui uero aliquantum
iam proficere coeperunt et possunt amplius aliquid intueri,
ab ipsa scripturae anima aedificentur ; qui uero perfecti
150 sunt et similes his, de quibus apostolus dicit : *Sapientiam*

IV, 2. 139 docemur g ‖ 141 in *om.* AB ‖ 142 proposuerint g

Le triple sens 2, 4 (*11*). La méthode qui nous paraît s'imposer pour l'étude des Écritures et la compréhension de leur sens est la suivante ; elle est déjà indiquée par ces écrits eux-mêmes. Dans les *Proverbes* de Salomon[28] nous trouvons cette directive concernant les doctrines des divines Écritures : *Et toi, inscris trois fois ces choses dans ta réflexion et dans ta connaissance, afin de répondre avec des paroles de vérité aux questions qui te sont posées*[29]. Il faut donc inscrire trois fois dans sa propre âme les pensées des saintes Écritures : afin que le plus simple soit édifié par ce qui est comme la chair[30] de l'Écriture — nous appelons ainsi l'acception immédiate — ; que celui qui est un peu monté le soit par ce qui est comme son âme[31] ; mais que le parfait, semblable à ceux dont l'Apôtre dit : *Nous parlons de la sagesse parmi*

2, 4 (*11*). Mais, comme nous avons commencé à le dire, la méthode qui nous paraît convenir à la compréhension des Écritures et à la recherche de leur sens est, à notre avis, celle que nous enseigne l'Écriture elle-même, nous montrant ce qu'il faut penser à son sujet. Dans les *Proverbes* de Salomon, nous trouvons cette directive concernant l'examen de la divine Écriture : *Et toi, inscris trois fois ces choses dans ta réflexion et dans ta connaissance, afin de répondre avec des paroles de vérité à ceux qui t'ont posé des questions.* Il faut donc inscrire trois fois dans sa propre âme la compréhension des lettres divines : c'est-à-dire que les plus simples soient édifiés par ce qu'on peut appeler le corps des Écritures — nous appelons ainsi l'intelligence ordinaire et historique — ; que ceux qui ont un peu commencé à progresser et peuvent contempler quelque chose de plus soient édifiés par l'âme de l'Écriture elle-même ; mais que ceux qui sont parfaits, semblables à ceux dont l'Apôtre dit : *Nous parlons de la sagesse parmi*

IV, 2. *109*, 140 : Prov. 22, 20 s. ‖ *116*, 150 : I Cor. 2, 6 s.

δὲ λαλοῦμεν ἐν τοῖς τελείοις, σοφίαν δὲ οὐ τοῦ αἰῶνος τούτου
οὐδὲ τῶν ἀρχόντων τοῦ αἰῶνος τούτου τῶν καταργουμένων,
ἀλλὰ λαλοῦμεν θεοῦ σοφίαν ἐν μυστηρίῳ τὴν ἀποκεκρυμ-
120 μένην, ἣν προώρισεν ὁ θεὸς πρὸ τῶν αἰώνων εἰς δόξαν ἡμῶν,
ἀπὸ τοῦ πνευματικοῦ νόμου, σκιὰν περιέχοντος τῶν μελλόντων ἀγαθῶν. Ὥσπερ γὰρ ὁ ἄνθρωπος συνέστηκεν ἐκ
σώματος καὶ ψυχῆς καὶ πνεύματος, τὸν αὐτὸν τρόπον καὶ
ἡ οἰκονομηθεῖσα ὑπὸ θεοῦ εἰς ἀνθρώπων σωτηρίαν δοθῆναι
125 γραφή.
Διὰ τοῦτο ἡμεῖς καὶ τὸ ἐν τῷ ὑπό τινων καταφρονουμένῳ
βιβλίῳ, τῷ Ποιμένι, περὶ τοῦ προστάσσεσθαι τὸν Ἑρμᾶν
δύο γράψαι βιβλία, καὶ μετὰ ταῦτα αὐτὸν ἀναγγέλλειν τοῖς
πρεσβυτέροις τῆς ἐκκλησίας ἃ μεμάθηκεν ὑπὸ τοῦ πνεύματος,
130 οὕτω διηγούμεθα. Ἔστι δὲ ἡ λέξις αὕτη · Γράψεις δύο

IV, 2. 117-118 τούτου — τοῦ αἰῶνος *om.* B Bas D ‖ 118 τὴν καταργουμένην Bas D ‖ 124 ὑπὸ θεοῦ *om.* Bas D ‖ 129 μεμάθηκεν Pat H
(cf. Ruf.) : μεμαθήκαμεν B Bas D

---

*autem loquimur inter perfectos, sapientiam uero non huius
saeculi neque principum huius saeculi, qui destruentur, sed
loquimur dei sapientiam in mysterio absconditam, quam
praedestinauit deus ante saecula in gloriam nostram*, hi
155 tales ab ipsa spiritali lege, quae umbram habet futurorum
bonorum, tamquam ab spiritu aedificentur. Sicut ergo
homo constare dicitur ex corpore et anima et spiritu, ita
etiam sancta scriptura, quae ad hominum salutem diuina
largitione concessa est.
160 Quod nos etiam in libello Pastoris, qui a nonnullis
contemni uidetur, designatum uidemus, cum iubetur
Hermas duos libellos scribere et postea ipse denuntiare
presbyteris ecclesiae quae ab spiritu didicit. Quod his
uerbis scriptum est : *Et scribes* inquit *duos libellos, et*

IV, 2. 152 destruitur A^{ac ut uid} destruuntur A² ‖ 156 aedificantur
g ‖ 162 libros g

les parfaits, non de celle de ce siècle ni des princes de ce siècle qui sont détruits, mais nous parlons de la sagesse de Dieu cachée dans le mystère, que Dieu a prédestinée avant tous les siècles à notre gloire, le soit de la loi spirituelle[32] qui contient une ombre des biens à venir[33]. De même que l'homme est composé de corps, d'âme et d'esprit, de même l'Écriture que Dieu a donnée dans sa providence pour le salut des hommes[34].

C'est pourquoi nous expliquerons ainsi ce passage d'un livre méprisé par certains, le *Pasteur*[35] : Hermas reçoit l'ordre de faire deux copies, puis d'annoncer aux presbytres de l'Église ce qu'il a reçu de l'Esprit. Le passage est le

----

les parfaits, non de celle de ce siècle ni des princes de ce siècle qui sont détruits, mais nous parlons de la sagesse de Dieu cachée dans le mystère, que Dieu a prédestinée avant tous les siècles à notre gloire, que ceux-ci soient édifiés par la loi spirituelle, qui contient l'ombre des biens futurs, comme par l'esprit. De même que l'homme, dit-on, est composé de corps, d'âme et d'esprit, de même l'Écriture sainte donnée par la générosité de Dieu pour le salut des hommes.

Cela, nous le voyons indiqué dans l'opuscule du *Pasteur*, méprisé, semble-t-il, par certains : Hermas reçoit l'ordre de faire deux copies et ensuite d'annoncer aux presbytres de l'Église ce qu'il a appris de l'Esprit. Voici ce qui est écrit :

IV, 2. *121*, 155 : Rom. 7, 14 ‖ Hébr. 10, 1 ‖ *130*, 164 : Hermas, *Le Pasteur*, Vision II, 4, 3

βιβλία, καὶ δώσεις ἓν Κλήμεντι καὶ ἓν Γραπτῇ. Καὶ Γραπτὴ
μὲν νουθετήσει τὰς χήρας καὶ τοὺς ὀρφανούς, Κλήμης
δὲ πέμψει εἰς τὰς ἔξω πόλεις, σὺ δὲ ἀναγγελεῖς τοῖς πρεσβυτέροις τῆς ἐκκλησίας. Γραπτὴ μὲν γάρ, ἡ νουθετοῦσα τὰς
135 χήρας καὶ τοὺς ὀρφανούς, αὐτὸ ψιλόν ἐστι τὸ γράμμα,
νουθετοῦν τοὺς παῖδας τὰς ψυχὰς καὶ μηδέπω πατέρα θεὸν
ἐπιγράψασθαι δυναμένους καὶ διὰ τοῦτο ὀρφανοὺς καλου-
μένους, νουθετοῦν δὲ καὶ τὰς μηκέτι μὲν τῷ παρανόμῳ
νυμφίῳ χρωμένας, χηρευούσας δὲ τῷ μηδέπω ἀξίας αὐτὰς
140 τοῦ νυμφίου γεγονέναι. Κλήμης δέ, ὁ ἤδη τοῦ γράμματος
ἐξιστάμενος, εἰς τὰς ἔξω πόλεις λέγεται πέμπειν τὰ λεγόμενα,
ὡς εἰ λέγοιμεν τὰς ἔξω τῶν σωματικῶν καὶ τῶν κάτω
νοημάτων τυγχανούσας ψυχάς. Οὐκέτι δὲ διὰ γραμμάτων,
ἀλλὰ διὰ λόγων ζώντων αὐτὸς ὁ μαθητὴς τοῦ πνεύματος

IV, 2. 144 ζώντων λόγων Pat Bas DH

---

165 dabis unum Clementi et unum Graptae. Et Grapte quidem
commoneat uiduas et orfanos, Clemens uero mittat per omnes
ciuitates, quae foris sunt, tu uero annuntiabis presbyteris
ecclesiae. Est ergo Grapte quae orfanos iubetur et uiduas
commonere, purus ipsius litterae intellectus, per quem
170 commonentur animae pueriles, quae nondum patrem deum
habere meruerunt et propterea orfani appellantur. Sed et
uiduae sunt, quae ab illo quidem iniquo uiro, cui contra
legem iunctae fuerant, recesserunt, uiduae uero permanent
ex eo quod nondum profecerunt in hoc, ut caelesti sponso
175 iungerentur. Clemens uero his, qui iam recedunt a littera,
in eas quae foris sunt ciuitates mittere iubetur quae dicta
sunt, uelut si diceret : ad eas animas, quae per haec aedi-
ficatae extra corporis curam et extra desideria carnalia
esse coeperunt. Ipse uero quae ab spiritu sancto didicerat
180 non per litteras neque per libellum, sed uiuenti uoce

IV, 2. 166 et post orfanos add. A ‖ 173 fuerunt A ‖ 179 quae g :
qui AB

suivant : *Tu feras deux copies et tu en donneras une à Clément*[36], *l'autre à Graptè. Et Graptè avertira les veuves et les orphelins, Clément l'enverra aux villes du dehors, toi tu l'annonceras aux presbytres de l'Église.* Graptè, celle qui avertit les veuves et les orphelins, est la simple lettre qui avertit les enfants par l'âme qui ne peuvent pas donner à Dieu le titre de Père et pour cela sont appelés orphelins, qui avertit aussi celles qui se sont séparées de l'époux illégitime, mais sont encore veuves[37] parce qu'elles ne sont pas encore devenues dignes de l'époux. Clément, celui qui est déjà sorti de la lettre, est dit envoyer l'écrit aux villes du dehors, c'est-à-dire aux âmes qui sont hors des réalités corporelles et des pensées d'ici-bas. Ce n'est plus avec des écrits, mais avec des paroles vivantes, que

---

Et tu feras deux copies et tu en donneras une à Clément, l'autre à Graptè. Et que Graptè avertisse les veuves et les orphelins, que Clément l'envoie dans toutes les villes du dehors, toi, tu l'annonceras aux presbytres de l'Église. Graptè qui reçoit l'ordre d'avertir les orphelins et les veuves est l'intelligence purement littérale, qui avertit les âmes puériles qui n'ont pas encore mérité d'avoir Dieu pour père et pour cela sont appelées orphelines. Mais il y a aussi les veuves, qui se sont séparées de l'époux inique à qui elles avaient été jointes malgré la loi, mais restent veuves parce qu'elles n'ont pas encore progressé au point d'être unies à l'époux céleste. Clément reçoit l'ordre d'envoyer ce qui est dit à ceux qui sont déjà sortis de la lettre, dans les villes du dehors, c'est-à-dire aux âmes qui, édifiées par cela, ont commencé à sortir des préoccupations corporelles et des désirs charnels. Quant à lui il reçoit l'ordre d'annoncer ce qu'il a appris de l'Esprit Saint, non avec des écrits

---

IV, 2. *140*, 174 : Matth. 25, 1 s.

145 προστάσσεται ἀναγγέλλειν τοῖς τῆς πάσης ἐκκλησίας τοῦ
θεοῦ πρεσβυτέροις πεπολιωμένοις ὑπὸ φρονήσεως.
5 (12). ᾿Αλλ᾿ ἐπεί εἰσί τινες γραφαὶ τὸ σωματικὸν
οὐδαμῶς ἔχουσαι, ὡς ἐν τοῖς ἑξῆς δείξομεν, ἔστιν ὅπου
οἱονεὶ τὴν ψυχὴν καὶ τὸ πνεῦμα τῆς γραφῆς μόνα χρὴ
150 ζητεῖν. Καὶ τάχα διὰ τοῦτο αἱ ἐπὶ καθαρισμῷ τῶν ᾿Ιουδαίων
ὑδρίαι κεῖσθαι λεγόμεναι, ὡς ἐν τῷ κατὰ ᾿Ιωάννην εὐαγγελίῳ
ἀνέγνωμεν, χωροῦσιν ἀνὰ μετρητὰς δύο ἢ τρεῖς · αἰνισσο-
μένου τοῦ λόγου περὶ τῶν παρὰ τῷ ἀποστόλῳ ἐν κρυπτῷ
᾿Ιουδαίων, ὡς ἄρα οὗτοι καθαρίζονται διὰ τοῦ λόγου τῶν
155 γραφῶν, ὅπου μὲν δύο μετρητάς, τὸν ἵν᾿ οὕτως εἴπω
ψυχικὸν καὶ τὸν πνευματικὸν λόγον, χωρούντων, ὅπου δὲ

IV, 2. 156 χωροῦντος B

iubetur annuntiare presbyteris ecclesiarum Christi, id est
his, qui maturum prudentiae sensum pro capacitate
doctrinae spiritalis gerunt.

5 (12). Illud sane non est ignorandum, esse quaedam in
185 scripturis, in quibus hoc quod diximus corpus, id est
consequentia historialis intellegentiae, non semper inuenitur, sicut in consequentibus demonstrabimus ; et est ubi
ea quam diximus anima uel spiritus solummodo intellegenda sunt. Quod etiam in euangeliis designari puto, cum
190 dicuntur pro purificatione Iudaeorum sex hydriae positae,
capientes metretas binas uel ternas, in quo, ut dixi, hoc
uidetur sermo euangelicus indicare de his, qui dicuntur
ab apostolo in occulto Iudaeis, quod hi purificentur per
uerbum scripturae, capientes interdum quidem duas
195 metretas, id est animae uel spiritus secundum quod supra
diximus intellectum recipientes, interdum autem tres, cum

IV, 2. 182 pro capacitate AB : ac capacitate GM ad capacitatem
Ab ac capacem S ‖ 184 est *om.* g ‖ 188 animi uel spiritu Aᵃᶜ animam uel spiritum Aᵖᶜ ‖ 189 sunt : est Aᵖᶜ

IV, 2. *150*, 190 : Jn 2, 6 ‖ *153*, 193 : Rom. 2, 29

le disciple de l'Esprit reçoit l'ordre de l'annoncer aux presbytres de toute l'Église de Dieu, vieillards aux cheveux grisonnants à cause de leur prudence[38].

2, 5 (*12*). Mais comme certaines Écritures n'ont pas du tout de sens corporel[39], ainsi que nous le montrerons dans la suite, il y a des cas où il faut chercher seulement, pour ainsi dire, l'âme et l'esprit de l'Écriture. Et c'est peut-être pour cela que les urnes qui sont dites servir à la purification des Juifs, comme nous le lisons dans l'Évangile selon Jean, contiennent deux ou trois métrètes[40] : la Parole insinue[41] par là, à propos de ceux que l'Apôtre appelle les Juifs dans le secret[42], que ceux-ci sont purifiés par la parole des Écritures, contenant tantôt deux métrètes, c'est-à-dire le sens psychique et le sens spirituel, tantôt trois, puisque certaines possèdent,

Parfois deux sens seulement, l'âme et l'esprit

---

ni avec un livre, mais de vive voix, aux presbytres des Églises du Christ, c'est-à-dire à ceux qui possèdent la maturité de la prudence selon leur capacité à contenir la doctrine spirituelle.

2, 5 (*12*). Il ne faut pas ignorer, certes, qu'il y a des passages dans l'Écriture où l'on ne trouve pas toujours ce que nous avons appelé le corps, c'est-à-dire la logique de l'intelligence historique, comme nous le montrerons dans la suite ; et il y a des cas où il faut comprendre seulement ce que nous avons appelé l'âme et l'esprit. Je pense que cela est indiqué dans les Évangiles lorsqu'il est dit que les six urnes qui servent à la purification des Juifs contiennent deux ou trois métrètes : par là, comme je l'ai dit, la parole évangélique semble indiquer, à propos de ceux que l'Apôtre appelle les Juifs dans le secret, qu'ils sont purifiés par la parole des Écritures, car ils comprennent tantôt deux métrètes, c'est-à-dire qu'ils reçoivent l'intelligence de l'âme et de l'esprit, selon ce que nous avons dit plus haut, tantôt trois lorsque la lecture peut garder pour

τρεῖς, ἐπεί τινες ἔχουσι πρὸς τοῖς προειρημένοις καὶ τὸ
σωματικὸν οἰκοδομῆσαι δυνάμενον. Ἑξ δὲ ὑδρίαι εὐλόγως
εἰσὶ τοῖς ἐν κόσμῳ καθαριζομένοις, γεγενημένῳ ἐν ἑξ
160 ἡμέραις, ἀριθμῷ τελείῳ.

6 (13). Ἀπὸ μὲν οὖν τῆς πρώτης ἐκδοχῆς καὶ κατὰ
τοῦτο ὠφελούσης ὅτι ἔστιν ὄνασθαι, μαρτυρεῖ τὰ πλήθη
τῶν γνησίως καὶ ἁπλούστερον πεπιστευκότων · τῆς δὲ ὡς
ἂν εἰς ψυχὴν ἀναγομένης διηγήσεως παράδειγμα τὸ παρὰ
165 τῷ Παύλῳ ἐν τῇ πρώτῃ πρὸς Κορινθίους κείμενον. Γέγραπται
γάρ φησιν Οὐ φιμώσεις βοῦν ἀλοῶντα. Ἔπειτα διηγούμενος
τοῦτον τὸν νόμον ἐπιφέρει · Μὴ τῶν βοῶν μέλει τῷ θεῷ;
Ἢ δι᾽ ἡμᾶς πάντως λέγει; Δι᾽ ἡμᾶς γὰρ ἐγράφη, ὅτι

IV, 2. 157 τὸ : τὸν Bas D ‖ 162 καὶ ante ὅτι add. B ‖ 164 τὸ ante
παράδειγμα add. Bas D

etiam corporalem intellegentiam, quae est historiae, seruare
lectio ad aedificationem potest. Sex uero hydriae consequenter dictae sunt de his, qui in hoc mundo positi purifi-
200 cantur. In sex enim diebus (qui perfectus est numerus)
mundum hunc et omnia, quae in eo sunt, legimus consum-
mata.

6. Quanta igitur sit utilitas in hoc primo quem diximus
historiali intellectu, testimonio est omnis credentium
205 multitudo, quae et satis fideliter et simpliciter credit ; nec
multa adsertione indiget quod palam omnibus patet. Eius
uero intellegentiae, quam uelut animam esse scripturae
supra diximus, exempla nobis quam plurima dedit apostolus Paulus, sicut est primo in illa epistola ad Corinthios.
210 Scriptum est enim inquit non infrenabis bouem triturantem.
Tum deinde explanans qualiter praeceptum istud deberet
intellegi, addit dicens : Numquid de bubus cura est deo?
Aut propter nos utique dicit? Propter nos enim scriptum est

IV, 2. 165, 210 : I Cor. 9, 9 s. ; Deut. 25, 4

outre ceux que nous avons indiqués, le sens corporel qui peut édifier[43]. Les six urnes s'appliquent à bon droit à ceux qui sont purifiés étant en ce monde, car le monde a été fait en six jours, chiffre parfait[44].

2, 6 (*13*). Le grand nombre de ceux

Exemples de chacun des trois sens qui croient authentiquement et de la manière la plus simple[45] témoigne qu'il est possible de tirer profit de cette première signification, qui pour cela est utile. Comme exemple d'une interprétation rapportée à l'âme, on peut citer le passage de Paul dans la *Première aux Corinthiens : Il est écrit : Tu ne muselleras pas le bœuf qui bat le grain*[46]. Ensuite, pour expliquer cette loi, il ajoute : *Dieu se préoccupe-t-il des bœufs? Ou dit-il cela entièrement pour nous? Pour nous cela fut écrit, parce que celui qui laboure doit labourer avec l'espérance*

---

l'édification la compréhension du sens corporel, celui de l'histoire. Les six urnes s'appliquent à bon droit à ceux qui sont purifiés étant dans le monde : car en six jours, chiffre parfait, nous lisons que le monde et tout ce qui est en lui a été achevé.

2, 6. Le grand nombre de ceux qui croient assez fidèlement et simplement témoigne de l'utilité que présente cette première compréhension que nous avons appelée historique : on n'a pas besoin[45a] de beaucoup de preuves pour ce qui est clair pour tous. L'apôtre Paul a donné de nombreux exemples d'une compréhension qui est, comme nous l'avons dit plus haut, l'âme de l'Écriture, comme d'abord dans l'*Épître aux Corinthiens : Il est écrit : Tu ne muselleras pas le bœuf qui bat le grain*. Ensuite pour expliquer comment ce précepte doit être compris il ajoute : *Dieu se préoccupe-t-il des bœufs ? Ou dit-il cela entièrement pour nous ? Pour nous cela fut écrit, parce que celui qui*

ὀφείλει ἐπ' ἐλπίδι ὁ ἀροτριῶν ἀροτριᾶν καὶ ὁ ἀλοῶν ἐπ' ἐλπίδι
170 τοῦ μετέχειν. Καὶ πλεῖσται δὲ περιφερόμεναι τοῖς πλήθεσιν
ἁρμόζουσαι ἑρμηνεῖαι καὶ οἰκοδομοῦσαι τοὺς ὑψηλοτέρων
ἀκούειν μὴ δυναμένους τὸν αὐτόν πως ἔχουσι χαρακτῆρα.
[13]. Πνευματικὴ δὲ διήγησις τῷ δυναμένῳ ἀποδεῖξαι,
ποίων ἐπουρανίων ὑποδείγματι καὶ σκιᾷ οἱ κατὰ σάρκα
175 Ἰουδαῖοι ἐλάτρευον, καὶ τίνων μελλόντων ἀγαθῶν ὁ νόμος
ἔχει σκιάν. Καὶ ἀπαξαπλῶς ἐπὶ πάντων κατὰ τὴν ἀποστο-
λικὴν ἐπαγγελίαν ζητητέον σοφίαν ἐν μυστηρίῳ τὴν ἀπο-
κεκρυμμένην, ἣν προώρισεν ὁ θεὸς πρὸ τῶν αἰώνων εἰς δόξαν
τῶν δικαίων, ἣν οὐδεὶς τῶν ἀρχόντων τοῦ αἰῶνος τούτου
180 ἔγνωκε. Φησὶ δέ που ὁ αὐτὸς ἀπόστολος, χρησάμενός τισι
ῥητοῖς ἀπὸ τῆς Ἐξόδου καὶ τῶν Ἀριθμῶν, ὅτι Ταῦτα
τυπικῶς συνέβαινεν ἐκείνοις, ἐγράφη δὲ δι' ἡμᾶς, εἰς οὓς

IV, 2.   171 ὑψηλότερον B

quia debet qui arat in spe arare, et qui triturat sub spe
215 percipiendi. Sed et alia huiusmodi quam plurima, quae hoc
modo sunt interpretata de lege, instructionem plurimam
audientibus conferunt.

(13). Spiritalis autem explanatio est talis, si qui potest
ostendere quorum *caelestium exemplaribus et umbrae*
220 *deseruiunt* hi, qui secundum carnem Iudaei sunt, et
quorum *futurorum bonorum umbram habet lex*, et si qua
huiusmodi in scripturis sanctis inueniuntur ; uel cum
requiritur quae sit illa *sapientia in mysterio abscondita*,
quam praedestinauit deus ante saecula in gloriam nostram,
225 *quam nemo principum huius saeculi cognouit;* uel illud
quod dicit ipse apostolus, cum exemplis quibusdam utitur
de Exodo uel Numeris et ait quia *haec in figura contin-*
gebant illis, scripta sunt autem propter nos, in quos fines

IV, 2.   215 recipiendi A ‖ 226 utatur g ‖ 228 finis BA (*corr.* flnes)

et celui qui bat le grain avec l'espérance d'en prendre sa part. Bien d'autres interprétations courantes, qui sont adaptées à la foule et qui édifient ceux qui ne peuvent pas comprendre des explications plus élevées, ont à peu près le même caractère.

[*13*]. L'interprétation spirituelle est pour celui qui peut montrer quelles sont *les réalités célestes* dont on trouve *les symboles et les ombres*[47] dans le culte des Juifs selon la chair et quels sont *les biens à venir dont la loi possède l'ombre.* Bref, en toutes choses, selon le commandement apostolique, il faut chercher *la sagesse cachée dans le mystère, celle que Dieu a prédestinée avant tous les siècles à la gloire* des justes, *celle qu'aucun des princes de ce monde n'a connue.* L'Apôtre dit quelque part, en se servant de certains textes de l'*Exode* et des *Nombres,* que : *Cela leur est arrivé comme des figures, mais fut écrit pour nous, pour*

---

laboure doit labourer avec l'espérance et celui qui bat le grain avec l'espérance d'en prendre sa part. Mais bien d'autres interprétations de la loi, du même genre, instruisent sérieusement ceux qui les entendent.

(*13*). L'interprétation spirituelle est celle qui peut montrer quelles sont *les réalités célestes dont on trouve les symboles et les ombres* dans le culte de ceux qui sont Juifs selon la chair et quels sont *les biens à venir dont la loi possède l'ombre,* ou tout ce qui se trouve de semblable dans les Écritures saintes : lorsqu'on cherche ce qu'est *la sagesse cachée dans le mystère, celle que Dieu a prédestinée avant tous les siècles à notre gloire, celle qu'aucun des princes de ce siècle n'a connue ;* ou encore cette parole de l'Apôtre, lorsqu'il se sert de certains exemples tirés de l'*Exode* et des *Nombres* et dit que : *Cela leur est arrivé comme des figures, mais fut écrit pour nous, pour qui survient*

IV, 2. *174,* 219 : Hébr. 8, 5 ‖ *174,* 220 : Rom. 8, 5 ‖ *175,* 221 : Hébr. 10, 1 ‖ *177,* 223 : I Cor. 2, 7 s. ‖ *181,* 227 : I Cor. 10, 11

τὰ τέλη τῶν αἰώνων κατήντησε. Καὶ ἀφορμὰς δίδωσι τοῦ
τίνων ἐκεῖνα τύποι ἐτύγχανον, λέγων · "Επινον γὰρ ἐκ
185 πνευματικῆς ἀκολουθούσης πέτρας, ἡ δὲ πέτρα ἦν ὁ Χριστός.
Καὶ τὰ περὶ τῆς σκηνῆς δὲ ἐν ἑτέρᾳ ἐπιστολῇ ὑπογράφων
ἐχρήσατο τῷ · Ποιήσεις πάντα κατὰ τὸν τύπον τὸν δειχθέντα
σοι ἐν τῷ ὄρει. Ἀλλὰ μὴν καὶ ἐν τῇ πρὸς Γαλάτας ἐπιστολῇ,
οἱονεὶ ὀνειδίζων τοῖς ἀναγινώσκειν νομίζουσι τὸν νόμον καὶ
190 μὴ συνιεῖσιν αὐτόν, μὴ συνιέναι κρίνων ἐκείνους, ὅσοι μὴ
ἀλληγορίας εἶναι ἐν τοῖς γεγραμμένοις νομίζουσι · Λέγετέ
μοι φησὶν οἱ ὑπὸ νόμον θέλοντες εἶναι, τὸν νόμον οὐκ
ἀκούετε ; Γέγραπται γὰρ ὅτι Ἀβραὰμ δύο υἱοὺς ἔσχεν, ἕνα
ἐκ τῆς παιδίσκης καὶ ἕνα ἐκ τῆς ἐλευθέρας. Ἀλλ᾽ ὁ μὲν ἐκ
195 τῆς παιδίσκης κατὰ σάρκα γεγέννηται, ὁ δὲ ἐκ τῆς ἐλευθέρας

IV, 2. 183 κατήντηκεν Pat κατήντηκε Bas DH ‖ 187 τῷ : τὸ B
Pat D ‖ 194-195 ἐλευθέρας — δὲ ἐκ τῆς om. B ‖ 195 γεγένηται Pat H^ac

saeculorum deuenerunt, et occasionem nobis praestat
230 intellegentiae, ut possimus aduertere quorum figurae erant
ista, quae illis accidebant, cum dicit : Bibebant enim de
spiritali sequenti petra, petra uero erat Christus. Sed et de
tabernaculo in alia epistula meminit illius dicti, quod
Moyseo fuerat praeceptum : Facies inquit omnia secundum
235 formam, quae tibi ostensa est in monte. Ad Galatas uero
scribens et uelut exprobrans quibusdam, qui uidentur sibi
legere legem nec tamen intellegunt eam, pro eo quod
allegorias esse in his quae scripta sunt ignorant, ita cum
increpatione quadam ait ad eos : Dicite mihi uos, qui sub
240 lege uultis esse, legem non audistis? Scriptum est enim quia
Abraham duos filios habuit, unum ex ancilla et unum de
libera. Sed ille quidem, qui de ancilla natus est, secundum
carnem natus est, qui uero de libera, secundum repromis-

IV, 2. 232 sequenti BGMAb : e sequenti A consequenti S Koe
(= Vulg.) : quod Koe coniecit de scriptura C̄SEQUENTI in codice
archetypo, difficile recipi potest in codice saec. V/VI ‖ 241 ex : de g ‖
de : ex B

qui survient la fin des siècles. Et il donne l'occasion de
comprendre de quoi ces événements étaient des figures
lorsqu'il dit : *Ils buvaient du rocher spirituel qui les
accompagnait, ce rocher était le Christ*[48]. Et pour esquisser
ce qui concerne le tabernacle[49], dans une autre épître
il a utilisé la phrase : *Tu feras tout selon le modèle*[50] *qui
t'a été montré sur la montagne.* Certes, dans l'*Épître aux
Galates,* comme pour blâmer ceux qui pensent lire la
loi et ne la comprennent pas, jugeant qu'ils ne la comprennent
nent pas parce qu'ils croient qu'il n'y a pas des allégories[51]
dans ces écrits, il leur dit : *Dites-moi*[52]*, vous qui voulez
être sous la loi, n'entendez-vous pas la loi? Il est écrit
qu'Abraham eut deux fils, l'un de la servante, l'autre de
la femme libre. Mais celui de l'esclave est né selon la chair,
celui de la femme libre selon la promesse: ce sont des*

---

la fin des siècles. Et il donne l'occasion de comprendre,
pour que nous puissions percevoir de quoi ces événements
étaient des figures, lorsqu'il dit : *Ils buvaient du rocher
spirituel qui les suivait, ce rocher était le Christ.* Et à propos
du tabernacle, dans un autre écrit, il s'est souvenu de ce
commandement donné à Moïse : *Tu feras tout selon le
modèle qui t'a été montré sur la montagne.* Mais, écrivant
aux Galates et comme pour blâmer ceux qui pensent lire
la loi et ne la comprennent pas, parce qu'ils ignorent
qu'il y a dans ces écrits des allégories, il leur dit en les
réprimandant : *Dites-moi, vous qui voulez être sous la loi,
n'entendez-vous pas la loi ? Il est écrit qu'Abraham eut deux
fils, l'un de la servante, l'autre de la femme libre. Mais
celui qui est né de la servante est né selon la chair, celui
qui est né de la femme libre est né selon la promesse : ce sont*

IV, 2. *184*, 231 : I Cor. 10, 4 ‖ *187*, 234 : Hébr. 8, 5 ‖ *191*, 239 :
Gal. 4, 21 s.

διὰ τῆς ἐπαγγελίας · ἅτινά ἐστιν ἀλληγορούμενα · αὗται γάρ
εἰσι δύο διαθῆκαι καὶ τὰ ἑξῆς. Παρατηρητέον γὰρ ἕκαστον
τῶν εἰρημένων ὑπ᾽ αὐτοῦ, ὅτι φησίν · Οἱ ὑπὸ νόμον θέλοντες
εἶναι (οὐχὶ οἱ ὑπὸ τὸν νόμον ὄντες) καὶ τὸν νόμον οὐκ
200 ἀκούετε ; Τοῦ ἀκούειν ἐν τῷ νοεῖν καὶ γινώσκειν κρινομένου.
Καὶ ἐν τῇ πρὸς Κολασσαεῖς δὲ ἐπιστολῇ, διὰ βραχέων τὸ
βούλημα τῆς πάσης ἐπιτεμνόμενος νομοθεσίας, φησί · Μὴ
οὖν τις ὑμᾶς κρινέτω ἐν βρώσει ἢ ἐν πόσει ἢ ἐν μέρει
ἑορτῆς ἢ νουμηνίας ἢ σαββάτων, ἅ ἐστι σκιὰ τῶν μελλόντων.
205 Ἔτι δὲ καὶ ἐν τῇ πρὸς Ἑβραίους, περὶ τῶν ἐκ περιτομῆς
διαλεγόμενος, γράφει · Οἵτινες ὑποδείγματι καὶ σκιᾷ
λατρεύουσι τῶν ἐπουρανίων. Ἀλλ᾽ εἰκὸς διὰ ταῦτα περὶ μὲν
τῶν πέντε Μωσέως ἐπιγεγραμμένων βιβλίων μὴ ἂν διστάξαι
τοὺς τὸν ἀπόστολον ἅπαξ ὡς θεῖον ἄνδρα προσιεμένους ·
210 περὶ δὲ τῆς λοιπῆς ἱστορίας βούλεσθαι μανθάνειν, εἰ κάκείνη

IV, 2. 196 εἰσιν B Pat ‖ 199 καὶ transp. ante οὐχὶ οἱ Klostermann,
quem Koe secutus est ‖ 203 ἢ post κρινέτω add. Pat DH ἢ add. Bas

---

sionem : quae sunt allegorica. Haec enim sunt duo testamenta,
245 et reliqua. In quo et hoc quoque considerandum est, quam
caute apostolus dixerit quod ait : Qui sub lege uultis esse
et non dixit : qui sub lege estis, legem non audistis? Audistis,
hoc est intellegitis uel agnoscitis. Sed et in epistula ad
Colossenses breuiter sensum totius legis amplectens et
250 constringens ait : Nemo ergo uos iudicet in esca uel in potu
aut in sollemnibus diebus uel neomenia uel sabbato, quae
sunt umbra futurorum. Ad Hebraeos quoque scribens et
de his, qui ex circumcisione sunt, disserens ait : Hi, qui
exemplari et umbrae deseruiunt caelestium. Sed fortassis
255 per haec de quinque libris Moysei non uidebitur dubitandum ab his, qui apostoli scripta uelut diuinitus dicta
suscipiunt. De reliqua uero historia requirant, si etiam illa,

IV, 2. 246-247 sub lege — dixit qui om. g

allégories. Ce sont en effet les deux Testaments, etc. Il faut observer chacune de ses paroles ; il dit en effet[53] : *Vous qui voulez être sous la loi* — non : vous qui êtes sous la loi — et : *N'entendez-vous pas la loi ?* Il pense en effet qu'entendre signifie comprendre et connaître. Dans l'*Épître aux Colossiens*, il résume en peu de mots la volonté de toute la législation : *Que personne ne vous juge sur la nourriture ou la boisson, sur les fêtes, néoménies ou sabbats, avec leur caractère partiel*[54], *car ce sont l'ombre des réalités futures.* Écrivant aussi aux Hébreux[55] et discutant de ceux de la circoncision, il écrit : *Ceux qui adorent selon la figure et l'ombre des réalités célestes.* Mais vraisemblablement, par là, ceux qui acceptent une bonne fois l'Apôtre comme un homme de Dieu ne pourraient douter des cinq livres attribués à Moïse[56] ; mais en ce qui concerne le reste de l'histoire, ils veulent apprendre si celle-là aussi[57] est

---

des allégories. Ce sont en effet les deux Testaments, etc. Il faut remarquer aussi avec combien de précautions l'Apôtre parle ; il dit : *Vous qui voulez être sous la loi,* et non : Vous qui êtes sous la loi, et : *N'entendez-vous pas la loi ?* Entendre c'est comprendre et connaître. Mais dans l'*Épître aux Colossiens* il embrasse en peu de mots le sens de toute la loi : *Que personne ne vous juge sur la nourriture ou la boisson, sur*[54a] *les jours de fête, les néoménies et les sabbats, car ce sont l'ombre des réalités futures.* Écrivant aussi aux Hébreux et discutant de ceux de la circoncision, il dit : *Ceux qui adorent selon la figure et l'ombre des réalités célestes.* Mais peut-être ces passages des cinq livres de Moïse enlèvent tout doute à ceux qui reçoivent les écrits de l'Apôtre comme divinement rédigés. Du reste de l'histoire ils demandent si cela aussi qui y est rapporté est arrivé

IV, 2. *198*, 246 : Gal. 4, 21 ‖ *202*, 250 : Col. 2, 16 s. ‖ *206*, 253 : Hébr. 8, 5 ‖ *210*, 257 : I Cor. 10, 11

τυπικῶς συνέβαινε. Παρατηρητέον δὲ ἐκ τῆς πρὸς Ῥωμαίους
τό · Κατέλιπον ἐμαυτῷ ἑπτακισχιλίους ἄνδρας, οἵτινες οὐκ
ἔκαμψαν γόνυ τῇ Βάαλ, κείμενον ἐν τῇ τρίτῃ τῶν Βασιλειῶν,
ὅτι ὁ Παῦλος εἴληφεν ἀντὶ τῶν κατ᾽ ἐκλογὴν Ἰσραηλιτῶν,
215 τῷ μὴ μόνον τὰ ἔθνη ὠφελῆσθαι ἀπὸ τῆς Χριστοῦ ἐπιδημίας
ἀλλὰ καί τινας τῶν ἀπὸ τοῦ θείου γένους.

7 (14). Τούτων οὕτως ἐχόντων τοὺς φαινομένους ἡμῖν
χαρακτῆρας τῆς νοήσεως τῶν γραφῶν ὑποτυπωτέον. Καὶ
πρῶτόν γε τοῦτο ὑποδεικτέον, ὅτι ὁ σκοπὸς τῷ φωτίζοντι
220 πνεύματι προνοίᾳ θεοῦ διὰ τοῦ ἐν ἀρχῇ πρὸς τὸν θεὸν λόγου

IV, 2. 215 τῷ H : τὸ B Bas D *om.* Pat ‖ ὠφελεῖσθαι Bas H ‖ 216
ἀπὸ *om.* B

---

quae ibi inferuntur, in figura illis, de quibus scribitur,
dicenda sunt contigisse ; obseruauimus nos etiam de hoc
260 dictum esse in epistola ad Romanos, ubi de Regnorum
libro tertio apostolus ponit exemplum dicens : *Reliqui mihi
septem milia uirorum, qui non curuauerunt genua Baal.*
Quod Paulus accepit uelut figuraliter dictum de his, qui
secundum electionem Israhelitae uocati sunt, ut ostenderet
265 non solum nunc gentibus profuisse aduentum Christi sed
et quam plurimos Israhelitici generis ad salutem uocatos.

7 (14). Quae cum ita sint, qualiter nobis de his singulis
intellegenda sit scriptura diuina, uelut exempli et formae
gratia quae nobis occurrere poterunt adumbrabimus, illud
270 primo repetentes et ostendentes, quoniam spiritus sanctus,
qui prouidentia et uoluntate dei per uirtutem unigeniti
uerbi eius, qui erat in principio apud deum deus, ministros

IV, 2. 259 sint B ‖ 266 quam plurimos gB : quam plurimis A *Koe* ‖
uocatos (= uocatos esse) *codd.* : uocatis Aᵖᶜ *Koe* ‖ 268 sit B : sint
A *om.* g ‖ 269 potuerunt AB ‖ adumbrabimus *Del Koe* : adum-
brauimus *codd.*

arrivée comme des figures. Il faut remarquer ce passage de l'*Épître aux Romains* : *Je me suis réservé sept mille hommes qui n'ont pas fléchi le genou devant Baal*, qui se trouve dans le *Troisième Livre des Rois* : Paul l'a compris des Israélites selon l'élection, car il n'y a pas que les Gentils qui ont tiré profit de la venue du Christ, mais aussi quelques-uns de la race divine.

Le but de l'Esprit :
le sens spirituel
et ses mystères

2, 7 (*14*). Les choses étant ainsi, il nous faut esquisser ce que nous pensons des caractères de cette compréhension des Écritures. Il faut d'abord montrer que le but[58] que se propose l'Esprit[59], qui illumine par suite de la Providence divine et par le moyen de la Parole qui est dans le principe[60] auprès de Dieu les

---

comme des figures à ceux dont il est question. Nous remarquerons aussi ce qui est dit de cela dans l'*Épître aux Romains*, où l'Apôtre prend un exemple tiré du *Troisième Livre des Rois* : *Je me suis réservé sept mille hommes qui n'ont pas fléchi le genou devant Baal*. Paul l'a compris comme dit en figure de ceux qui ont été appelés selon l'élection étant Israélites pour montrer que la venue du Christ n'a pas été seulement utile aux Gentils, mais aussi que de nombreux membres de la race israélite ont été appelés au salut.

2, 7 (*14*). Les choses étant ainsi, nous avons esquissé comment il nous faut comprendre de chacune de ces façons l'Écriture divine, par manière d'exemple et de figure selon ce qui a pu nous venir à l'esprit : nous répétons et nous montrons d'abord que l'Esprit Saint qui, par suite de la Providence et de la volonté de Dieu, par la vertu de sa parole, son Fils Unique, qui était dans le principe auprès de Dieu, étant Dieu, illuminait les ministres de la vérité,

---

IV, 2. *212*, 261 : Rom. 11, 4 ‖ *214*, 263 : Rom. 11, 5 ‖ *220*, 272 : Jn 1, 1

τοὺς διακόνους τῆς ἀληθείας, προφήτας καὶ ἀποστόλους,
ἣν προηγουμένως μὲν ὁ περὶ τῶν ἀπορρήτων μυστηρίων
τῶν κατὰ τοὺς ἀνθρώπους πραγμάτων (ἀνθρώπους δὲ νῦν
λέγω τὰς χρωμένας ψυχὰς σώμασιν), ἵν᾽ ὁ δυνάμενος
225 διδαχθῆναι ἐρευνήσας καὶ τοῖς βάθεσι τοῦ νοῦ τῶν λέξεων
ἑαυτὸν ἐπιδούς, κοινωνὸς τῶν ὅλων τῆς βουλῆς αὐτοῦ
γένηται δογμάτων. Εἰς δὲ τὰ περὶ τῶν ψυχῶν, οὐκ ἄλλως
δυναμένων τῆς τελειότητος τυχεῖν χωρὶς τῆς πλουσίας καὶ
σοφῆς περὶ θεοῦ ἀληθείας, τὰ περὶ θεοῦ ἀναγκαίως ὡς

IV, 2. 223 λόγος *post* πραγμάτων *supplendum censuit in appar.*
Koe, conferens l. 247 ‖ 227 οὐκ ἄλλως : οὐ καλῶς B ‖ 228 δυναμένοις
Bas D ‖ 229 ὡς *om.* B

---

ueritatis, prophetas et apostolos, inluminabat, * * * ad
cognoscenda mysteria earum rerum uel causarum, quae
275 inter homines uel de hominibus geruntur. Homines autem
nunc dico animas in corporibus positas. Quae illi mysteria,
cognita sibi et reuelata per spiritum, uelut humana
quaedam gesta narrantes uel legales quasdam obseruantias
praeceptaque tradentes figuraliter describebant ; ut non qui
280 uelit haec uelut conculcanda ante pedes haberet exposita,
sed qui se huiuscemodi studiis cum omni castimonia et
sobrietate ac uigiliis dedidisset, ut per haec forte in pro-
fundo latentem sensum spiritus dei et sermonis usitata
narratione aliorsum prospiciente contectum inuestigare
285 potuisset, atque ita socius scientiae spiritus et diuini
consilii particeps fieret ; quia nec aliter potest anima ad
scientiae perfectionem uenire, nisi diuinae sapientiae fuerit
inspirata ueritate. Igitur de deo, id est de patre et filio

IV, 2. 273 *lacunam signauit Koe, ubi reputauit intercidisse* eos
inprimis informare uolebat *uel quid simile* ‖ 277 spiritum : christum
g ‖ 282 dedisset AAbS ‖ 284 narratione : ratione A ‖ aliorsum BMᵖᶜ :
aliorum A alio rursum g

ministres de la vérité, prophètes et apôtres, vise principalement les mystères ineffables qui se rapportent aux affaires
concernant les hommes — j'entends maintenant par
hommes les âmes qui se servent de corps[61] — pour que
celui qui peut être enseigné, ayant examiné les textes et
s'étant adonné à la recherche de leur sens profond[62],
communie à toutes les doctrines que ce sens veut exprimer.
Pour connaître les mystères concernant les âmes, qui ne
peuvent autrement obtenir la perfection sans participer
à toute la richesse et la sagesse de la vérité sur Dieu, les
mystères concernant Dieu sont nécessairement rangés en
tête[63], comme les plus importants, ainsi que ceux qui
concernent son Fils Unique : quelle est sa nature, de quelle

---

prophètes et apôtres, <voulait surtout les instruire>[60a]
pour leur faire connaître les mystères des choses et les causes
des événements qui se produisent chez les hommes ou au
sujet des hommes. J'entends maintenant par hommes des
âmes placées dans des corps. Ces mystères[60b], qui leur
étaient connus, ayant été révélés par l'Esprit, étaient
décrits en figures par le récit d'événements humains ou
par l'imposition d'observances ou de commandements
légaux ; de la sorte celui qui désire posséder ces mystères
comme pour les fouler aux pieds ne pourrait les avoir à sa
disposition, mais seulement celui qui s'adonne à ces recherches en toute chasteté et tempérance, en y passant ses
veilles, afin de pouvoir peut-être rechercher par là le sens
de l'Esprit de Dieu caché dans la profondeur et recouvert
du style narratif ordinaire d'un langage qui vise apparem-
ment autre chose, afin de s'unir ainsi à l'Esprit de science
pour participer aux projets divins ; car l'âme ne peut autrement parvenir à la perfection de la connaissance, si elle n'est
pas inspirée par la vérité de la divine sagesse. Ces hommes
remplis de l'Esprit divin indiquent principalement ce qui

IV, 2. *225,* 282 : I Cor. 2, 10.

230 προηγούμενα τέτακται καὶ τοῦ μονογενοῦς αὐτοῦ · ποίας
ἐστὶ φύσεως, καὶ τίνα τρόπον υἱὸς τυγχάνει θεοῦ, καὶ τίνες
αἱ αἰτίαι τοῦ μέχρι σαρκὸς ἀνθρωπίνης αὐτὸν καταβεβηκέναι
καὶ πάντη ἄνθρωπον ἀνειληφέναι, τίς τε καὶ ἡ τούτου
ἐνέργεια, καὶ εἰς τίνας καὶ πότε γινομένη. ᾿Αναγκαίως δὲ
235 ὡς περὶ συγγενῶν καὶ τῶν ἄλλων λογικῶν, θειοτέρων τε
καὶ ἐκπεπτωκότων τῆς μακαριότητος, καὶ τῶν αἰτίων τῆς
τούτων ἐκπτώσεως, ἐχρῆν εἰς τοὺς λόγους τῆς θείας ἀνει-
λῆφθαι διδασκαλίας, καὶ περὶ τῆς διαφορᾶς τῶν ψυχῶν,
καὶ πόθεν αἱ διαφοραὶ αὗται ἐληλύθασι, τίς τε ὁ κόσμος
240 καὶ διὰ τί ὑπέστη, ἔτι δὲ πόθεν ἡ κακία τοσαύτη καὶ τηλικαύτη
ἐστὶν ἐπὶ γῆς, καὶ εἰ μὴ μόνον ἐπὶ γῆς, ἀλλὰ καὶ ἀλλαχοῦ,
ἀναγκαῖον ἡμᾶς μαθεῖν.

IV, 2. 232 ἀνθρωπίνως Bas D ‖ 236 τῶν αἰτίων : τὴν αἰτίαν Bas B

---

et spiritu sancto, ab his uiris diuino spiritu repletis princi-
290 paliter designatur ; tum uero de sacramentis filii dei,
quomodo uerbum caro factum sit, et qua de causa usque
ad formam serui suscipiendam uenerit, ut diximus, repleti
diuino spiritu protulerunt. Necessario deinde etiam de
creaturis rationabilibus, tam caelestibus quam terrenis,
295 beatioribus et inferioribus, consequens erat eos mortalium
genus diuinis sermonibus edocere, sed et de differentia
animarum, et unde istae differentiae ortae sunt ; tum
deinde qui sit hic mundus et quare factus, sed et unde
malitia tanta ac talis est super terras, quae utrum in terris
300 sit tantummodo an et in aliis aliquibus locis, ex diuinis
nos sermonibus discere necessarium fuit.

IV, 2. 290 tunc g ‖ 292 suscipiendam serui g ‖ 296 edocere B :
educere A docere g ‖ de differentia B : differentia A de differentiam
M differentiam GAbS ‖ 301 discere : discernere A

façon est-il fils de Dieu, quelles sont les causes de sa descente jusqu'à une chair humaine[64] et de son assomption totale de l'homme, quelle est son activité, sur qui et quand s'exerce-t-elle ? Nécessairement encore, au sujet des créatures raisonnables qui nous sont parentes[65], et aussi des autres, les plus divines et celles qui sont tombées de la béatitude, au sujet des causes de leur chute, il faudrait recevoir ce que dit l'enseignement divin, et de même en ce qui regarde les différences des âmes, l'origine de ces différences, la nature du monde et la cause de son existence, et il nous est encore nécessaire d'apprendre d'où viennent sur terre tant de si grands maux, et non seulement sur terre, mais encore ailleurs.

---

concerne Dieu, c'est-à-dire le Père, le Fils et l'Esprit Saint : à propos des mystères du Fils de Dieu, comme la Parole s'est faite chair[64a], pour quelles raisons en est-il venu à prendre la forme de l'esclave, sur tout cela, comme nous l'avons dit, ceux que remplissait l'Esprit divin se sont exprimés[64b]. Nécessairement encore au sujet des créatures raisonnables[65a], célestes ou terrestres, plus élevées en béatitude ou plus basses, il leur fallait enseigner la race des mortels par des paroles divines ; de même au sujet des différences des âmes et de l'origine de ces différences ; de la nature du monde et de la cause de sa création ; mais aussi d'où viennent sur la terre tant de si grands maux : il nous était nécessaire d'apprendre des paroles divines s'ils existent seulement sur terre ou encore dans d'autres lieux[65b].

8 *(15)*. Τούτων δὴ καὶ τῶν παραπλησίων προκειμένων
τῷ φωτίζοντι πνεύματι τὰς τῶν ἁγίων ὑπηρετῶν τῆς
245 ἀληθείας ψυχάς, δεύτερος ἦν σκοπὸς διὰ τοὺς μὴ δυναμένους
τὸν κάματον ἐνεγκεῖν ὑπὲρ τοῦ τὰ τηλικαῦτα εὑρεῖν, κρύψαι
τὸν περὶ τῶν προειρημένων λόγον ἐν λέξεσιν ἐμφαινούσαις
διήγησιν περιέχουσαν ἀπαγγελίαν τὴν περὶ τῶν αἰσθητῶν
δημιουργημάτων, καὶ ἀνθρώπου κτίσεως, καὶ τῶν ἐκ τῶν
250 πρώτων κατὰ διαδοχὴν μέχρι πολλῶν γεγενημένων · καὶ
ἄλλαις ἱστορίαις, ἀπαγγελλούσαις δικαίων πράξεις καὶ τῶν
αὐτῶν τούτων ποτὲ γενόμενα ἁμαρτήματα ὡς ἀνθρώπων,
καὶ ἀνόμων καὶ ἀσεβῶν πονηρίας καὶ ἀκολασίας καὶ πλεονε-
ξίας. Παραδοξότατα δέ, διὰ ἱστορίας τῆς περὶ πολέμων

---

8 *(15 [14])*. Cum ergo de his talibus et horum similibus
spiritui sancto esset intentio inluminare sanctas animas,
quae se ministerio dediderant ueritatis, secundo loco
305 habetur ille prospectus, ut propter eos, qui uel non possent
uel nollent huic se labori atque industriae tradere, quo
haec tanta ac talia edoceri uel agnoscere mererentur, sicut
superius diximus, inuolueret et occultaret sermonibus
usitatis sub praetexto historiae cuiusdam et narrationis
310 rerum uisibilium arcana mysteria. Inducitur ergo uisibilis
creaturae narratio et primi hominis conditio atque figmentum, tum deinde ex illo per successionem prosecuta
progenies, nonnulla quoque rerum gestarum, quae a iustis
quibusque gesta sunt, referuntur, interdum autem etiam
315 delicta quaedam ipsorum commemorantur tamquam
hominum, tum deinde et impiorum scribuntur aliquanta
uel inpudice uel nequiter gesta. Miro autem modo etiam
proeliorum digesta narratio est et nunc uincentium nunc

IV, 2. 306 quo : quod A ‖ 307 doceri g ‖ 309 praetexto ABM^{pc} :
praetextu AbSM^{ac} G^{pc} praetexti G^{ac} ‖ 312 ex illo per successionem :
ex illa percussione A ‖ 314 autem *om.* g

2, 8 *(15).* Tels étaient les projets, ou
d'autres semblables, de l'Esprit qui
éclaire les âmes des saints ministres de
la vérité ; son second but était, à cause
de ceux qui ne peuvent fournir le travail nécessaire pour
découvrir tous ces mystères, de cacher la doctrine concernant ce qui vient d'être dit[66] dans des textes présentant
un récit qui expose la création des êtres sensibles, celle de
l'homme et celle des nombreux hommes qui ont été
engendrés successivement à partir des premiers jusqu'à
être une multitude, et dans d'autres histoires[67] racontant
les actions des justes et les péchés que ces derniers ont
commis, parce qu'ils sont hommes, les méchancetés,
impudicités et actes d'avarice des iniques et des impies.
Ce qui est le plus étonnant c'est que, à travers des histoires

Les annotations en marge :
**Mais ces mystères
sont cachés
sous la lettre**

2, 8 *(15* [*14*]). L'intention de l'Esprit Saint était donc,
à propos de ces questions et d'autres semblables, d'illuminer
les âmes saintes qui s'étaient adonnées au ministère de la
vérité. Son but était en second lieu, à cause de ceux qui
ne peuvent ou ne veulent se livrer à ce travail et à cette
activité, pour mériter d'être instruits et de connaître tant
de si grandes choses, comme nous l'avons dit plus haut,
d'envelopper et de cacher les mystères secrets dans des
paroles ordinaires, sous prétexte de récit ou de narration
concernant des choses visibles. C'est ainsi qu'on parle de
la création visible, de la création et du modelage[66a] du
premier homme et des générations qui sortent successivement de lui. Quelques actions des justes sont aussi rapportées ; parfois aussi on rappelle les fautes qu'ils ont commises
parce qu'ils sont hommes, et ensuite est décrit tout ce que
les impies ont commis d'impudicités et de méchancetés.
De façon étonnante, à travers des récits de combat et

255 καὶ νενικηκότων καὶ νενικημένων τινὰ τῶν ἀπορρήτων τοῖς
ταῦτα βασανίζειν δυναμένοις σαφηνίζεται. Καὶ ἔτι θαυμα-
σιώτερον, διὰ γραπτῆς νομοθεσίας οἱ τῆς ἀληθείας νόμοι
προφητεύονται, μετὰ ἀληθῶς πρεπούσης θεοῦ σοφίᾳ δυνάμεως πάντων τούτων εἱρμῷ ἀναγεγραμμένων. Προέκειτο
260 γὰρ καὶ τὸ ἔνδυμα τῶν πνευματικῶν, λέγω δὲ τὸ σωματικὸν
τῶν γραφῶν, ἐν πολλοῖς ποιῆσαι οὐκ ἀνωφελὲς δυνάμενόν
τε τοὺς πολλούς, ὡς χωροῦσι, βελτιοῦν.
9 (16 [15]). Ἀλλ' ἐπείπερ, εἰ δι' ὅλων σαφῶς τὸ τῆς
νομοθεσίας χρήσιμον αὐτόθεν ἐφαίνετο καὶ τὸ τῆς ἱστορίας
265 ἀκόλουθον καὶ γλαφυρόν, ἠπιστήσαμεν ἂν ἄλλο τι παρὰ

IV, 2. 255 τίνα Bas D ‖ 258 ἀληθείας B ‖ 263 ἐπείπερ *Koe* : εἴπερ
Ph ἐπεὶ *Rob.* ‖ εἰ *om.* Bas H ‖ 265 ἂν *om.* B ‖ ἀλλ' ὅτι BD Bas[pc]

uictorum descripta diuersitas, per quae ineffabilia quaedam
320 his, qui huiusmodi dicta perscrutari norunt, sacramenta
declarantur. Sed et in scriptura legali per ammirandam
sapientiae disciplinam lex ueritatis inseritur et prophetatur ; quae singula diuina quadam arte sapientiae uelut
indumentum quoddam et uelamen spiritalium sensuum
325 texta sunt ; et hoc est quod diximus scripturae sanctae
corpus : ut etiam per hoc ipsum quod diximus litterae
indumentum, sapientiae arte contextum, possent quam
plurimi aedificari et proficere, qui aliter non possent.
9 (16 [15]). Sed quoniam, si in omnibus indumenti huius,
330 id est historiae, legis fuisset consequentia custodita et
ordo seruatus, habentes continuatum intellegentiae cursum
non utique crederemus esse aliud aliquid in scripturis
sanctis intrinsecus praeter hoc, quod prima fronte indica-

IV, 2. 321 in *om.* g ‖ 322 prophetatur BA[ac] : prophetarum gA[pc] ‖
328 plures g

de guerres, de vainqueurs et de vaincus, certains mystères
sont révélés à ceux qui savent examiner cela. Et ce qui
est encore plus admirable[68], c'est qu'à travers la législation
que contient l'Écriture les lois de la vérité sont prophétisées,
et tout cela est écrit en ordre logique[69] avec une puissance
convenant vraiment à la Sagesse de Dieu[70]. Le but était
de rendre dans la plupart des cas le revêtement[71] des sens
spirituels, je veux dire le sens corporel des Écritures,
non inutile, mais capable d'améliorer la plupart, dans
la mesure de leurs capacités.

**Explication
des illogismes
et des
invraisemblances
du sens corporel**

2, 9 (*16* [*15*]). Mais si l'utilité de
cette législation[72] apparaissait d'elle-
même clairement dans tous les passages, ainsi que la logique et l'habileté
du récit historique[73], nous ne croirions
pas qu'on puisse comprendre dans les Écritures quelque

---

l'opposition des vainqueurs et des vaincus, des mystères
ineffables sont révélés à ceux qui savent examiner ce genre
de textes. Mais encore dans les lois que contient l'Écriture,
par l'enseignement admirable de la sagesse, la loi de
vérité est introduite et prophétisée. Tout cela (récits et
lois) a été tissé par l'art divin de la Sagesse pour servir
de revêtement et de voile aux sens spirituels : c'est ce que
nous avons appelé le corps de l'Écriture sainte. Ainsi,
par ce que nous avons appelé le revêtement qu'est la lettre,
tissé par l'art de la Sagesse, la plupart peuvent être édifiés
et en profiter, quand ils ne le peuvent pas autrement.

2, 9 (*16* [*15*]). Mais si, en toutes choses, dans ce revêtement, c'est-à-dire dans l'histoire, la logique de la loi
avait toujours été gardée et l'ordre conservé[73a], si nous
avions à comprendre un sens conséquent, nous ne croirions
pas assurément qu'il y ait, inclus dans les Écritures
saintes, quelque chose d'autre que ce qui est indiqué de

τὸ πρόχειρον νοεῖσθαι δύνασθαι ἐν ταῖς γραφαῖς, ᾠκονόμησέ
τινα οἱονεὶ σκάνδαλα καὶ προσκόμματα καὶ ἀδύνατα διὰ
μέσου ἐγκαταταχθῆναι τῷ νόμῳ καὶ τῇ ἱστορίᾳ ὁ τοῦ θεοῦ
λόγος, ἵνα μὴ πάντη ὑπὸ τῆς λέξεως ἑλκόμενοι τὸ ἀγωγὸν
270 ἄκρατον ἐχούσης, ἤτοι ὡς μηδὲν ἄξιον θεοῦ μανθάνοντες,
τέλεον ἀποστῶμεν τῶν δογμάτων, ἢ μὴ κινούμενοι ἀπὸ τοῦ
γράμματος, μηδὲν θειότερον μάθωμεν. Χρὴ δὲ καὶ τοῦτο
εἰδέναι, ὅτι τοῦ προηγουμένου σκοποῦ τυγχάνοντος τὸν ἐν
τοῖς πνευματικοῖς εἱρμὸν ἀπαγγεῖλαι γεγενημένοις καὶ
275 πρακτέοις, ὅπου μὲν εὗρε γενόμενα κατὰ τὴν ἱστορίαν ὁ
λόγος ἐφαρμόσαι δυνάμενα τοῖς μυστικοῖς τούτοις, ἐχρήσατο
ἀποκρύπτων ἀπὸ τῶν πολλῶν τὸν βαθύτερον νοῦν · ὅπου

IV, 2. 266-267 ᾠκονόμησεν τίνα εἰς σκάνδαλα B ‖ 267 πρόσκομ-
μα B ‖ 268 ἐγκαταχθῆναι B

batur, inclusum : ista de causa procurauit diuina sapientia
335 offendicula quaedam uel intercapedines intellegentiae
fieri historialis, inpossibilia quaedam et inconuenientia
per medium inserendo ; ut interruptio ipsa narrationis
uelut obicibus quibusdam legenti resistat obiectis, quibus
intellegentiae huius uulgaris iter ac transitum neget et
340 exclusos nos ac recussos reuocet ad alterius initium uiae,
ut ita celsioris cuiusdam et eminentioris tramitis per
angusti callis ingressum inmensam diuinae scientiae lati-
tudinem pandat. Oportet autem etiam illud scire nos quia,
cum principaliter prospectus sit spiritui sancto intelle-
345 gentiae spiritalis consequentiam custodire uel in his, quae
geri debent, uel quae iam transacta sunt, sicubi quidem
inuenit ea, quae secundum historiam gesta sunt, aptari
posse intellegentiae spiritali, utriusque ordinis textum uno
narrationis sermone conposuit, altius semper arcanum
350 sensum recondens ; ubi autem spiritali consequentiae

IV, 2. 340 retusos A

chose d'autre que le sens obvie. C'est pourquoi la Parole
de Dieu a fait en sorte d'insérer au milieu de la loi et du
récit comme des pierres d'achoppement, des passages
choquants et des impossibilités, de peur que[74], complètement entraînés par le charme sans défaut du texte, soit
nous ne nous écartions finalement des doctrines comme
n'y apprenant rien qui soit digne de Dieu, soit ne trouvant
aucune incitation dans la lettre, nous n'apprenions rien
de plus divin. Il faut savoir aussi que, puisque le but
principal est de présenter la logique qui est dans les réalités
spirituelles à travers les événements qui se sont produits
et les actions qu'on doit faire, là où la Parole a trouvé[75]
que les faits historiques pouvaient s'harmoniser aux
réalités mystiques, elle s'en est servi pour cacher à la
plupart le sens plus profond. Là où, pour l'exposition de

_____

façon obvie ; c'est pourquoi la divine Sagesse a fait en
sorte d'insérer au milieu du texte des pierres d'achoppement
ou des résistances à l'intelligence du récit, des impossibilités
ou des inconvenances, afin que[74a] l'interruption même
dans le récit oppose au lecteur comme des obstacles qui
l'obligent à refuser ce chemin et ce passage de l'intelligence
commune : après nous en avoir chassés et renvoyés, il
nous invite à nous engager dans une autre voie pour
ouvrir devant nous, par l'entrée d'un sentier étroit[74b], la
largeur infinie de la connaissance divine, comme d'une
avenue plus élevée et plus sublime. Il faut en effet savoir
que, puisque le but principal de l'Esprit Saint est de garder
la logique de l'intelligence spirituelle à travers ce qui doit
être fait ou ce qui s'est passé, là où il a trouvé que les faits
historiques peuvent être adaptés à l'intelligence spirituelle,
il a composé un texte où les deux plans sont tissés en un
seul discours narratif, y cachant toujours plus profondément le sens secret. Mais là où le récit des faits ne pouvait

338   L'EXÉGÈSE SCRIPTURAIRE

δὲ ἐν τῇ διηγήσει τῆς περὶ τῶν νοητῶν ἀκολουθίας οὐχ
εἴπετο ἡ τῶνδέ τινων πρᾶξις ἡ προαναγεγραμμένη διὰ τὰ
280 μυστικώτερα, συνύφηνεν ἡ γραφὴ τῇ ἱστορίᾳ τὸ μὴ γενόμενον, πῇ μὲν μηδὲ δυνατὸν γενέσθαι, πῇ δὲ δυνατὸν μὲν
γενέσθαι, οὐ μὴν γεγενημένον. Καὶ ἔσθ' ὅτε μὲν ὀλίγαι
λέξεις παρεμβεβλημέναι εἰσὶ κατὰ τὸ σῶμα οὐκ ἀληθευόμεναι,
ἔσθ' ὅτε δὲ πλείονες. Τὸ δ' ἀνάλογον καὶ ἐπὶ τῆς νομοθεσίας
285 ἐκληπτέον, ἐν ᾗ ἔστι πλεονάκις εὑρεῖν καὶ τὸ αὐτόθεν
χρήσιμον, πρὸς τοὺς καιροὺς τῆς νομοθεσίας ἁρμόζον ·
ἐνίοτε δὲ λόγος χρήσιμος οὐκ ἐμφαίνεται. Καὶ ἄλλοτε καὶ
ἀδύνατα νομοθετεῖται διὰ τοὺς ἐντρεχεστέρους καὶ ζητητι-
κωτέρους, ἵνα τῇ βασάνῳ τῆς ἐξετάσεως τῶν γεγραμμένων
290 ἐπιδιδόντες ἑαυτούς, πεῖσμα ἀξιόλογον λάβωσι περὶ τοῦ δεῖν

IV, 2. 281 μηδὲ : μὴ Pat Bas DH ‖ γενέσθαι πῇ δὲ δυνατὸν μὲν
om. B ‖ 283 παραβεβλημέναι Bas D

rerum gestarum historia conuenire non poterat, interdum
inseruit quaedam uel minus gesta uel quae geri omnino
non possent, interdum etiam quae possent quidem geri,
nec tamen gesta sunt ; et nonnumquam paucis sermonibus,
355 qui secundum corporalem intellegentiam non uidentur
seruare posse ueritatem, interdum multis insertis hoc facit,
quod praecipue in legislatione frequentari inuenitur, ubi
multa quidem sunt, quae in ipsis corporalibus praeceptis
utilia esse manifestum est, aliquanta uero sunt, in quibus
360 nulla prorsus ratio utilitatis ostenditur, interdum uero
etiam inpossibilia decernuntur. Quae omnia, ut diximus,
idcirco procurauit spiritus sanctus, ut ex his, dum ea
quae in prima fronte sunt uera aut utilia esse non possunt,
ad inquisitionem ueritatis altius repetitae et diligentius
365 perscrutatae reuocemur et dignum deo sensum in scripturis,

IV, 2. 352 inseruit : seruit A^ac inserat A^pc ‖ quaedam : quidam
A^ac quidem A^pc ‖ 361 possibilia A ‖ 364-365 et diligentius perscrutatae om. g ‖ 365 reuocemus g

la logique des réalités intelligibles, l'action de tel ou de
tel, décrite auparavant, ne s'accordait pas avec elle à
cause des significations plus mystiques, l'Écriture a tissé
dans le récit ce qui ne s'est pas passé, tantôt parce que cela
ne pouvait pas se passer, tantôt parce que cela pouvait
se passer, mais ne s'est pas passé. Parfois il y a peu de
phrases qui sont ainsi ajoutées bien qu'elles ne soient pas
vraies selon le sens corporel[76], parfois il y en a davantage.
Il faut traiter de façon semblable la législation : on y
trouve fréquemment[77] des préceptes qui d'eux-mêmes sont
utiles et adaptés de façon opportune à la législation, mais
parfois cette utilité n'apparaît pas. D'autres fois même,
ce sont des choses impossibles qui sont prescrites[78], à
cause de ceux qui sont le plus diligents et aiment le plus
la recherche, pour qu'ils s'adonnent à l'étude et à la
recherche de ce qui est écrit et qu'ils deviennent suffisamment persuadés de la nécessité de chercher là un sens

---

convenir à l'intelligence spirituelle, il a tantôt inséré des
choses qui ne se sont pas passées ou qui ne pouvaient
absolument pas se passer, tantôt qui pouvaient se passer
mais qui ne se sont pas passées. Parfois il a fait cela pour
quelques paroles seulement qui ne paraissent pas pouvoir
respecter la vérité selon l'intelligence corporelle, parfois
en en insérant beaucoup. Cela se produit surtout et assez
fréquemment dans la législation : de nombreux préceptes
sont, certes, manifestement utiles selon leur sens corporel,
mais il y en a où n'apparaît aucune raison d'utilité ;
parfois même ce sont des préceptes impossibles qui sont
prescrits. Tout cela, avons-nous dit, le Saint Esprit l'a
arrangé pour que, lorsque ce qui paraît au premier abord
ne peut être vrai ou utile, nous soyons rappelés à la
poursuite de la vérité, en revenant à la charge sur un
plan plus élevé et en la scrutant avec plus de diligence, et
que nous cherchions un sens digne de Dieu dans les

τοῦ θεοῦ ἄξιον νοῦν εἰς τὰ τοιαῦτα ζητεῖν. [*16*] Οὐ μόνον
δὲ περὶ τῶν πρὸ τῆς παρουσίας ταῦτα τὸ πνεῦμα ᾠκονόμησεν,
ἀλλὰ γὰρ ἅτε τὸ αὐτὸ τυγχάνον καὶ ἀπὸ τοῦ ἑνὸς θεοῦ, τὸ
ὅμοιον καὶ ἐπὶ τῶν εὐαγγελίων πεποίηκε καὶ ἐπὶ τῶν
295 ἀποστόλων · οὐδὲ τούτων πάντῃ ἄκρατον τὴν ἱστορίαν τῶν
προσυφασμένων κατὰ τὸ σωματικὸν ἐχόντων, μὴ γεγενημένων, οὐδὲ τὴν νομοθεσίαν καὶ τὰς ἐντολὰς πάντως τὸ
εὔλογον ἐντεῦθεν ἐμφαίνοντα.

IV, 2. 296-297 γεγενημένην D Bas ‖ 298 ἐντεῦθεν *om.* Pat Bas DH

---

quas a deo inspiratas credimus, perquiramus. (*16*) Non
solum autem de his, quae usque ad aduentum Christi
scripta sunt, haec sanctus spiritus procurauit, sed utpote
unus atque idem spiritus et ab uno deo procedens, eadem
370 similiter etiam in euangeliis et apostolis fecit. Nam ne illas
quidem narrationes, quas per eos inspirauit, absque
huiuscemodi quam supra exposuimus sapientiae suae arte
contexuit. Vnde etiam in ipsis non parua permiscuit,
quibus historialis narrandi ordo interpolatus uel intercisus
375 per inpossibilitatem sui reflecteret ac reuocaret intentionem legentis ad intellegentiae interioris examen.

IV, 2. 366 perquiremus A ‖ 370 nec g

digne de Dieu. (*16*) Ce n'est pas seulement pour les livres antérieurs à la venue du Christ que l'Esprit s'est ainsi comporté, mais, comme il est le même Esprit et provient d'un même Dieu, il a agi de même pour les Évangiles et les apôtres : car chez eux aussi le récit est quelquefois mêlé d'ajouts qui y ont été tissés selon le sens corporel, mais qui ne correspondent pas à des événements réels, et pareillement la législation et les préceptes ne manifestent pas toujours des exigences raisonnables[79].

Écritures que nous croyons inspirées par lui. (*16*). Ce n'est pas seulement pour les écrits composés jusqu'à la venue du Christ que l'Esprit Saint a ainsi arrangé les choses, mais, puisqu'il est un seul et même Esprit et procède d'un seul Dieu, il a agi de même pour les Évangiles et pour les apôtres. Car, selon l'art de sa sagesse, il a aussi tissé dans leurs récits qu'il a inspirés des obstacles du même genre, comme nous l'avons dit. Et c'est pourquoi il y a mêlé des additions non négligeables pour ramener et rappeler, par ces interpolations ou insertions dans la trame du récit historique, l'intention du lecteur à l'examen de la compréhension intérieure[79a].

γ΄. 1 (*17* [*16*]). Τίς γοῦν νοῦν ἔχων οἰήσεται πρώτην καὶ
δευτέραν καὶ τρίτην ἡμέραν ἑσπέραν τε καὶ πρωΐαν χωρὶς
ἡλίου γεγονέναι καὶ σελήνης καὶ ἀστέρων ; Τὴν δὲ οἱονεὶ
πρώτην καὶ χωρὶς οὐρανοῦ ; Τίς δ᾽ οὕτως ἠλίθιος ὡς
5 οἰηθῆναι τρόπον ἀνθρώπου γεωργοῦ τὸν θεὸν πεφυτευκέναι
παράδεισον ἐν Ἐδὲμ κατὰ ἀνατολάς, καὶ ξύλον ζωῆς ἐν
αὐτῷ πεποιηκέναι ὁρατὸν καὶ αἰσθητόν, ὥστε διὰ τῶν
σωματικῶν ὀδόντων γευσάμενον τοῦ καρποῦ, τὸ ζῆν ἀνα-
λαμβάνειν · καὶ πάλιν καλοῦ καὶ πονηροῦ μετέχειν τινὰ
10 παρὰ τὸ μεμασῆσθαι τὸ ἀπὸ τοῦδε τοῦ ξύλου λαμβανόμενον ;
Ἐὰν δὲ καὶ θεὸς τὸ δειλινὸν ἐν τῷ παραδείσῳ περιπατεῖν

IV, 3. 1-3 τίς γοῦν — ἀστέρων *apud Iustiniani Ep. ad Mennam,
Mansi IX, 533* ‖ 1 οἰήσεται : ὁρίσεται *Iustin.* ‖ 10 μεμισῆσθαι
Bas D

3. Exempla scripturarum de ratione intellegendae scripturae

1 (*17* [*16*]). Sed ut rebus ipsis quod dicimus agnoscatur,
ipsa iam scripturae loca pulsemus. Cuinam, quaeso,
sensum habenti consequenter uidebitur dictum quod dies
5 prima et secunda et tertia, in quibus et uespera nominatur
et mane, fuerit sine sole et sine luna et sine stellis, prima
autem dies etiam sine caelo ? Quis uero ita idiotes inuenietur, ut putet uelut hominem quendam agricolam deum
plantasse arbores in paradiso, in Eden contra orientem,
10 et arborem uitae plantasse in eo, id est lignum uisibile et
palpabile, ita ut corporalibus dentibus manducans quis ex
ea arbore uitam percipiat et rursum ex alia arbore manducans boni ac mali scientiam capiat ? Sed et illud, quod
deus post meridiem deambulare dicitur in paradiso et

IV, 3. *Inscriptionem om.* g ‖ 7 etiam *om.* g

**Exemples
de ces illogismes
et invraisemblances**

3, 1 (*17* [*16*]). Quel homme sensé[2] pensera qu'il y a eu un premier et un second jour, un soir et un matin, alors qu'il n'y avait ni soleil, ni lune, ni étoiles ? Et pareillement un premier jour sans un ciel ? Qui sera assez sot pour penser que, comme un homme qui est agriculteur, Dieu a planté un jardin en Éden du côté de l'orient et a fait dans ce jardin un arbre de vie visible et sensible, de sorte que celui qui a goûté de son fruit avec des dents corporelles[3] reçoive la vie ? Et de même que quelqu'un participe au bien et au mal pour avoir mâché le fruit pris à cet arbre[4]. Si Dieu est représenté se promenant le soir dans le jardin et Adam se cachant sous l'arbre,

---

Exemples tirés des Écritures sur la manière de comprendre les Écritures

3, 1 (*17* [*16*]). Pour faire comprendre par les textes eux-mêmes ce que nous disons, parcourons divers passages des Écritures[1a]. Quel homme sensé pensera logique de dire qu'il y eut un premier et un second et un troisième jour, dans lesquels on distingue un soir et un matin, sans soleil ni lune ni étoiles, et même le premier jour sans ciel ? Trouvera-t-on quelqu'un d'assez sot pour penser que, comme un homme qui est agriculteur, Dieu a planté des arbres dans un jardin en Éden du côté de l'orient et qu'il y a planté un arbre de vie, du bois visible et palpable, de sorte que celui qui mange du fruit de cet arbre avec des dents corporelles reprenne vie et, de même, que celui qui mange d'un autre arbre[4a] reçoive la science du bien et du mal ? Mais lorsque Dieu est représenté se promenant dans l'après-midi dans

---

IV, 3. *1,* 4 : Gen. 1, 5 s. ‖ *4,* 8 : Gen. 2, 8 s. ‖ *11,* 14 : Gen. 3, 8

λέγηται καὶ ὁ Ἀδὰμ ὑπὸ τὸ ξύλον κρύπτεσθαι, οὐκ οἶμαι
δισταξειν τινὰ περὶ τοῦ αὐτὰ τροπικῶς διὰ δοκούσης ἱστορίας,
καὶ οὐ σωματικῶς γεγενημένης, μηνύειν τινὰ μυστήρια.
15 Ἀλλὰ καὶ Κάιν ἐξερχόμενος ἀπὸ προσώπου τοῦ θεοῦ σαφῶς
τοῖς ἐπιστήσασι φαίνεται κινεῖν τὸν ἐντυγχάνοντα ζητεῖν,
<τί> πρόσωπον θεοῦ καὶ τὸ ἐξέρχεσθαί τινα ἀπ᾽ αὐτοῦ.
Καὶ τί δεῖ πλείω λέγειν, τῶν μὴ πάνυ ἀμβλέων μυρία ὅσα
τοιαῦτα δυναμένων συναγαγεῖν, ἀναγεγραμμένα μὲν ὡς
20 γεγονότα, οὐ γεγενημένα δὲ κατὰ τὴν λέξιν ; Ἀλλὰ καὶ τὰ
εὐαγγέλια δὲ τοῦ αὐτοῦ εἴδους τῶν λόγων πεπλήρωται, εἰς
ὑψηλὸν ὄρος τὸν Ἰησοῦν ἀναβιβάζοντος τοῦ διαβόλου,
ἵν᾽ ἐκεῖθεν αὐτῷ δείξῃ τοῦ παντὸς κόσμου τὰς βασιλείας
καὶ τὴν δόξαν αὐτῶν. Τίς γὰρ οὐκ ἂν τῶν μὴ παρέργως

IV, 3. 13 δισταξειν B : δισταζειν Pat Bas DH ‖ 17 τί suppl. Tarinus
‖ τὸ secl. Rob.

15 Adam latere sub arbore, equidem nullum arbitror dubitare
quod figurali tropo haec ab scriptura proferantur, quo per
haec quaedam mystica indicentur. Cain quoque exiens a
facie dei manifeste prudentem lectorem mouet, ut requirat
quae sit facies dei et quomodo exire quis possit ab ea.
20 Verum ne nos opus, quod habemus in manibus, iusto
amplius dilatemus, perfacile est omni uolenti congregare
de scripturis sanctis quae scripta sunt quidem tamquam
facta, non tamen secundum historiam conpetenter et
rationabiliter fieri potuisse credenda sunt. Haec uero
25 scripturae species etiam in euangelicis libris affatim
abundeque signatur, cum uel in excelsum montem Iesum
inposuisse diabolus dicitur, ut inde ei uniuersa mundi
regna monstraret et gloriam eorum. Quod secundum

IV, 3. 15 latere : sublatere A ‖ 16 quo : quod g ‖ 19 quis exire g ‖
23 conpetenter et : conpetentem A

on ne peut douter, je pense, que tout cela, exprimé dans une histoire qui semble s'être passée, mais ne s'est pas passée corporellement, indique de façon figurée certains mystères. Quant à Caïn fuyant de devant la face de Dieu[5], selon l'avis clair des gens compétents, ce passage amènera celui qui réfléchit à se demander qu'est-ce que la face[6] de Dieu et qu'est-ce que fuir de devant elle. Qu'y a-t-il à ajouter à cela? Ceux dont l'intelligence n'est pas tout à fait obtuse peuvent recueillir bon nombre de choses semblables, qui sont représentées comme si elles s'étaient passées, alors qu'elles ne se sont pas passées littéralement. Mais les Évangiles aussi sont pleins d'expressions de cette espèce[7] : le diable a porté Jésus sur une haute montagne pour lui montrer de là-haut les royaumes du monde entier et leur gloire. Quand on lit cela sans superficialité, ne

---

le jardin et Adam se cachant sous l'arbre, personne certainement ne doutera, à mon avis, que tout cela est exprimé par l'Écriture de façon figurée, afin d'indiquer par là quelques mystères. Quant à Caïn fuyant de devant la face de Dieu, le lecteur réfléchi se demandera certainement qu'est-ce que la face de Dieu et comment peut-on fuir de devant elle. Mais il n'est pas besoin de développer davantage ce dont nous nous occupons, car il est très facile, si on le désire, de recueillir dans les Écritures saintes des choses semblables, qui sont représentées comme si elles s'étaient passées, et cependant on ne peut pas croire légitimement et raisonnablement qu'elles se sont passées de façon historique. Ce genre d'expressions se remarque à satiété et en abondance dans les Évangiles eux-mêmes, par exemple lorsqu'ils disent que le diable a placé Jésus sur une haute montagne pour lui montrer tous les royaumes du monde et leur gloire. Comment cela a-t-il pu se passer

---

IV, 3. *15*, 17 : Gen. 4, 16 ‖ *21*, 26 : Matth. 4, 8

25 ἀναγινωσκόντων τὰ τοιαῦτα καταγινώσκοι τῶν οἰομένων
τῷ τῆς σαρκὸς ὀφθαλμῷ, δεηθέντι ὕψους ὑπὲρ τοῦ κατα-
νοηθῆναι δύνασθαι τὰ κατωτέρω καὶ ὑποκείμενα, ἑωρᾶσθαι
τὴν Περσῶν καὶ Σκυθῶν καὶ Ἰνδῶν καὶ Παρθυαίων
βασιλείαν, καὶ ὡς δοξάζονται παρὰ ἀνθρώποις οἱ βασι-
30 λεύοντες ; Παραπλησίως δὲ τούτοις καὶ ἄλλα μυρία ἀπὸ
τῶν εὐαγγελίων ἔνεστι τὸν ἀκριβοῦντα τηρῆσαι ὑπὲρ τοῦ
συγκαταθέσθαι συνυφαίνεσθαι ταῖς κατὰ τὸ ῥητὸν γεγενη-
μέναις ἱστορίαις ἕτερα μὴ συμβεβηκότα.
    2 (18 [17]). Ἐὰν δὲ καὶ ἐπὶ τὴν νομοθεσίαν ἔλθωμεν
35 τὴν Μωσέως, πολλοὶ τῶν νόμων, τῷ ὅσον ἐπὶ τῷ καθ᾽ ἑαυτοὺς
τηρεῖσθαι, τὸ ἄλογον ἐμφαίνουσιν, ἕτεροι δὲ τὸ ἀδύνατον.
Τὸ μὲν ἄλογον, γῦπες ἐσθίεσθαι ἀπαγορευόμενοι, οὐδενὸς

IV, 3. 35 τῷ¹ Bas DH : τὸ B Pat *Koe* ‖ τῷ² : τὸ B ‖ αὐτοὺς B

---

litteram quomodo fieri potuisse uidebitur, ut uel in
30 excelsum montem educeretur a diabolo Iesus, uel etiam
carnalibus oculis eius tamquam subiecta et adiacentia uni
monti omnia mundi ostenderet regna, id est Persarum
regnum et Scytharum et Indorum, uel quomodo etiam
reges ipsorum glorificantur ab hominibus ? Sed et alia
35 quam plurima his similia in euangeliis inueniet quicumque
attentius legerit, ex quo aduertet his narrationibus, quae
secundum litteram prolatae uidentur, inserta esse simulque
contexta ea, quae historia quidem non recipiat, spiritalis
autem teneat intellectus.
40   2 (18 [17]). Sed et in praeceptorum locis similia quaedam
inueniuntur. In lege quidem Moysei praecipitur exterminari
omne masculinum, quod non fuerit octaua die circum-
cisum ; quod ualde inconsequens est, cum oporteret utique,

IV, 3. 36 ex quo : ex GM et AbS ‖ 38 ea : est GM *om.* AbS ‖ 43
et *post* est *add.* A

blâmera-t-on pas ceux qui pensent qu'avec l'œil du corps, qui a besoin d'une certaine hauteur pour apercevoir ce qui est placé plus bas, on peut voir les royaumes des Perses, des Scythes, des Indiens et des Parthes, et la gloire que leurs souverains reçoivent des hommes ? Celui qui cherche l'exactitude peut observer d'autres expressions semblables en très grand nombre dans les Évangiles et admettre que, dans les histoires qui se sont passées selon la lettre, sont tissées d'autres histoires qui ne se sont pas passées[8].

3, 2 (*18* [*17*]). Si nous en venons à la législation de Moïse[9], nombreuses sont les lois, pour autant qu'on puisse l'observer par soi-même, qui manifestent des illogismes, ou même des impossibilités. Des commandements déraisonnables, lorsqu'il est interdit de manger des vautours, car

---

selon la lettre, comment Jésus a-t-il pu être conduit par le diable sur une haute montagne pour que soient montrés à ses yeux de chair, comme s'ils étaient visibles d'une unique montagne et proches d'elle, tous les royaumes de la terre, ceux des Perses, des Scythes et des Indiens et la manière dont leurs souverains sont glorifiés par les hommes ? Quiconque lit avec plus d'attention trouvera d'autres expressions semblables en très grand nombre dans les évangiles et il remarquera que dans les récits d'événements qui semblent s'être passés selon la lettre, ont été insérées et tissées des expressions inacceptables au sens historique, justifiées seulement par l'intelligence spirituelle.

3, 2 (*18* [*17*]). Mais dans les passages législatifs on trouve la même chose[9a]. Il est prescrit par la loi de Moïse d'exterminer tout enfant mâle qui n'a pas été circoncis le huitième jour : cela est parfaitement inconséquent, car il aurait fallu, si la loi devait être observée selon l'histoire,

---

IV, 3. *37* : Lév. 11, 14

οὐδὲ ἐν τοῖς μεγίστοις λιμοῖς ἐκβιασθέντος ὑπὸ τῆς ἐνδείας
ἐπὶ τοῦτο τὸ ζῷον φθάσαι · καὶ ὀκταήμερα παιδία ἀπερίτμητα
40 ἐξολοθρεύεσθαι ἐκ τοῦ γένους αὐτῶν κελευόμενα, δέον, εἰ
ὅλως ἐχρῆν τι περὶ τούτων κατὰ τὸ ῥητὸν νενομοθετῆσθαι,
τοὺς πατέρας αὐτῶν κελεύεσθαι ἀναιρεῖσθαι ἢ τοὺς παρ' οἷς
τρέφονται · νῦν δέ φησιν ἡ γραφή · Ἀπερίτμητος πᾶς
ἄρρην, ὃς οὐ περιτμηθήσεται τῇ ἡμέρᾳ τῇ ὀγδόῃ, ἐξολοθρευ-
45 θήσεται ἐκ τοῦ γένους αὐτοῦ. Εἰ δὲ καὶ ἀδύνατα νομοθε-
τούμενα βούλεσθε ἰδεῖν, ἐπισκεψώμεθα ὅτι τραγέλαφος μὲν
τῶν ἀδυνάτων ὑποστῆναι ζῷον τυγχάνει, ὃν ὡς καθαρὸν
κελεύει Μωσῆς ἡμᾶς προσφέρεσθαι · γρὺψ δὲ οὐχ ἱστόρηταί
ποτε ὑποχείριος ἀνθρώπῳ γεγονέναι, ὃν ἀπαγορεύει ἐσθίεσθαι
50 ὁ νομοθέτης. Ἀλλὰ καὶ τὸ διαβόητον σάββατον τῷ ἀκριβοῦντι
τό · Καθήσεσθε ἕκαστος εἰς τοὺς οἴκους ὑμῶν · μηδεὶς
ὑμῶν ἐκπορευέσθω ἐκ τοῦ τόπου αὐτοῦ τῇ ἡμέρᾳ τῇ ἑβδόμῃ,
ἀδύνατόν ἐστι φυλαχθῆναι κατὰ τὴν λέξιν, οὐδενὸς ζῴου

IV, 3. 39 ἐπὶ : ὑπὸ B ‖ 41 τί B τε Bas ‖ 44 ἄρδην B

---

si lex secundum historiam obseruanda tradebatur, iuberi
45 ut parentes punirentur, qui filios suos non circumciderent,
uel hi, qui nutriunt paruulos ; nunc autem dicit scriptura :
Incircumcisus masculus, id est *qui non fuerit circumcisus
octaua die, exterminabitur de genere suo*. Si uero etiam de
inpossibilibus legibus requirendum est, inuenimus trage-
50 lafum dici animal, quod subsistere omnino non potest,
quod inter munda animalia etiam edi iubet Moyses, et
grifum, quem nullus umquam meminit uel audiuit humanis
manibus potuisse succumbere, manducari prohibet legis-
lator. Sed et de sabbati opinatissima obseruatione ita dicit :
55 *Sedebitis unusquisque in domibus uestris, nullus mouebitur
de loco suo in die sabbatorum*. Quod utique inpossibile est
obseruari secundum litteram ; nullus enim hominum potest

IV, 3. 45 circumciderunt g ‖ 52 audiit A

même dans les plus grandes famines personne n'a été forcé par la pénurie d'en arriver à manger un tel animal. Lorsqu'il est ordonné d'exterminer de la race les enfants de huit jours qui n'ont pas été circoncis, il faudrait, s'il fallait qu'une telle législation ait été donnée au sens littéral, ordonner que leurs pères ou ceux qui les élèvent soient mis à mort. Or l'Écriture dit : *Tout mâle incirconcis, qui n'a pas été circoncis le huitième jour, sera exterminé de la race.* Si vous voulez voir des préceptes impossibles, remarquons que le tragélaphe est un animal qui ne peut pas exister, et cependant, puisqu'il est pur, Moïse ordonne de le prendre pour nourriture ; on ne dit pas que le griffon soit jamais tombé sous la main des hommes et cependant le législateur défend de le manger[10]. A propos du sabbat dont on parle tant, si on réfléchit sur le précepte : *Vous serez assis chacun dans sa maison ; que personne ne quitte sa place le septième jour*, il est impossible de l'observer selon la lettre, car aucun vivant ne peut rester assis toute

----

ordonner de punir les parents qui n'auraient pas circoncis leurs fils ou de punir ceux qui les élèvent. Or l'Écriture dit : *Le mâle incirconcis, c'est-à-dire celui qui n'a pas été circoncis le huitième jour, sera exterminé de la race.* S'il est question de lois impossibles, nous trouvons le tragélaphe, animal qui ne peut pas exister, et cependant Moïse ordonne de le manger comme animal pur ; et le griffon qui n'a jamais pu tomber aux mains des hommes — on ne s'en souvient pas du moins et on ne l'a jamais entendu dire[10a] —, le législateur défend de le manger. A propos du sabbat et de son observation, dont on parle tant, il est écrit : *Vous serez assis, chacun dans sa maison ; que personne ne quitte sa place le jour du sabbat.* Cela est impossible à observer selon la lettre, car aucun homme ne peut rester assis

----

IV, 3. *43*, 47 : Gen. 17, 14 ‖ *46*, 49 : Deut. 14, 5 ‖ *47*, 51 : Lév. 11, 13 ; Deut. 14, 12 ‖ *51*, 55 : Ex. 16, 29

δυναμένου δι' ὅλης καθέζεσθαι τῆς ἡμέρας καὶ ἀκινητεῖν
55 ἀπὸ τοῦ καθέζεσθαι. Διόπερ τινὰ μὲν οἱ ἐκ περιτομῆς καὶ
ὅσοι θέλουσι πλέον τῆς λέξεως δηλοῦσθαι μηδὲν οὐδὲ τὴν
ἀρχὴν ζητοῦσιν, ὥσπερ τὰ περὶ τραγελάφου καὶ γρυπὸς
καὶ γυπός, εἰς τινὰ δὲ φλυαροῦσιν εὑρησιλογοῦντες, ψυχρὰς
παραδόσεις φέροντες, ὥσπερ καὶ περὶ τοῦ σαββάτου,
60 φάσκοντες τόπον ἑκάστῳ εἶναι δισχιλίους πήχεις, ἄλλοι δέ,
ὧν ἐστι Δοσίθεος ὁ Σαμαρεύς, καταγινώσκοντες τῆς
τοιαύτης διηγήσεως οἴονται ἐπὶ τοῦ σχήματος, οὗ ἂν
καταληφθῇ τις ἐν τῇ ἡμέρᾳ τοῦ σαββάτου, μένειν μέχρις
ἑσπέρας. Ἀλλὰ καὶ τὸ μὴ αἴρειν βάσταγμα ἐν τῇ ἡμέρᾳ
65 τοῦ σαββάτου ἀδύνατον · διόπερ εἰς ἀπεραντολογίαν οἱ τῶν

IV, 3. 57 ὥσπερ : ὡς Bas ὥστε D ‖ 60 ἑκάστῳ Pat Bas DH (cf.
Ruf.) : ἑκάστου B Rob. Koe ‖ 63 τίς B

tota die ita sedere, ut non moueatur de eo loco, in quo
sederit. De quibus singulis hi quidem, qui ex circumcisione
60 sunt, et quicumque in scripturis sanctis nihil amplius
intellegi uolunt praeterquam indicatur ex littera, haec ne
requirenda quidem arbitrantur de tragelafo et grifo et
uulture, fabulas autem quasdam inanes et friuolas com-
mentantur, ex nescio quibus traditionibus proferentes de
65 sabbato, dicentes unicuique locum suum reputari intra
duo milia ulnas. Alii uero, ex quibus est Dositheus Sama-
ritanus, notant quidem huiuscemodi expositiones, ipsi
autem ridiculosius aliquid statuunt, quia unusquisque
quo habitu, quo loco, qua positione in die sabbati fuerit
70 inuentus, ita usque ad uesperam debeat permanere, id
est uel si sedens, ut sedeat tota die, uel si iacens, ut tota
die iaceat. Sed et quod ait *non leuare onus in die sabbati*
inpossibile mihi uidetur. Ex his enim ad fabulas infinitas,
sicut sanctus apostolus dicit, Iudaeorum doctores deuoluti

IV, 3. 63 friuolas : frigidas A

la journée et demeurer sans mouvement après qu'il s'est assis. C'est pourquoi ceux qui appartiennent à la circoncision[11] et tous ceux qui refusent de voir quelque chose de supérieur à la lettre n'ont jamais commencé à se poser des questions sur quelques points, comme en ce qui concerne le tragélaphe, le griffon et le vautour ; mais sur d'autres ils radotent, parlant beaucoup et inutilement, rapportant des traditions[12] insipides, comme lorsqu'ils disent au sujet du sabbat[13] que l'espace concédé à chacun pour ses déplacements est de deux mille coudées. D'autres, comme Dosithée le Samaritain[14], tout en blâmant de telles explications, pensent que l'on doit rester jusqu'au soir dans la position dans laquelle on a été surpris par le jour du sabbat. Mais il est impossible de *ne pas lever de fardeau le jour du sabbat :* c'est pourquoi les docteurs des Juifs

---

tout le jour sans quitter le lieu où il est assis. De tout cela ceux qui appartiennent à la circoncision et tous ceux qui ne veulent comprendre des Écritures rien de plus que ce qui est signifié par la lettre, jugent qu'il n'y a pas à se poser de question, comme à propos du tragélaphe, du griffon et du vautour, mais ils imaginent aussi des fables vaines et inutiles, rapportant je ne sais quelles traditions au sujet du sabbat, disant qu'à chacun est attribué pour ses déplacements un espace de deux mille coudées. Mais d'autres, dont Dosithée le Samaritain, blâment, certes, de telles explications, mais décrètent quelque chose de plus ridicule encore, que chacun doit rester jusqu'au soir dans l'attitude, le lieu, la position où il a été trouvé par le jour du sabbat, c'est-à-dire[14a] que s'il est assis, il reste assis tout le jour, et s'il est couché, il reste couché tout le jour. Mais ce qui est dit, *ne pas lever de fardeau le jour du sabbat,* me paraît impossible. A ce sujet les docteurs des Juifs

---

IV, 3. *59*, 64 : Nombr. 35, 5 ‖ *64*, 72 : Jér. 17, 21 ‖ *65*, 74 : I Tim. 1, 4

Ἰουδαίων διδάσκαλοι ἐληλύθασι, φάσκοντες βάσταγμα μὲν
εἶναι τὸ τοιόνδε ὑπόδημα, οὐ μὴν καὶ τὸ τοιόνδε, καὶ τὸ
ἥλους ἔχον σανδάλιον, οὐ μὴν καὶ τὸ ἀνήλωτον, καὶ τὸ
οὑτωσὶ ἐπὶ τοῦ ὤμου φορούμενον, οὐ μὴν καὶ ἐπὶ τῶν δύο
70 ὤμων.
3 (19 [18]). Εἰ δὲ καὶ ἐπὶ τὸ εὐαγγέλιον ἐλθόντες τὰ
ὅμοια ζητήσαιμεν, τί ἂν εἴη ἀλογώτερον τοῦ · Μηδένα
κατὰ τὴν ὁδὸν ἀσπάσησθε, ὅπερ ἐντέλλεσθαι νομίζουσιν
οἱ ἀκέραιοι τὸν σωτῆρα τοῖς ἀποστόλοις ; Ἀλλὰ καὶ δεξιὰ
75 σιαγὼν τύπτεσθαι λεγομένη ἀπιθανωτάτη ἐστί, παντὸς τοῦ
τύπτοντος, εἰ μὴ ἄρα πεπονθώς τι παρὰ φύσιν τυγχάνει,
τῇ δεξιᾷ χειρὶ τύπτοντος τὴν ἀριστερὰν σιαγόνα. Ἀδύνατον

IV, 3. 69 οὑτωσὶ : οὕτως εἰ B ‖ φερόμενον Bas D ‖ 76 τι : τις Bas D
‖ τυγχάνοι Bas H

---

75 sunt, dicentes non reputari onus, si calciamenta quis
habeat sine clauis, onus uero esse, si galliculas quis cum
clauis habuerit ; et si quidem supra unum umerum aliquid
portauerit quis, onus iudicant, si uero supra utrumque,
negabunt esse onus.
80 3 (19 [18]). Iam uero si etiam de euangeliis similia
requiramus, quomodo non uidebitur absurdum, si secundum litteram sentiatur quod dicitur : Neminem in uia
salutaueritis? Hoc enim putant simpliciores quique saluatorem nostrum apostolis praecepisse. Sed et illud quomodo
85 possibile uidebitur obseruari, in his praecipue locis, ubi
acerrima hiems gelidis exasperatur pruinis, ut neque duas
tunicas neque calciamenta habere quis debeat? Sed et
illud, quod dexteram quis maxillam percussus praebere
etiam sinistram iubetur, cum omnis, qui percutit dextera
90 manu, sinistram percutiat maxillam? Sed et illud de

IV, 3. 76 caligulas AbS ‖ 86 gelidis exasperatur : gelicidiis exas-
pera GMᵃᶜ gelicidiis exasperata AbSMᵖᶜ

en sont venus à des bavardages interminables, disant que tel genre de soulier est un fardeau mais non pas tel autre[15], que la sandale à clous est un fardeau et non celle qui n'en a pas, que ce qui est porté sur une épaule est un fardeau et non ce qui l'est sur les deux.

3, 3 (*19* [*18*]). Si, en venant à l'Évangile, nous cherchons des expressions semblables, qu'y aurait-il de plus déraisonnable que : *Ne saluez personne en chemin*[16], alors que les simples pensent que le Seigneur a prescrit cela aux apôtres. Mais quand il est dit de frapper la joue droite, cela est invraisemblable, car tout homme qui frappe, à moins qu'il ne subisse quelque chose de contraire à la nature[17], frappe avec la main droite la joue gauche de l'autre.

---

se sont précipités dans des fables interminables, comme le dit le saint apôtre, précisant qu'il ne faut pas considérer comme fardeaux des souliers sans clous[15a], mais comme fardeaux des galoches à clous ; si on porte quelque chose sur une épaule, ils jugent que c'est un fardeau, sur les deux épaules que cela n'en est pas.

3, 3 (*19* [*18*]). Si nous cherchons maintenant dans les Évangiles des expressions semblables, ne paraîtra-t-il pas absurde d'entendre à la lettre : *Ne saluez personne en chemin?* Et cependant les plus simples pensent que le Seigneur a prescrit cela aux apôtres. Comment sera-t-il possible d'observer, surtout dans les lieux où un hiver très rude est encore renforcé par des gelées glacées[16a], la défense de porter deux tuniques ou des souliers ? Mais celui qui est frappé sur la joue droite reçoit l'ordre de tendre aussi la gauche[17a], alors que tout homme qui frappe de la main droite atteint la joue gauche de l'autre.

IV, 3. *72*, 82 : Lc 10, 4 ‖ 86 : Virgile, *Géorgiques* II, 263 ; Matth. 10, 10 ‖ *74*, 87 : Lc 6, 29

δὲ ἀπὸ τοῦ εὐαγγελίου ἐστὶ λαβεῖν ὀφθαλμὸν δεξιὸν σκανδα-
λίζοντα · ἵνα γὰρ χαρισώμεθα τὸ δύνασθαι ἐκ τοῦ ὁρᾶν
80 σκανδαλίζεσθαί τινα, πῶς τῶν δύο ὀφθαλμῶν ὁρώντων τὴν
αἰτίαν ἀνενεκτέον ἐπὶ τὸν δεξιόν ; Τίς δὲ καὶ καταγνοὺς
ἑαυτοῦ ἐν τῷ ἑωρακέναι γυναῖκα πρὸς τὸ ἐπιθυμῆσαι,
ἀναφέρων τὴν αἰτίαν ἐπὶ μόνον τὸν δεξιὸν ὀφθαλμόν, εὐλόγως
ἂν τοῦτον ἀποβάλοι ; Ἀλλὰ καὶ ὁ ἀπόστολος νομοθετεῖ
85 λέγων · Περιτετμημένος τις ἐκλήθη ; Μὴ ἐπισπάσθω.
Πρῶτον μὲν ὁ βουλόμενος ὄψεται ὅτι παρὰ τὴν προκειμένην
αὐτῷ ὁμιλίαν ταῦτά φησι · πῶς γὰρ περὶ γάμου καὶ ἁγνείας
νομοθετῶν οὐ δόξει ταῦτα εἰκῆ παρεμβεβληκέναι ; Δεύτερον
δὲ τίς ἐρεῖ ἀδικεῖν τόν, εἰ δυνατόν, διὰ τὴν παρὰ τοῖς πολλοῖς

IV, 3. 78 λαβεῖν : ἐκβαλεῖν Bas D ‖ 81 καὶ *om.* Bas D ‖ 84 ἀπο-
βάλλει Bas ἀποβάλλοι D

---

inpossibilibus habendum est, quod in euangelio scriptum
est, ut *si oculus dexter scandalizauerit, eruatur ;* quia etiamsi
ponamus quod de oculis carnalibus dictum est, quomodo
consequens uidebitur ut, oculo utroque cernente, ad unum
95 scandali culpa, et hoc ad dexterum referatur? Aut quis
extra maximum crimen habebitur, ipse sibi inferens
manus? Sed fortassis extra haec uidebuntur esse litterae
apostoli Pauli. Et quid est quod dicit : *Circumcisus aliquis
uocatus est? non adducat praeputium.* Quod primo quidem
100 si qui diligentius consideret, non uidetur ad ea dictum,
quae ei proposita in manibus habebantur ; sermo namque
ei erat de nuptiis et castitate praecipiens, et uidebuntur
utique haec in tali causa superfluo memorata ; secundo
uero quid obesset, si obscenitatis uitandae causa eius,

IV, 3. 92 ut si g : et si B quod si A ‖ quia : qui A^{ac} quin A^{pc} ‖
100 qui : quidem A

Impossible, d'après ce que dit l'Évangile, d'enlever l'œil droit qui scandalise[18] : accordons que quelqu'un puisse être scandalisé par la vue, mais comment, alors que les deux yeux voient la cause du scandale, faut-il l'attribuer seulement à l'œil droit? Qui, se blâmant lui-même pour avoir vu *une femme pour la désirer*, en attribuerait la responsabilité à l'œil droit seul et aurait raison de l'arracher. Mais l'Apôtre légifère en ces termes : *Quelqu'un était circoncis quand il a été appelé? Qu'il ne se fasse pas refaire un prépuce.* D'abord qui le veut s'apercevra que cela est dit sans rapport avec la conversation en cours : comment en effet, puisqu'il est question de légiférer sur le mariage et la chasteté, cela ne semble-t-il pas interpolé au hasard[19]? Secondement, peut-on dire qu'il commette une injustice celui qui, si c'est possible, à cause de

---

Mais il faut considérer parmi les impossibilités ce qui est écrit dans l'Évangile : *Si ton œil droit te scandalise, qu'il soit arraché*[18a]. Même si nous supposons que cela est dit des yeux charnels, comment paraîtra-t-il raisonnable, alors que les deux yeux ont vu, que la faute soit attribuée à un seul, et précisément au droit? Et qui sera considéré exempt d'une très grande faute, alors qu'il porte sur lui-même la main[18b] ? Mais peut-être les lettres de l'apôtre Paul paraîtront indemnes de cas semblables : *Quelqu'un était circoncis quand il a été appelé? Qu'il ne se fasse pas refaire un prépuce.* D'abord si on considère ce passage avec plus de soin, il ne paraît pas avoir de rapport avec le sujet alors traité : il était question de prescriptions sur le mariage et la chasteté et il semblera que ces mots dans un tel contexte sont mentionnés inutilement. Secondement en quoi est-il mauvais, quand on veut éviter l'inconvenance

---

IV, 3. *78*, 92 : Matth. 5, 28 s. ; 18, 9 ‖ *85*, 98 : I Cor. 7, 18

90 νομιζομένην ἀσχημοσύνην ἐπὶ τῷ περιτετμῆσθαι, ἐπιδιδόντα
ἑαυτὸν τῷ ἐπισπάσασθαι ;
    4 (20 [19]). Ταῦτα δὲ ἡμῖν πάντα εἴρηται ὑπὲρ τοῦ
δεῖξαι ὅτι σκοπὸς τῇ δωρουμένῃ ἡμῖν θείᾳ δυνάμει τὰς
ἱερὰς γραφάς ἐστιν οὐχὶ τὰ ὑπὸ τῆς λέξεως παριστάμενα
95 μόνα ἐκλαμβάνειν, ἐνίοτε τούτων ὅσον ἐπὶ τῷ ῥητῷ οὐκ
ἀληθῶν ἀλλὰ καὶ ἀλόγων καὶ ἀδυνάτων τυγχανόντων, καὶ
ὅτι προσύφανταί τινα τῇ γενομένῃ ἱστορίᾳ καὶ τῇ κατὰ τὸ
ῥητὸν χρησίμῳ νομοθεσίᾳ. [19] Ἵνα δὲ μὴ ὑπολάβῃ τις
ἡμᾶς ἐπὶ πάντων τοῦτο λέγειν, ὅτι οὐδεμία ἱστορία γέγονεν,
100 ἐπεί τις οὐ γέγονε, καὶ οὐδεμία νομοθεσία κατὰ τὸ ῥητὸν
τηρητέα ἐστίν, ἐπεί τις κατὰ τὴν λέξιν ἄλογος τυγχάνει ἢ

IV, 3. 90 ἐπισπάσασθαι post περιτετμῆσθαι add. B ‖ 91 τῷ : τὸ B
Pat ‖ 95 ἐνίοτε : εἴποτε B ‖ 98 ὑπολάβοι Bas D

105 quae ex circumcisione est, posset aliquis reuocare praeputium? tertio, quod certe fieri id omni genere inpossibile est.
    4 (20 [18]). Haec autem omnia nobis dicta sunt, ut
ostendamus quia hic prospectus est spiritus sancti, qui
nobis scripturas diuinas donare dignatus est, non ut ex
110 sola littera uel in omnibus ex ea aedificari possimus,
quam frequenter inpossibilem nec sufficientem sibi adesse
depraehendimus, id est per quam interdum non solum
inrationabilia, uerum etiam inpossibilia designantur : sed
ut intellegamus contexta esse quaedam huic uisibili
115 historiae, quae interius considerata et intellecta utilem
hominibus et deo dignam proferunt legem. [19] Ne qui
autem suspicetur nos hoc dicere, quia nullam historiam
scripturae factam esse sentiamus, quoniam aliqua ex his
non esse facta suspicamur, uel nulla praecepta legis

IV, 3. 109 diuinitas A^{ac} diuinitus A^{pc} ‖ 110 in : ex A ‖ 116-150
ne qui — quam plurima apud Pamph. Apol. PG 17, 589 C

l'inconvenance[20] que la plupart voient dans la circoncision, s'est fait faire cette opération ?

L'Écriture est cependant en bonne partie historiquement vraie   **3,** 4 (*20* [*19*]). Tout cela[21] a été dit pour montrer que le but fixé par la puissance divine qui nous a donné les Écritures saintes n'est pas de comprendre seulement ce que présente la lettre, car parfois cela pris littéralement n'est pas vrai et est même déraisonnable et impossible, mais que certaines choses ont été tissées dans la trame de l'histoire qui s'est produite et de la législation qui est utile au sens littéral. [*19*]. Mais que personne[22] ne nous soupçonne de dire, en généralisant, que rien n'est historique parce que certains événements ne se sont pas produits ; qu'aucune législation n'est à

---

de la circoncision, de se faire refaire un prépuce ? Troisièmement agir ainsi est certainement tout à fait impossible[20a].

3, 4 (*20* [*18*]). Tout cela[21a] a été dit pour montrer que le but de l'Esprit Saint qui a daigné nous donner les Écritures divines n'est pas de nous permettre de nous édifier de la seule lettre dans tous les passages, car fréquemment nous saisissons son impossibilité et son insuffisance, parce qu'elle exprime parfois non seulement des choses déraisonnables, mais même des choses impossibles : le but de l'Esprit Saint est de nous faire comprendre que dans la trame de cette histoire visible sont tissées certaines choses qui, considérées et comprises d'une façon plus intérieure, expriment une loi utile aux hommes et digne de Dieu. [*19*]. Mais que personne[22a] ne nous soupçonne de dire qu'à notre avis aucun récit de l'Écriture n'est historique, parce que nous pensons que certains faits ne se sont pas passés ; de même qu'aucun précepte de la loi ne tient selon la lettre, parce que nous avons dit que certains

358   L'EXÉGÈSE SCRIPTURAIRE

ἀδύνατος, ἢ ὅτι τὰ περὶ τοῦ σωτῆρος γεγραμμένα κατὰ τὸ
αἰσθητὸν οὐκ ἀληθεύεται, ἢ ὅτι οὐδεμίαν νομοθεσίαν αὐτοῦ
καὶ ἐντολὴν φυλακτέον · λεκτέον ὅτι σαφῶς ἡμῖν παρίσταται
105 περὶ τινων τὸ τῆς ἱστορίας εἶναι ἀληθές, ὡς ὅτι Ἀβραὰμ
ἐν τῷ διπλῷ σπηλαίῳ ἐτάφη ἐν Χεβρὼν καὶ Ἰσαὰκ καὶ
Ἰακὼβ καὶ ἑκάστου τούτων μία γυνή, καὶ ὅτι Σίκιμα μερὶς
δέδοται τῷ Ἰωσήφ, καὶ Ἱερουσαλὴμ μητρόπολίς ἐστι τῆς
Ἰουδαίας, ἐν ᾗ ᾠκοδόμητο ὑπὸ Σολομῶντος ναὸς θεοῦ,
110 καὶ ἄλλα μυρία. Πολλῷ γὰρ πλείονά ἐστι τὰ κατὰ τὴν
ἱστορίαν ἀληθευόμενα τῶν προσυφανθέντων γυμνῶν πνευματικῶν. Πάλιν τε αὖ τίς οὐκ ἂν εἴποι τὴν λέγουσαν ἐντολήν ·
Τίμα τὸν πατέρα καὶ τὴν μητέρα, ἵνα εὖ γένηταί σοι,

IV, 3. 104 ἐντολὰς Bas D ‖ 105 ὡς om. B ‖ 107 γυνή : γῆ B

120 secundum litteram stare, quoniam quaedam secundum
litteram dicimus obseruari non posse, in quibus uel ratio
uel rei possibilitas non admittit, uel ea, quae de saluatore
scripta sunt, non putare etiam sensibiliter impleta, uel
praecepta eius secundum litteram non debere seruari :
125 respondendum ergo est quoniam euidenter a nobis decer-
nitur in quam plurimis seruari et posse et oportere historiae
ueritatem. Quis enim negare potest quod Abraham in
duplici spelunca sepultus est in Chebron, sed et Isaac et
Iacob et singulae eorum uxores? uel quis dubitat quod
130 Sicima in portionem data est Ioseph? uel quod Hierusalem
metropolis est Iudaeae, in qua constructum est templum
dei a Salomone? et alia innumerabilia. Multo enim plura
sunt, quae secundum historiam constant, quam ea, quae
nudum sensum continent spiritalem. Tum deinde quis non
135 adfirmet mandatum hoc, quod praecipit : *Honora patrem
tuum et matrem, ut bene sit tibi*, etiam sine ulla spiritali

IV, 3. 126 et posse et om. Pa ‖ 130 in portione A ‖ 133 constant :
uera sunt Pa ‖ 135 praecepit AB

observer selon la lettre, parce que certaines législations prises à la lettre sont déraisonnables et impossibles ; que ce qui est écrit du Sauveur n'est pas vrai dans sa signification sensible[23], ni qu'il ne faut pas garder sa législation et ses préceptes. Il faut dire au contraire que la vérité historique de certains faits est claire : ainsi qu'Abraham a été enseveli à Hébron dans une caverne à deux salles[24], et de même Isaac et Jacob et une des femmes de chacun d'eux ; que Sichem fut donnée en partage à Joseph ; que Jérusalem est la capitale de la Judée et qu'en elle Salomon construisit le temple de Dieu, et de nombreuses autres choses. Bien plus important en quantité est ce qui est historiquement vrai que ce qui y a été tissé de purement spirituel. De même, qui ne dirait que le précepte[25] : *Honore ton père et ta mère afin que cela te*

---

ne peuvent être observés littéralement, car ni la raison ni la possibilité du fait ne l'admettent ; pareillement qu'il ne faut pas penser que ce qui est écrit du Sauveur ait été accompli de façon sensible et que ses préceptes ne soient pas à observer selon la lettre. Il faut répondre qu'il nous paraît évident que dans la plupart des cas on peut et doit garder la vérité historique. Qui peut nier en effet qu'Abraham a été enseveli à Hébron dans une caverne à deux salles, ainsi qu'Isaac et Jacob et une des femmes de chacun ? Qui peut douter que Sichem fut donnée en partage à Joseph, que Jérusalem est la capitale de la Judée et qu'en elle Salomon construisit le temple, et d'autres faits innombrables ? Bien plus important en quantité est en effet ce qui tient selon l'histoire que ce qui contient un sens seulement spirituel. Qui n'affirmerait pas ensuite que le précepte : *Honore ton père et ta mère afin que cela*

IV, 3. *105*, 127 : cf. Gen. 23, 2.9.19 ; 25, 9 s. ; 49, 29 s. ; 50, 13 ‖ *107*, 129 : Gen. 48, 22 ‖ *113*, 135 : Ex. 20, 12

χωρὶς πάσης ἀναγωγῆς χρησίμην τυγχάνειν καὶ τηρητέαν
115 γε, καὶ τοῦ ἀποστόλου Παύλου χρησαμένου αὐτῇ αὐτολεξεί ;
Τί δὲ δεῖ λέγειν περὶ τοῦ · Οὐ φονεύσεις, οὐ μοιχεύσεις,
οὐ κλέψεις, οὐ ψευδομαρτυρήσεις ; Καὶ πάλιν ἐν τῷ εὐαγγελίῳ
ἐντολαί εἰσι γεγραμμέναι οὐ ζητούμεναι, πότερον αὐτὰς κατὰ
τὴν λέξιν τηρητέον ἢ οὔ, ὡς ἡ φάσκουσα · Ἐγὼ δὲ λέγω
120 ὑμῖν, ὃς ἐὰν ὀργισθῇ τῷ ἀδελφῷ αὐτοῦ καὶ τὰ ἑξῆς, καί ·
Ἐγὼ δὲ λέγω ὑμῖν μὴ ὀμόσαι ὅλως. Καὶ παρὰ τῷ ἀποστόλῳ
τὸ ῥητὸν τηρητέον · Νουθετεῖτε τοὺς ἀτάκτους, παρα-
μυθεῖσθε τοὺς ὀλιγοψύχους, ἀντέχεσθε τῶν ἀσθενῶν, μακρο-
θυμεῖτε πρὸς πάντας, εἰ καὶ παρὰ τοῖς φιλοτιμοτέροις
125 δύναται σῴζειν ἕκαστον αὐτῶν, μετὰ τοῦ μὴ ἀθετεῖσθαι τὴν
κατὰ τὸ ῥητὸν ἐντολήν, βάθη σοφίας θεοῦ.

IV, 3. 116 οὐ φονεύσεις om. Bas D

---

interpraetatione sufficere et esse obseruantibus necessarium? maxime cum et Paulus eisdem uerbis repetens
confirmauerit ipsum mandatum. Quid uero oportet dicere
140 de eo, quod dictum est : *Non adulterabis, non occides
neque furtum facies, non falsum testimonium dices* et cetera
huiusmodi? Iam uero de his, quae in euangelio mandata
sunt, ne dubitari quidem potest quin secundum litteram
perplurima obseruanda sint, sicut cum dicit : *Ego autem
145 dico uobis non iurare omnino* et cum ait : *Qui autem
inspexerit mulierem ad concupiscendum eam, iam moechatus
est eam in corde suo* et apud Paulum apostolum quae
praecipiuntur : *Commonete inquietos, consolamini pusilla-
nimos, sustinete infirmos, patientes estote ad omnes* et alia
150 quam plurima.

IV, 3. 144 perplurima : quamplurima B *om.* Pa ‖ *post* dicit *lacunam signauit Koe: cf. Matth. 5, 22 in textu graeco.Sed locus evangeli-
cus deest in Pamphilo quoque: qua re certum est Rufinum eum
consulto praetermisisse, in cuius locum quodammodo substituit Matth. 5,
28, quod deest in graeco* ‖ 146 ad concupiscendam A ‖ 147 quae :
quaeque A ‖ 148 pusillianimos GMᵃᶜ pusillanimes BAb

profite est utile en dehors de toute allégorisation et doit être observé, alors que l'apôtre Paul s'en sert en le répétant littéralement? Que dire de : *Tu ne tueras pas, tu ne commettras pas d'adultère, tu ne voleras pas, tu ne feras pas de faux témoignage?* Pareillement dans l'Évangile des préceptes sont exprimés, sans qu'on se soit demandé s'il faut les observer selon la lettre ou non, ainsi[26] : *Moi, je vous dis : si quelqu'un s'irrite contre son frère, etc. ; Moi je vous dis de ne pas jurer du tout*[27]. Et il faut observer ce qui est dit chez l'Apôtre : *Avertissez les indisciplinés, encouragez les pusillanimes, soutenez les faibles, soyez longanimes envers tous*, même si[28], pour les plus zélés, à condition de ne pas mépriser le précepte selon la lettre, chacun d'entre eux peut en outre être interprété d'une manière conforme aux profondeurs de la sagesse de Dieu.

———————

te profite peut suffire même sans interprétation spirituelle et est nécessaire à ceux qui l'observent, surtout lorsque Paul a confirmé ce commandement en le répétant littéralement. Que dire de : *Tu ne commettras pas d'adultère, tu ne tueras pas, tu ne voleras pas, tu ne feras pas de faux témoignage* et des commandements semblables ? En outre, au sujet de commandements évangéliques, il n'est pas douteux que la plupart sont à observer selon la lettre, ainsi[26a] : *Moi je vous dis de ne pas jurer du tout ;* et lorsqu'il est dit : *Si quelqu'un regarde une femme pour la convoiter, il a déjà commis un adultère dans son cœur ;* et ce qui est prescrit chez l'apôtre Paul : *Avertissez les agités, consolez les pusillanimes, soutenez les faibles, soyez patients envers tous ;* et d'autres préceptes très nombreux.

———————

IV, 3. *115*, 138 : Éphés. 6, 2 s. ‖ *116*, 140 : Ex. 20, 13 s. ‖ *119* : Matth. 5, 22 ‖ *121*, 144 : Matth. 5, 34 ‖ 145 : Matth. 5, 28 ‖ *122*, 148 : I Thess. 5, 14 ‖ *126* : Rom. 11, 33

5 (*21* [*19.20*]). Ὁ μέντοι γε ἀκριβὴς ἐπί τινων περι-
ελκυσθήσεται, χωρὶς πολλῆς βασάνου μὴ δυνάμενος ἀποφή-
νασθαι, πότερον ἥδε ἡ νομιζομένη ἱστορία γέγονε κατὰ τὴν
130 λέξιν ἢ οὔ, καὶ τῆσδε τῆς νομοθεσίας τὸ ῥητὸν τηρητέον
ἢ οὔ. Διὰ τοῦτο δεῖ ἀκριβῶς τὸν ἐντυγχάνοντα, τηροῦντα
τὸ τοῦ σωτῆρος πρόσταγμα τὸ λέγον · Ἐρευνᾶτε τὰς
γραφάς, ἐπιμελῶς βασανίζειν, πῇ τὸ κατὰ τὴν λέξιν ἀληθές
ἐστι καὶ πῇ ἀδύνατον, καὶ ὅση δύναμις ἐξιχνεύειν ἀπὸ τῶν
135 ὁμοίων φωνῶν τὸν πανταχοῦ διεσπαρμένον τῆς γραφῆς νοῦν
τοῦ κατὰ τὴν λέξιν ἀδυνάτου. [*20*] Ἐπεὶ τοίνυν, ὡς σαφὲς
ἔσται τοῖς ἐντυγχάνουσιν, ἀδύνατος μὲν ὁ ὡς πρὸς τὸ
ῥητὸν εἱρμός, οὐκ ἀδύνατος δὲ ἀλλὰ καὶ ἀληθὴς ὁ προηγού-
μενος, ὅλον τὸν νοῦν φιλοτιμητέον καταλαμβάνειν, συνείροντα
140 τὸν περὶ τῶν κατὰ τὴν λέξιν ἀδυνάτων λόγον νοητῶς τοῖς
οὐ μόνον οὐκ ἀδυνάτοις ἀλλὰ καὶ ἀληθέσι κατὰ τὴν ἱστορίαν,
συναλληγορουμένοις τοῖς ὅσον ἐπὶ τῇ λέξει μὴ γεγενημένοις.
Διακείμεθα γὰρ ἡμεῖς περὶ πάσης τῆς θείας γραφῆς, ὅτι
πᾶσα μὲν ἔχει τὸ πνευματικόν, οὐ πᾶσα δὲ τὸ σωματικόν ·
145 πολλαχοῦ γὰρ ἐλέγχεται ἀδύνατον ὂν τὸ σωματικόν. Διόπερ
πολλὴν προσοχὴν συνεισακτέον τῷ εὐλαβῶς ἐντυγχάνοντι

IV, 3. 139 καταλαβεῖν B ‖ 140 λόγων BD (*corr.* λόγον) ‖ 141 οὐκ
om. B Bas DH

---

5 (*21*). Verumtamen si qui adtentius legat, non dubito
quod in quam plurimis dubitabit, utrum illa uel illa historia
putetur uera esse secundum litteram an minus uera, et
illud uel illud praeceptum utrum secundum litteram
155 obseruandum sit necne. Propter quod multo studio et
labore nitendum est, quatenus unusquisque legentium cum

IV, 3. *132* : Jn 5, 39

3, 5 (*21* [*19.20*]). Cependant[29], celui

La logique principale
est à chercher
sur le plan spirituel

qui veut comprendre exactement sera dans l'embarras à propos de quelques passages, car il ne pourra pas, sans beaucoup de recherches, décider si ce qu'on pense être une histoire s'est passé ou non selon la lettre et si le sens littéral de telle législation doit être observé ou non. C'est pourquoi[30] il faut que celui qui s'adonne à cette étude avec exactitude, en restant fidèle au commandement du Sauveur : *Scrutez les Écritures*, examine avec soin où le sens littéral est vrai et où il est impossible, et de tout son pouvoir recherche à partir des expressions semblables le sens, dispersé partout dans l'Écriture, de ce qui est impossible selon la lettre. [*20*]. Mais cependant, puisque, comme cela sera clair à ceux qui l'étudient, l'enchaînement du texte est impossible en ce qui concerne la lettre, et non impossible mais vrai quand il s'agit du sens principal, il faut s'efforcer de comprendre tout le sens en rattachant sur le plan des réalités intelligibles la signification de ce qui est impossible selon la lettre à ce qui non seulement n'est pas impossible, mais encore est vrai selon l'histoire, en l'allégorisant avec ce qui ne s'est pas passé selon la lettre. Nous sommes disposés, de notre côté, à admettre en ce qui concerne l'ensemble de l'Écriture divine qu'elle a toujours un sens spirituel, mais qu'elle n'a pas toujours un sens corporel : car il est souvent démontré que le sens corporel est impossible. C'est pourquoi il faut consacrer beaucoup d'application et de circonspection à étudier

---

3, 5 (*21*). Cependant celui qui lit avec plus d'attention sera dans l'embarras, à mon avis, à propos de nombreux passages, ne sachant si telle histoire doit être ou non considérée comme vraie selon la lettre et si tel ou tel précepte doit être ou non observé selon le sens littéral. C'est pourquoi[30a] il faut s'y appliquer avec beaucoup de soins et de travail afin que[30b] chacun de ceux qui lisent

ὡς θείοις γράμμασι ταῖς θείαις βίβλοις, ὧν ὁ χαρακτὴρ τῆς νοήσεως τοιοῦτος ἡμῖν φαίνεται.

6 (22 [20.21]). Ἔθνος τι ἐπὶ γῆς ἀπαγγέλλουσιν οἱ λόγοι
150 ἐξειλέχθαι τὸν θεόν, ὃ καλοῦσιν ὀνόμασι πλείοσι. Καλεῖται γὰρ τοῦτο τὸ πᾶν ἔθνος Ἰσραήλ, λέγεται δὲ καὶ Ἰακώβ. Ὅτε δὲ διῄρητο κατὰ τοὺς χρόνους Ἱεροβοὰμ υἱοῦ Νάβατ, αἱ μὲν ὑπὸ τούτῳ λεγόμεναι φυλαὶ δέκα ὠνομάσθησαν Ἰσραήλ, αἱ δὲ λοιπαὶ δύο καὶ ἡ Λευιτική, ὑπὸ τῶν ἐκ
155 σπέρματος τοῦ Δαυεὶδ βασιλευόμεναι, Ἰούδας. Ὁ δὲ σύμπας τόπος, ὅντινα ᾤκουν οἱ ἀπὸ τοῦ ἔθνους, δεδομένος αὐτοῖς ἀπὸ τοῦ θεοῦ, καλεῖται Ἰουδαία, ἧς μητρόπολις Ἱερουσαλήμ, μητρόπολις δηλονότι πλειόνων πόλεων, ὧν τὰ ὀνόματα πολλαχοῦ μὲν καὶ ἄλλοθι διεσπαρμένως κεῖται,

IV, 3. 149 ἐπὶ γῆς om. Bas D ‖ 152 διήρηται B Rob.

___

omni reuerentia intellegat se diuina et non humana uerba tractare, quae sanctis libris inserta sunt. [20]. Nos ergo quam uidemus in scripturis sanctis digne et consequenter
160 obseruari debere intellegentiam, huiusmodi esse arbitramur.

6 (22 [20.21]). Gentem quandam praedicant super terras diuinae litterae electam esse a deo, quam gentem plurimis nominibus appellarunt : interdum enim uniuersa haec gens Israhel dicitur, interdum Iacob, et maxime cum
165 diuisa gens ipsa a Hieroboam filio Nabath in duas partes est, et decem tribus, quae sub eo factae sunt, Israhel appellatae sunt, aliae uero duae, cum quibus erat etiam Leuitica tribus et ea, quae ex Dauid regio genere descendebat, Iudas nominata est ; uniuersa autem loca ipsa,
170 quae habebat gens ista, quae a deo acceperat, Iudaea dicebantur, in qua metropolis erat Hierusalem, metropolis autem quasi plurimarum urbium mater quaedam dicitur ; quarum urbium nomina et aliis quidem diuinis libris

IV, 3. 164 cum om. g

___

IV, 3. 157, 171 : Jos. 13-21

comme des écrits divins les livres divins, car telle me paraît
être la manière de les comprendre.

3, 6 (*22* [*20.21*]). Les paroles divi-
Exemple :
l'Israël corporel
et l'Israël spirituel nes[31] enseignent que Dieu a choisi sur
terre une nation appelée de nombreux
noms. Tantôt l'ensemble de cette
nation est appelé Israël, tantôt aussi Jacob. Mais lorsqu'elle
fut divisée aux temps de Jéroboam fils de Nabat, les dix
tribus qui furent sous son autorité se nommèrent Israël,
les deux autres et celle de Lévi, gouvernées par des rois
de la race de David, Juda. Tout le pays qu'habitaient les
gens de cette nation et qui leur avait été donné par Dieu
s'appelle la Judée dont la métropole est Jérusalem,
évidemment métropole de beaucoup de villes dont les
noms sont dispersés en bien des endroits des Écritures,

---

en toute révérence comprenne qu'il s'occupe de réalités
divines et non humaines, quand il lit ce qui est inséré dans
les livres saints. [*20*]. Quant à nous, la manière de comprendre les Écritures saintes, telle que nous croyons
nécessaire de la suivre pour le faire avec dignité et conve-
nance, nous paraît être de ce genre.

3, 6 (*22* [*20.21*]). Les écrits divins enseignent que Dieu
a choisi sur terre une nation appelée de nombreux noms :
tantôt l'ensemble de cette nation est appelé Israël, tantôt
aussi Jacob, et surtout lorsque la nation elle-même fut
divisée en deux parties par Jéroboam fils de Nabat, les
dix tribus qui furent sous son autorité se nommèrent
Israël, les deux autres, avec lesquelles était celle de Lévi
et celle qui descendait de la race royale de David, Juda[31a].
Tout le pays qu'habitait cette nation et qu'elle avait reçu
de Dieu était appelé Judée et sa métropole était Jérusalem,
portant ce nom de métropole parce qu'elle est comme la
mère de beaucoup de villes, dont les noms se trouvent
fréquemment dispersés dans les livres divins, mais sont

160 ὑφ' ἓν δὲ κατειλεγμέναι εἰσὶν ἐν Ἰησοῦ τῷ τοῦ Ναυῆ. (21) Τούτων οὕτως ἐχόντων, ὑψῶν τὸ διανοητικὸν ἡμῶν ὁ ἀπόστολός φησί που · Βλέπετε τὸν Ἰσραὴλ κατὰ σάρκα, ὡς ὄντος τινὸς Ἰσραὴλ κατὰ πνεῦμα. Καὶ ἀλλαχοῦ λέγει · Οὐ γὰρ τὰ τέκνα τῆς σαρκὸς ταῦτα τέκνα τοῦ θεοῦ, οὐδὲ 165 πάντες οἱ ἐξ Ἰσραὴλ οὗτοι Ἰσραήλ. Ἀλλ' οὐδὲ ὁ ἐν τῷ φανερῷ Ἰουδαῖός ἐστιν, οὐδὲ ἡ ἐν τῷ φανερῷ ἐν σαρκὶ περιτομή · ἀλλ' ὁ ἐν τῷ κρυπτῷ Ἰουδαῖος, καὶ περιτομὴ καρδίας ἐν πνεύματι, οὐ γράμματι. Εἰ γὰρ ἡ κρίσις τοῦ Ἰουδαίου ἐκ τοῦ κρυπτοῦ λαμβάνεται, νοητέον ὅτι, ὥσπερ 170 Ἰουδαίων σωματικῶν ἐστι γένος, οὕτω τῶν ἐν κρυπτῷ Ἰουδαίων ἐστί τι ἔθνος, τῆς ψυχῆς τὴν εὐγένειαν ταύτην κατά τινας λόγους ἀπορρήτους κεκτημένης. Ἀλλὰ καὶ πολλαὶ προφητεῖαι περὶ τοῦ Ἰσραὴλ καὶ τοῦ Ἰούδα προφητεύουσι, διηγούμεναι τὰ ἐσόμενα αὐτοῖς. Καὶ οὐ δήπου αἱ 175 τοσαῦται τούτοις γεγραμμέναι ἐπαγγελίαι, ὅσον ἐπὶ τῇ λέξει ταπειναὶ τυγχάνουσαι καὶ οὐδὲν ἀνάστημα παριστᾶσαι καὶ ἀξίωμα ἐπαγγελίας θεοῦ, οὐχὶ ἀναγωγῆς μυστικῆς δέονται ; Εἰ δὲ αἱ ἐπαγγελίαι νοηταί εἰσι δι' αἰσθητῶν ἀπαγγελλόμεναι, καὶ οἷς αἱ ἐπαγγελίαι, οὐ σωματικοί.

IV, 3. 162-163 ἰσραὴλ — τινὸς om. B ‖ 170 σωματικὸν Pat H Rob. ‖ 175-178 ἐπαγγελίαι — εἰ δὲ αἱ om. B ‖ 176 τυγχάνουσι Bas D ‖ 178 ἐπαγγελόμεναι B

---

sparsim frequenter inuenies nominata, simul autem in 175 unum contexta continentur in libro Iesu Naue. (21) Cum ergo haec ita se habeant, eleuare quodammodo ex terra et erigere intellegentiam nostram sanctus apostolus uolens ait in quodam loco : Videte Israhel secundum carnem. Per quod significat utique quod sit et alius Israhel, qui 180 non sit secundum carnem sed secundum spiritum. Et iterum in alio loco dicit : Non enim omnes, qui ex Israhel, hi sunt Israhel.

IV, 3. 179 sit post israhel transp. g ‖ 182 hi sunt israhel : sunt hi israhelitae M sunt israhelitae G sunt sunt israhelitae AbS

mais sont énumérés en une liste dans le livre de Jésus fils de Navé[32]. [21]. Cela étant ainsi, l'Apôtre dit quelque part pour élever notre intelligence[33] : *Voyez l'Israël selon la chair*, comme s'il y avait un Israël selon l'esprit[34]. Et ailleurs il dit : *Ce ne sont pas les enfants de la chair qui sont enfants de Dieu*[35], et : *Ni tous ceux qui sont d'Israël sont Israël*[36]. Et ce n'est pas non plus le cas *du Juif à découvert ni de la circoncision à découvert dans la chair, mais du Juif dans le secret et de la circoncision du cœur dans l'esprit non dans la lettre.* Mais si on juge du Juif dans le secret il faut comprendre que, de même qu'il y a une race de Juifs corporels, de même il y a une nation de Juifs dans le secret, l'âme possédant cette noblesse d'après certaines raisons ineffables. Mais de nombreuses prophéties concernent Israël et Juda, prédisant ce qui doit leur advenir. Et les si grandes promesses qui leur sont faites dans l'Écriture, elles qui selon la lettre sont basses et ne présentent aucune élévation digne de la promesse de Dieu, n'ont-elles pas besoin, assurément, d'une explication mystique[37]? S'il s'agit de promesses intelligibles faites par le moyen de réalités sensibles, ceux à qui ces promesses sont faites ne sont pas corporels.

---

contenus liés ensemble dans le livre de Jésus, fils de Navé. (*21*). Cela étant ainsi, l'Apôtre dit quelque part, voulant élever en quelque sorte notre intelligence au-dessus de la terre et la redresser : *Voyez l'Israël selon la chair.* Par là il signifie qu'il y a assurément un autre Israël qui n'est pas selon la chair, mais selon l'esprit. Et dans un autre endroit il dit[35a] : *Tous ceux qui sont d'Israël ne sont pas Israël*[36a].

IV, 3. *162*, 178 : I Cor. 10, 18 ‖ *164* : Rom. 9, 8 ‖ *164*, 181 : Rom. 9, 6 ‖ *165* : Rom. 2, 28 s.

180   7 (23 [21]). Καὶ ἵνα μὴ ἐπιδιατρίβωμεν τῷ λόγῳ τῷ
περὶ τοῦ ἐν κρυπτῷ ᾽Ιουδαίου καὶ τῷ περὶ τοῦ ἔσω ἀνθρώπου
᾽Ισραηλίτου, καὶ τούτων αὐτάρκων ὄντων τοῖς μὴ ἀκέντροις,
ἐπὶ τὸ προκείμενον ἐπανερχόμεθα καί φαμεν τὸν ᾽Ιακὼβ
πατέρα εἶναι τῶν δώδεκα πατριαρχῶν, κἀκείνους τῶν
185   δημάρχων, καὶ ἔτι ἐκείνους τῶν ἑξῆς ᾽Ισραηλιτῶν. ῏Αρ᾽ οὖν
οἱ μὲν σωματικοὶ ᾽Ισραηλῖται τὴν ἀναγωγὴν ἔχουσιν ἐπὶ
τοὺς δημάρχους, καὶ οἱ δήμαρχοι πρὸς τοὺς πατριάρχας,
οἱ δὲ πατριάρχαι πρὸς τὸν ᾽Ιακὼβ καὶ τοὺς ἔτι ἀνωτέρω ·
οἱ δὲ νοητοὶ ᾽Ισραηλῖται, ὧν τύπος ἦσαν οἱ σωματικοί,
190   οὐχὶ ἐκ δήμων εἰσί, τῶν δήμων ἐκ φυλῶν ἐληλυθότων,
καὶ τῶν φυλῶν ἀπὸ ἑνός τινος, γένεσιν οὐ τοιαύτην σωμα-
τικὴν ἔχοντος ἀλλὰ τὴν κρείττονα, γεγενημένου κἀκείνου
ἐκ τοῦ ᾽Ισαάκ, καταβεβηκότος κἀκείνου ἐκ τοῦ ᾽Αβραάμ,
πάντων ἀναγομένων ἐπὶ τὸν ᾽Αδάμ, ὃν ὁ ἀπόστολος εἶναί
195   φησι τὸν Χριστόν ; Πᾶσα γὰρ ἀρχὴ πατριῶν τῶν ὡς πρὸς
τὸν τῶν ὅλων θεὸν κατωτέρω ἀπὸ Χριστοῦ ἤρξατο τοῦ
μετὰ τὸν τῶν ὅλων θεὸν καὶ πατέρα οὕτω πατρὸς ὄντος
πάσης ψυχῆς, ὡς ὁ ᾽Αδὰμ πατήρ ἐστι πάντων τῶν ἀνθρώπων.
Εἰ δὲ καὶ ἡ Εὕα ἐπιτέτευκται τῷ Παύλῳ εἰς τὴν ἐκκλησίαν
200   ἀναγομένη, οὐ θαυμαστόν, τοῦ Κάιν ἐκ τῆς Εὕας γεγενημένου
καὶ πάντων τῶν ἑξῆς τὴν ἀναγωγὴν ἐχόντων ἐπὶ τὴν Εὕαν,
ἐκτυπώματα τῆς ἐκκλησίας τυγχάνειν, πάντων ἀπὸ τῆς
ἐκκλησίας προηγουμένῳ λόγῳ γεγενημένων.
        8 (24 [22]). Εἰ δὴ πληκτικά ἐστι τὰ περὶ τοῦ ᾽Ισραὴλ
205   καὶ τῶν φυλῶν καὶ τῶν δήμων αὐτοῦ ἡμῖν εἰρημένα, ἐπὰν
φάσκῃ ὁ σωτήρ · Οὐκ ἀπεστάλην εἰ μὴ εἰς τὰ πρόβατα

IV, 3. 180 λόγῳ τῷ H : λόγῳ τοῦ Pat λόγῳ B Bas D ‖ 196 θεὸν
om. B ‖ 198 τῶν *om.* Bas DH ‖ 199 παύλῳ : ἀποστόλῳ Bas DH
‖ 202 ἐκπτώματα B Bas D

8 (24 [22]). Edocti igitur ab eo quia sit alius Israhel
secundum carnem, et alius secundum spiritum, cum dicit
185   saluator quia *non sum missus nisi ad oues perditas domus*

3, 7 (*23* [*21*]). Pour ne pas nous attarder plus longtemps
à parler du Juif dans le secret et de l'homme intérieur
israélite, tout cela suffisant pour ceux qui ne sont pas sans
acuité, nous continuons selon notre propos et nous disons
que Jacob fut le père des douze patriarches, ceux-ci des
chefs de clans[38] et ces derniers des Israélites qui leur ont
succédé. Ainsi les Israélites corporels remontent aux chefs
de clans, les chefs de clans aux patriarches, les patriarches
à Jacob et à ses ancêtres ; mais les Israélites intelligibles,
dont les corporels étaient des figures[39], ne viennent-ils
pas des clans, les clans provenant de tribus et les tribus
d'un seul homme qui n'a pas eu une naissance corporelle
habituelle mais une meilleure[40], car il a été engendré par
Isaac, qui descendait d'Abraham, tous remontant à
Adam[41], que l'Apôtre dit être le Christ[42] ? Le début de
chacune des lignées de ceux qui sont les descendants du
Dieu de l'univers, remonte au Christ qui, après le Dieu et
Père de l'univers, est ainsi le père de tous les hommes,
comme Adam est le père de tous les hommes. Si Ève a
été prise par Paul comme une allégorie de l'Église, il n'y a
rien d'étonnant, puisque Caïn est né d'Ève[43] et que toute
sa postérité remonte à Ève, à y voir des images de l'Église,
car tous proviennent de l'Église[44] en premier lieu.

Les cités
de la Judée céleste

3, 8 (*24* [*22*]). S'il est frappant de
constater ce qui est dit d'Israël, de
ses tribus et de ses clans[45], lorsque le
Sauveur dit : *Je ne suis venu que pour les brebis perdues*

3, 7 (*21, 23*). *lacune.*

3, 8 (*24* [*22*]). Sachant donc par (l'Apôtre) qu'il y a un
Israël selon la chair et un autre selon l'esprit[45a], lorsque
le Sauveur dit : *Je ne suis venu que pour les brebis perdues*

IV, 3. *181* : Rom. 7, 22 ‖ *194* : 1 Cor. 15, 45 ‖ *199* : Éphés. 5, 31 s.
‖ *206*, 185 : Matth. 15, 24

τὰ ἀπολωλότα οἴκου Ἰσραήλ, οὐκ ἐκλαμβάνομεν ταῦτα ὡς
οἱ πτωχοὶ τῇ διανοίᾳ Ἐβιωναῖοι, τῆς πτωχῆς διανοίας
ἐπώνυμοι (ἐβίων γὰρ ὁ πτωχὸς παρ' Ἑβραίοις ὀνομάζεται),
210 ὥστε ὑπολαβεῖν ἐπὶ τοὺς σαρκίνους Ἰσραηλίτας προηγουμένως τὸν Χριστὸν ἐπιδεδημηκέναι. Οὐ γὰρ τὰ τέκνα τῆς
σαρκὸς ταῦτα τέκνα τοῦ θεοῦ. Πάλιν ὁ ἀπόστολος περὶ τῆς
Ἰερουσαλήμ τοιαῦτά τινα διδάσκει, ὅτι Ἡ ἄνω Ἰερουσαλήμ
ἐλευθέρα ἐστίν, ἥτις ἐστὶ μήτηρ ἡμῶν. Καὶ ἐν ἄλλῃ ἐπιστολῇ ·
215 Ἀλλὰ προσεληλύθατε Σιὼν ὄρει καὶ πόλει θεοῦ ζῶντος,
Ἰερουσαλήμ ἐπουρανίῳ, καὶ μυριάσιν ἀγγέλων πανηγύρει
καὶ ἐκκλησίᾳ πρωτοτόκων ἀπογεγραμμένων ἐν οὐρανοῖς.
Εἰ τοίνυν ἐστὶν ἐν ψυχῶν γένει ὁ Ἰσραήλ, καὶ ἐν οὐρανῷ
τις πόλις Ἰερουσαλήμ, ἀκολουθεῖ τὰς πόλεις Ἰσραήλ

IV, 3. 208 πτωχῆς B : πτωχείας τῆς Pat Bas DH ‖ 217 καὶ om.
Pat Bas DH

Israhel, non ita accipimus sicut hi, qui terrena sapiunt, id
est Hebionitae, qui etiam ipso nomine pauperes appellantur
(Hebion namque pauper apud Hebraeos interpraetatur),
sed intellegimus genus esse animarum, quae Israhel
190 nominantur, secundum quod et nominis ipsius designat
interpraetatio : Israhel namque mens uidens deum uel
homo uidens deum interpraetatur. Rursum apostolus de
Hierusalem talia quaedam reuelat, quia *quae sursum est*
Hierusalem libera est, quae est mater nostra. Et in alia
195 epistula sua dicit : *Sed accessistis ad Sion montem et*
ciuitatem dei uiuentis, Hierusalem caelestem et multitudinem
angelorum conlaudantium et ecclesiam primitiuorum quae
adscripta est in caelis. Si ergo sunt quaedam animae in hoc
mundo, quae Israhel appellantur, et in caelo ciuitas aliqua,
200 quae Hierusalem nominatur, consequens est ut hae ciui-

IV, 3. 190 nominantur : appellantur AbS

de la maison d'Israël, nous ne comprenons pas cela comme
les Ébionites pauvres en intelligence, car ils tirent leur
nom de leur intelligence pauvre — Ébion veut dire pauvre
en hébreu[46] —, de manière à concevoir que le Christ est
venu principalement pour les Israélites charnels. Car :
*Ce ne sont pas les enfants de la chair qui sont enfants de
Dieu*[47]. L'Apôtre enseigne aussi de telles choses sur
Jérusalem, car : *La Jérusalem d'en-haut est libre, elle qui
est notre mère.* Et dans une autre épître : *Mais vous êtes
venus à la montagne de Sion et à la ville du Dieu vivant,
à une Jérusalem céleste et à l'assemblée des anges par
myriades, à l'Église des premiers-nés qui sont inscrits dans
les cieux.* Si donc il y a dans les sortes d'âmes Israël et
dans le ciel une ville de Jérusalem, il s'ensuit que les villes

---

de la maison d'Israël, nous ne comprenons pas cela comme
ceux qui ont des pensées terrestres, c'est-à-dire les
Ébionites, que d'après leur nom on appelle les pauvres
— Ébion en effet veut dire pauvre en hébreu[46a] —, mais
nous concevons une sorte d'âmes appelée Israël que ce
nom désigne quand on l'interprète : Israël en effet est
interprété l'intelligence qui voit Dieu ou l'homme qui voit
Dieu[47a]. L'Apôtre révèle aussi de telles choses sur Jérusalem, car *la Jérusalem d'en-haut est libre, elle qui est notre
mère.* Et dans une autre de ses épîtres il dit : *Mais vous
êtes venus à la montagne de Sion et à la ville du Dieu vivant,
à une Jérusalem céleste et à une multitude d'anges louant
ensemble, et à l'Église des premiers-nés qui est inscrite
dans les cieux.* Si donc il y a dans le monde des âmes qui
sont appelées Israël et dans le ciel une cité nommée
Jérusalem, il s'ensuit que les cités qu'on dit appartenir à

IV, 3. *211* : Rom. 9, 8 ‖ *213*, 193 : Gal. 4, 26 ‖ *215*, 195 : Hébr.
12, 22 s.

220 μητροπόλει χρῆσθαι τῇ ἐν οὐρανοῖς Ἱερουσαλὴμ καὶ ἀκο-
λούθως τῇ πάσῃ Ἰουδαίᾳ. Ὅσα τοιγαροῦν προφητεύεται
περὶ Ἱερουσαλὴμ καὶ λέγεται περὶ αὐτῆς, εἰ Παύλου ὡς
θεοῦ ἀκούωμεν καὶ σοφίαν φθεγγομένου, περὶ τῆς ἐπουρανίου
πόλεως καὶ παντὸς τοῦ τόπου τοῦ περιεκτικοῦ τῶν πόλεων
225 τῆς ἁγίας γῆς νοητέον τὰς γραφὰς ἀπαγγέλλειν. Τάχα γὰρ
ὁ σωτὴρ ἐπ' ἐκείνας ἡμᾶς ἀνάγων τὰς πόλεις, τοῖς εὐδοκι-
μήσασιν ἐν τῷ τὰς μνᾶς καλῶς ᾠκονομηκέναι ἐπιστασίαν
δίδωσι δέκα ἢ πέντε πόλεων.

IV, 3. 220 χρήσασθαι Bas D ‖ 222 παύλου Koe in appar., qui
locum crucem signauit (cf. Ruf.) : θεοῦ Ph ‖ 226 ἀναγαγὼν Β

tates, quae gentis Israheliticae esse dicuntur, metropolim
habeant Hierusalem caelestem, et secundum haec de omni
Iudaea intellegamus, de qua putamus etiam prophetas
mysticis quibusdam narrationibus elocutos, cum aliqua
205 uel de Iudaea uel de Hierusalem prophetarunt, uel si quae
sanctae historiae illa uel illa incursionum genera Iudaeae
uel Hierusalem praedicant accidisse. Quaecumque ergo uel
narrantur uel prophetantur de Hierusalem, si Pauli uerba
quasi Christi in eo loquentis audimus, secundum sententiam
210 ipsius utique de illa ciuitate, quam dicit Hierusalem
caelestem, et de omnibus locis uel urbibus, quae terrae
sanctae urbes esse dicuntur, quarum Hierusalem metropolis
est, dicta esse intellegere debemus. Ex ipsis namque
ciuitatibus etiam saluatorem putandum est uolentem nos
215 ad altiorem prouocare intellectum promittere his, qui bene
commissam sibi ab eo pecuniam dispensarunt, potestatem
habere supra decem ciuitates uel supra quinque ciuitates.

IV, 3. 205 uel[1] om. g ‖ 210 de ciuitate illa A

d'Israël ont pour métropole la Jérusalem qui est dans les cieux, et il en est de même en conséquence de toute la Judée[48]. Tout ce qui a été prophétisé et dit de Jérusalem, si nous entendons Paul[49] parlant de la part de Dieu et exprimant la sagesse, c'est de la ville céleste et de tout le pays qui contient les villes de la Terre sainte qu'il faut comprendre ce que les Écritures annoncent. Car peut-être le Sauveur désigne-t-il pour nous allégoriquement ces villes quand, à ceux qui ont été appréciés pour leur bonne gestion des mines, il donne le gouvernement des dix ou des cinq villes[50].

---

la nation israélite ont pour métropole la Jérusalem céleste et que nous comprenons la même chose de toute la Judée, puisque[48a] nous pensons que les prophètes ont parlé d'elle dans des récits mystérieux, lorsqu'ils ont prophétisé sur la Judée ou sur Jérusalem et quand les histoires saintes rapportent que la Judée ou Jérusalem ont subi tel ou tel genre d'agression[48b]. Tout ce qui est narré et prophétisé de Jérusalem, si nous entendons les paroles de Paul[49a] comme celles du Christ parlant en lui, c'est assurément selon son opinion au sujet de cette cité qu'il appelle la Jérusalem céleste et de tous les lieux ou villes qui sont dits les villes de la Terre Sainte dont Jérusalem est la métropole, que nous devons comprendre ce qui est dit. C'est à ces cités qu'il faut encore penser quand le Sauveur, voulant nous inviter à une compréhension plus haute, promet à ceux qui ont bien géré l'argent qui leur a été confié d'avoir pouvoir sur dix cités ou sur cinq cités[50a].

IV, 3. *222*, 208 : II Cor. 13, 3 ‖ *226*, 214 : Lc 19, 17 s.

9 (*25* [*22*]). Εἰ τοίνυν αἱ προφητεῖαι αἱ περὶ Ἰουδαίας
230 καὶ περὶ Ἱερουσαλὴμ καὶ Ἰσραὴλ καὶ Ἰούδα καὶ Ἰακώβ,
μὴ σαρκίνως ἡμῶν ἐκλαμβανόντων ταῦτα, μυστήρια τοιάδε
τινὰ ὑποβάλλουσιν, ἀκόλουθον ἂν εἴη καὶ τὰς προφητείας
τὰς περὶ Αἰγύπτου καὶ Αἰγυπτίων καὶ Βαβυλῶνος καὶ
Βαβυλωνίων καὶ Τύρου καὶ Τυρίων καὶ Σιδῶνος καὶ
235 Σιδωνίων ἢ τῶν λοιπῶν ἐθνῶν, μὴ μόνον περὶ τῶν σωματικῶν
τούτων Αἰγυπτίων καὶ Βαβυλωνίων καὶ Τυρίων καὶ Σιδωνίων
προφητεύειν. Εἰ γὰρ Ἰσραηλῖται νοητοί, ἀκόλουθον καὶ
Αἰγυπτίους εἶναι νοητοὺς καὶ Βαβυλωνίους. Οὐδὲ γὰρ πάνυ
ἁρμόζει τὰ ἐν τῷ Ἰεζεκιὴλ λεγόμενα περὶ Φαραὼ βασιλέως
240 Αἰγύπτου ἀνθρώπου τινὸς ἄρξαντος ἢ ἄρξοντος τῆς Αἰγύπτου
λέγεσθαι, ὡς δῆλον ἔσται τοῖς παρατηρουμένοις. Ὁμοίως
τὰ περὶ τοῦ ἄρχοντος Τύρου οὐ δύναται νοεῖσθαι περί τινος
ἀνθρώπου ἄρξοντος τῆς Τύρου. Καὶ τὰ περὶ τοῦ Ναβουχο-

IV, 3. 230 περὶ *om*. Bas D ‖ 234-236 βαβυλωνίων — αἰγυπτίων
καὶ *om*. B ‖ 240 περὶ *ante* ἀνθρώπου *suppl. Klostermann, quem
Koe secutus est*

9 (*25* [*22*]). Si igitur prophetiae, quae de Iudaea et
Hierusalem et Israhel et Iuda et Iacob prophetatae sunt,
220 dum non a nobis carnaliter intelleguntur, mysteria quaedam diuina significant : consequens utique est etiam illas
prophetias, quae uel de Aegypto et Aegyptiis uel de
Babylone et Babyloniis et Sidone ac Sidoniis prolatae sunt,
non de Aegypto ista, quae in terris posita est, uel Babylone
225 uel Tyro uel Sidone intellegi prophetatas. Neque enim ea,
quae Hiezechiel propheta de Pharaone rege Aegypti
prophetauit, conuenire alicui hominum possunt, qui
regnasse uideatur in Aegypto, sicut manifeste textus ipse
indicat lectionis. Similiter et ea, quae de principe Tyri
230 dicuntur, non possunt intellegi de aliquo homine uelut
rege Tyri dicta ; sed et de Nabuchodonosor ea, quae in

IV, 3. 219 de *ante* hierusalem *add.* g ‖ 225 prophetatas *corr.* Del :
prophetata ABAbS propheta GM

3, 9 (*25* [*22*]). Si donc les prophé-

Égypte, Babylone, Tyr et Sidon spirituelles

ties sur la Judée, Jérusalem, Israël, Juda, Jacob, quand nous ne les comprenons pas charnellement, suppo-sent tel ou tel mystère caché, il s'ensuivrait que celles qui concernent l'Égypte et les Égyptiens, Babylone et les Babyloniens, Tyr et les Tyriens, Sidon et les Sidoniens, ainsi que les autres nations, ne prophétisent pas seulement au sujet des Égyptiens, Babyloniens, Tyriens et Sidoniens corporels[51]. S'il y a[52] des Israélites intelligibles, il s'ensuit qu'il y a des Égyptiens et des Babyloniens intelligibles. Car ce que dit Ézéchiel de Pharaon roi d'Égypte ne s'accorde pas si c'est dit d'un homme qui a gouverné ou gouvernera l'Égypte, comme cela sera clair quand on y fera attention. De même ce qui concerne le Prince de Tyr ne peut être compris d'un homme qui commandera à Tyr. Et ce qui est dit fréquemment de Nabuchodonosor,

---

3, 9 (*25* [*22*]). Si donc les prophéties sur la Judée, Jérusalem, Israël, Juda et Jacob, pourvu que nous ne les comprenions pas charnellement, signifient certains mystères divins, il s'ensuit assurément que les prophéties portées sur l'Égypte et les Égyptiens, Babylone et les Babylo-niens[50b], Sidon et les Sidoniens, ne doivent pas être enten-dues de cette Égypte-ci située sur la terre, ni de Babylone, de Tyr ou de Sidon[52a]. Car ce qu'a prophétisé Ézéchiel de Pharaon roi d'Égypte ne peut convenir à aucun homme qu'on croit avoir régné en Égypte, comme le montre clairement le texte même de la lecture. De même ce qui est dit du Prince de Tyr ne peut être compris d'un homme qui a été roi de Tyr. Et ce qui est dit de Nabuchodonosor

---

IV, 3. *238*, 225 : Éz. 29 s. ‖ *241*, 229 : Éz. 26 s.

δονόσορ πολλαχοῦ λεγόμενα καὶ μάλιστα ἐν τῷ Ἡσαΐᾳ,
245 ‹πῶς› οἷόν τε ἐκλαβεῖν περὶ τοῦ ἀνθρώπου ἐκείνου ; Οὔτε
γὰρ ἐξέπεσεν ἐκ τοῦ οὐρανοῦ οὔτε ἑωσφόρος ἦν οὐδὲ πρωῒ
ἀνέτελλεν ἐπὶ τὴν γῆν ὁ Ναβουχοδονόσορ ὁ ἄνθρωπος. Οὐ
μὴν οὐδὲ τὰ λεγόμενα ἐν τῷ Ἰεζεκιὴλ περὶ Αἰγύπτου, ὡς
τεσσαράκοντα ἔτεσιν ἐρημωθησομένης, ὥστε πόδα ἀνθρώπου
250 μὴ εὑρεθῆναι ἐκεῖ, καὶ ὡς ἐπὶ τοσοῦτον πολεμηθησομένης
ποτέ, ὥστε δι᾽ ὅλης αὐτῆς τὸ αἷμα γενέσθαι μέχρι τῶν
γονάτων, νοῦν τις ἔχων ἐκλήψεται περὶ τῆς παρακειμένης
Αἰγύπτου τοῖς τὰ σώματα ὑπὸ ἡλίου μεμελανισμένοις
Αἰθίοψι.

IV, 3. 245 πῶς suppl. Rob. (cf. quomodo Ruf.) ‖ 253 μεμελανισμένοις : μεμελανωμένοις Bas D μεμελασμένοις H Rob.

---

multis locis ab scriptura dicuntur, et maxime in Esaia,
quomodo possibile est nos de homine dicta suscipere?
Neque enim homo est, qui dicitur cecidisse de caelo, uel
235 qui Lucifer fuerit, uel qui mane oriebatur. Sed et illa
nihilominus, quae in Hiezechiel dicta sunt de Aegypto
uelut quadraginta annis exterminanda, ita ut pes hominis
non inueniatur in ea, et in tantum expugnanda, ut per
omnem terram eius humanus sanguis usque ad genua
240 exaltetur : nescio si quis intellectum habens haec de
Aegypto ista terrena, quae Aethiopiae adiacet, possit
aduertere.
Sed uidendum est ne forte ita dignius possit intellegi quod,
sicut caelestis est Hierusalem et Iudaea, et gens sine dubio
245 quae habitat in ea, quae dicitur Israhel : ita possibile est
etiam uicina his loca esse quaedam, quae uel Aegyptus
uel Babylon uel Tyrus uel Sidon appellari uideantur,
eorumque locorum principes atque animae, si quae in illis

IV, 3. 244 iuda A ‖ 248 princeps g

surtout dans Isaïe, comment est-il possible de le comprendre de cet homme ? Car il n'est pas tombé du ciel, il n'était pas le porte-aurore, il ne s'est pas levé au matin au-dessus de la terre comme un astre, l'homme Nabuchodonosor[53]. Pas davantage ce qui est dit dans Ézéchiel de l'Égypte, qu'elle sera désertée quarante ans, de telle sorte qu'on n'y trouvera plus la trace d'un pied d'homme et qu'on lui fera tellement la guerre que sur toute son étendue on s'enfoncera dans le sang jusqu'au genou. Quel homme intelligent comprendra cela de l'Égypte voisine des Éthiopiens au corps noirci par le soleil[54] ?

---

en beaucoup de passages par l'Écriture, surtout dans Isaïe, comment est-il possible d'accepter que cela soit dit d'un homme ? Car ce n'est pas un homme qui est dit être tombé du ciel, qui a été le porte-aurore et qui se levait le matin comme un astre. Pareillement, ce qui est dit dans Ézéchiel de l'Égypte comme devant être exterminée pendant quarante ans, de telle sorte qu'on n'y trouvera plus la trace d'un pied d'homme et qu'on lui fera tellement la guerre que sur toute son étendue on s'enfoncera dans le sang humain jusqu'au genou, quel homme intelligent pourra concevoir cela de l'Égypte terrestre qui est proche de l'Éthiopie ?

Mais il faut voir[54a] si on ne peut pas aussi penser plus convenablement ce qui suit : de même qu'il y a une Jérusalem céleste et une Judée céleste, ainsi que, sans aucun doute, une nation qui les habite et est appelée Israël, de même n'est-il pas possible qu'il y ait à côté d'eux d'autres lieux qui, semble-t-il, sont appelés Égypte, Babylone, Tyr ou Sidon, et que les princes de ces lieux et les âmes qui les

---

IV, 3. *244*, 232 : Is. 14, 12 ‖ *248* s., 236 s. : Éz. 29, 11 s. ; 30, 7.10 s. ; 32, 5.6.12.13.15

255   10 (*26* [*23*]). Τάχα δὲ ὥσπερ οἱ ἐντεῦθεν κατὰ τὸν
κοινὸν θάνατον ἀποθνήσκοντες ἐκ τῶν ἐνταῦθα πεπραγμένων
οἰκονομοῦνται, εἰ κριθεῖεν ἄξιοι τοῦ καλουμένου χωρίου
ᾅδου, τόπων διαφόρων τυγχάνειν κατὰ τὴν ἀναλογίαν τῶν
ἁμαρτημάτων · οὕτως οἱ ἐκεῖθεν, ἵν' οὕτως εἴπω, ἀποθνή-
260   σκοντες εἰς τὸν ᾅδην τοῦτον καταβαίνουσι, κρινόμενοι ἄξιοι
τῶν τοῦ παντὸς περιγείου τόπου διαφόρων οἰκητηρίων

IV, 3. 256 ἐνταῦθα : αὐτόθι Bas D ‖ 259 οἱ *post* εἴπω *add.* Bas D

---

habitant locis, Aegyptii et Babylonii et Tyrii ac Sidonii
250   appellentur ; ex quibus etiam secundum illam conuersationem, quam ibi habent, captiuitas quaedam uideatur
effecta, per quam de Iudaea in Babyloniam uel in Aegyptum a melioribus et superioribus locis descendisse dicuntur
uel in alias quasque gentes esse dispersae.
255   10 (*26* [*23*]). Fortassis enim sicut hi, qui de hoc mundo
secundum communem istam mortem recedentes pro
actibus et meritis suis dispensantur, prout digni fuerint
iudicati, alii quidem in locum, qui dicitur inferus, alii in
sinus Abraham et per diuersa quaeque uel loca uel man-
260   siones : ita etiam ex illis locis uelut ibi, si dici potest,
morientes, a superis in hunc inferum descendunt. Nam ille
inferus, ad quem hinc morientium animae deducuntur,
credo ob hanc distinctionem inferus inferior ab scriptura
nominatur, sicut dicit in psalmis : *Et liberasti animam*
265   *meam de inferno inferiori.* Vnusquisque ergo descendentium
in terram pro meritis uel loco suo, quem ibi habuerat,
dispensatur in hoc mundo in diuersis uel locis uel gentibus

IV, 3. 254 quasque gB *(cf. 259)* : quaeque A ‖ 259 sinus gB : sinu
A sinum *Del* ‖ 259-260 sunt *post* mansiones *add.* A ‖ 262 ad quem
BAbSA^pcM^pc : atque A^ac atquem GM^ac ‖ 265 de inferno gB : de
infero A *Koe*

3, 10 (*26* [*23*]). Peut-être[55], de même
Les différentes classes que ceux d'ici, quand ils meurent de
d'âmes et lieux la mort commune[56], obtiennent comme
de l'au-delà destin d'après ce qu'ils ont fait ici-bas,
s'ils sont jugés dignes du lieu appelé Hadès[57], des endroits
différents suivant le degré de leurs péchés[58], de même
ceux de là-haut, pour ainsi dire, à leur mort descendent
dans cet Hadès qui est ce monde-ci[59], jugés dignes[60]
d'occuper dans tout l'espace qui est autour de la terre,

habitent, s'il y en a, soient nommés Égyptiens, Babyloniens, Tyriens et Sidoniens? C'est chez eux, suivant le
genre de vie qui est le leur, que s'est produite une captivité,
lorsque les habitants de la Judée, d'après l'Écriture, sont
descendus en Babylonie ou en Égypte venant de lieux
meilleurs et plus élevés ou qu'ils ont été dispersés en
d'autres nations[54b].

3, 10 (*26* [*23*]). Peut-être[55a] en effet, de même que
ceux qui, s'éloignant de ce monde selon cette mort
commune, reçoivent en partage selon leurs actes et leurs
mérites, selon qu'ils en ont été jugés dignes, les uns le lieu
qui est appelé Hadès[57a], les autres le sein d'Abraham et
aussi divers lieux et demeures ; de même ceux qui viennent
de ces lieux-là descendent d'en haut dans cet Hadès-ci.
Car cet Hadès[59a], où sont menés les âmes de ceux qui
meurent là, je crois qu'à cause de cette distinction il est
nommé par l'Écriture un Hadès inférieur d'après les
Psaumes : Tu as libéré mon âme de l'Hadès inférieur.
Chacun donc[60a] de ceux qui descendent sur la terre
obtient, selon son mérite ou la place qu'il avait ici, de
naître en ce monde dans différents lieux, dans diverses
nations, avec des genres de vie divers ou des infirmités

IV, 3. *255-262* Τάχα — χειρόνων, 255-261 Fortassis — descendunt :
Jérôme, *Lettre* 124, 11 ‖ *259,* 258 : Matth. 11, 23 ; Lc 16, 22 ‖
264 : Ps. 85, 13

βελτιόνων ἢ χειρόνων, καὶ παρὰ τοῖσδε ἢ τοῖσδε τοῖς
πατράσιν · ὡς δύνασθαί ποτε Ἰσραηλίτην πεσεῖν εἰς Σκύθας,
καὶ Αἰγύπτιον εἰς τὴν Ἰουδαίαν κατελθεῖν. Πλὴν ὁ σωτὴρ
265 συναγαγεῖν ἦλθε τὰ πρόβατα τὰ ἀπολωλότα οἴκου Ἰσραὴλ ·
καὶ πολλῶν ἀπὸ τοῦ Ἰσραὴλ μὴ εἰξάντων τῇ διδασκαλίᾳ
αὐτοῦ, καὶ οἱ ἀπὸ τῶν ἐθνῶν καλοῦνται.

IV, 3. 265 συνάγειν Bas D

---

uel conuersationibus uel infirmitatibus nasci uel a religiosis
aut certe minus piis parentibus generari, ita ut eueniat
270 aliquando Israheliten in Scythas descendere, et Aegyptium
pauperem deduci ad Iudaeam. Verumtamen saluator
noster congregare uenit oues, quae perierant domus
Israhel ; et cum plurimi ex Israhelitis non adquieuissent
doctrinae eius, hi qui ex gentibus erant uocati sunt.
275   Vnde consequens uidebitur etiam prophetias, quae de
singulis gentibus proferuntur, reuocari magis ad animas
debere et diuersas mansiones earum caelestes. Sed et
historias rerum gestarum, quae dicuntur uel genti Israhel
uel Hierusalem uel Iudaeae accidisse, illis uel illis gentibus
280 inpugnantibus, perscrutandum est et perquirendum, ut
quoniam in quam plurimis corporaliter gesta non constant,
quomodo magis ista conueniant illis gentibus animarum,
quae in caelo isto, quod transire dicitur, habitabant uel
etiam nunc habitare putandae sunt.
285   11 (27 [23]). Si uero quis euidentes et satis manifestas
adsertiones horum de scripturis sanctis exposcat a nobis,
respondendum est quia occultare magis haec spiritui sancto
in his, quae uidentur esse historiae rerum gestarum, et
altius tegere consilium fuerit, in quibus descendere dicuntur

IV, 3. 269 eueniat : eum GM cum AbS ‖ 270 israheliten : israhelitae non A ‖ 273 israhel et cum plurimi ex *om.* g ‖ 275 de *om.* g ‖
278-279 israhel uel : israhelitae A ‖ 279 iudae A ‖ 280-281 ut quoniam gB : quoniam A *Koe* ‖ 282 illius gentis A ‖ 287 haec *om.* g

des habitacles divers meilleurs ou pires, ou chez tels ou
tels parents : de sorte qu'il peut arriver à un Israélite
de tomber chez les Scythes et à un Égyptien de descendre
en Judée[61]. Mais le Sauveur est venu rassembler les brebis
perdues de la maison d'Israël[62] : et beaucoup de ceux
d'Israël n'ayant pas obéi à son enseignement, alors ceux
des nations sont appelés.

---

variées et d'être engendré par des parents religieux ou
moins pieux ; de sorte qu'il arrive parfois à un Israélite
de descendre chez les Scythes ou à un Égyptien pauvre
d'être amené en Judée. Mais notre Sauveur est venu
rassembler les brebis perdues de la maison d'Israël ; et
beaucoup d'Israélites n'ayant pas acquiescé à son enseignement, ceux qui étaient des nations sont appelés.

Il paraît[62a] s'ensuivre que les prophéties qui regardent
chaque nation sont plutôt à rapporter aux âmes et à leurs
diverses demeures célestes[62b]. Mais il faut scruter et discuter à fond les histoires des événements qui, selon
l'Écriture, sont arrivés à la nation d'Israël ou à Jérusalem
ou à la Judée par suite des attaques de telle ou telle
nation, puisque dans bien des cas il n'est pas clair que cela
se soit passé corporellement, pour voir comment cela
convient davantage à ces nations d'âmes qui habitaient
ce ciel dont l'Écriture dit qu'il passe, ou même qui, pense-t-
on, l'habitent encore[62c].

3, 11 (*27* [*23*]). Si on nous demande des preuves
évidentes et assez claires de cela, tirées des Écritures
saintes, nous répondrons que le dessein de l'Esprit Saint
a été plutôt de cacher cela[62d] et de le recouvrir profondément sous ce qui paraît être des récits d'événements,

---

IV, 3. *265*, 272 : Matth. 15, 24 ; Jn 11, 52 ‖ 283 : Matth. 24, 35 ‖
284 : Après ' putandae sunt ', Koetschau a inséré un passage de
Jérôme, *Lettre* 124, 11

11 (*27* [*23*]). Κέκρυπται δέ, ὡς ἡγούμεθα, ἐν ταῖς
ἱστορίαις ταῦτα. Καὶ γὰρ ἡ βασιλεία τῶν οὐρανῶν ὁμοία
270 ἐστὶ θησαυρῷ κεκρυμμένῳ ἐν τῷ ἀγρῷ, ὃν ὁ εὑρὼν ἔκρυψε
καὶ ἀπὸ τῆς χαρᾶς αὐτοῦ ὑπάγει καὶ πάντα ὅσα ἔχει πωλεῖ
καὶ ἀγοράζει τὸν ἀγρὸν ἐκεῖνον. Καὶ ἐπιστήσωμεν εἰ μὴ
τὸ βλεπόμενον τῆς γραφῆς καὶ τὸ ἐπιπόλαιον αὐτῆς καὶ
πρόχειρον ὁ πᾶς ἐστιν ἀγρὸς πλήρης παντοδαπῶν τυγχάνων
275 φυτῶν, τὰ δὲ ἐναποκείμενα καὶ οὐ πᾶσιν ὁρώμενα ἀλλ᾽ ὥσπε-
ρεὶ ὑπὸ τὰ βλεπόμενα φυτὰ κατορωρυγμένα οἱ θησαυροὶ
τῆς σοφίας καὶ γνώσεως ἀπόκρυφοι, οὕστινας τὸ πνεῦμα
διὰ τοῦ Ἡσαΐου σκοτεινοὺς καὶ ἀοράτους καὶ ἀποκρύφους
καλεῖ, δεομένους ἵν᾽ εὑρεθῶσι, θεοῦ τοῦ μόνου δυναμένου

IV, 3. 273 ἐπιπόλεον B Pat ǁ 277 τῆς *ante* γνώσεως *add.* Pat Bas DH
ǁ 279 δεομένους ἵν᾽ εὑρεθῶσι *om.* Pat Bas DH

290 in Aegyptum uel captiuari in Babyloniam uel in his ipsis
regionibus quidam quidem humiliari nimis et sub seruitio
effici dominorum, alii uero in ipsis captiuitatis locis clari
ac magnifici habiti sunt, ita ut et potestates et principatus
tenuerint regendisque populis praefuerint : quae omnia, ut
295 diximus, abscondita et celata in scripturae sanctae historiis
conteguntur, quia et *regnum caelorum simile est thesauro
absconso in agro, quem cum inuenerit homo abscondit et
prae gaudio eius uadit et omnia quaecumque habet uendit et
emit agrum illum.* In quo diligentius considera, si non hoc
300 indicatur, quod solum ipsum et superficies, ut ita dixerim,
scripturae, id est quod secundum litteram legitur, ager est
repletus et florens omnium generum plantariis, ille uero
altior et profundior spiritalis intellectus ipsi sunt *thesauri
sapientiae et scientiae absconditi*, quos spiritus sanctus per
305 Esaiam *obscuros et inuisibiles et absconditos thesauros*
uocat ; qui ut inueniri possint, dei adiutorio opus est, qui

IV, 3. 290 captiuare g ǁ 292 captiuitatis locis : captiuitatibus g ǁ
293 sunt habiti g ǁ 299 hoc *om.* g ǁ 305 et² *om.* g

**Pour trouver
le sens spirituel
on a besoin de l'aide
de Dieu**

3, 11 (*27* [*23*]). Mais tout cela est caché, pensons-nous, dans ces récits. Car *le royaume de Dieu est semblable à un trésor caché dans un champ. Celui qui le trouve le recache et, plein de joie, s'en va vendre tout ce qu'il a pour acheter ce champ.* Demandons-nous[63] si l'ensemble du champ plein de toutes sortes de plantes ne serait pas ce qui dans l'Écriture est visible, superficiel et obvie, et si ce qu'il contient, qui n'est pas vu de tous, mais est en quelque sorte enfoui sous les plantes visibles, ne serait pas les trésors cachés de la sagesse et de la connaissance que l'Esprit, par l'intermédiaire d'Isaïe, appelle ténébreux, invisibles et cachés. Pour les trouver on a

---

comme la descente en Égypte[62e] ou la captivité à Babylone, lieux où les uns[62f] ont été profondément abaissés et sont devenus esclaves de maîtres et où les autres, dans les endroits mêmes où ils étaient captifs, sont devenus illustres et très grands jusqu'à avoir en mains le pouvoir et le commandement et à être préposés au gouvernement des peuples. Tout cela, comme nous l'avons dit, est recouvert et caché dans les récits de l'Écriture sainte, car : *Le royaume des cieux est semblable à un trésor caché dans un champ. Celui qui le trouve le recache et, plein de joie, s'en va vendre tout ce qu'il a pour acheter ce champ.* Considère avec soin, s'il n'est pas indiqué par là que le champ rempli et florissant de toute sorte de plantes serait, pour ainsi dire, le sol même et la surface de l'Écriture, ce qui est lu selon la lettre, et que *les trésors cachés de la sagesse et de la connaissance* que l'Esprit Saint, par l'intermédiaire d'Isaïe, appelle *obscurs, invisibles et cachés* figureraient l'intelligence spirituelle plus haute et plus

---

IV, 3. 291 : Ps. 37, 9 ‖ *269*, 296 : Matth. 13, 44 ‖ *276*, 303 : Col. 2, 3 ‖ *278*, 305 : Is. 45, 3.2

280 τὰς κρυπτούσας αὐτοὺς χαλκᾶς πύλας συντρίψαι καὶ τοὺς
σιδηροῦς ἐπικειμένους ταῖς θύραις μοχλοὺς συνθλάσαι,
ἵν' εὑρεθῇ πάντα τὰ ἐν τῇ Γενέσει περὶ τῶν διαφόρων
ἀληθινῶν ψυχῆς γενῶν καὶ οἰονεὶ σπερμάτων, ἐγγύς που
τοῦ Ἰσραὴλ ἢ πόρρω τυγχανόντων, καὶ ἡ εἰς Αἴγυπτον
285 κάθοδος τῶν ἑβδομήκοντα ψυχῶν, ὅπως ἐκεῖ γένωνται
ὡσεὶ τὰ ἄστρα τοῦ οὐρανοῦ τῷ πλήθει. Ἀλλ' ἐπεὶ οὐ
πάντες οἱ ἐξ αὐτῶν φῶς εἰσι τοῦ κόσμου (οὐ γὰρ πάντες
οἱ ἐξ Ἰσραὴλ οὗτοι Ἰσραήλ), γίνονται ἐκ τῶν ἑβδομήκοντα
καὶ ὡσεὶ ἄμμος ἢ παρὰ τὸ χεῖλος τῆς θαλάσσης ἢ ἀναρίθμητος.

IV, 3. 280 πύλας : θύρας B ‖ 282 περὶ om. B ‖ 287 ἐξ αὐτῶν (cf.
Ruf.) : ἐξ αὐτοῦ B

---

solus potest portas aereas, quibus clausi sunt et absconditi,
confringere et seras ferreas uectesque comminuere, quibus
prohibetur ingressus perueniendi ad ea omnia, quae in
310 Genesi de diuersis animarum generibus scripta sunt et
obtecta, et de his seminibus ac generationibus, quae uel
ad propinquitatem pertinent Israhel uel quae ab eius
progenie longius segregantur ; sed et quae sit illa descensio
in Aegyptum septuaginta animarum, quae septuaginta
315 animae fiant in Aegypto *sicut sidera caeli in multitudine.*
Sed quia non omnes, qui ex ipsis erant, lumen sunt huius
mundi *(non enim omnes, qui ex Israhel, hi Israhel sunt)*, ex
ipsis septuaginta animabus fiunt aliqui et *sicut arena, quae
est ad oram maris innumerabilis.*
320   12 (24). Quae descensio patrum sanctorum in Aegyptum,
id est in hunc mundum, uideri poterit ad inluminationem
ceterorum atque ad humani generis instructionem a
prouidentia dei esse concessa, ut per eos ceterae animae

IV, 3. 317 hi *om.* AAbS ‖ 321 id est *om.* g

besoin de Dieu[64], le seul qui puisse briser les portes d'airain qui les cachent et casser les verrous de fer apposés à ces portes, afin de trouver ce qui est écrit dans la *Genèse* au sujet des différentes races ou, pour ainsi dire, semences véritables des âmes, proches ou éloignées d'Israël, et la descente en Égypte des soixante-dix âmes pour devenir *aussi nombreuses que les astres du ciel*[65]. Mais puisque tous ceux qui sortent d'elles ne sont pas lumière du monde — *car tous ceux qui viennent d'Israël ne sont pas Israël* —, les descendants des soixante-dix deviennent *comme le sable qui est le long du rivage de la mer et est impossible à compter*[66].

---

profonde. Pour les trouver, on a besoin de l'aide de Dieu, le seul qui puisse briser les portes d'airain qui les emprisonnent et les cachent et casser les verrous et les barres de fer qui empêchent de parvenir à tout ce qui est écrit dans la *Genèse*, de façon cachée, au sujet des différentes races des âmes, de leurs semences et de leurs générations, celles qui appartiennent au voisinage d'Israël ou celles qui sont plus éloignées de sa descendance ; et de comprendre ce que signifie la descente en Égypte des soixante-dix âmes qui vont devenir à cet endroit *aussi nombreuses que les astres du ciel*. Mais, puisque tous ceux qui sortent d'elles ne sont pas lumière du monde — *car tous ceux qui viennent d'Israël ne sont pas Israël* —, quelques descendants des soixante-dix âmes deviennent *comme le sable qui est le long du rivage de la mer et est impossible à compter*.

Applications à l'Israël spirituel de ce qui est dit de l'Israël corporel **3,** 12 (*24*). Cette descente des saints Pères en Égypte, c'est-à-dire dans ce monde, pourra sembler accordée par la providence de Dieu à l'illumination des autres et à l'instruction du genre humain, afin que les

---

IV, 3. *282*, 310 : Gen. 10 ; 11 ; 25 ; 36 ; 46 ‖ *286*, 315 : Deut. 10, 22 ‖ *286-289*, 316-319 : Hébr. 11, 12 (Gen. 15, 5 ; 22, 17) ‖ *287*, 317 : Matth. 5, 15 ; Rom. 9, 6

inluminatae iuuarentur. *Ipsis enim primis concessa sunt*
325 *eloquia dei*, quoniam solum istud est genus, quod uidere
dicitur deum ; hoc enim Israhelis nomen significat inter-
praetatum. Iam uero consequens est ut secundum haec
aptari debeat et interpraetari illud, quod decem plagis
Aegyptus uerberatur, ut dei populum permittat exire,
330 uel ea, quae in deserto cum populo geruntur, uel quod ex
conlatione omnis populi tabernaculum construitur uel
indumentum sacerdotale contexitur, uel de uasis ministerii
quaecumque dicuntur, quia uere, sicut scriptum est,
umbram in se formamque caelestium continent. Manifeste
335 enim Paulus ait de illis quia *umbrae et exemplari deseruiunt*
caelestium. In hac eadem lege nihilominus continetur
etiam, quibus legibus quibusque institutionibus in terra
sancta uiuendum sit. Sed et comminationes positae sunt
his, qui praeuaricati fuerint legem ; necnon et his, qui
340 purificatione indigebant, diuersa purificationum genera,
uelut qui frequentius essent polluendi, traduntur, ut per
haec tandem ad illam unam purificationem ueniant, post
quam pollui ultra non liceat.

Sed et ad numerum populus ipse deducitur, licet non
345 omnes ; pueriles namque animae nondum tempus habent
ex diuino praecepto numerari, sed ne illae quidem animae,
quae non possunt fieri alterius caput, sed ipsae subiectae
sunt aliis uelut capiti, quas mulieres scriptura nominauit,
quae utique non adducuntur in numerum illum, qui a deo
350 praecipitur, sed illi soli numerantur, qui uiri appellantur,
quo scilicet ostenderetur non eas posse extrinsecus numerari, sed in his, qui uiri appellantur, etiam ipsas conprae-

---

IV, 3. 343 licet g ‖ 348 scriptura *om.* g

IV, 3. 324 : Rom. 3, 2 ‖ 328 : Ex. 7-11 ‖ 330 : Ex. 19 s. ‖ 331 : Ex. 25
‖ 332 : Ex. 28 ‖ 334 : Ex. 30, 17 s. ‖ 335 : Hébr. 8, 5 ‖ 338 : Lév. 26
‖ 340 : Lév. 12 s. ‖ 342 : Hébr. 9, 12 ‖ 345 : Nombr. 1 ; 3 ; 4 ; 26

autres âmes soient aidées par cette illumination[67]. *Ils sont les premiers à qui ont été accordées les paroles de Dieu*, parce que seuls ils sont la race qui est dite voir Dieu[68] : c'est ce que signifie le nom d'Israël quand on le traduit. Logiquement nous devons expliquer et interpréter[69] par cette signification les dix plaies qui frappent l'Égypte pour qu'elle permette au peuple de Dieu de sortir, ou ce qui arrive au peuple dans le désert, ou la construction du tabernacle et le tissage du vêtement du grand-prêtre avec la contribution de tout le peuple, ou tout ce qui est dit des vases servant au culte, puisque vraiment, comme c'est écrit, tout cela contient l'ombre et la figure des réalités célestes. Paul dit clairement d'eux qu'*ils servent l'ombre et l'image des réalités célestes*. Dans cette même loi sont contenues encore toutes les lois et tous les enseignements dont on vivra dans la terre sainte[70]. Mais des menaces sont aussi exprimées pour ceux qui auront transgressé la loi ; de même sont décrits, pour ceux qui avaient besoin de purification, divers genres de purifications, comme s'il devait leur arriver assez fréquemment de se souiller, afin que, par là, ils arrivent enfin à cette seule purification après laquelle il n'est plus possible de se souiller[71].

Mais le peuple est aussi recensé[72], non tout entier cependant, car les âmes infantiles n'ont pas encore l'âge nécessaire pour cela selon le précepte divin, et c'est le cas aussi de ces âmes qui ne peuvent devenir la tête d'une autre, mais qui sont soumises elles-mêmes à d'autres comme à leur tête, les âmes que l'Écriture a appelées femmes : elles ne sont pas comprises dans le recensement ordonné par Dieu, mais seuls sont recensés ceux qui sont appelés hommes ; cela montre que les âmes féminines ne peuvent pas être recensées séparément, mais qu'elles sont comprises dans celles qui sont appelées des hommes.

hendi. Praecipue tamen ad sanctum numerum ueniunt
hi, qui parati sunt ad Israhelitica bella procedere, qui
355 possunt aduersum illos hostes inimicosque bellare, quos
sedenti a dextris suis filio subicit pater, ut destruat omnem
principatum ac potestatem : ut per hos militum suorum
numeros, qui deo militantes non se inplicant negotiis
saecularibus, aduersarii regna subuertat ; a quibus scuta
360 fidei circumferantur et sapientiae tela uibrentur, et in
quibus spes salutis galea coruscet ac lorica caritatis deo
plenum muniat pectus. Tales mihi quidam uidentur milites
indicari et ad huiuscemodi bella praeparari hi, qui in
diuinis libris per dei praeceptum numerari iubentur.
365 Horum uero multo clariores perfectioresque designantur
illi, quorum etiam capilli capitis dicuntur esse numerati.
Illi sane, qui puniti sunt pro peccatis, quorum corpora
ceciderunt in deserto, similitudinem uidentur habere
eorum, qui profecerant quidem non parum, sed ad finem
370 perfectionis peruenire minime potuerunt diuersis ex causis :
quod uel murmurasse uel idola coluisse uel fornicati esse
dicuntur uel tale aliquid, quale utique non liceret mente
concipere.

Sed ne illud quidem sacramento aliquo uacuum puto,
375 quod quidam multa pecora et multa animalia habentes
praeueniunt et praeripiunt locum aptum pastibus et
nutrimentis pecorum, quem primum omnium Israhelitici
belli dextra defenderat. Quem locum a Moyse deposcentes,
ultra Iordanis fluenta separantur atque a terrae sanctae
380 possessione secernuntur. Qui Iordanes uideri potest

IV, 3. 353 et *ante* praecipue *add.* A ǁ 361 spes AB : spei GM
spei et AbS ǁ 362 quidam mihi GM quidem mihi AbS ǁ 372 cogi-
tasse *post* aliquid *add.* GM *Koe* ǁ 377 omnium : omni A^{ac} omnis
A^{pc}

IV, 3. 353-359 Praecipue — subuertat : Jérôme, *Lettre* 124, 11
ǁ 356 : Éphés. 1, 20.22 ; I Cor. 15, 27.24 ǁ 358 : II Tim. 2, 4 ǁ

Viennent cependant[73] au premier rang dans ce recensement sacré ceux qui sont prêts à soutenir les guerres d'Israël, qui peuvent combattre contre ces forces hostiles et ennemies que le Père a soumises au Fils siégeant à sa droite pour qu'il détruise toute principauté et puissance ; ainsi, par ces formations de soldats qui sont siens et, militant pour Dieu, ne se mêlent pas des affaires séculières, il bouleverse les royaumes de l'adversaire. Ils portent autour d'eux les boucliers de la foi[74], brandissant les traits de la sagesse ; sur eux brillent le casque de l'espérance dans le salut et la cuirasse de la charité protège leur poitrine pleine de Dieu. Tels sont les soldats qui me semblent ainsi indiqués, et ainsi sont préparés à ce genre de guerre ceux qui reçoivent l'ordre de se faire recenser dans les livres saints. Mais parmi eux sont désignés comme beaucoup plus insignes et parfaits ceux dont il est dit que même les cheveux de leur tête sont comptés[75]. Quant à ceux qui ont été punis pour leurs péchés et dont les corps sont tombés dans le désert, ils paraissent symboliser ceux qui ont accompli des progrès appréciables sans pouvoir aller jusqu'au bout dans la perfection pour diverses causes : pour avoir murmuré, vénéré des idoles, forniqué, comme le dit l'Écriture, ou pour autre chose qu'il n'est pas permis à l'intelligence de concevoir.

Mais voici un point que je ne pense pas sans mystère : quelques-uns possédant beaucoup de bestiaux et d'animaux précèdent les autres et s'emparent de lieux propres aux pâturages et à la nourriture des bêtes, le premier territoire que l'armée israélite avait revendiqué par la guerre. Ils le demandent à Moïse et ainsi ils se séparent[76] de l'autre côté des flots du Jourdain et s'excluent de la possession de la Terre sainte. Ce Jourdain[77] peut être

---

359-362 : Éphés. 6, 16 ; I Thess. 5, 8 ‖ 366 : Matth. 10, 30 ‖ 367-373 : Nombr. 11 ; 14 ; 17 ; 21 ; Ex. 32 ; Nombr. 25 ‖ 374-382 : Nombr. 32

secundum caelestium formam rigare et inundare animas
sitientes et sensus adiacentes sibi. Vbi ne illud quidem
otiosum uidebitur, quod Moyses quidem audit a deo ea,
quae in Leuitici lege descripta sunt, populus uero in Deute-
385 ronomio auditor Moyseos efficitur et ab illo discit ea, quae
a deo audire non potuit. Propterea enim uelut secunda lex
Deuteronomium dicitur, quod nonnullis significare uidebitur hoc ipsum, quod, cessante lege prima, quae per
Moysen data est, uideatur secunda legislatio deformari,
390 quae specialiter a Moyseo traditur Iesu, successori eius ;
qui utique formam seruare creditur saluatoris nostri, cuius
secunda lege, id est praeceptis euangelicis, ad perfectum
omnia perducuntur.

13 (*25*). Sed uidendum est ne forte magis illud indicare
395 uideatur, quod sicut in Deuteronomio euidentior et mani-
festior legislatio declaratur quam in his, quae primo
scripta sunt, ita et ab eo aduentu saluatoris, quem in
humilitate conpleuit, cum formam serui suscepit, clarior
ille et gloriosior secundus in gloria patris eius indicetur
400 aduentus, et in illo forma Deuteronomii conpleatur, cum
in regno caelorum sancti omnes aeterni illius euangelii
legibus uiuent ; et sicut nunc adueniens legem repleuit
eam, quae umbram habet futurorum bonorum, ita et per
illum gloriosum aduentum inplebitur et ad perfectum
405 deducetur huius aduentus umbra. Ita enim dixit propheta
de eo : *Spiritus uultus nostri Christus dominus, cuius
diximus quia in umbra eius uiuemus in gentibus*, cum
scilicet ab euangelio temporali dignius omnes sanctos ad

IV, 3. 381 formas A ‖ 383 uidetur g ‖ 389 uidetur A ‖ 399 in
gloriam A ‖ 405 deducetur A : perducetur gB *Koe* adducetur *Del* ‖
406 cui Ab

IV, 3. 381 : Hébr. 8, 5 ‖ 384 : Deut. 5 s. ‖ 388 : Jn 1, 17 ‖ 389 :
Deut. 31 ‖ 398 : Phil. 2, 7 ‖ 399 : Matth. 16, 27 ‖ 401 : Apoc. 14, 6

considéré, en tant que symbole des réalités célestes, comme celui qui arrose et inonde les âmes assoiffées et les intelligences qui sont proches de lui. A cet endroit ne paraît pas être sans raison le fait que Moïse a entendu de Dieu ce qui est raconté dans la loi du *Lévitique*, mais que le peuple dans le *Deutéronome* est devenu auditeur de Moïse et a appris de lui ce qu'il n'a pu entendre de Dieu[78]. C'est pourquoi le *Deutéronome* a reçu le nom de seconde loi ; certains penseront que lorsque a cessé la première, donnée par l'intermédiaire de Moïse, une seconde législation semble s'être formée, qui a été confiée spécialement par Moïse à Jésus (Josué) son successeur : ce dernier symbolise, à ce qu'on croit, notre Sauveur, dont la seconde loi, c'est-à-dire les préceptes de l'Évangile, conduit toutes choses à leur perfection.

Le Deutéronome, figure de l'Évangile éternel

3, 13 (*25*). Il faut voir si par là n'est pas indiqué ce qui suit : de même que le *Deutéronome* promulgue une législation plus nette et plus claire que celle qui avait d'abord été rédigée, de même, par rapport à la venue du Sauveur, celle qu'il a accomplie dans l'humilité lorsqu'il a pris la forme de l'esclave, une seconde venue plus éclatante et plus glorieuse, dans la gloire du Père, est indiquée, et alors sera réalisée l'image que donne le *Deutéronome*, quand tous les saints vivront dans le royaume des cieux selon les lois de cet Évangile éternel[79]. De même que[80] dans sa venue d'ici-bas il a accompli la loi qui possédait l'ombre des biens futurs, de même dans cette venue glorieuse il réalisera et mènera à sa perfection l'ombre de cette venue. C'est ainsi que le prophète parle de lui : *Le souffle de notre visage, le Christ Seigneur, dont nous avons dit : A son ombre nous vivrons parmi les nations,* puisqu'il transférera tous les saints d'une manière plus

---

‖ 402-410 et sicut — designauit : Jérôme, *Lettre* 124, 12 ; Justinien, Mansi IX, 532 ‖ 403 : Hébr. 10, 1 ‖ 406 : Lam. 4, 20

aeternum euangelium transferet, secundum quod Iohannes
410 in Apocalypsi de aeterno euangelio designauit.

14 (*26*). Verum in his omnibus sufficiat nobis sensum
nostrum regulae pietatis aptare et ita sentire de sancti
spiritus uerbis, quod non secundum humanae fragilitatis
eloquium nitet sermo conpositus, sed sicut scriptum est :
415 *Omnis gloria regis intrinsecus est*, et diuinorum sensuum
thesaurus intra fragile uasculum uilis litterae continetur
inclusus. Porro autem si quis curiosius explanationem
singulorum requirat, ueniat et nobiscum pariter audiat
quomodo Paulus apostolus per spiritum sanctum, qui
420 perscrutatur etiam profunda dei, altitudinem diuinae
sapientiae ac scientiae scrutans nec tamen ad finem et,
ut ita dixerim, ad intimam cognitionem praeualens
peruenire, desperatione rei et stupore proclamat et dicit :
O altitudo diuitiarum sapientiae et scientiae dei. Et quam
425 desperatione perfectae conpraehensionis haec proclama-
uerit, audi ipsum dicentem : *Quam inscrutabilia sunt
iudicia dei, et quam inuestigabiles uiae eius.* Non enim
dixit difficile posse scrutari iudicia dei, sed omnino non
posse ; nec dixit difficile inuestigari posse uias eius, sed
430 non posse inuestigari. Quantumcumque enim quis scrutando promoueat et studio intentiore proficiat, gratia
quoque dei adiutus sensumque inluminatus, ad perfectum
finem eorum, quae requiruntur, peruenire non poterit.
Nec omnis mens, quae creata est, possibile habet ullo
435 genere conpraehendere, sed ut inuenerit aliquantulum ex

IV, 3. 420 diuinae : diuina A diuitiarum Pa ‖ 422 cogitationem g
‖ 424 quam *codd.* Pa : qua *corr. Del, quem Koe secutus est* ‖ 425
desperationem BAbSPa (MAbS) ‖ 430 scrutando APa : in scrutando
cett. codd. Koe ‖ 432 sensumque APa(M)^ac : sensusque B sensuque
gPa (*uel* sensimque)

IV, 3. 409 : Apoc. 14, 6 ‖ 415 : Ps. 44, 14 ‖ 416 : II Cor. 4, 7 ‖

digne de l'Évangile temporel à l'Évangile éternel, selon le nom que lui donne Jean dans l'*Apocalypse*[81].

Impossible de parvenir à la connaissance parfaite des réalités divines

3, 14 (*26*). Mais, en tout cela, qu'il nous suffise de conformer notre intelligence à la règle de piété[82] et de penser de l'Esprit Saint que sa parole n'est pas composée avec l'élégance des discours qui relèvent de la fragilité humaine[83], mais que, comme il est écrit : *Toute la gloire du roi est à l'intérieur*[84], le trésor des significations divines est contenu et enfermé dans le vase fragile de la lettre vile. Mais si quelqu'un est plus curieux et demande l'explication des détails, qu'il vienne entendre avec nous comment l'apôtre Paul[85], scrutant les profondeurs de la divine sagesse et de la divine connaissance, avec l'aide de l'Esprit Saint qui scrute même les profondeurs de Dieu, et n'ayant pas la force d'en venir à bout et de parvenir, pour ainsi dire, à une connaissance intime, désespère d'y arriver et s'exclame dans sa stupeur : *Ô profondeur des richesses de la sagesse et de la connaissance de Dieu !* Et combien il désespère, dans cette exclamation, d'atteindre à la compréhension parfaite, on l'apprend de ces paroles : *Combien les jugements de Dieu sont impossibles à scruter et ses voies à suivre à la trace !* Il ne dit pas en effet qu'il est difficile de pouvoir scruter les jugements de Dieu, mais qu'on ne le peut pas du tout ; il ne dit pas qu'il est difficile de suivre ses voies à la trace, mais qu'on ne peut pas le faire. On peut, certes, avancer dans cet examen, on peut y progresser en s'y appliquant de plus en plus intensément, par la grâce de Dieu qui illumine l'intelligence[86], mais on ne pourra atteindre parfaitement la fin de ce qu'on recherche. Aucune intelligence créée n'a la possibilité de parvenir à une connaissance absolue, mais, dès qu'elle trouve

419-475 Paulus — in saecula : Pamphile, *Apologie, PG* 17, 569 C ‖ 419 : I Cor. 2, 10 ‖ 424, 426 : Rom. 11, 33 ‖ 432 : Éphés. 1, 18

his, quae quaeruntur, iterum uidet alia, quae quaerenda
sunt ; quodsi et ad ipsa peruenerit, multo iterum plura
ex illis, quae requiri debeant, peruidebit. Propter quod et
sapientissimus Salomon naturam rerum per sapientiam
440 contuens ait : *Dixi : sapiens efficiar ; et ipsa sapientia longe
facta est a me, longe plus quam erat ; et altitudinem profundam
quis inueniet?* Sed et Esaias sciens rerum initia a natura
mortali inueniri non posse, sed ne ab his quidem naturis,
quae quamuis diuiniores sint quam humana est, factae
445 tamen et ipsae sunt uel creatae : sciens ergo quod a nulla
harum neque initium neque finis inueniri potest, ait :
*Priora quae fuerint dicite, et sciemus quia dii estis ; uel
nouissima quae sunt adnuntiate, et tunc uidebimus quia dii
estis.* Nam et hebraeus doctor ita tradebat : pro eo quod
450 initium omnium uel finis non posset ab ullo conpraehendi
nisi tantummodo a domino Iesu Christo et ab spiritu
sancto, aiebat per figuram uisionis Esaiam dixisse duos
Seraphin solos esse, qui duabus quidem alis operiunt
faciem dei, duabus uero pedes, et duabus uolant clamantes
455 ad inuicem sibi et dicentes : *Sanctus sanctus sanctus
dominus Sabaoth, plena est uniuersa terra gloria tua.* Quod
ergo sola Seraphin utraque alas suas habent in facie dei
et in pedibus eius, audendum est pronuntiare quod neque
exercitus sanctorum angelorum neque sanctae sedes neque
460 dominationes neque principatus neque potestates scire
possunt integre initium omnium et fines uniuersitatis.
Sed intellegendum est sanctos istos, quos adnumerauit,
spiritus et uirtutes proximas quidem esse ipsis initiis et
attingere tantum, quantum consequi non ualent reliqui :
465 uerumtamen quodcumque illud est, quod reuelante filio
dei ac spiritu sancto didicerint istae uirtutes, quam

IV, 3. 447 quae fuerint : atque fuerit A ‖ scimus GM ‖ 452
aiebat *codd.* : idcirco aiebat Pa *Koe* ‖ 457 utrasque AbS

quelque chose de ce qu'elle cherche, elle en voit d'autres qui sont à chercher ; et si elle parvient à ces dernières, elle en verra de bien plus nombreuses qui seront encore à chercher[87]. C'est pourquoi le très sage Salomon, contemplant dans sa sagesse la nature des choses, dit : *J'ai dit : Je deviendrai sage. Et cette sagesse s'est éloignée de moi, plus qu'elle ne l'était avant. Qui trouvera l'immensité de sa profondeur?* Et Isaïe, sachant que les débuts des choses ne peuvent être trouvés par une nature mortelle, même pas par ces natures qui, bien plus divines que l'humaine, ont cependant elles-mêmes été faites et créées, sachant donc qu'aucune d'elle ne peut trouver ni le début ni la fin, dit : *Dites ce qui fut avant et nous saurons que vous êtes des dieux ; annoncez ce qu'il y aura en dernier lieu et nous verrons que vous êtes des dieux.* Car un docteur hébreu[88] expliquait cela ainsi : le début et la fin de toutes choses ne peuvent être compris par personne, si ce n'est seulement par le Seigneur Jésus-Christ et par l'Esprit Saint, et c'est pourquoi Isaïe disait sous forme de vision que les deux Séraphins sont les seuls qui de deux ailes couvrent la face de Dieu[89], de deux autres les pieds et de deux ailes volent en se criant l'un à l'autre : *Saint ! Saint ! Saint ! le Seigneur Sabaoth, toute la terre est pleine de ta gloire !* Puisque les deux Séraphins seuls ont leurs ailes sur la face de Dieu et sur ses pieds, il faut avoir l'audace d'affirmer que ni les armées des saints anges, ni les saints Trônes, Dominations, Principautés et Puissances ne peuvent connaître intégralement le début de tout et la fin de l'univers[90]. Mais il faut comprendre que ces saints esprits et puissances ici mentionnés sont proches de ces débuts et en perçoivent plus que les autres ne peuvent le faire ; cependant quel que soit ce qu'ont appris ces puissances sur la révélation du Fils de Dieu ou de l'Esprit Saint, quelle que soit la

IV, 3. 440 : Eccl. 7, 24 s. ‖ 447 : Is. 41, 22 s. ‖ 452-456 : Is. 6, 2 s. ‖ 459 : Lc 2, 13 ; Col. 1, 16 ‖ 465 : Matth. 11, 27 ; I Cor. 2, 10

plurima quidem adsequi poterunt et multo plura priores
inferioribus, omnia tamen conpraehendere inpossibile eis
est, quia scriptum est : *Quam plurima ex operibus dei in*
470 *secretis sunt.*

Vnde et optabile est ut pro uiribus se unusquisque
semper extendat ad ea quae priora sunt, ea quae retrorsum
sunt obliuiscens, tam ad opera meliora, quam etiam ad
sensum intellectumque puriorem per Iesum Christum,
475 saluatorem nostrum, cui est gloria in saecula.

15 (*27*). Omnis ergo, cui ueritatis cura est, parum de
nominibus et sermonibus curet, quia et per singulas gentes
diuersae uerborum consuetudines habentur ; et hoc magis,
quod significatur, quam qualibus uerbis significetur,
480 intendat, praecipue in tam magnis et tam difficilibus
rebus ; sicut cum requiritur, uerbi causa, si sit aliqua
substantia, in qua neque color neque habitus neque tactus
neque magnitudo intellegenda sit, mente sola conspicabilis,
quam prout uult quis ita et nominat ; nam Graeci eam
485 ἀσώματον, id est incorpoream, dixerunt, diuinae uero
scripturae inuisibilem nominarunt, quia apostolus deum
inuisibilem esse pronuntiat : imaginem enim inuisibilis dei
dicit esse Christum. Sed et rursum per Christum creata
dicit esse omnia, uisibilia et inuisibilia. Per quod declaratur
490 esse etiam in creaturis quasdam inuisibiles secundum
proprietatem suam substantias. Sed hae quamuis ipsae
non sint corporeae, utuntur corporibus, licet ipsae sint
corporea substantia meliores. Illa uero substantia trinitatis,
quae principium est et causa omnium, ex qua omnia et

IV, 3. 480 intendat : intuendum est A ‖ 484 et nominat : innomi-
nat A ‖ 486-487 nominarunt — inuisibilem *om.* g ‖ 486 deum B :
dominum A ‖ 489 esse dicit A ‖ 492 sint[2] : sunt A ‖ 493 melioris A

IV, 3. 469 : Sir. 16, 21 ‖ 471 : Phil. 3, 14 ‖ 473 : Tite 3, 8.6 ‖
474 Rom. 16, 27 ‖ 476 : I Tim. 1, 4 ‖ 486-489 : Col. 1, 15 s. ‖ 494 :
Rom. 11, 36

quantité de connaissances qu'elles ont pu atteindre, certes
beaucoup plus grande pour les puissances supérieures que
pour les inférieures, il leur est cependant impossible de
comprendre tout, puisqu'il est écrit : *La plus grande
partie des œuvres de Dieu reste cachée.*

C'est pourquoi il est souhaitable que chacun dans la
mesure de ses forces tende à ce qui est devant, oubliant
ce qui est en arrière, qu'il s'agisse des œuvres meilleures
ou aussi d'une intelligence et compréhension plus pure,
par Jésus-Christ notre Sauveur à qui appartient la gloire
pour les siècles[91].

Ne pas s'attacher aux mots, mais à leur signification : le mot *incorporel* — **3,** 15 (*27*). Tout homme qui se
soucie de vérité[92] ne doit guère
s'occuper des mots et des paroles,
car dans chaque nation il y a des
usages divers concernant les mots[93] ;
il doit porter plutôt son attention sur ce qui est signifié que
sur les mots qui le signifient, surtout quand il s'agit de réalités si hautes et si difficiles[94]. Par exemple, lorsqu'on se
demande s'il existe une substance à laquelle on ne peut
attribuer ni couleur ni forme ni toucher ni grandeur, une
substance que seule l'intelligence peut percevoir et que chacun nomme comme il veut : car les Grecs l'ont appelée *asô-
maton*, c'est-à-dire incorporelle, tandis que les divines
Écritures la disent invisible[95], puisque l'Apôtre affirme que
Dieu est invisible : il dit en effet que le Christ est l'image du
Dieu invisible. Mais il dit pareillement que par le moyen
du Christ tout a été créé, le visible et l'invisible. Il affirme
par là qu'il y a parmi les créatures des substances invisibles
selon leur nature propre. Mais ces dernières, quoique non
corporelles, se servent cependant de corps[96], bien qu'elles
soient supérieures à la nature corporelle. Mais la substance
de la Trinité, principe et cause de toutes choses, de laquelle

495 per quam omnia et in qua omnia, neque corpus esse neque
in corpore esse credenda est, sed ex toto incorporea.

Verum haec per excessum quendam, rei tamen ipsius
consequentia commonitos breuiter dixisse sufficiat ad
ostendendum id, quod sunt quaedam, quorum significatio
500 proprie nullis omnino potest humanae linguae sermonibus
explicari, sed simpliciore magis intellectu quam ullis
uerborum proprietatibus declaratur. Ad quam regulam
etiam diuinarum litterarum intellegentia retinenda est,
quo scilicet ea, quae dicuntur, non pro uilitate sermonis,
505 sed pro diuinitate sancti spiritus, qui eas conscribi inspi-
rauerit, censeantur.

IV, 3. 502 declaratur A : declarantur gB ‖ 505-506 inspirauit g

et dans laquelle tout existe, il faut croire qu'elle n'est pas un corps, ni dans un corps, mais totalement incorporelle[97].

Tout cela nous l'avons dit brièvement, comme par digression, menés par la suite logique du développement : cela suffit à montrer qu'il y a des réalités dont la signification ne peut être expliquée adéquatement par aucun mot d'un langage humain, mais qui sont affirmées plutôt par un acte plus simple de l'intelligence que par les expressions les plus exactes. Cette règle aussi doit guider la compréhension des divines Écritures, afin d'estimer ce qui est dit non d'après le peu de valeur du style, mais selon la divinité de l'Esprit Saint qui en a inspiré la rédaction[98].

IV, 3. 500 : I Cor. 2, 4

4. Anacefaleosis de patre et filio et spiritu sancto ceterisque, quae superius dicta sunt

1 *(28)*. Tempus est iam decursis his, prout potuimus, quae supra dicta sunt, nunc commonitionis gratia eorum, 5 quae sparsim diximus, recapitulare singula et primo omnium de patre et filio et spiritu sancto repetere. Deus pater cum et inuisibilis sit et inseparabilis a filio, non per prolationem ab eo, ut quidam putant, generatus est filius. Si enim prolatio est filius patris, prolatio uero dicitur quae 10 talem significat generationem, qualis animalium uel hominum solet esse progenies, necessario corpus est et is, qui protulit, et is, qui prolatus est. Non enim dicimus, sicut haeretici putant, partem aliquam substantiae dei in filium uersam, aut ex nullis substantibus filium procreatum 15 a patre, id est extra substantiam suam, ut fuerit aliquando quando non fuerit ; sed absciso omni sensu corporeo, ex inuisibili et incorporeo deo uerbum et sapientiam genitam dicimus absque ulla corporali passione, uelut si uoluntas procedat e mente. Nec absurdum uidebitur, cum dicatur

IV, 4. 3 iam : etiam B *om.* Pa ‖ prout potuimus *om.* Pa ‖ 4 quae supra dicta sunt : quae de patre et filio et spiritu sancto disseruimus Pa ‖ 4-6 nunc — repetere : de his quoque quae a nobis relicta fuerant pauca repetere Pa ‖ 7 inuisibilis : indiuisibilis *corr. Klostermann et alii, conferentes* ἀμέριστος *Marcelli Ancyrani : sed* inuisibilis *praebent omnes codd. Rufiniani et Pamphili et Anonymi ad Ianuar.: qua re rectius Koe reputauit Rufinum legisse* ἀόρατος *pro* ἀμέριστος ‖ 13 partem : patrem gA^ac

Récapitulation sur le Père, le Fils l'Esprit Saint et les autres points qui ont été traités plus haut (**IV, 4**)

Le Fils engendré par le Père spirituellement et de toute éternité

4, 1 (*28*). Le moment est venu[1], après avoir parcouru selon nos forces tout ce qui a été dit plus haut, de récapituler en guise de rappel chacun des points que nous avons traités séparément et d'abord de revenir sur le Père, le Fils et l'Esprit Saint. Puisque Dieu le Père est invisible[2] et inséparable de son Fils, il n'a pas engendré le Fils par prolation[3] comme certains le pensent. En effet si le Fils est une prolation du Père, comme ce mot de prolation exprime une génération semblable au mode ordinaire de reproduction des animaux ou des hommes, il faut nécessairement que celui qui a mis au jour et celui qui a été mis au jour soient corps. Nous ne disons donc pas, comme le pensent les hérétiques, qu'une partie de la substance de Dieu se soit changée en fils[4] ou que le Fils a été procréé par le Père à partir de rien[5], c'est-à-dire en dehors de sa substance[6], de telle sorte qu'il fut un moment où il n'était pas, mais nous disons, en supprimant toute signification corporelle, que la Parole et Sagesse est née du Père invisible et incorporel, sans que rien ne se produise corporellement, comme la volonté procède de l'intelligence[7]. Il ne paraîtra pas absurde, puisqu'il est

---

IV, 4. 3-12 : Tempus est — prolatus est : texte grec chez Marcel d'Ancyre, fragment 32, d'après Eusèbe, *Contra Marcellum*, I, 4 ; latin dans Pamphile, *Apol.*, *PG* 17, 582

20 filius caritatis, si hoc modo etiam uoluntatis putetur. Sed
et Iohannes indicat quia deus lux est, et Paulus designat
quia filius splendor lucis aeternae sit. Sicut ergo numquam
lux sine splendore esse potuit, ita nec filius quidem sine
patre intellegi potest, qui et figura expressa substantiae
25 eius et uerbum et sapientia dicitur. Quomodo ergo potest
dici quia fuit aliquando, quando non fuerit filius? Nihil
enim aliud est dicere nisi quia fuit aliquando, quando
ueritas non erat, quando sapientia non erat, quando uita
non fuerit, cum in his omnibus perfecte dei patris substantia
30 censeatur. Non enim ab eo dirimi haec uel ab eius possunt
umquam substantia separari. Quae quidem quamuis
intellectu multa esse dicantur, re tamen et substantia
unum sunt, in quibus plenitudo est deitatis.

Hoc autem ipsum quod dicimus, quia numquam fuit
35 quando non fuit, cum uenia audiendum est. Nam et haec
ipsa nomina temporalis uocabuli significantiam gerunt, id
est quando uel numquam ; supra omne autem tempus et
supra omnia saecula et supra omnem aeternitatem intellegenda sunt ea, quae de patre et filio et spiritu sancto
40 dicuntur. Haec enim sola trinitas est, quae omnem sensum
intellegentiae non solum temporalis, uerum etiam aeternalis
excedit. Cetera uero, quae sunt extra trinitatem, in saeculis
et in temporibus metienda sunt. Hunc igitur filium dei
secundum hoc, quod uerbum est deus, qui erat in principio
45 apud deum, nemo consequenter putabit in loco aliquo
contineri, neque secundum quod sapientia est neque
secundum quod ueritas est neque secundum quod uita est

IV, 4. 23 nec : ne GM et B ‖ 25 ergo *om.* g ‖ 27 dicere nisi *codd.* :
nisi dicere *corr. Koe* id dicere nisi *Del* ‖ 29 fuerit *codd.* : erat *Koe,*
secutus Anonymum ad Ianuar. ‖ 32 re : se GM^ac set AbS ‖ 44 qui :
quod *Del om.* g

IV, 4. 20-29 Sed et — non fuerit : Justinien, Mansi IX, 525 ;
Athanase, *De decretis nicaenae synodi,* 27 ‖ 21 : I Jn 1, 5 ‖ 21 :
Hébr. 1, 3 ‖ 24 : Hébr. 1, 3 ‖ 33 : Col. 2, 9 ‖ 33 : Après ' deitatis ',

appelé fils de la charité[8], de penser qu'il est pareillement
fils de la volonté[9]. Mais Jean indique aussi que Dieu est
lumière, et Paul montre que le Fils est le rayonnement
de la lumière éternelle. De même que jamais la lumière
n'a pu exister sans son rayonnement, de même le Fils ne
peut être compris sans le Père, lui qui est appelé l'empreinte
et l'expression de sa substance, sa Parole et sa Sagesse.
Comment peut-il être dit qu'il fut un moment où le Fils
n'aurait pas été[10] ? Cela revient à dire qu'il fut un moment
où la Vérité n'aurait pas été, où la Sagesse n'aurait pas été,
où la Vie n'aurait pas été[11], alors que dans tous ces aspects
est dénombrée parfaitement la substance du Père. Ils
ne peuvent pas être séparés de lui et ne peuvent jamais
être séparés de sa substance. Bien qu'on dise qu'ils sont
multiples sous le regard de l'intelligence, ils sont un par
leur substance[12] et en eux se trouve la plénitude de
la divinité[13].

**Quand il s'agit
de Dieu
tout vocabulaire
temporel et local
est inadéquat**

Notre affirmation qu'il n'y a jamais
eu un temps où le Fils n'était pas
doit être entendue avec indulgence[14].
Car ces mots eux-mêmes portent la
signification d'un vocabulaire tempo-
rel, un *quand* et un *jamais* ; or c'est par-delà tout temps,
tout siècle et toute éternité[15] qu'il faut entendre ce qui est
dit du Père, du Fils et de l'Esprit Saint. C'est la Trinité
seule qui dépasse toute signification qu'on puisse comprendre de caractère non seulement temporel, mais éternel :
car les autres êtres, en dehors de la Trinité, sont à mesurer
par siècles et par temps[16]. En conséquence, personne ne
pensera que ce Fils de Dieu, en tant qu'il est le Dieu-Parole
qui était dans le principe auprès de Dieu, soit contenu
dans un lieu quelconque[17], ni en tant qu'il est Sagesse, ni
en tant qu'il est Vérité, ni en tant qu'il est Vie, Justice,

Koetschau a mis un fragment d'Athanase, *De decr. nic. syn.*, 27 ‖ 44 :
Jn 1, 1 s.

uel iustitia uel sanctificatio uel redemptio ; haec enim
omnia non indigent loco, ut agere quid uel operari possint,
50 sed pro his, qui uirtutis eius inoperationisque participant,
haec singula intellegenda sunt.

2 (*29*). Si uero quis dicet per eos, qui participes sunt
uerbi dei uel sapientiae eius uel ueritatis uel uitae, etiam
ipsum uerbum et sapientiam uideri in loco esse, respon-
55 dendum est ei quia dubium non est quod Christus secundum
quod uerbum et sapientia est uel cetera omnia, erat in
Paulo, propter quod dicebat : *Aut experimentum quaeritis
eius, qui in me loquitur Christus?* et iterum : *Viuo autem
iam non ego, uiuit uero Christus in me.* Tunc ergo cum
60 esset in Paulo, quis dubitabit quod similiter erat et in
Petro et in Iohanne et in singulis quibusque sanctorum,
et non solum in his, qui in terris sunt, uerum et in his,
qui in caelis sunt? Absurdum namque est dicere quia in
Petro quidem et in Paulo erat Christus, in Michahelo uero
65 archangelo et in Gabrihelo non erat. Ex quo manifeste
depraehenditur quia diuinitas filii dei non in loco aliquo
concludebatur, alioquin in ipso tantum fuisset et in altero
non fuisset ; sed secundum incorporeae naturae maiestatem
cum a nullo loco concludatur, in nullo rursum deesse
70 intellegitur. Verum illa sola intellegenda est differentia,
quod etiamsi sit in diuersis, sicut diximus in Petro uel
Paulo uel Michahelo uel Gabrihelo, non tamen similiter
est in uniuersis. Plenius enim et clarius et, ut ita dixerim,
apertius est in archangelis quam in aliis sanctis uiris. Quod
75 ex eo manifestum est, quia cum ad summam perfectionem
uenerint sancti quique, dicuntur similes angelis effici uel

IV, 4. 48 iustitia : iustificatio A ‖ 59 uero : ergo A ‖ 60 in paulo
BMᵖᶜ : in paulum g cum paulo A ‖ 64 inerat A ‖ 70 differentia intellegenda est g

IV, 4. 52 : Hébr. 3, 14 ‖ 57 : II Cor. 13, 3 ‖ 58 : Gal. 2, 20 ‖ 76 :
Matth. 22, 30 ; Lc 20, 36

Sanctification, Rédemption : car toutes ces dénominations du Fils n'ont pas besoin de lieu pour faire ou opérer quelque chose, mais il faut comprendre chacune d'elles en fonction de ceux qui participent à sa puissance et à son opération.

Le Verbe se trouve partout, bien que de façon diverse   **4, 2** (*29*). Si quelqu'un disait que, par l'intermédiaire de ceux qui participent[18] à la Parole de Dieu, ou à sa Sagesse, sa Vérité et sa Vie, la Parole et la Sagesse mêmes paraissent être dans un lieu, il faut répondre que sans aucun doute le Christ, en tant que Parole, Sagesse et les autres dénominations, se trouvait dans Paul, et c'est pourquoi ce dernier disait : *Ou bien cherchez-vous une preuve de celui qui parle en moi, le Christ?* et de même : *Ce n'est plus moi qui vis, c'est le Christ qui vit en moi.* Mais alors, lorsqu'il était en Paul, peut-on douter qu'il se trouvait pareillement en Pierre, en Jean et dans chacun des saints, et pas seulement dans ceux qui sont sur terre, mais aussi dans ceux qui sont dans les cieux ? Il est absurde en effet de dire que le Christ était en Pierre et en Paul, mais non dans l'archange Michel ou dans Gabriel. On saisit là clairement que la divinité du Fils n'était pas enfermée dans un lieu, autrement il aurait été seulement en celui-ci et non en un autre ; mais, puisqu'il n'est pas enfermé dans un lieu selon la majesté de la nature incorporelle[19], il faut comprendre qu'il ne manque aussi à aucun. La seule différence qu'il faille remarquer est que, bien qu'il soit en des êtres divers, en Pierre ou Paul ou Michel ou Gabriel comme nous l'avons dit, il n'est pas de la même façon en tous. Il se trouve plus pleinement, plus glorieusement, et pour ainsi dire plus ouvertement dans les archanges que dans les autres hommes saints[20]. Cela est clair, puisque, lorsque tous les saints seront arrivés au sommet de la perfection, on dit qu'ils seront faits semblables aux anges[21] et égaux

aequales secundum euangelicam sententiam. Vnde constat
in singulis quibusque tantum effici Christum, quantum
ratio indulserit meritorum.

80   3 (*30*). His igitur nobis de trinitatis ratione breuiter
repetitis, consequens est etiam illud pariter admonere,
quod per filium *creata* dicuntur *omnia, quae in caelis sunt
et quae in terra, uisibilia et inuisibilia, siue throni siue
dominationes siue principatus siue potestates; omnia per
85 ipsum et in ipso creata sunt, et ipse est ante omnes, et omnia
illi constant, qui est caput.* Quibus consonat etiam Iohannes
in euangelio et dicit quia *omnia per ipsum facta sunt, et
sine ipso factum est nihil.* Dauid uero totius trinitatis
mysterium in uniuersorum conditione significans ait :
90 *Verbo domini caeli firmati sunt, et spiritu oris eius omnis
uirtus eorum.*

Post haec uero conpetenter admonebimus de aduentu
corporali et incarnatione unigeniti filii dei : in quo non ita
sentiendum est, quod omnis deitatis eius maiestas intra
95 breuissimi corporis claustra conclusa est, ita ut omne
uerbum dei et sapientia eius ac substantialis ueritas ac
uita uel a patre diuulsa sit uel intra corporis illius coercita
et circumscripta breuitatem, nec usquam praeterea putetur
operata ; sed inter utrumque cauta pietatis debet esse
100 confessio, ut neque aliquid deitatis in Christo defuisse
credatur, et nulla penitus a paterna substantia, quae
ubique est, facta putetur esse diuulsio. Tale namque
aliquid etiam baptistes Iohannes indicat, cum corporaliter
absente Iesu dicebat ad turbas : *Medius uestrum stat quem
105 uos nescitis, qui post me uenit, cuius non sum dignus soluere*

IV, 4. 80 ratione : fide B *Anonym. ad Ianuar.* ‖ 89 uniuersorum :
uniuerso mundo A^ac uniuersi mundi A^pc ‖ 94 intra : ita g ‖ 97 coercita :
constricta B ‖ 98 breuitate AGM ‖ 105 cui A

IV, 4. 82 : Col. 1, 16 s. ‖ 87 : Jn 1, 3 ‖ 90 : Ps. 32, 6 ‖ 104 : Jn
1, 26 s.

à eux, selon la parole évangélique. C'est pourquoi il est clair que le Christ est formé en chacun selon que le permet la mesure de ses mérites.

4, 3 (*30*). Maintenant que nous

La création a été faite par le Fils sommes brièvement revenus sur la manière d'être de la Trinité, il nous faut ensuite rappeler également qu'il est dit que par le Fils[22] *tout a été créé, tout ce qui est au ciel et tout ce qui est sur terre, le visible et l'invisible, les Trônes, Dominations, Principautés et Puissances ; tout a été créé par lui et en lui, et il est avant tous, et toutes choses existent en lui qui est la tête.* Avec cela concorde ce que dit Jean dans son *Évangile* que *tout a été fait par lui et sans lui rien n'a été fait.* Et David, exprimant le mystère de toute la Trinité dans la création de l'univers, dit : *Les cieux ont été affermis par la Parole du Seigneur et toute leur puissance par l'Esprit de sa bouche*[23].

Après cela, nous rappellerons dû-

La divinité du Fils n'est pas limitée par l'incarnation ment la venue corporelle et l'incarnation du Fils Unique de Dieu. Il ne faut pas comprendre que toute la gloire de sa divinité a été enfermée dans l'enceinte d'un tout petit corps[24], de sorte que toute la Parole de Dieu, sa Sagesse, sa Vérité qui est substance, sa Vie, ont été arrachés au Père et ont été contraints de se circonscrire dans la petitesse de ce corps, sans qu'on puisse penser que par la suite ils aient aussi agi ailleurs ; mais la profession de foi doit se garder prudemment de deux excès : de croire d'une part que quelque chose de la divinité aurait manqué dans le Christ et de penser par ailleurs qu'il se serait produit comme un arrachement[25] de la substance du Père qui est partout. Car Jean le Baptiste exprime aussi quelque chose de semblable lorsqu'il disait aux foules, alors que Jésus était absent corporellement : *Au milieu de vous se tient celui que vous ignorez, qui est venu après moi et dont je ne*

corrigiam calciamentorum. Quod utique dici non poterat
de eo, qui absens erat, quantum ad corporalem praesentiam
pertinet, quia medius staret eorum, inter quos corporaliter
non aderat. Vnde ostenditur quia et in corpore totus et
110 ubique totus aderat filius dei.

4 (*31*). Ne qui tamen nos existimet per haec illud adfir-
mare, quod pars aliqua deitatis filii dei fuerit in Christo,
reliqua uero pars alibi uel ubique ; quod illi sentire possunt,
qui naturam substantiae incorporeae atque inuisibilis
115 ignorant. Inpossibile namque est de incorporeo partem
dici aut diuisionem aliquam fieri ; sed in omnibus et per
omnia et super omnia est, eo modo quo superius diximus,
id est quod uel sapientia uel uerbum uel uita uel ueritas
intellegitur, per quem intellectum omnis sine dubio
120 conclusio localis excluditur. Volens igitur filius dei pro
salute humani generis apparere hominibus et inter homines
conuersari, suscepit non solum corpus humanum, ut
quidam putant, sed et animam, nostrarum quidem animarum similem per naturam, proposito uero et uirtute similem
125 sibi et talem, qualis omnes uoluntates et dispensationes
uerbi ac sapientiae indeclinabiliter posset implere. Quod
autem habuerit animam, manifestissime in euangeliis
designat ipse saluator dicens : *Nemo tollit a me animam
meam, sed ego pono eam abs me. Potestatem habeo ponendi*
130 *eam, et iterum potestatem habeo adsumendi eam*, et rursum :
Tristis est anima mea usque ad mortem, et iterum : *Nunc
anima mea turbata est.* Neque enim tristis et turbata anima
uerbum dei intellegendum est, quod ex auctoritate deitatis

VI, 4. 106 *post* calciamentorum *add.* eius A ‖ 109 aderat : erat
A ‖ 109-110 unde — aderat *om.* g ‖ 118 quod AAbS : quo BGM
Koe ‖ 126 possit g ‖ 130 sumendi B *Anonym. ad Ianuar.*

VI, 4. 116 : Éphés. 1, 22 s. ‖ 126 : Après ' implere ', Koetschau a
supposé une lacune à cause de Justinien, Mansi IX 506 D, mais
sans raison suffisante ‖ 128 : Jn 10, 18 ‖ 131 : Matth. 26, 38 ‖ Jn

suis pas digne de dénouer la courroie des chaussures. Il ne pouvait pas dire de quelqu'un qui était absent en ce qui concerne sa présence corporelle qu'il se tenait au milieu d'eux, alors qu'il n'était pas là corporellement[26]. Cela montre que le Fils de Dieu était présent tout entier dans son corps et tout entier partout.

Le Fils ne se divise pas : sa présence en son âme humaine **4,** 4 *(31)*. On ne doit pas penser que nous affirmons ainsi qu'il y avait dans le Christ une partie de la divinité du Fils de Dieu, le reste se trouvant ailleurs ou partout : ceux qui peuvent penser ainsi ignorent la nature de la substance incorporelle et invisible. Il est impossible de parler d'une partie de l'incorporel ou qu'il y ait en lui une division ; mais il est en tout et à travers tout et au-dessus de tout, de la manière indiquée plus haut[27], c'est-à-dire qu'il est compris comme Sagesse, Parole, Vie et Vérité, compréhension qui exclut sans aucun doute qu'il soit enfermé dans un lieu. Donc le Fils de Dieu, voulant se montrer aux hommes et vivre parmi eux pour le salut du genre humain, a reçu non seulement, comme certains le pensent, un corps humain, mais aussi une âme[28], semblable par sa nature aux nôtres, mais semblable à lui, le Fils, par son propos et sa vertu, de façon qu'elle puisse accomplir sans aucune défaillance toutes les volontés et tous les desseins[29] de la Parole et de la Sagesse. Qu'il ait[30] possédé une âme, le Sauveur lui-même l'affirme très clairement dans les Évangiles : *Personne ne m'enlève mon âme, mais c'est moi qui la dépose de moi-même. J'ai le pouvoir de la déposer et j'ai le pouvoir de la reprendre.* Et pareillement : *Mon âme est triste jusqu'à la mort.* Ou encore : *Maintenant mon âme est troublée.* Il ne faut pas entendre[31] dans cette âme triste et troublée la Parole de Dieu, qui dit par contre avec l'autorité de la

---

12, 27 ‖ 132-134 Neque enim — meam : grec chez Théodoret, *Éranistès*, II, 4 ; latin dans Théophile, d'après Jérôme, *Lettre* 98, 16

dicit : *Potestatem habeo ponendi animam meam.* Nec tamen
135 ita dicimus fuisse filium dei in illa anima, sicut fuit in
anima Pauli uel Petri ceterorumque sanctorum, in quibus
Christus similiter ut in Paulo loqui creditur. Sed de illis
omnibus illud sentiendum est, quod scriptura dicit quia
nemo mundus a sorde, nec si unius diei fuerit uita eius.
140 Haec uero anima, quae in Iesu fuit, priusquam *sciret*
malum, elegit bonum; et quia *dilexit iustitiam et odiit*
iniquitatem, propterea unxit eam deus oleo laetitiae prae
participibus suis. Oleo ergo laetitiae ungitur, cum uerbo
dei inmaculata foederatione coniuncta est et per hoc sola
145 omnium animarum peccati incapax fuit, quia filii dei bene
et plene capax fuit ; ideoque et unum cum ipso est atque
eius uocabulis nuncupatur et Iesus Christus appellatur, per
quem omnia facta esse dicuntur.

De qua anima, quoniam totam in se sapientiam dei et
150 ueritatem uitamque receperat, etiam illud arbitror dixisse
apostolum, quod ait quoniam *uita uestra abscondita est*
cum Christo in deo; cum autem Christus apparuerit, uita
uestra, tunc et uos cum ipso apparebitis in gloria. Quis
enim alius hic intellegendus est Christus, qui in deo abscon-
155 ditus dicitur et postea appariturus nisi ille, qui oleo
laetitiae unctus refertur, id est substantialiter deo repletus,
in quo nunc absconditus dicitur ? Propterea enim et
omnibus credentibus ad exemplum Christus exponitur,
quia sicut ille semper et antequam sciret omnino malum
160 elegit bonum et dilexit iustitiam atque odio habuit iniquitatem, et propterea unxit eum deus oleo laetitiae : ita et
unusquisque uel post lapsum uel post errorem expurget se

IV, 4. 141 odit AAbS ‖ 142 eam : eum A ‖ 151-153 uestra ...
uestra : nostra ... nostra AbS

IV, 4. 134 : Jn 10, 18 ‖ 139 : Job 14, 4 s. ‖ 140 : Is. 7, 15 s. ‖
141 : Ps. 44, 8 ‖ 146 : ideoque — cum ipso est : grec chez Théodoret,
Éranistès, II, 4 ; latin dans Théophile, d'après Jérôme, *Lettre* 98,
16 ‖ 147 : Col. 1, 16 ‖ 151 : Col. 3, 3 s. ‖ 159 s. : Is. 7, 15 s. ; Ps. 44, 8

divinité : *J'ai le pouvoir de déposer mon âme.* Nous ne
disons pas non plus que le Fils de Dieu se soit trouvé
dans cette âme comme il fut dans les âmes de Paul, de
Pierre ou des autres saints, dans lesquels on croit que le
Christ a parlé comme en Paul[32]. Mais de tous ceux-ci il
faut penser ce que dit l'Écriture : *Personne n'est pur de
souillure, même si sa vie n'a duré qu'un jour*[33]. Mais au
contraire l'âme qui fut en Jésus, avant de *connaître le
mal, a choisi le bien ;* et parce qu'*elle a aimé la justice et
haï l'iniquité, à cause de cela Dieu l'a ointe de l'huile
d'allégresse plus que ses compagnes.* Elle a été ointe de l'huile
d'allégresse lorsqu'elle fut jointe à la Parole de Dieu par
une union sans tache et, à cause de cela, seule de toutes
les âmes, elle a été incapable de pécher, puisqu'elle a
contenu le Fils de Dieu d'une manière bonne et pleine ;
c'est pourquoi[34] elle est un avec lui, on la nomme des mêmes
vocables que lui et on l'appelle Jésus-Christ, par qui, dit
l'Écriture, tout a été fait.

C'est de cette âme, parce qu'elle avait reçu en elle toute
la Sagesse de Dieu, toute sa Vérité et sa Vie, que l'Apôtre,
à mon avis, a dit : *Votre vie est cachée avec le Christ en
Dieu ; lorsque le Christ, votre vie, sera apparu, alors vous
aussi vous apparaîtrez avec lui dans la gloire*[35]. Que faut-il
entendre ici par le Christ qui est montré caché en Dieu
et devant apparaître, sinon celui qui, comme on le rapporte,
a été oint de l'huile d'allégresse, c'est-à-dire a été rempli,
dans sa substance même[36], de Dieu, dans lequel on le dit
maintenant caché ? C'est pourquoi le Christ est donné en
exemple à tous les croyants, puisque toujours, et avant
même de connaître, le moins que ce soit, le mal, il a choisi
le bien, aimé la justice et haï l'iniquité et, pour cette raison,
fut oint par Dieu de l'huile d'allégresse ; ainsi, que celui
qui a péché ou erré se purifie de ses taches selon l'exemple

a maculis exemplo proposito, et habens itineris ducem
arduam uiam uirtutis incedat ; ut si forte per hoc in
165 quantum fieri potest per imitationem eius participes
efficiamur diuinae naturae, sicut scriptum est quia *qui*
dicit se Christo credere, debet, sicut ille ambulauit, et ipse
ambulare. Hoc ergo uerbum et haec sapientia, per cuius
imitationem uel sapientes uel rationabiles dicimur, omnibus
170 fit omnia, ut omnes lucri faciat, et fit infirmis infirmus,
ut infirmos lucri faciat, et quia infirmus efficitur, propter
hoc dicitur de eo : *Etiamsi crucifixus est ex infirmitate,*
sed uiuit ex uirtute dei. Denique Corinthiis, qui infirmi
erant, Paulus nihil se iudicat scire inter ipsos nisi Iesum
175 Christum, et hunc crucifixum.

5 (*32*). Quidam autem uolunt de ipsa anima dictum
uideri, cum primum de Maria corpus adsumit, etiam illud,
quod apostolus dicit : *qui cum in forma dei esset, non*
rapinam arbitratus est esse se aequalem deo, sed semet ipsum
180 *exinaniuit, formam serui accipiens,* quo eam sine dubio in
formam dei melioribus exemplis et institutionibus repa-
raret atque in eam plenitudinem, unde se exinaniuerat,
reuocaret.

Sicut autem participio filii dei quis in filios adoptatur
185 et participio sapientiae in deo sapiens efficitur, ita et
participio spiritus sancti sanctus et spiritalis efficitur.
Vnum enim atque idem est spiritus sancti participium
sumere, quod est patris et filii, quippe cum una et incorporea natura sit trinitatis. Ea uero, quae de participatione
190 animae diximus, simili ratione ut de animabus, ita etiam
de angelis et caelestibus sunt intellegenda uirtutibus,
quoniam omnis rationabilis creatura participio indiget
trinitatis.

IV, 4. 170 ut *post* infirmis *add.* GAbS ‖ 180 quo : cum g ‖ 186 sanctus et : spiritus et GM *om.* AbS ‖ 189 ea uero quae AB : uero quae
GM^{ac} quae uero AbSM^{pc} ‖ 192 participatio GM participatione AbS

proposé et que, l'ayant pour guide de sa route, il avance sur le dur chemin de la vertu, pour que par là, dans la mesure du possible, nous soyons faits en l'imitant participants de la nature divine, selon ce qui est écrit : *Celui qui dit qu'il croit au Christ doit se conduire comme lui il s'est conduit.* Donc cette Parole (Raison) et cette Sagesse, que nous imitons quand nous sommes dits sages ou raisonnables, se fait toutes choses à tous[37] pour les gagner tous : il devient faible avec les faibles pour gagner les faibles. Et parce qu'il est devenu faible, il est dit de lui : *Même s'il a été crucifié par faiblesse, il vit cependant de la force de Dieu.* En fait, parmi les Corinthiens qui étaient faibles, Paul juge qu'il ne connaît rien quand il est avec eux, sinon *Jésus-Christ et encore crucifié.*

La « kénose » de l'âme humaine du Christ

4, 5 (*32*). Certains[38] veulent appliquer à l'âme elle-même, lorsqu'elle a pris un corps de Marie, ce que dit l'Apôtre : *Alors qu'il était sous la forme de Dieu, il n'a pas pensé que ce fut un vol d'être égal à Dieu, mais il s'est anéanti lui-même, prenant la forme de l'esclave,* afin sans aucun doute de la restaurer en forme de Dieu par des exemples et des préceptes meilleurs et de la ramener dans la plénitude d'où elle s'était anéantie[39].

Participation à la Trinité

De même que la participation du Fils de Dieu[40] fait de nous des fils adoptifs et que la participation de la Sagesse nous rend sages en Dieu, de même la participation du Saint Esprit nous rend saints et spirituels. C'est une seule et même chose de participer au Saint Esprit et de participer au Père et au Fils, puisqu'une et incorporelle est la nature de la Trinité[41]. Ce que nous avons dit de la participation de l'âme, il faut l'entendre de même des anges et des puissances célestes[42], puisque toute créature raisonnable a besoin de participer à la Trinité.

IV, 4. 166 : I Jn 2, 6 ‖ 169 : I Cor. 9, 22 ‖ 172 : II Cor. 13, 4 ‖ 173 : I Cor. 2, 2 ‖ 178 : Phil. 2, 6 s.

Sed et mundi huius uisibilis ratio, quoniam uel maxima
195 etiam de hoc haberi quaestio solet, qualiter se habeat,
prout potuimus in superioribus diximus pro his, qui in
fide nostra etiam credendi rationem perquirere solent, et
pro his, qui haeretica aduersum nos certamina commouent
et materiae nomen, quod ne ipsi quidem adhuc quale sit
200 intellegere potuerunt, solent frequentius uentilare ; de quo
necessarium puto etiam nunc breuiter commonere.

6 (*33*). Et primo quidem sciendum est quod nomen
ipsum materiae pro ea substantia, quae subesse corporibus
dicitur, positum in scripturis canonicis nusquam usque ad
205 praesens inuenimus. Illud enim quod dicit Esaias : *Et*
comedet sicut faenum ὕλην, id est materiam, dicens de eis,
qui in suppliciis constituti sunt, materiam posuit pro
peccatis. Sed et sicubi in alio loco scriptum forte materiae
nomen est, nusquam, ut ego arbitror, hoc, de quo nunc
210 quaerimus, significare inuenietur nisi tantummodo in
Sapientia, quae dicitur Salomonis, qui utique liber non ab
omnibus in auctoritate habetur. Ibi tamen inuenimus
scriptum hoc modo : *Non enim* inquit *deerat omnipotenti*
manui tuae, quae creauerat mundum ex informi materia,
215 *inmittere eis multitudinem ursorum uel feroces leones.* Quam
plurimi sane putant ipsam rerum materiam significari in
eo, quod in principio Genesis scriptum est a Moyse : *In*
principio fecit deus caelum et terram, terra autem erat
inuisibilis et incomposita; inuisibilem namque et incom-
220 positam terram non aliud eis Moyses quam informem
materiam uisus est indicare. Quodsi uere haec est materia,
constat exinde inconuertibilia non esse initia corporum.
Nam hi, qui atomos uel ea, quae in partes uenire non
possunt, uel ea, quae in aequales partes ueniunt, uel unum

IV, 4. 206 comedit g ‖ 210 inuenitur A ‖ 216 rerum ipsam g ‖ 222 non
possunt *post* exinde *add.* A

IV, 4. 205 : Is. 10, 17 ‖ 213 : Sag. 11, 17 ‖ 217 : Gen. 1, 1 s.

Le monde visible Quant à la manière d'être de ce monde visible, dont la nature constitue habituellement un très grand problème, nous en avons parlé plus haut[43], comme nous l'avons pu, pour ceux[44] qui, partageant notre foi, recherchent d'ordinaire des raisons de croire et pour ceux qui soulèvent contre nous des combats au nom des hérésies et ont l'habitude de nous lancer constamment à la face le mot de matière[45], sans avoir jamais pu eux-mêmes comprendre ce qu'il signifie ; je pense donc nécessaire de revenir brièvement sur ce sujet.

4, 6 (*33*). Il faut d'abord savoir que **La matière d'après l'Écriture et la philosophie** nous n'avons nulle part jusqu'à maintenant trouvé dans les Écritures canoniques[46] ce mot de matière pour désigner la substance qu'on considère comme sous-jacente aux corps. Lorsque Isaïe dit : *Et il mangera comme du foin l'hylè*, c'est-à-dire la matière[47], il parle de ceux qui se trouvent dans les supplices et par matière désigne les péchés. Si on trouve dans un autre endroit le mot de matière, nulle part, à mon avis, on ne le voit signifier ce dont nous parlons, excepté seulement dans la *Sagesse* dite *de Salomon*, livre dont l'autorité n'est pas reconnue de tous[48]. On y trouve donc ceci : *Ta main toute-puissante qui avait créé le monde à partir de la matière informe n'était pas embarrassée pour leur envoyer une foule d'ours ou des lions féroces*. Beaucoup pensent, certes, qu'il s'agit de la matière même des choses dans ce qui a été écrit par Moïse au début de la *Genèse : Au début, Dieu fit le ciel et la terre ; la terre était invisible et sans ordre*. Par cette terre invisible et sans ordre[49], Moïse n'a pas semblé indiquer autre chose que la matière informe. S'il s'agit vraiment là de la matière, il s'ensuit que les principes des corps ne sont pas immuables[50]. Car ceux qui ont mis pour principes des choses corporelles les atomes, qu'il s'agisse de ce qui ne peut être divisé ou de ce qui peut l'être en parties

225 aliquod elementum rerum corporalium principia posuerunt,
    nomen materiae, id est quod principaliter materiam
    significat, inter principia statuere non potuerunt. Neque
    enim cum materiam subiciunt omni corpori per omnia
    conuertibilem substantiam uel commutabilem uel diuisi-
230 bilem, extra qualitates eam secundum proprietatem suam
    subicient. Quibus etiam nos adquiescimus, qui omni genere
    abnuimus ingenitam uel infectam dici debere materiam
    secundum haec, quae in prioribus prout potuimus osten-
    dimus, cum etiam ex aqua et terra, aere uel calore per
235 diuersa arborum genera diuersos proferri ostendimus
    fructus, uel cum ignem, aerem, aquam terramque mutari
    in semet ipsa inuicem ac resolui aliud in aliud elementum
    mutua quadam consanguinitate docuimus, sed et cum de
    escis uel hominum uel animalium probauimus substantiam
240 carnis existere uel humorem seminis naturalis in carnem
    solidam ossaque conuerti. Quae omnia documento sunt
    quod substantia corporalis permutabilis sit et ex omni in
    omnem deueniat qualitatem.

    7 (*34*). Verumtamen illud scire oportet, quoniam num-
245 quam substantia sine qualitate subsistit, sed intellectu
    solo discernitur hoc, quod subiacet corporibus et capax
    est qualitatis, esse materia. Quidam ergo altius de his
    uolentes inquirere, ausi sunt dicere nihil aliud esse naturam
    corpoream quam qualitates. Si enim duritia et mollities,
250 calidum et frigidum, humidum et aridum qualitas est, his
    autem uel ceteris huiusmodi amputatis nihil aliud intelle-
    gitur subiacere, uidebuntur qualitates esse omnia. Vnde
    et hi, qui haec adserunt, adseuerare conati sunt ut, quoniam

---

IV, 4. 226 inprincipaliter g ‖ 244 numquam : num GM nullo AbS
‖ 249 qualitatem A ‖ 253 *post* adserunt *lacunam signauit Koe, repu-*
tans hic deesse mirum quoddam *uel quid simile, sed nulla cogente*
ratione, quia sensus sermonis bene fluit etiam sine supplemento

égales[51], ou l'un des quatre éléments[52], n'ont pu placer parmi les principes le mot de matière, c'est-à-dire ce qui définit au premier chef la matière. Et lorsqu'ils font de la matière le substrat de tous les corps, comme une substance convertible, changeable et divisible de toute manière, ils ne pourront le faire selon sa nature propre en faisant abstraction des qualités. Nous acceptons ce qu'ils disent, nous qui refusons de toute manière de dire la matière incréée ou non faite, comme nous l'avons montré plus haut selon nos possibilités[53], lorsque nous avons signalé que les diverses sortes de fruits sont produits par les différentes espèces d'arbres à partir de l'eau et de la terre, de l'air et de la chaleur, et lorsque nous avons enseigné que le feu, l'air, l'eau et la terre se changent l'un dans l'autre, et que chaque élément se résout en un autre par suite d'une parenté réciproque ; pareillement, lorsque nous avons prouvé que chez les hommes et les animaux la substance de la chair tire son existence de la nourriture et que l'humeur de la semence naturelle se change en une chair solide et dans des os. Tout cela nous enseigne que la substance corporelle est transformable et qu'elle passe d'une qualité à l'autre.

La substance matérielle ne se distingue des qualités que par abstraction

4, 7 (*34*). Cependant il faut savoir que jamais la substance ne subsiste sans qualité et que seule l'intelligence discerne que ce qui est le substrat des corps et est capable de recevoir une qualité est la matière. Certains, voulant se livrer à ce sujet à une recherche plus profonde, ont osé dire que la nature corporelle n'est pas autre chose que les qualités. En effet, si la dureté et la mollesse[54], le chaud et le froid, l'humide et le sec, sont des qualités, lorsqu'on les supprime, elles et les autres qualités de même nature, on s'aperçoit qu'il n'y a plus de substrat, alors les qualités paraîtront être tout. C'est pourquoi les partisans de cette thèse[55] ont essayé de soutenir ceci : puisque tous ceux qui admettent

14

omnes, qui materiam infectam dicunt, qualitates a deo
255 factas esse confitentur, inueniatur per hoc etiam secundum
ipsos nec materia esse infecta, si quidem qualitates sint
omnia, quae utique sine contradictione ab omnibus a deo
facta esse pronuntiantur. Hi uero, qui subiacenti cuidam
materiae additas extrinsecus qualitates uolunt ostendere,
260 huiuscemodi utuntur exemplis, uerbi gratia : Paulus sine
dubio aut tacet aut loquitur, aut uigilat aut dormit, uel
certo quo corporis habitu consistit, aut enim sedet aut
stat aut iacet. Haec enim sunt hominibus accidentia, sine
quibus numquam fere inueniuntur. Nec tamen sensus
265 noster de eo manifeste aliquid horum definit, sed ita eum
per haec intellegimus uel consideramus, ut non omni modo
rationem status eius conpraehendamus, uel in eo quod
uigilat uel in eo quod dormit, aut in quo loquitur uel tacet,
et si qua alia sunt, quae accidere necesse est hominibus.
270 Sicut ergo quis Paulum sine his omnibus esse consideret,
quae possunt accidere, ita et id, quod subiacet, quis
intellegere sine qualitatibus poterit. Cum ergo sensus
noster omni qualitate ab intellectu suo remota ipsum
subiacentiae solius, ut ita dixerim, punctum contuetur et
275 ipsi inhaeret, nequaquam respiciens ad duritiam uel
mollitiem uel calidum uel frigidum uel humidum uel
aridum substantiae, tunc simulata quodammodo cogita-
tione his omnibus qualitatibus nudam uidebitur intueri
materiam.
280   8 (*35*). Sed fortasse requirat aliquis, si possumus etiam
de scripturis occasionem aliquam intellegentiae huius
accipere. Videtur mihi tale aliquid significari in psalmis,
cum dicitur a propheta : *Inperfectum tuum uiderunt oculi
mei.* In quo uidetur mens prophetae, rerum initia intuitu

---

une matière incréée reconnaissent que les qualités ont été faites par Dieu, on trouve alors que, même pour eux, la matière elle-même n'est pas incréée, puisque les qualités sont tout, et que tous, sans contradiction, affirment qu'elles ont été faites par Dieu. Mais ceux qui veulent montrer que les qualités sont ajoutées du dehors à une matière sous-jacente, se servent d'exemples du genre suivant[56] : Paul, sans aucun doute, ou se tait ou parle, ou veille ou dort, ou bien il garde une attitude définie du corps, c'est-à-dire ou il est assis ou il se tient debout ou il est couché. Tout cela constitue pour les hommes des caractères accidentels, mais on ne peut presque jamais les trouver sans l'un d'eux. Cependant l'idée que nous avons de l'homme ne définit manifestement aucun de ces caractères, mais nous le comprenons et considérons sans tenir compte en aucune façon de son attitude, qu'il soit en état de veille ou de sommeil, en train de parler ou de se taire, ni des autres circonstances accidentelles auxquelles les hommes sont nécessairement soumis. De même qu'on considère Paul sans aucun de ces caractères accidentels, de même on pourra comprendre le substrat sans les qualités. Lorsque notre intelligence, ayant écarté toute qualité de sa compréhension, contemple le point, si on peut ainsi parler, de la seule substance sous-jacente et s'y attache, sans regarder à la dureté ou à la mollesse, au chaud ou au froid, à l'humide ou au sec qui affectent cette substance, alors, par une sorte de pensée artificielle[57], elle semblera contempler la matière dépouillée de toutes ces qualités.

4, 8 (*35*). Mais on demandera peut-être s'il est possible de trouver dans les Écritures quelque chose qui permette de comprendre cela. Il me semble que c'est indiqué dans les *Psaumes* par cette parole du prophète : *Mes yeux ont vu ton incomplétude*[58]. Il semble que l'intelligence du prophète, examinant les principes des choses avec un regard plus perspicace et

Imperfection de la matière sans les qualités

285 perspicaciore discutiens et materiam sensu solo ac ratione
a qualitatibus diuidens, inperfectum dei sensisse, quod
utique adiectis qualitatibus intellegitur consummatum.
Sed et in libro suo Enoch ita ait : *Ambulaui usque ad
inperfectum*, quod et ipsum puto posse similiter intellegi,
290 quod scilicet ambulauerit mens prophetae perscrutans et
disserens singula quaeque rerum uisibilium, usquequo ad
principium perueniret illud, in quo inperfectam materiam
absque qualitatibus peruideret ; scriptum namque est in
eodem libello, dicente ipso Enoch : *Vniuersas materias
295 perspexi*. Quod utique ita sentitur, quia omnes materiae
diuisiones peruidi, quae ab una in singulas quasque
diremptae sunt species, id est hominis uel animalium uel
caeli uel solis uel omnium, quae in hoc mundo sunt.
    Post haec iam omnia, quae sunt, a deo facta esse, et
300 nihil esse quod factum non sit praeter naturam patris et
filii et spiritus sancti, prout potuimus in superioribus
demonstrauimus, et quod uolens deus, qui natura bonus
est, habere quibus bene faceret et qui adeptis suis beneficiis
laetarentur, fecit se dignas creaturas, id est quae eum
305 digne capere possent, quos et genuisse se filios dicit. Fecit
autem omnia numero et mensura ; nihil enim deo uel sine
fine uel sine mensura est. Virtute enim sua omnia conpraehendit, et ipse nullius creaturae sensu conpraehensus est.
Illa enim natura soli sibi cognita est. Solus enim pater
310 nouit filium, et solus filius nouit patrem, et solus spiritus
sanctus perscrutatur etiam alta dei.

IV, 4. 286 a *om.* B *add. sup. l. ex corr.* A ‖ 290 quo BA^{ac} ‖ 292
uenerit g ‖ 293 peruiderit g ‖ 295 ita sentitur : ista sentiuntur A ‖
304 fecit se : fecisse g

IV, 4. 288 : I Énoch 21, 1 ‖ 294 : II Énoch 40, 1 ‖ 305 : Is. 1,
2 ‖ 307 : après ' mensura est ', Koetschau a mis un fragment de

distinguant avec l'intellect et la raison seuls la matière
des qualités, ait senti en Dieu une incomplétude, qui se
parfait, comme il faut le comprendre, par l'adjonction des
qualités. Dans son livre, Énoch[59] parle ainsi : *J'ai cheminé
jusqu'à ce qui est imparfait ;* on peut le comprendre de
façon semblable : l'intelligence du prophète a cheminé,
scrutant et discutant une à une toutes les choses visibles
jusqu'à parvenir au principe où l'on voit la matière
imparfaite sans ses qualités. Il est en effet écrit dans le
même livre de la bouche d'Énoch : *J'ai considéré toutes
les matières.* C'est à comprendre ainsi : j'ai examiné l'une
après l'autre toutes les divisions de la matière, qui, à
partir de l'unité de la matière, se sont séparées en chaque
espèce, celles des hommes, des animaux, du ciel, du soleil
et de tout ce qui est dans ce monde.

Dieu et sa création   Nous avons ensuite montré, comme
nous l'avons pu, dans les pages
précédentes[60], que tout ce qui est a été fait par Dieu et
que rien n'existe qui n'ait été fait excepté la nature du
Père, du Fils et de l'Esprit Saint ; en outre que Dieu,
qui est bon par nature, voulant avoir des êtres à qui
manifester ses bienfaits, des êtres qui se réjouiraient de
les avoir reçus, a fait des créatures dignes de lui, c'est-à-
dire qui puissent le comprendre dignement : il dit d'elles
qu'il a engendré des fils[61]. Il a fait ainsi toutes choses
avec nombre et mesure[62] : rien en effet n'est pour Dieu
sans limite et sans mesure[63]. Par sa puissance[64], Dieu
comprend toutes choses et lui-même n'est compris par
aucune intelligence créée. Sa nature est connue de lui seul.
Seul en effet le Père connaît le Fils et seul le Fils connaît
le Père et seul le Saint Esprit scrute même les profondeurs
de Dieu.

Justinien, Mansi IX, 525 ‖ 309-311 Illa enim — alta dei : Jérôme,
Lettre 124, 13 ; Justinien, Mansi IX, 525 ‖ 309 : Jn 10, 15 ; 17, 25
‖ 310 : I Cor. 2, 10

Omnis igitur creatura intra certum apud eum numerum
mensuramque distinguitur, id est uel rationabilium
numerum uel mensuram materiae corporalis ; ut quoniam
315 necesse erat uti corporibus intellectualem naturam, quae
et commutabilis et conuertibilis depraehenditur ea ipsa
conditione, qua facta est (quod enim non fuit et esse
coepit, ex hoc ipso naturae mutabilis designatur et ideo
nec substantialem habet uel uirtutem uel malitiam, sed
320 accidentem), quoniam ergo, ut diximus, mutabilis et
conuertibilis erat natura rationabilis, ita ut pro meritis
etiam diuerso corporis uteretur indumento illius uel illius
qualitatis, necessario sicut diuersitates praenoscebat deus
futuras uel animarum uel uirtutum spiritalium, ita etiam
325 naturam corpoream faceret, quae permutatione qualitatum
in omnia, quae res posceret, conditoris arbitrio mutaretur.
Quam tamdiu necesse est permanere, quamdiu permanent
ea, quae eius indigent indumento ; semper autem erunt
rationabiles naturae, quae indigeant indumento corporeo :
330 semper ergo erit et natura corporea, cuius indumentis uti
necesse est rationabiles creaturas ; nisi si quis putat posse
se ullis assertionibus ostendere quod possit natura rationabilis absque ullo corpore uitam degere. Quod quam difficile
sit uel paene inpossibile intellectui nostro, in superioribus
335 singula disserentes ostendimus.

9 (*36*). Puto sane operi huic nostro contrarium non uideri,
si etiam de inmortalitate rationabilium naturarum quam
possumus breuiter repetamus. Omnis, qui participat
alicuius, cum eo, qui eiusdem rei particeps est, sine dubio

Toute créature donc est distinguée
Corporéité auprès de Dieu comme comprise dans
et
condition de créature un nombre ou mesure déterminés,
c'est-à-dire le nombre pour les êtres
raisonnables, la mesure pour la matière corporelle ; il
était nécessaire que la nature intellectuelle se servît de
corps, car on la conçoit comme muable et convertible[65]
par le fait même de sa création — ce qui en effet n'était
pas et a commencé à être, par ce fait même est manifesté
comme ayant une nature muable et c'est pourquoi sa
vertu et sa malice ne sont pas substantielles, mais accidentelles — ; à cause de cette mutabilité et convertibilité
de la nature raisonnable déjà mentionnée, elle devait se
servir selon ses mérites d'un vêtement corporel de nature
diverse, ayant telle ou telle qualité. Pour toutes ces
raisons, nécessairement, Dieu, qui connaissait d'avance
les variations futures des âmes ou des puissances spirituelles, a créé la nature corporelle capable de se transformer
selon la volonté du créateur, par les mutations de ses
qualités, en tous les états que demanderait la situation.
Il faut qu'elle subsiste tout le temps que subsistent les
êtres qui ont besoin d'elle comme vêtement. Or il y aura
toujours des natures raisonnables qui auront besoin de
vêtement corporel : par conséquent il y aura toujours une
nature corporelle dont les créatures raisonnables devront
se servir comme vêtement ; à moins que[66] l'on puisse
montrer avec preuves que la nature raisonnable puisse
vivre sans aucun corps. Nous avons montré plus haut,
en le discutant en détail, combien cela est difficile et
presque impossible à notre intelligence.

4, 9 (*36*). Je pense, certes, qu'il
L'immortalité ne paraît pas contraire à notre travail
des
natures raisonnables de revenir[67] encore, le plus brièvement
possible, sur l'immortalité des natures
raisonnables. Tout être qui participe[68] à quelque réalité
est sans aucun doute d'une seule substance et d'une seule

340 unius substantiae est uniusque naturae. Vt puta omnes
oculi lucis participant, et ideo omnes oculi, qui de luce
participant, unius naturae sunt ; sed licet omnis oculus de
luce participet, tamen quoniam alius acutius, alius obtun-
sius uidet, non omnis oculus aequaliter de luce participat.
345 Et rursum omnis auditus uocem uel sonum recipit, et ideo
omnis auditus unius naturae est ; uerum pro qualitate
puri et sinceri auditus unusquisque uel uelocius audit uel
tardius. Transeamus ergo ab his sensibilibus exemplis ad
intellectualium contemplationem.
350   Omnis mens, quae de intellectuali luce participat, cum
omni mente, quae simili modo de intellectuali luce participat, unius sine dubio debet esse naturae. Si ergo caelestes
uirtutes intellectualis lucis, id est diuinae naturae, per
hoc quod sapientiae et sanctificationis participant, parti-
355 cipium sumunt, et humana anima eiusdem lucis et sapientiae participium sumit, erunt et ista unius naturae secum
inuicem uniusque substantiae ; incorruptae autem sunt et
inmortales caelestes uirtutes : incorrupta sine dubio et
inmortalis erit etiam animae humanae substantia. Non
360 solum autem, sed quoniam ipsa patris et filii et spiritus
sancti natura, cuius solius intellectualis lucis uniuersa
creatura participium trahit, incorrupta est et aeterna,
ualde et consequens et necessarium est etiam omnem
substantiam, quae aeternae illius naturae participium
365 trahit, perdurare etiam ipsam semper et incorruptibilem
et aeternam, ut diuinae bonitatis aeternitas etiam in eo
intellegatur, dum aeterni sunt et hi, qui eius beneficia
consequuntur. Sed sicut percipiendae lucis diuersitas
seruata est in exemplis, cum uel obtunsior uel acutior

IV, 4. 347 uel[1] *om.* g ‖ 354 sanctificationis *Koe* : sanctificationi *codd.*
‖ 356 sumit erunt B : sumit et erunt A sumserunt g ‖ secum : secundum A ‖ 363 et[1] *om.* g ‖ 365 ipsam B : ipsa A *om.* g ‖ 369 acutior : diu-
tior GM clarior AbS

IV, 4. 350-357 Omnis mens — substantiae : Jérôme, *Lettre* 124, 14

nature avec tout autre être participant à la même réalité. Ainsi tous les yeux participent à la lumière, et c'est pourquoi tous les yeux qui participent à la lumière sont d'une seule nature ; mais, bien que tout œil participe à la lumière, cependant l'un voit de façon plus aiguë, l'autre de manière plus floue, et donc tout œil ne participe pas également à la lumière[69]. Pareillement, toute ouïe perçoit la voix ou le son, et c'est pourquoi toute ouïe est d'une seule nature ; mais, selon sa qualité de pureté et de bon état, chaque ouïe entend plus vite ou plus lentement. Passons donc de ces exemples pris aux sens à une réflexion sur les êtres intellectuels.

Toute intelligence[70] qui participe à la lumière intellectuelle doit être sans aucun doute d'une seule nature avec toute autre intelligence qui participe également à la lumière intellectuelle. Si donc les puissances célestes ont participation à la lumière intellectuelle, c'est-à-dire à la nature divine, parce qu'elles participent à la sagesse et à la sanctification, et si l'âme humaine a participation à cette même lumière et à cette même sagesse, les unes et les autres seront d'une seule nature et d'une seule substance. Or les puissances célestes sont incorrompues et immortelles : sans aucun doute la substance de l'âme humaine sera incorrompue et immortelle. Il ne faut pas s'arrêter là[71], mais, puisque la nature même du Père, du Fils et du Saint Esprit, qui est la seule lumière intellectuelle dont toute la création tire sa participation, est incorrompue et éternelle, il est très logique et nécessaire que toute substance qui tire sa participation de cette nature éternelle demeure elle-même toujours incorruptible et éternelle, de sorte que l'éternité de la bonté divine soit perçue aussi dans le fait que sont éternels ceux-là mêmes qui reçoivent ses bienfaits. Mais de même qu'on a vu par des exemples que la lumière est perçue de façon diverse, selon que la vue de celui qui regarde est qualifiée de plus émoussée ou de plus aiguë,

370 obtutus designatus est intuentis : ita etiam de patris ac
filii et spiritus sancti participatione seruanda est pro
intentione sensus uel mentis capacitate diuersitas.

Alioquin consideremus, si non etiam impium uidetur ut
mens, quae dei capax est, substantialem recipiat interitum :
375 tamquam hoc ipsum, quod intellegere deum potest et
sentire, non ei sufficere possit ad perpetuitatem, maxime
cum, etiamsi per neglegentiam decidat mens ne pure et
integre in se recipiat deum, semper tamen habeat in se
uelut semina quaedam reparandi ac reuocandi melioris
380 intellectus, cum ad imaginem et similitudinem dei, qui
creauit eum, interior homo, qui et rationabilis dicitur,
renouatur. Propter quod et propheta dicit : *Reminiscentur*
et conuertentur ad dominum omnes fines terrae, et adorabunt
in conspectu eius omnes patriae gentium.

385 10 (*37*). Si qui uero audet substantialem corruptionem
dare ei, qui secundum imaginem et similitudinem dei
factus est, ut ego puto, etiam in ipsum filium dei causam
impietatis extendit ; imago namque dei etiam ipse appel-
latus est in scripturis. Aut certe accuset qui haec ita uult
390 scripturae auctoritatem, quae dicit ad imaginem dei
factum esse hominem ; in quo et manifeste diuinae imaginis
cognoscuntur indicia, non per effigiem corporis, quae
corrumpitur, sed per animi prudentiam, per iustitiam, per
moderationem, per uirtutem, per sapientiam, per disci-
395 plinam, per omnem denique uirtutum chorum, quae cum
in deo insint per substantiam, in homine possunt esse per
industriam et per imitationem dei, sicut et dominus
designat in euangelio dicens : *Estote misericordes, sicut et*

IV, 4. 370 ac : et GAbS ‖ 373 uideretur g ‖ 375 deum potest : domino
pars est A ‖ 376 possit : posse A ‖ 382 renouatur : reuocatur A ‖
reminiscentur *hic finem faciunt* AbS ‖ 396 in[1] A : *om.* BGM

IV, 4. 380 : Gen. 1, 26 ‖ 381 : Rom. 7, 22 ‖ 382 : Ps. 21, 28 ‖
388 : Col. 1, 15 ‖ 398 : Lc 6, 36 ; Matth. 5, 48

de même, quand il s'agit du Père, du Fils et du Saint Esprit, il faut respecter la diversité[72] dans la manière de participer à eux selon l'intention de la pensée et la capacité de l'intelligence.

D'autre part, considérons s'il ne paraît pas impie de dire que l'intelligence, capable de comprendre Dieu, puisse recevoir la mort dans sa substance : comme si le fait qu'elle puisse comprendre et penser Dieu ne pouvait pas suffire à lui conférer la perpétuité. D'autant plus que, même si l'intelligence peut tomber par négligence[73] au point de ne pouvoir recevoir Dieu en elle avec pureté et intégrité, elle possède cependant toujours en elle comme des semences qui lui permettent de restaurer et de retrouver une meilleure compréhension, puisque l'homme intérieur, dit aussi raisonnable, est renouvelé[74] selon l'image et la ressemblance de Dieu qui l'a créé. C'est pourquoi le prophète dit : *Tous les confins de la terre se souviendront du Seigneur et se tourneront vers lui, et toutes les patries des nations l'adoreront en sa présence.*

4, 10 (*37*). Si quelqu'un ose attribuer une corruption atteignant la substance même à celui qui a été fait à l'image et à la ressemblance de Dieu[75], il étend, à ce que je pense, le motif de son impiété jusqu'au Fils de Dieu lui-même : car le Fils est aussi appelé image de Dieu[76] dans les Écritures. Ou certainement celui qui veut qu'il en soit ainsi, qu'il accuse l'autorité de l'Écriture qui dit que l'homme a été fait à l'image de Dieu. Il est clair que les signes de cette image divine en l'homme peuvent être reconnus, non dans la forme du corps qui se corrompt, mais dans la prudence de l'intelligence, dans la justice, la modération, le courage, la sagesse, l'instruction, bref dans tout le chœur des vertus[77], présentes en Dieu de façon substantielle, en l'homme par son activité et l'imitation de Dieu[78], selon ce que dit le Seigneur dans l'Évangile : *Soyez miséricordieux comme votre Père est miséricordieux,*

La parenté de l'âme avec Dieu

pater uester misericors est et *Estote perfecti, sicut et pater*
400 *uester perfectus est.* Vnde euidenter ostenditur quod in deo
quidem hae omnes uirtutes semper sunt nec umquam
accedere possunt aut recedere, ab hominibus uero paulatim
et singulae quaeque conquiruntur. Vnde et consanguini-
tatem quandam per hoc habere uidentur ad deum ; et cum
405 deus omnia nouerit, et nihil eum rerum intellectualium ex
se lateat (solus enim deus pater et unigenitus filius suus
et spiritus sanctus non solum eorum, quae creauit, uerum
etiam sui scientiam tenet), potest tamen etiam rationabilis
mens proficiens a paruis ad maiora et a uisibilibus ad
410 inuisibilia peruenire ad intellectum perfectiorem. Est enim
in corpore posita, et necessario a sensibilibus, quae sunt
corporea, ad insensibilia, quae sunt incorporea et intellectualia, proficit. Verum ne cui indecenter dictum uideatur
insensibilia esse quae intellectualia sunt, utemur exemplo
415 sententiae Salomonis dicentis : *Sensum quoque diuinum
inuenies.* In quo ostendit non corporali sensu, sed alio
quodam, quem diuinum nominat, ea, quae intellectualia
sunt, requirenda.

Hoc autem sensu intuendum nobis est etiam de his
420 singulis quae supra diximus rationabilibus, et hoc sensu
audienda sunt ista, quae loquimur, et consideranda quae
scribimus. Nam diuina natura etiam taciti quid intra nos
uoluamus, agnoscit. De his autem, quae diximus, uel de
reliquis, quae consequentia sunt, secundum hanc formam,
425 quam supra exposuimus, sentiendum est.

IV, 4. 399 et[1] *om.* AB ‖ 401 haec BG[ac] ‖ 402 accidere BGM ‖ recedere : decidere B ‖ 404 et : ut AB ‖ 411 a *om.* GM ‖ 412 insensibilia
— et *om.* GM ‖ 420 rationibus AB ‖ 422 quid : quidquid *malit Koe
in appar.*

et : *Soyez parfaits comme votre Père est parfait*. Cela montre avec évidence qu'en Dieu toutes ces vertus existent toujours[79], sans pouvoir progresser ni régresser, mais que dans les hommes chacune d'elle est acquise peu à peu. Par là les hommes semblent avoir une certaine parenté[80] avec Dieu ; puisque Dieu connaît tout et qu'aucune réalité intellectuelle ne lui est cachée[81] — en effet Dieu seul, Père, Fils Unique et Saint Esprit, non seulement connaît ce qu'il a créé, mais encore possède la connaissance de lui-même[82] —, l'intelligence raisonnable peut cependant, en progressant du petit jusqu'au plus grand et du visible jusqu'à l'invisible, parvenir à une compréhension plus parfaite. Elle est en effet placée dans un corps et doit progresser des réalités sensibles qui sont corporelles à celles qui ne sont pas sensibles, mais incorporelles et intellectuelles[83]. Mais de peur qu'il ne paraisse pas convenable d'appeler non sensibles les réalités intellectuelles, nous utiliserons comme exemple une affirmation de Salomon : *Tu trouveras aussi une sensibilité divine*[84]. Cela montre que les réalités intellectuelles sont cherchées non avec un sens corporel, mais avec un autre sens appelé divin.

C'est avec ce sens qu'il nous faut aussi contempler chacun de ces êtres raisonnables dont nous avons parlé plus haut, c'est avec ce sens qu'il faut entendre ce dont nous parlons et considérer ce que nous écrivons. Car la nature divine connaît même ce que nous méditons en silence au-dedans de nous. Ce que nous disons et toutes les conséquences qu'on peut en tirer, il faut les juger d'après les principes exposés plus haut[85].

IV, 4. 409 : Col. 1, 16 ‖ 415 : Prov. 2, 5

TABLE DES MATIÈRES

IMPRIMERIE   A.   BONTEMPS

LIMOGES (FRANCE)

Éditeur n° 7180 - Imprimeur n° 1515

Dépôt légal : 1er trimestre 1980